KATHERINE WEBB | Das Haus der vergessenen Träume

Über das Buch

England, 1911. Hester führt mit ihrem Ehemann, dem Pfarrer Albert Canning, ein glückliches und frommes Leben in ihrem Landhaus in dem kleinen Dorf Cold Ash Holt. Doch als sich die Schwüle des Sommers über den Ort zu legen beginnt, wird das Glück der Cannings unwiederbringlich zerstört. Zuerst tritt Cat, ein neues Dienstmädchen mit dunkler Vergangenheit, in das Leben des jungen Ehepaares. Kurz darauf nehmen die Cannings Robin Durrant, einen jungen Fotografen und Theosophen, bei sich auf. Schon bald muss Hester erfahren, wie schmal der Grat zwischen Liebe, Leidenschaft und Verrat ist. Am Ende des Sommers geschieht ein grausames Verbrechen, dessen wahrer Hergang hundert Jahre im Verborgenen bleibt – bis die Journalistin Leah Hickson auf zwei geheimnisvolle Briefe stößt. Ihre Recherchen führen sie nach Cold Ash Holt, in das ehemalige Haus der Cannings. Dort wird Leah nicht nur mit den dunklen Geheimnissen einer versunkenen Zeit konfrontiert, sondern muss sich auch den Gespenstern ihrer eigenen Vergangenheit stellen.

Über die Autorin

Katherine Webb, geboren 1977, wuchs im ländlichen Hampshire auf und studierte Geschichte an der Durham University. Nachdem sie einige Zeit in London und Venedig verbracht hat, lebt Katherine Webb jetzt in der Nähe von Bath, England. Ihr Debüt *Das geheime Vermächtnis* war ein internationaler Erfolg und eroberte auch in Deutschland die Bestsellerlisten. *Das Haus der vergessenen Träume* ist der zweite Roman der Autorin.

KATHERINE WEBB

Das Haus
der vergessenen Träume

Roman

Aus dem Englischen von Katharina Volk

Diana Verlag

Die Originalausgabe erschien 2011 unter dem Titel *The Unseen* bei Orion Books,
an imprint of the Orion Publishing Group Ltd, London

Herzlichen Dank an den Rudolf Steiner Verlag für die freundliche Genehmigung
der Verwendung des Zitats auf Seite 5: Rudolf Steiner, *Theosophie. Einführung in
übersinnliche Welterkenntnis und Menschenbestimmung*. Rudolf Steiner Verlag,
Dornach 2003.

MIX
Papier aus verantwor-
tungsvollen Quellen
FSC
www.fsc.org FSC® C014496

Verlagsgruppe Random House FSC-DEU-0100
Das für dieses Buch verwendete
FSC®-zertifizierte Papier *Holmen Book Cream*
liefert Holmen Paper, Hallstavik, Schweden.

Deutsche Erstausgabe 11/2012
Copyright © Katherine Webb 2011
Copyright © der deutschsprachigen Ausgabe 2012
by Diana Verlag, München,
in der Verlagsgruppe Random House GmbH
Redaktion | Angelika Lieke
Umschlaggestaltung | t.mutzenbach design, München
Umschlagmotiv | Ami Smithson/Cabin London unter Verwendung
eines Fotos von © Thomas Szadziuk/Trevillion Images
Satz | Leingärtner, Nabburg
Druck und Bindung | GGP Media GmbH, Pößneck
Alle Rechte vorbehalten
Printed in Germany 2012
978-3-453-35715-0

www.diana-verlag.de

Geburt ist nur ein Schlaf und ein Vergessen.
Die mit uns aufsteigt, als des Lebens Stern,
die Seele: hatte Heimat einst besessen
Woanders – kommt von fern …

William Wordsworth, *Ode: Ahnungen der Unsterblichkeit*
durch Erinnerungen an die frühste Kindheit
(Übersetzung Wolfgang Breitwieser)

… sollten wir tatsächlich bewiesen haben, dass auf
der Oberfläche dieses Planeten eine Population existiert,
welche so zahlreich wie die Menschheit sein könnte,
auf ihre eigene, seltsame Art ihrem eigenen, seltsamen
Leben nachgeht und von uns nur durch gewisse Unter-
schiede in den Schwingungen getrennt wird …

Sir Arthur Conan Doyle, *The Coming of the Fairies*

In jeder Pflanze, in jedem Tier empfindet [der Mensch]
außer der physischen Gestalt noch die lebenerfüllte
Geistgestalt.

Rudolf Steiner, *Theosophie*

1

Liebste Amelia,
einen herrlichen Frühlingsmorgen haben wir an diesem überaus
aufregenden Tag. Das neue Dienstmädchen kommt heute – Cat
Morley. Ich muss gestehen, dass ich ein wenig nervös bin, denn
immerhin eilt ihr ein gewisser Ruf voraus, doch sie kann nicht
durch und durch schlecht sein, dessen bin ich gewiss. Albert war
ganz und gar nicht sicher, ob man sie anstellen sollte, aber es ist
mir gelungen, ihn mittels zweier Argumente zu überzeugen,
nämlich: dass es ein löblicher Akt christlicher Nächstenliebe wäre,
wenn wir sie nehmen, da sie gewiss niemand sonst einstellen
wird; und dass sie ihres schlechten Leumunds wegen nur einen
geringen Lohn erwarten kann und somit eine hauswirtschaftlich
sinnvolle Aufwendung wäre. Wir verdoppeln damit unser
Hauspersonal, haben jedoch kaum mehr Ausgaben! Ich habe eine
Art Empfehlungsschreiben aus der Broughton Street erhalten –
von der Hausdame, Mrs. Heddingly – mit einer Liste der
Tätigkeiten, die dem Mädchen bereits vertraut sind. Weiter legt
sie mir darin dringend nahe, ihr »dem Allgemeinwohl zuliebe«
das Lesen nicht zu gestatten. Ich weiß nicht recht, was sie damit
meint, halte es jedoch grundsätzlich für klug, Ratschläge von
Eingeweihten zu befolgen. Mrs. Heddingly berichtet mir zudem

von einem merkwürdigen Gerücht über das Mädchen. Es ist mir ein Rätsel, weshalb sie es überhaupt erwähnt, und ich kann dahinter nur eine gewisse Freude an Klatsch und Tratsch vermuten: Offenbar gibt die Identität von Cats Vater Anlass zu allerhand Spekulationen, und da ihr Teint und das Haar so dunkel seien, habe man schon flüstern hören, er könnte ein Neger gewesen sein. Nachdem sich diese Geschichte herumgesprochen hatte, nannte das restliche Personal in der Broughton Street sie wohl nur noch »Black Cat«. Nun, ich bin sicher, dass die Mutter des Mädchens, so einfach ihre Verhältnisse auch gewesen sein mögen, nicht so tief gesunken sein kann, es sei denn, sie wäre Opfer eines abscheulichen Verbrechens geworden. Und dass ihre arme Tochter einen derart mit Unglück behafteten Spitznamen tragen soll, erscheint mir nicht recht. Schwarze Katze, nein wirklich – ich bin entschlossen, dafür zu sorgen, dass sie fortan nicht mehr so genannt wird.

Trotz leichter Nervosität muss ich gestehen, dass ich mich auch auf ihre Ankunft freue. Nicht zuletzt wegen der Wollmäuse unter den Betten, die inzwischen beinahe so groß wie Äpfel sind! Es ist Monate her, dass die gute Mrs. Bell sich tief genug bücken konnte, um dort Ordnung zu schaffen. Das ganze Haus muss einmal gründlich in Ordnung gebracht werden. Doch es wird mir auch eine Freude sein, mich einem von Gottes Geschöpfen anzunehmen, das in die Irre geleitet wurde und beinahe dem Verderben anheimgefallen wäre. Hier wird sie ein gottgefälliges Zuhause finden, Vergebung und die Chance, sich durch harte Arbeit und ein anständiges Leben dem Herrn anzubefehlen. In diesem Bestreben soll sie von mir jeglichen Beistand erfahren, ja, ich werde sie unter meine Fittiche nehmen, sie wird mein Projekt – stell Dir nur vor! Welch eine Gelegenheit, einen Menschen wahrhaft zu läutern und auf den rechten Weg zurückzuführen. Gewiss wird sie sich glücklich schätzen – sie erhält eine wunderbare Chance, sich reinzuwaschen. Befleckt kommt sie zu uns, doch schon bald wird sie in frisch poliertem Glanz erstrahlen.

Und solch ein Unternehmen ist sicherlich die beste Vorbereitung auf die Mutterschaft. Denn worin sonst bestünde die Aufgabe einer Mutter, als darin, ihre Kinder zu gottesfürchtigen, achtbaren und tugendhaften Menschen heranzuziehen? Ich sehe ja, wie gut Du Deine Sache mit meiner Nichte und meinem Neffen machst, der lieben Ellie und dem kleinen John, und ich bewundere Deine sanfte Art, sie anzuleiten. Beunruhige Dich nicht weiter wegen John und seiner Steinschleuder. Gewiss wird er bald aus dieser gewalttätigen Phase herauswachsen: Das Wesen eines Jungen ist – nach Gottes Willen – nun einmal kriegerischer als das eines Mädchens. Da steht es nur zu erwarten, dass er Triebe verspürt, die Du und ich nicht verstehen können. Wie sehr ich mich darauf freue, selbst kleine Seelen zu hegen und reifen zu lassen.

Amelia, bitte verzeih, dass ich Dich noch einmal darum bitte, aber leider hat Dein letzter Brief mich weiter im Dunkeln gelassen, was das fragliche Thema angeht. Musst Du denn gar so vage sein, meine Liebe? Ich weiß, dass es sich über solche Dinge nicht leicht spricht und man das am liebsten ganz vermeiden möchte, wenn es denn irgendwie geht. Aber ich benötige Deinen Rat so dringend, und wenn ich mich nicht an meine Schwester um Hilfe wenden kann, an wen, bitte schön, sollte ich mich dann wenden? Albert ist ein mustergültiger Ehemann und stets freundlich und zärtlich zu mir – jede Nacht, wenn wir uns zur Ruhe begeben, drückt er mir einen Kuss aufs Haar und lobt mich als gute Ehefrau und liebliches Wesen. Doch danach schläft er sofort ein, und ich kann nur daliegen und mich fragen, was um alles in der Welt ich falsch mache, oder tun müsste, oder auch nur versuchen sollte. Würdest Du mir bitte in ganz deutlichen Worten erläutern, wie ich mich zu verhalten habe und wie diese »Vereinigung« unserer Körper, von der Du schriebst, genau *vonstattengeht? Albert ist ein so wunderbarer Ehemann – ich kann nur davon ausgehen, dass ich meine ehelichen Pflichten nicht richtig erfülle und dies der Grund für … nun ja, dafür ist, dass ich noch nicht froher Erwartung bin. Bitte, liebe Amelia, <u>werde konkret</u>.*

Nun gut, ich sollte diesen Brief jetzt beenden. Die Sonne steht hoch am Himmel, und die Vögel singen aus vollen Kehlen. Ich werde den Brief unterwegs zu meinem Besuch bei der armen Mrs. Duff aufgeben, die nicht solche Schwierigkeiten hat wie ich und seit der Geburt ihres sechsten Kindes – schon wieder ein Junge! – mit einer furchtbaren Infektion daniederliegt. Und dann, nach dem Mittagessen, sollte Cat Morley mit dem Zug um drei Uhr fünfzehn eintreffen. Cat – wie schroff das klingt. Ob es ihr wohl gefallen würde, Kitty genannt zu werden? Schreibe mir bald, liebste und beste Schwester.

Herzlichst
Deine Hester

2011

Als Leah dem Mann, der ihr Leben verändern sollte, zum ersten Mal begegnete, lag er bäuchlings auf einem Stahltisch. Von seiner Kleidung war nur noch hier und da ein Fetzen übrig, schlammfarben und glitschig-feucht – die untere Hälfte eines Hosenbeins, die Schultern seiner Jacke. Sie fror um seinetwillen, und seine Nacktheit machte sie ein wenig verlegen. Sein Kopf war von ihr abgewandt, das Gesicht halb an den Tisch gepresst, sodass sie nur die dunklen, steifen Strähnen seines Haars und ein perfektes, wächsernes Ohr sehen konnte. Leahs Haut kribbelte – sie kam sich vor wie eine Voyeurin. Als schliefe er nur und könnte sich jeden Moment regen, den Kopf heben und sie ansehen, geweckt von den Geräuschen ihrer Schritte und ihres Atems in diesem makellosen Ohr.

»Du wirst dich doch nicht übergeben, oder?« Ryans Stimme riss sie aus ihrer Trance. Sie schluckte und schüttelte den Kopf. Ryan grinste ein wenig boshaft.

»Wer ist er? War er?«, fragte sie und räusperte sich. Betont gelassen verschränkte sie die Arme vor der Brust.

»Wenn wir das wüssten, hätte ich dich nicht den weiten Weg bis nach Belgien kommen lassen.« Ryan zuckte unbekümmert mit den Schultern. Er trug einen weißen Kittel wie ein Arzt, aber seiner war schmuddelig, fleckig und nicht zugeknöpft, sodass darunter eine zerrissene Jeans und ein abgewetzter Ledergürtel zum Vorschein kamen.

»Siehst du zum ersten Mal eine Leiche?«, fragte Peter in seiner ruhigen, französisch gefärbten Sprechweise. Er leitete das Institut für Archäologie.

»Ja.« Leah nickte.

»Ist immer eine seltsame Erfahrung. Ein so alter Leichnam stinkt wenigstens nicht. Na ja, jedenfalls nicht so schlimm«, bemerkte er. Leah wurde bewusst, dass sie schon die ganze Zeit durch den Mund atmete, weil sie mit dem Schlimmsten rechnete. Vorsichtig sog sie jetzt die Luft durch die Nase ein. Ein feuchter, etwas herber Geruch hing im Raum, wie nasses Laub im Januar.

Sie suchte in ihrer Tasche herum und holte Notizblock und Stift heraus.

»Wo, sagtest du, wurde er gefunden?«, fragte sie Ryan.

»Im Garten hinter einem Haus in der Nähe von Zonnebeke, nordöstlich von Ypres. Eine Madame Bichet hat ein Grab für ihren Hund ausgehoben.« Ryan hielt inne und tat so, als müsse er in seinen Aufzeichnungen nachsehen. »Er hieß *André*, soweit ich weiß.« Er verzog den Mund, und sein schiefes Grinsen ging Leah unter die Haut. Sie zog nur eine Augenbraue hoch und sah ihn stumm an. Unter den grellen Lichtleisten wirkte seine Haut blass, und er hatte Ringe unter den Augen. Aber er ist immer noch schön, dachte sie hilflos. Immer noch so schön. »Da gräbt man ein Grab und stößt dabei auf ein anderes. Sie hat ihm mit dem Spaten fast den rechten Arm abgetrennt – schau, da.« Vorsichtig deutete er auf den Unterarm des Toten. Die fahle Haut war aufgeplatzt und gab den Blick auf faseriges, braunes Fleisch frei. Leah schluckte schwer, und ihr wurde ein wenig schwindelig.

»Wird die Britische Kriegsgräberfürsorge ihn denn nicht identifizieren? Warum habt ihr mich angerufen?«

»So viele tote Soldaten werden jedes Jahr gefunden – fünfzehn, zwanzig, fünfundzwanzig. Wir geben uns Mühe, aber wenn es keine Regimentsabzeichen, keine Erkennungsmarken oder besondere Ausrüstungsgegenstände gibt, haben wir einfach nicht die Mittel, der Sache weiter nachzugehen«, erklärte Peter.

»Er bekommt eine hübsche Beerdigung und ein weißes Kreuz auf sein Grab, aber sie werden eben nicht wissen, welchen Namen sie darauf schreiben sollen«, sagte Ryan.

»Eine *hübsche* Beerdigung?«, wiederholte Leah. »Du bist respektlos, Ryan. Warst du schon immer.«

»Ich weiß. Ich bin unmöglich, nicht?« Wieder grinste er fröhlich.

»Also, wenn ihr überhaupt keine Anhaltspunkte habt, warum meint ihr dann, ich könnte euch weiterhelfen?« Leah richtete die Frage an Peter.

»Na ja …«, begann Peter, doch Ryan schnitt ihm das Wort ab.

»Möchtest du ihn denn nicht erst mal von Angesicht zu Angesicht kennenlernen? Er ist bemerkenswert gut erhalten – offenbar ist das hintere Ende des Gartens das ganze Jahr über durchweicht, das Grundstück endet an einem Bach. Soll sehr idyllisch sein. Komm schon – du hast doch keine Angst vor einem archäologischen Fund, oder?«

»Ryan, warum musst du so …« Leah gab es auf und sprach den Satz nicht zu Ende. Sie strich sich das Haar hinter die Ohren, verschränkte erneut die Arme schützend vor der Brust und ging um den Tisch herum zur anderen Seite.

Das Gesicht des Toten war ein wenig zerknittert, als hätte er es beim Schlafen fest auf ein Kissen aus grober Erde gebettet. Eine Falte verlief von einer Augenhöhle zum Mundwinkel. Seine Oberlippe beschrieb noch eine lange, elegant geschwungene Kurve, und darüber war eine Spur von Bartstoppeln zu erkennen. Die Unterlippe und die Kieferpartie hatten sich zu einer matschigen Masse zersetzt, die Leah nicht allzu genau betrachten mochte. Auch die Nase war zerfallen, platt gedrückt, gallertartig. Sie sah aus, als könnte man sie mit einer leichten Handbewegung ganz abstreifen. Doch seine Stirn und die Augenpartie waren vollkommen erhalten. Eine durchweichte Locke fiel ihm störrisch ins Gesicht. Seine Stirn war faltenfrei, vielleicht, weil er so jung gewesen war, oder weil die Haut mit Wasser vollgesogen und leicht aufgequollen war. Er musste ein attraktiver Mann gewesen sein. Sie konnte ihn beinahe vor sich sehen – wenn sie ihren Blick ein wenig verschwimmen ließ, die schrecklichen Verletzungen ausblendete, die unnatürliche Hautfarbe und den unmenschlichen Geruch. Die geschlossenen Augen des Mannes ließen winzige schwarze Wimpern erkennen, säuberlich aneinandergereiht, genau so, wie sie sein sollten. Wie sie am Tag seines Todes vor fast hundert Jahren gewesen waren. Die Lider hatten einen seidigen Schimmer wie leicht verdorbenes Fleisch. Waren sie vollständig geschlossen? Leah beugte sich hinab und runzelte die Stirn. Jetzt sah es aus, als wären sie einen Spalt weit geöffnet. Nur ein kleines bisschen. Wie bei manchen Menschen, wenn sie tief schliefen und träumten. Sie beugte sich noch weiter hinab und hörte ihren Herzschlag, der das Summen der Lichtleisten übertönte. Würde sie eine leichte Bewegung seiner Augen hinter den geschlossenen Lidern wahrnehmen? Konnte das Letzte, was er gesehen hatte, noch da sein, vorwurfsvoll auf seine Netzhaut tätowiert? Sie hielt den Atem an.

»Buh!«, machte Ryan dicht an ihrem Ohr. Leah fuhr zusammen und schnappte hörbar nach Luft.

»Idiot!«, fauchte sie ihn an, wandte sich abrupt ab und marschierte durch die schweren Schwingtüren nach draußen. Es ärgerte sie, wie leicht sie aus der Fassung zu bringen war.

Mit schnellen Schritten stieg sie zwei Treppen hinauf und folgte dem Duft von Pommes frites und Kaffee zur Cafeteria der Fakultät. Als sie sich einen Pappbecher Kaffee einschenkte, stellte sie fest, dass ihre Hände zitterten. Sie ließ sich auf einen Kunststoffstuhl am Fenster sinken und starrte in die Landschaft hinaus. Flach und grau und braun, genau wie England bei ihrer Abreise. Eine ordentliche Reihe grellbunter Krokusse, die einen Fußweg säumte, hob die Eintönigkeit und Farblosigkeit der übrigen Aussicht noch hervor. Auch ihr Spiegelbild in der Fensterscheibe war farblos – fahle Haut, blasse Lippen, aschblondes Haar. Selbst der Tote im Keller hat mehr Farbe, dachte sie trübselig. Belgien. Auf einmal sehnte sie sich danach, an einem anderen Ort zu sein, egal wo, nur nicht hier. Irgendwo, wo strahlender Sonnenschein der Landschaft Konturen verlieh und sie wärmte bis in die Knochen. Warum, um alles in der Welt, hatte sie überhaupt eingewilligt hierherzukommen? Aber sie kannte ja die Antwort. Weil Ryan sie darum gebeten hatte.

Als wäre er direkt aus ihren Gedanken herausgetreten, stand er plötzlich vor ihr und setzte sich schließlich mit gerunzelten Brauen ihr gegenüber.

»Hör mal, es tut mir leid, okay?«, sagte er zerknirscht. »Dich hier zu haben ist für mich auch nicht einfach, weißt du? Du machst mich nervös.«

»Warum bin ich überhaupt hier, Ryan?«, fragte Leah.

»Ich glaube, dass da eine großartige Story für dich drin sein könnte – wirklich. Der verlorene Soldat, all die Jahre lang namenlos und unbeweint …«

»Du weißt doch gar nicht, ob jemand um ihn geweint hat oder nicht.«

»Da hast du recht. Dann eben unentdeckt. Und ich weiß, du findest, dass ich damit respektlos umgehe, aber das stimmt nicht. Muss ein verdammt elender Tod gewesen sein, und ich finde, der arme Kerl verdient ein wenig Beachtung. Meinst du nicht?«

Leah beäugte ihn argwöhnisch, doch er schien es ernst zu meinen. Sein Haar war ein ganzes Stück gewachsen, seit sie ihn zuletzt gesehen hatte. Es fiel in ungezähmten braunen Locken um sein Gesicht, passend zu den drei oder vier Tage alten Bartstoppeln an seinem Kinn. Seine Augen hatten die Farbe von dunklem Honig. Leah bemühte sich, nicht allzu tief hineinzuschauen.

»Warum ich?«, fragte sie.

»Warum nicht du?«, erwiderte er. »Ich kenne nun mal nicht so viele freie Journalisten.« Er betrachtete eine Weile seine Hände und zupfte an einem ungepflegten Daumennagel herum, dessen Nagelhaut ohnehin schon gerötet war. Leahs Finger zuckten aus alter Gewohnheit, ihn davon abzuhalten.

»Das ist alles?«, bohrte sie nach.

Ryan machte ein finsteres Gesicht und sog kurz und gereizt die Luft ein. »Nein, das ist nicht alles. Was willst du von mir hören, Leah? Dass ich dich sehen wollte? Na schön – bitte sehr«, sagte er schroff.

Leah verzog die Lippen zu einem kleinen, kühlen Lächeln. »Du konntest deine Gefühle noch nie besonders gut ausdrücken.«

»Ich habe kaum eine Chance bekommen, es zu lernen, so plötzlich hast du mich verlassen.«

»Ich hatte einen verdammt guten Grund dafür, das weißt du ganz genau«, erwiderte sie.

»Warum bist du dann gekommen, wenn ich ein solcher Albtraum bin und du mich nicht sehen willst?«

»Ich habe nie behauptet …« Leah seufzte. »Ich weiß selbst nicht so richtig, warum ich hergekommen bin. Ich hatte seit zehn Monaten keine gute Idee für eine Story. Ich habe seit weiß Gott wann nichts Lesenswertes mehr geschrieben. Ich dachte, du hättest vielleicht tatsächlich etwas, womit ich arbeiten kann, aber ein unidentifizierter Soldat? Worüber sollte ich denn da berichten – über die Arbeit, die ihr für die Britische Kriegsgräberfürsorge leistet? Darüber, was mit diesen Männern passiert, wenn ihr sie ausgebuddelt habt? Das ist natürlich eine gute Sache, aber es käme ein ziemlich trockener ...«

»Na ja, es gibt da schon so etwas wie einen Anhaltspunkt«, sagte Ryan. Er beugte sich zu ihr vor und schenkte ihr wieder sein zufriedenes, jungenhaftes Grinsen.

»Was meinst du damit? Peter hat doch gesagt ...«

»Ich wollte es dir ja gerade erzählen, als du unten davongestürmt bist.«

»Also, was habt ihr?«

»Geh heute Abend mit mir essen, dann zeige ich es dir«, entgegnete er.

»Warum sagst du mir nicht einfach jetzt, was es ist?«

»Ein Abendessen würde viel mehr Spaß machen.«

»Nein. Hör zu, Ryan, ich finde, wir beide sollten nicht ... zu viel Zeit miteinander verbringen. Nicht so.«

»Ach, komm schon, Leah. Was soll daran so schlimm sein? Wir kennen uns doch wirklich lange genug.«

»Offenbar kannten wir uns aber nicht so gut, wie wir dachten«, sagte sie und blickte auf. Wut blitzte in ihren Augen auf, und sie sah, wie er zusammenzuckte.

»Bitte ... geh nur heute Abend mit mir essen«, sagte er sanfter. Leah kippte den letzten Schluck Kaffee hinunter und verzog das Gesicht über den schalen, bitteren Geschmack.

»Auf Wiedersehen, Ryan. Ich würde gern behaupten, dass es mich gefreut hätte, dich wiederzusehen.« Sie stand auf.

»Warte, Leah! Willst du nicht mal wissen, was wir bei ihm gefunden haben? Ich sage es dir – und dann kannst du entscheiden, ob du bleiben willst oder nicht. Leah! Er hatte Briefe bei sich – sie haben fast hundert Jahre im Erdboden überstanden! Kannst du dir das vorstellen? Und es sind auch keine gewöhnlichen Briefe«, rief Ryan ihr nach. Leah blieb stehen. Da war es plötzlich, dieses winzige Funkeln, das Aufschimmern von Neugier, das sie stets empfand, ehe sie sich daranmachte, eine Story zu verfolgen. Langsam drehte sie sich wieder zu Ryan um.

1911

Cat ist so gebannt von der hinter den Fenstern vorüberfliegenden Welt, dass die Reise schnell vergeht – viel zu schnell. Sie hat die Stirn an die Scheibe gelehnt und starrt in den bleichen Himmel, unter dem die verschwommenen Wiesen dahinströmen wie ein Fluss. Sie stellt sich vor, dass sie schneller rennt, als jemals ein Mensch gerannt ist, oder dass sie vielleicht sogar fliegt wie ein Vogel. Sie weiß, dass der Zug bis ganz in den Westen fährt, weiter nach Westen, als sie je gewesen ist. Er wird ohne sie nach Devon weiterrollen, und nach Cornwall, und zum Meer. Sie sehnt sich danach, das Meer wiederzusehen. Beim Gedanken daran wird die Sehnsucht so stark, dass es wehtut. Cat hat das Meer nur einmal gesehen, als sie acht Jahre alt war und ihre Mutter noch lebte. Der ganze Haushalt war für einen Tag nach Whitestable gereist. Es war ein Sommertag wie eine luftige Bluse, mit zarten Wolken und einer verspielten Brise, die den Eseln die Schwänze nach hinten hochwehte und das Segeltuch der leeren Liegestühle aufblähte. Der Gentleman hatte ihr eine Auster in der Schale gebracht und eine Waffel mit Erdbeereis, und sie hatte sich danach übergeben, auf ihr bestes Kleid. Zähe kleine Klumpen Austernfleisch in klebriger rosa Soße. Dennoch war es der schönste Tag ihres Lebens gewesen. Die Austernschale hatte sie jahrelang in einer

Pappschachtel zusammen mit anderen kleinen Schätzen aufbewahrt.

Als der Zug langsamer wird, verrinnt die Illusion des Fliegens, und Cat spürt, wie sie wieder zu einem menschlichen Wesen wird, mit den Füßen fest auf der Erde. Die Versuchung, nicht auszusteigen, ist groß. Sie könnte in dem klammen Sitz versinken und einfach weiterfahren – weiterfahren, bis sie durch das staubige Fenster das Meer sehen könnte. Doch der Zug kommt quietschend zum Stehen, und sie krümmt die Finger und presst die Fäuste zusammen, bis sich ihre Fingernägel in die Handflächen bohren. Sie hatte gehofft, aus dieser Geste Kraft zu schöpfen, aber es gelingt ihr nicht ganz. Der Bahnhof von Thatcham ist klein und schlicht. Außer ihr steigt nur noch eine Person aus, ein Mann mit finsterer Miene über seinem Schnurrbart. Geschäftiger geht es am Güterwaggon zu, wo mehrere riesige Holzkisten auf einen Karren geladen werden. Sommerflieder und hohe, junge Brennnesseln neigen sich über den Holzzaun und flüstern leise. Cat holt tief Luft. Überall auf der Welt wäre sie jetzt lieber als hier, doch zugleich fühlt sie sich wie betäubt, ohne Gefühle, als hätten Schmerz und Brutalität der vergangenen Monate sie aus ihr herausgeschüttelt. Am Ende des Bahnsteigs steht eine ungeheuer dicke Frau. Cat hält inne, blickt sich suchend nach einer anderen Person um und geht dann langsam auf sie zu.

Die Frau ist fast so breit wie hoch. Ihre prallen Wangen quetschen die Augen zu Schlitzen zusammen. Ihr mächtiges Doppelkinn begräbt den Hals unter sich, sodass der Kiefer in einer Linie in den Busen überzugehen scheint. Von ihrer Mitte hängt eine Schürze aus schlaffem Fett herab, die unter ihrem leichten Baumwollkleid ein wenig hin und her schwingt und dabei an die Oberschenkel stößt. Cat fühlt den scharfen Blick aus grauen Augen, die sie von Kopf bis

Fuß mustern. Sie erwidert ihn unerschrocken, ohne dabei mit der Wimper zu zucken.

»Sind Sie Sophie Bell?«, fragt Cat die Frau. *Sophie Bell*. Ein so hübscher, wohlklingender Name. Cat hatte sich eine große, sanfte Frau mit kornblumenblauen Augen und bernsteinfarbenen Sommersprossen vorgestellt.

»Für dich heißt das Mrs. Bell. Und du bist Cat Morley, nehme ich an?«, erwidert die Frau barsch.

»Die bin ich.«

»Na, dann steh Gott mir bei, denn du bist sicher zu nichts zu gebrauchen«, erklärt Sophie Bell. »Seit einem halben Jahr bitte ich um Hilfe für den Haushalt, und jetzt bekomme ich so ein mageres Ding, das aussieht, als würde es spätestens am dritten Tag tot umfallen«, brummelt sie, wendet sich von Cat ab und marschiert mit überraschender Geschwindigkeit davon. Ihre Beine beschreiben weite Bögen, die Füße klatschen flach auf den Boden. Cat blinzelt einmal, packt dann die Griffe ihrer Reisetasche und folgt Mrs. Bell.

Draußen vor dem Bahnhof wartet ein Ponywagen. Die kleine Kutsche neigt sich heftig zur Seite, als Sophie Bell sich auf den Sitz neben dem Kutscher hievt. Cat blickt zu ihm auf und zögert noch, ihm ihre Tasche hinzuhalten, doch der Mann wirft ihr nur einen kurzen Blick zu, ehe er seine ganze Aufmerksamkeit wieder einem glänzenden schwarzen Automobil widmet, das auf der gegenüberliegenden Straßenseite gehalten hat.

»Na, steh da nicht herum und halte Maulaffen feil! Steig ein. Ich habe nicht den ganzen Tag Zeit«, sagt Mrs. Bell ungeduldig. Mühsam bugsiert Cat ihr Gepäck auf den hinteren Sitz und klettert hinterher. Kaum sitzt sie, lässt der Kutscher die Zügel schnalzen, das Pony stemmt sich ins Geschirr, und mit einem Ruck fahren sie los. Und so wird Cat rücklings, den Weg vor Augen, der bereits hinter ihnen liegt, in ihre neue Rolle, ihr neues Leben gezogen. Irgendetwas in ihr wehrt sich so heftig dagegen, dass es ihr die Kehle zuschnürt und sie kaum noch Luft bekommt.

Das Dorf Cold Ash Holt liegt gut drei Kilometer von Thatcham entfernt. Die Landstraße windet sich in südöstlicher Richtung durch ein Gewirr von Seen, Schilf und Feuchtwiesen, die der frische, sprießende Frühling so strahlen lässt, dass sie beinahe unwirklich aussehen. Junge Blätter schimmern silbrig, wenn die Brise sie bewegt, und selbst die Luft scheint einen grünen Duft heranzutragen – nach Feuchtigkeit und berauschenden Blüten. Sie schrecken einen Reiher auf, der aus den Binsen emporspringt und zu langsam, zu schwerfällig wirkt, um fliegen zu können. Das Sonnenlicht fängt sich in seinen gut gefetteten grauen Federn und glitzert in den Wassertropfen, die von seinen Beinen perlen. Cat starrt ihn an. Sie hat noch nie einen so großen Vogel gesehen und kennt seinen Namen nicht. Überhaupt kennt sie kaum Vögel außer Spatzen und den ewig gleichen Londoner Tauben, die im Schmutz nach ihrem täglich Brot scharren. Der Gentleman hatte einen Kanarienvogel auf einer kleinen goldenen Schaukel; Cat denkt daran, wie er dem Tier immer wieder etwas vorpfiff, leise mit ihm sprach und versuchte, es zum Singen zu ermuntern. Sie hatte mit dem Staubwedel in der Hand innegehalten, zugesehen und den Vogel für seine Verweigerung bewundert.

Mrs. Bell schwatzt die ganze Zeit über mit dem Kutscher, ein leiser, kaum je unterbrochener Kommentar mit einer kurzen Pause hier und da, in die der Mann ein leises Grunzen einfügt. Fast alles geht im Hufgeklapper des Ponys unter, doch Cat schnappt einzelne Worte und Halbsätze auf. »Die kommt zurück, noch bevor der Sommer um ist, das können Sie aber glauben« – »... besaß doch die Frechheit, anzudeuten, das wäre nicht so, wie es sich gehört hätte« – »… Sohn ist schon wieder auf und davon, dabei ist das Kind« – »… kurzen Prozess mit Leuten, die kriminelle Neigungen zeigen«. Cat wirft einen Blick über die Schulter und sieht Mrs. Bells schmale Augen auf sich gerichtet.

Das Pfarrhaus aus verblasstem rotem Backstein ist drei Stockwerke hoch und beinahe quadratisch. Symmetrisch angeordnete Fenster mit leuchtend weißen Rahmen blicken in die Welt hinaus, und ihre Scheiben spiegeln den sonnigen Himmel. Der Garten ums Haus fließt über vor Frühlingsblumen, wie kleine Fontänen aus Farbe spritzen sie aus ordentlichen Beeten empor, die geschwungene Formen im kurzen, ebenso ordentlichen Rasen bilden. Knospende Glyzinien und Geißblatt erklimmen die Wände und Fensterbretter, und hohe Tulpen säumen den Weg bis zu der breiten, leuchtend blauen Haustür, deren Messingklopfer stolz in der Sonne glänzt. Das Anwesen liegt am Rand des kleinen Dorfes, und der Garten grenzt an üppige Feuchtwiesen. In der Ferne folgt ein Flüsschen seinem gewundenen Pfad wie ein silbriges Band. Der Kutscher hält an der hinteren Hausecke an, am Ende der gekiesten Auffahrt, wo bemooste Stufen zu einer weniger imposanten Tür hinabführen.

»Du benutzt diese Tür und keine andere«, sagt Mrs. Bell barsch, als sie das Haus betreten.

»Selbstverständlich«, entgegnet Cat und ärgert sich. Die Frau glaubt wohl, sie hätte noch nie im Leben gearbeitet?

»Also, pass gut auf, wenn ich dir jetzt das Haus zeige. Ich habe keine Zeit, alles dreimal zu erklären, und ich muss mich um den Tee kümmern. Die Herrin, Mrs. Canning, will dich sehen, sobald du dich frisch gemacht und umgezogen hast.«

»Umgezogen?«

»Ja, umgezogen! Oder wolltest du dich ihr etwa in diesem zerschlissenen Rock vorstellen, mit schmuddeligen Bünd-

chen an deiner Bluse und ausgefransten Schnürsenkeln?«
Mrs. Bells graue Augen sind tatsächlich sehr scharf.

»Ich habe eine zweite Bluse, meine beste, die kann ich anziehen, aber dieser Rock ist der einzige, den ich habe«, sagt Cat.

»Sie haben dich doch in London gewiss nicht so im Haus herumlaufen lassen!«

»Da hatte ich eine Uniform. Ich ... musste sie zurückgeben.«

Mrs. Bell stemmt die Hände dahin, wo eigentlich ihre Taille hätte sein sollen. Cat hält ihrem Blick unverwandt stand und weigert sich, sich einschüchtern zu lassen. Die Fingerknöchel der älteren Frau sind rot und rissig. Sie versinken in ihren fleischigen Händen, als wären sie dort eingeklemmt. Ihre Füße sind nach innen gekippt, die Wölbung unter dem Spann hat sich schon vor langer Zeit dem Gewicht ergeben müssen, das darauf lastet. Ihre Knöchel sehen aus wie Plumpudding-Teig, mit deutlich sichtbaren Dellen unter den Strümpfen. Cat verschränkt die Hände vor sich und spürt die beruhigende Härte ihrer Knochen.

»Tja«, sagt Mrs. Bell schließlich, »die Herrin wird entscheiden, ob sie dich mit Kleidung ausstatten will. Ansonsten wirst du dir irgendwie behelfen müssen. Du brauchst ein graues oder braunes Kleid für den Tag, ein schwarzes für abends und etwas für die Kirche. Nächste Woche ist Lumpenmarkt in Thatcham. Vielleicht findest du dort etwas, das du umarbeiten kannst.«

Cats Zimmer befindet sich auf dem Dachboden. Es ist einer von drei nebeneinandergelegenen Räumen, mit kleinen Mansardenfenstern nach Norden. Man erreicht sie durch einen hellen Flur mit Fenstern zur Südseite hin, als wäre der Architekt der Meinung gewesen, ein Flur verdiene mehr

Sonnenlicht als die Dienstboten. Cat stellt ihre Reisetasche am Fußende des Bettes ab und mustert ihr neues Heim. Schlichte, weiß getünchte Wände, ein kleines eisernes Bett mit einem Messing-Kruzifix darüber, eine Bibel auf einem Korbstuhl, Waschtisch, fadenscheinige Vorhänge. Außerdem ein schmaler Kleiderschrank und eine bunte Steppdecke, am Fußende des Bettes zusammengefaltet. Cat durchquert den Raum mit ein paar raschen Schritten, reißt das Kruzifix von der Wand und schleudert es unters Bett. Mit einem melodischen Scheppern trifft es den Nachttopf. Cat hat das Gefühl, dass ihre Finger an den Stellen brennen, die die glatten Arme des metallenen Kreuzes berührt haben. Hastig wischt sie sich die Hände am Rock ab, schließt die Augen und wehrt sich gegen die Erinnerungen an ein ganz ähnliches Objekt. Auch damals hatte Jesus sie von einer hohen Wand herab beobachtet, ungerührt von ihrer Qual. Dann tritt sie ans Fenster und schaut auf die Landstraße und eine Weide mit rötlich braunen Kühen hinaus. So viel weiter, leerer Raum. Sie denkt an ihre Freundinnen in London, an Tess mit ihren neugierigen grünen Augen, die immer irgendetwas unglaublich spannend findet. Der Gedanke tut ihr weh. Sie hat keine Adresse, an die sie schreiben könnte, nicht einmal eine Ahnung, wo Tess schließlich landen wird. Womöglich würde ihre Freundin anders als sie keine neue Stellung finden. Ich kann mich glücklich schätzen, denkt Cat verbittert. Das hat man ihr in letzter Zeit zumindest oft genug gesagt.

Die Tür hinter ihr fällt zu, bewegt von einem nicht bestimmbaren Luftzug. Cat erstarrt, ihr ganzer Körper verkrampft sich. Stocksteif steht sie da und versucht zu atmen, obwohl ihr die Luft plötzlich viel zu dick erscheint. Sie ist nicht abgesperrt, sagt sie sich. Nur geschlossen. Nicht abgesperrt. Langsam dreht sie sich zur Tür um, gefasst, als warte dort etwas Schreckliches auf sie. Die Wände der kleinen Kammer neigen sich nach innen, bedrängen sie, kleben an ihr wie ein großes, nasses Laken. Ihr zittern die Knie, und sie nähert sich der Tür so wackelig wie eine alte Frau. Als sie nach dem Knauf greift, ist sie sicher, dass sie die Tür nicht wird öffnen können. Der metallene Griff klappert in ihrer Hand, als sie daran dreht, und sobald sie die Tür ein paar kostbare Fingerbreit geöffnet hat, wird ihr klar, dass nur ihr Zittern den Knauf hat wackeln lassen. Das Blut rauscht in ihren Ohren, und sie lehnt sich mit dem Gesicht an das schartige Holz der Tür, wartet ab, bis sie sich ein wenig ruhiger fühlt. Nie wieder, denkt sie. Nie, nie wieder.

Hester setzt sich an dem Schreibtisch aus Walnussholz im Musikzimmer zurecht, das Haushaltsbuch aufgeschlagen vor sich. Diese Haltung nimmt sie auch zu ihrer wöchentlichen Sitzung mit Mrs. Bell ein, bei der Speisezettel und Haushaltsgeld und Vereinbarungen mit Kaminkehrern, Lebensmittellieferanten und Fahrradmechanikern besprochen werden. Sie findet, dass diese Pose den richtigen Eindruck vermittelt – damenhaft, aber geschäftsmäßig, gebieterisch und doch zugänglich. Die Nachmittagssonne liegt in gelben Pfützen auf dem Eichenparkett und beleuchtet den gemächlichen Tanz von Staubflocken und Stubenfliegen. Hester schlägt gereizt nach einer Fliege, die ihr zu nahe kommt. Sie empfindet die haarigen Körper der Insekten als geradezu unanständig und ekelt sich davor, wie sie sich in ihren letzten Augenblicken auf den Fensterbrettern niederlegen und die borstigen Beine kreuzen, als erwarteten sie, dass jemand ihnen die Sterbesakramente bringt, bevor ihre Kadaver trocken und hart werden. Hester ist ungeheuer erleichtert, dass sie die toten Fliegen von nun an nicht mehr wird aufkehren müssen. Mrs. Bell hatte große Mühe, sowohl mit dem Putzen als auch mit dem Kochen hinterherzukommen – von dieser Frau kann man wahrlich keine flotte Arbeit erwarten.

Hester hört, wie sie sich polternd von der Küche her nähert. Sie nimmt eine noch aufrechtere Haltung an und legt ein mildes, vornehmes Lächeln auf ihr Gesicht. Einen Moment lang befällt sie die Sorge, ein Vergleich mit dem kosmopolitischen letzten Dienstherrn von Cat Morley könnte zu ihrem Nachteil ausfallen. Dann erinnert sie sich daran, dass das Mädchen praktisch eine Geächtete ist, und sie entspannt sich wieder. Ein wenig schämt sie sich ihrer eigenen Nervosität, da ihre Rolle ja darin bestehen wird, die junge Frau mütterlich anzuleiten und zu bessern.

»Das neue Mädchen, Madam«, verkündet Mrs. Bell nach einem kurzen Anklopfen.

»Danke, Mrs. Bell. Komm nur herein, Cat«, sagt Hester herzlich, doch dann zögert sie verwirrt. Cat Morley sieht eher aus wie ein Kind. Einen Augenblick lang glaubt Hester, es müsse irgendein Irrtum vorliegen. Das Mädchen ist kaum einen Meter fünfzig groß und wirkt so knochig und zerbrechlich wie ein Vogel. Ihre Schultern sind schmal, Hände und Füße geradezu winzig. Ihr Haar, beinahe rabenschwarz, ist sehr kurz geschnitten. Es streift höchst undamenhaft ihre Ohren. Cat hat den Pony zurückgesteckt, was ihr noch mehr das Aussehen eines Schulmädchens verleiht. Doch als sie sich dem Schreibtisch nähert, erkennt Hester, dass dies kein Irrtum ist. Cats Gesicht ist schmal, das Kinn spitz, doch die dunklen Ringe unter ihren Augen und die steile Falte zwischen ihren Brauen verraten Lebenserfahrung. Cat starrt Hester mit einem so festen Blick entgegen, die braunen Augen völlig unerschrocken, dass Hester sich unbehaglich fühlt, beinahe verlegen. Sie wirft Mrs. Bell einen Blick zu, als diese den Raum verlässt, und schließt aus deren schmalen Lippen ganz genau, was sie von der neuen Angestellten hält.

»Nun«, sagt Hester nervös. »Bitte, nimm Platz, Cat.« Das Mädchen lässt sich auf der Kante des geschnitzten Stuhls vor dem Schreibtisch nieder, als wollte es jeden Augenblick davonfliegen. »Es freut mich, dass deine Reise hierher gut verlaufen ist.« Hester hatte sich im Geiste zurechtgelegt, was sie zu der jungen Frau sagen würde, um sie zu beruhigen und ihr zu zeigen, welch freundliches, ruhiges und gottgefälliges Haus sie aufgenommen hatte. Doch der Schreck über die Erscheinung des Mädchens hat alles in ihrem Kopf ein wenig durcheinandergebracht, und jetzt weiß sie nicht mehr, was sie sagen wollte. »Du wirst hier gewiss sehr glücklich sein«, beginnt sie ein wenig zögerlich. Cat blinzelt, und obwohl sie keine Miene verzieht und kein Wort sagt, vermittelt sie Hester den deutlichen Eindruck, dass sie Zweifel an dieser Behauptung hegt. »Du meine Güte! Eine Frisur wie deine habe ich noch nie gesehen! Ist das der neueste Schrei in London? Lebe ich modisch etwa hinter dem Mond?«, platzt Hester heraus. Ihr eigenes Haar ist ihr ganzer Stolz. Es ist hell, voll und weich und lässt sich jeden Morgen gefällig zu einer üppigen Frisur hochstecken.

»Nein, Madam«, sagt Cat leise, ohne auch nur einmal den Blick zu senken. »Mein Haar war früher immer lang. Ich war gezwungen, es abzuschneiden, nach … nach meiner Zeit im Zuchthaus. Es war schrecklich verlaust.«

»Oh! Läuse! Wie abscheulich!«, ruft Hester entsetzt aus. Unwillkürlich hebt sie die Hände zum Kopf, als wollte sie ihn schützen, und weicht ein wenig vom Tisch zurück.

»Sie sind längst weg, das kann ich Ihnen versichern«, sagt Cat, und der Ansatz eines spöttischen Lächelns huscht über ihre Lippen.

»Gut, gut. Ja. Nun denn. Mrs. Bell hat dich sicher schon mit deinen Pflichten vertraut gemacht. Sie wird dich anleiten, bitte wende dich in allen Belangen deiner Arbeit an sie.

Du wirst morgens um halb sieben aufstehen und um sieben Uhr deinen Dienst antreten, aber wahrscheinlich wirst du nicht als Erste auf sein – mein Mann liebt Spaziergänge in der Natur, die er vornehmlich bei Sonnenaufgang genießen kann. Er wird oft schon das Haus verlassen haben, ehe du herunterkommst, also denke dir nichts dabei, wenn du ihm schon früh am Morgen begegnest. Er erwartet auch nicht, dass das Frühstück vor seinen Spaziergängen bereit steht. Die Zeit zwischen drei und fünf Uhr nachmittags steht dir, abgesehen vom Nachmittagstee, zur freien Verfügung, sofern du alle deine Pflichten zu Mrs. Bells Zufriedenheit erledigt hast.« Hester hält inne und schaut zu Cat Morley auf. Der unverwandte Blick des Mädchens kann einen wirklich aus der Fassung bringen. Da ist irgendetwas hinter diesen dunklen Augen, das Hester noch nie gesehen hat und nicht entschlüsseln kann. Der vage Umriss von etwas überaus Befremdlichem, beinahe Unberechenbarem.

»Ja, Madam«, sagt Cat schließlich tonlos.

»Cat – dein richtiger Name lautet Catherine, nicht wahr? Möchtest du nicht vielleicht lieber Kitty genannt werden? Ein neuer Name für einen neuen Anfang? Ich finde, er würde sehr gut zu dir passen.« Hester sieht sie aufmunternd an.

»Ich war immer Cat, nicht Kitty«, entgegnet Cat verwundert.

»Ich verstehe. Aber meinst du nicht, dass Kitty schöner wäre? Was ich damit sagen will … Du könntest mit dem alten Namen auch all den alten Kummer ablegen. Verstehst du?«, erklärt Hester. Cat scheint darüber nachzudenken, und ihr Blick wird hart.

»Ich war immer Cat«, beharrt sie.

»Also schön!«, lenkt Hester ein, weil sie nicht mehr weiterweiß. »Möchtest du mich sonst noch etwas fragen?«

»Ich möchte Ihnen nur sagen, Madam, dass ich kein Korsett tragen kann. Nach meiner Krankheit hat der Arzt mir erklärt, dass der Druck auf meine Brust schädlich wäre.«

»Tatsächlich? Welch ein Jammer. Natürlich musst du auf deine Gesundheit achten, obwohl manche Leute das als unschicklich betrachten könnten. Hielt der Arzt es denn für wahrscheinlich, dass sich dein Zustand bessern wird? Glaubst du, dass du irgendwann wieder ein Korsett wirst tragen können?«

»Das weiß ich nicht«, antwortet Cat.

»Nun, wir werden sehen, was die Zeit bringt. Cat, du sollst wissen …« Hester zögert. Irgendwie kommen ihr die Worte, die sie sich zurechtgelegt hatte, beinahe albern vor, nun, da sie dem Mädchen gegenübersitzt. »Ich möchte dir sagen, dass es dir hier niemand verargen wird. Ich meine deine … schwierige Vergangenheit. In diesem Haus hast du die Chance, ganz neu anzufangen und ein reines, gottgefälliges Leben zu führen. Mein Mann und ich waren schon immer der Ansicht, dass Nächstenliebe die größte Tugend ist und im eigenen Hause beginnt. Ich hoffe, wir können auch dir die Aufrichtigkeit unserer Philosophie vermitteln.« Wieder diese beunruhigende Stille, diese reglose Miene. Hester überläuft ein kleiner Schauer, und ihre Kopfhaut kribbelt unangenehm – wie sonst nur, wenn sie in den Falten ihrer Schlafzimmervorhänge eine schwarze Spinne entdeckt.

»Danke, Madam«, sagt Cat.

Hester fühlt sich wesentlich wohler, sobald Cat Morley wieder nach unten gegangen ist, um Mrs. Bell bei der Vorbereitung des Tees zu helfen. Das Mädchen hat eine seltsame Ausstrahlung, als würde es von etwas Unsichtbarem abgelenkt, irgendeinem widernatürlichen Trieb vielleicht. Hester sagt sich, dass das doch sehr unwahrscheinlich sei, aber sie wird das Gefühl dennoch nicht ganz los. Cat hat den

Blick nicht gesenkt, wie es sich gehörte. Nun ja, dass es sich *gehörte*, ist vielleicht zu viel gesagt, aber man hätte es doch von ihr erwartet. Sie wirkte so zierlich und schwächlich, dass man leicht glauben konnte, sie fürchte sich vor jeder Kleinigkeit. Hester greift zu ihrem Stickbeutel und dem Rahmen, den sie erst gestern mit Stoff bespannt hat, bereit, eine neue Arbeit anzufangen. Sie überlegt kurz und lächelt dann. Ein Geschenk für das Mädchen, das darauf besteht, Cat genannt zu werden. Wie könnte Hester ihrem guten Willen besser Ausdruck verleihen? Sie kramt in dem Beutel und sucht grünes, blaues und safrangelbes Garn heraus. Frische Farben für den frischen Frühling. Hester summt fröhlich vor sich hin, während sie das Muster anzulegen beginnt, und als Cat Morley das Teetablett bringt, dankt sie ihr freundlich und bemüht sich, nicht die Sehnen auf Cats Handrücken anzustarren, die sich beinahe stolz unter der Haut abzeichnen.

»Du redest nicht viel, was?«, bemerkt Mrs. Bell, als Cat das letzte Stück Teegeschirr abtrocknet und danach das feuchte Geschirrtuch über den Herd hängt. Die Haushälterin lehnt das breite Hinterteil an den schweren Arbeitstisch, die Knie zusammengepresst, die Füße aber leicht gespreizt, und beobachtet Cat mit Argusaugen. Die Küche liegt im Souterrain, sodass man durch die hoch angebrachten Fenster schräg in den Himmel und auf die Baumwipfel hinausschaut.

»Nur, wenn ich etwas zu sagen habe.« Cat zuckt mit den Schultern. Mrs. Bell gibt ein Brummen von sich.

»Ist wohl besser als so ein junges Ding, das den lieben langen Tag vor sich hin schwatzt.« Mrs. Bell mustert Cat noch einmal prüfend. »Du sprichst nicht wie jemand aus London. Ich habe schon einige Londoner gehört, die hier im Ort etwas verkauft oder Reden gehalten haben.«

»Meine Mutter hat sehr auf gute Aussprache geachtet. Der Gentleman hat bei allen seinen Angestellten Wert darauf gelegt«, erwidert Cat steif. Sie will nicht von ihrer Mutter sprechen. Sie will nicht von London sprechen, von der Vergangenheit. Mrs. Bell brummt erneut.

»Tu bloß nicht so eingebildet, jetzt, wo du hier bist. Du stehst ganz unten auf der Leiter, mein Mädchen – ein Wort von mir genügt, und du kannst deine Sachen packen.«

»Wie freundlich von Ihnen, mich darauf hinzuweisen«, murmelt Cat finster.

»Werd ja nicht frech.« Mrs. Bell hält inne, als zügelte sie ihre eigene Zunge. »Wie sieht's mit Kochen aus?«

»Ich habe manchmal geholfen, das Essen für das Personal zuzubereiten. Aber nie für die Familie.«

»Gemüse putzen und so weiter? Kannst du Blätterteig?«

»Nein.« Cat schüttelt den Kopf und streckt die Arme nach hinten, um ihre Schürze aufzuknoten.

»Nicht so schnell, wenn ich bitten darf! Für das Abendessen heute sind noch vier Tauben zu rupfen – sie liegen im Kühlkeller.« Cat knotet die Schürze wieder zu und wendet sich zum Gehen. »Und mach das draußen auf dem Hof, sonst kehrst du noch tagelang Federn auf!«, ruft Sophie Bell ihr nach.

Der Hof ist ein kleiner Bereich an der Westseite des Hauses, umgeben von einer hohen Ziegelmauer und mit den gleichen roten Ziegeln gepflastert. Die Abendsonne scheint Cat bei der Arbeit warm auf den Kopf, und sie ist umgeben von zarten grünen Pflänzchen, die sich aus kleinen Rissen im Mörtel emporschieben. *Mitten im Leben sind wir vom Tod umfangen,* denkt Cat, während ihre Finger die weichen Federn der Vögel packen und mit einem scharfen Zug aus der schlaffen Haut rupfen. Das reißende Geräusch, das dabei entsteht, hat sie schon immer gehasst und diese Arbeit deshalb um jeden Preis gemieden. In London waren die Dienstboten zahlreich und ihre Rollen genau festgelegt. Nur im absoluten Notfall hätte man ein Stubenmädchen Vögel für die Küche rupfen lassen. Dazu waren die Küchenmädchen da. Dazu war Tess da, mit verschmierten Fettflecken auf der Schürze, braunen Fingernägeln vom Kartoffelschälen, Mehlspuren im fröhlichen Gesicht. Die toten Vögel riechen klebrig süß. Ihre Köpfe baumeln und schlenkern, während Cat arbeitet, und die trockene Haut um ihre Schnäbel ist rissig. Cat denkt an getrocknetes Blut auf Tess' Lippen, ihr blutverschmiertes Zahnfleisch, das ihre Zähne dunkel umrandet. Sie denkt an den gleichen ekelhaft süßlichen Geruch, der vom derben Stoff einfacher, blutgetränkter Kleidung aufsteigt. Cat sehnt sich nach einer Zigarette.

Gegen fünf Uhr kündet ein Klappern und das Surren von Speichen die Rückkehr des Reverend Albert Canning an. Hester legt ihre Stickarbeit beiseite und geht in den Hausflur, um ihn zu empfangen. Mit dem Stundenschlag öffnet er die Tür und lächelt seine Frau an, die ihm Hut und Ranzen abnimmt, während er das schwere Fernglas ablegt, das um seinen Hals baumelt, und den Mantel auszieht. Albert ist groß und schlank, sein helles Haar, fein wie Flaum, beginnt sich gerade am Oberkopf zu lichten – was ihn nicht im Mindesten älter wirken lässt, sondern im Gegenteil seine Jugendlichkeit noch betont. Seine Wangen sind gerötet, weil er mit dem Fahrrad aus dem Ort zurückgefahren ist. Seine großen blauen Augen haben noch immer diesen unschuldigen Ausdruck, der Hesters Herz schon bei ihrer ersten Begegnung erobert hat, und seine Haut ist weich und glatt. Er bleibt mit einem Arm im Ärmel seines Mantels hängen, und Hester versucht ihm zu helfen, doch sein schwerer lederner Ranzen behindert sie. Sie kämpfen einen

Moment lang damit, bis sich ihre Blicke treffen und beide lachen müssen.

»Wie war dein Nachmittag, Bertie?«, erkundigt sich Hester, während sie wieder auf einem Stuhl Platz nimmt.

»Sehr angenehm, danke, Hetty. Ich habe alle angetroffen, die um meinen Besuch gebeten hatten, und in allen Fällen bis auf einen konnte ich in dieser oder jener Angelegenheit helfen. Und auf dem Heimweg habe ich ein prächtiges Pfauenauge gesehen – das erste dieses Jahr.«

»Und, hast du es gefangen?«, fragt Hester. Albert hat stets ein feines Schmetterlingsnetz und einen Sammelbehälter in der Tasche für den Fall, dass er ein seltenes Exemplar entdeckt.

»Nein, das erschien mir ein wenig unfair so früh im Jahr. Außerdem ist das Tagpfauenauge wahrlich nicht exotisch zu nennen«, antwortet Albert und beugt sich vor, um seine Hosenbeine von den Fahrradklemmen zu befreien. Er holt sein Tagebuch aus dem Rucksack und klappt es mit dem langen Zeigefinger auf.

»Nein, natürlich nicht«, stimmt Hester zu.

»Und du, Liebes? Was gibt es Neues?«

»Tja, ich fürchte, wir werden die Wäsche weiterhin außer Haus geben müssen.«

»Ach ja? Was ist mit dem neuen Mädchen – kann das sich nicht darum kümmern?«, fragt Albert und hebt den Blick von seinen Aufzeichnungen. Aus den Rhododendren vor dem Fenster lässt eine Amsel ihren perlenden Gesang erklingen.

»Ich denke nicht, nein. Sie ist recht schwächlich, und … nun ja, ich glaube kaum, dass sie genug Kraft in den Armen hat. Außerdem war sie krank.«

»Oje. Na ja, wenn du meinst, Liebes.« Hester betrachtet ihren Mann wohlwollend. Die langen Koteletten umrahmen sein Gesicht wie liebevoll sich anschmiegende Hände. Zwar fand Hester die Fasson schon immer ein wenig zu ernst für ein so junges Gesicht, aber sie weiß, dass Albert sich den Backenbart hat wachsen lassen, um auf der Kanzel gesetzter zu wirken. In der Sonne schimmern die Härchen golden, aber in nassem Zustand sind sie dunkel. Albert spürt ihren prüfenden Blick und lächelt sie an. »Was ist, Liebling?«, fragt er.

»Ich dachte nur gerade, welch eine gute Figur der Mann abgibt, den ich geheiratet habe«, antwortet Hester schüchtern. »Das ist nun beinahe ein Jahr her.« Albert nimmt ihre Hand. Er sitzt in seiner gewohnten Haltung, ein Bein über das andere geschlagen, sodass seine Hose ein wenig hochrutscht. Sie kann einen Fingerbreit weißer Haut über seinen Socken sehen, die ihn irgendwie verletzlich wirken lässt.

»Ich bin derjenige, der sich am glücklichsten schätzen kann«, sagt er, und Hester errötet leicht.

»Ich habe heute Nachmittag Mrs. Duff besucht«, erzählt sie.

»Und wie geht es ihr?«

»Etwas besser. Ich habe ihr etwas von meinem Zitronenlikör mitgebracht, den süßen, den sie besonders mag.«

»Das war nett von dir, Liebes.«

»Ihr jüngster Sohn ist ein prächtiger kleiner Kerl, und er weint überhaupt nicht, wenn ich ihn im Arm halte. Er betrachtet mich ganz ruhig mit so einem prüfenden Blick! Als mache er sich die ganze Zeit furchtbar ernste Gedanken über mich und käme dabei zu überaus bedeutsamen Schlüssen.« Hester lacht.

»Das kann ein so kleines Kind gewiss nicht«, murmelt Albert.

»Nein, da hast du wohl recht«, stimmt Hester zu. Albert vertieft sich wieder in sein Tagebuch. Sie wartet noch ein wenig, denn auf einmal schlägt ihr das Herz bis zum Hals.

Dann nimmt sie all ihren Mut zusammen. »Wie sehr ich mich nach dem Tag sehne, wenn unser eigener Sohn geboren wird! Oder eine Tochter natürlich. Ich weiß, dass du ein ganz wunderbarer Vater sein wirst«, sagt sie strahlend und beobachtet ihren Mann erwartungsvoll. Als er nichts erwidert, steigt ihr die Hitze in die Wangen. Albert starrt noch immer auf sein Tagebuch, doch Hester bemerkt, dass er die Stirn runzelt und sein Füllfederhalter reglos verharrt. Die Feder hat mitten in einem Wort innegehalten und drückt sich in das Papier, sodass unter der Spitze ein Tintenfleck erblüht. Albert räuspert sich leise und blickt endlich auf. Er schaut vage in ihre Richtung, sieht ihr aber nicht in die Augen und sagt kein Wort.

Spät am Abend liegt Cat noch wach. Die dünne Matratze ist klumpig, Rosshaar sticht durch den fadenscheinigen Drillich. Die Bibel, die in ihrem Zimmer lag, hat sie in die Tür gelegt, damit sie nicht zufällt. Die Heilige Schrift da auf dem Boden zu sehen, so wenig ehrerbietig behandelt wie ein Sandsack, gefällt ihr. Die Worte darin sind ebenso leblos und genauso schwer. Durch den Türspalt scheint der Mond kalt und ruhig herein. Cat liegt still und lauscht dem Schnarchen von Mrs. Bell am Ende des Flurs. Ein, aus – ein, aus. Sie meint das Wabbeln des dicken Halses dabei hören zu können. Vorsichtig atmet Cat ganz tief ein. *Da.* Sie ist noch da, ganz unten in ihrer Lunge – die kleine nasse Blase, die einfach nicht austrocknen will. Cat lässt den Atem ausströmen und bemüht sich, nicht zu husten. Das ständige blutige Husten im Gefängnis – die ganze Nacht hindurch, aus jeder Zelle, weil die Feuchtigkeit, die Schimmelsporen und die widerliche Mixtur des Arztes ihrer aller Lungen verstopfen wie mit Schlamm. Sie fährt mit den Daumen über den Drillich und zählt die harten Härchen, jede Sekunde eines, während die Nacht langsam verstreicht und ihre Augen offen bleiben. Cat kann sich nicht erinnern, wie es sich anfühlt, sich hinzulegen und einzuschlafen. Dieses friedvolle Gefühl, alle Macht und Kontrolle aufzugeben. Sie kann das nicht mehr. Dieses Aufgeben fühlt sich an wie der Tod, als könnte sie schon der Luft im Raum nicht trauen, als würden die Wände selbst über sie herfallen, wenn sie es wagt, die Augen zu schließen, und die Schatten lebendig werden und sie verschlingen.

In einem anderen, beinahe dunklen Zimmer ein Stockwerk tiefer betrachtet Hester Alberts Silhouette. Er liegt auf dem Rücken mit geschlossenen Augen und so auffallend entspanntem Gesicht, dass Hester vermutet, er sei noch wach. Die Schönheit seiner Züge wirkt entwaffnend auf sie. Dieses Tal zwischen Stirn und Nasenrücken, die leicht schmollende Unterlippe. Sein Anblick löst einen ziehenden Schmerz in ihr aus, den sie nicht klar benennen kann, als wäre da irgendein Nerv, der angespannt ist und Erleichterung sucht. Sie streckt den Arm nach Albert aus, ergreift die Hand, die auf seiner Brust liegt, und verschränkt die Finger mit seinen. Da, sie spürt es – die subtile Veränderung in seinem Atemrhythmus, die leichte Anspannung des ganzen Körpers.

»Bertie? Bist du wach, Liebster?«, flüstert sie. Er antwortet nicht. *Wenn er Dich erst umarmt und küsst und Deine leidenschaftliche Liebe zu ihm spürt, wird auch seine Leidenschaft geweckt, und Eure Leiber können sich vereinigen*, hatte ihre Schwester geschrieben. Hester ist sich ihres eigenen Leibes bewusst, der sich in ihrem Nachthemd bewegt, der Haut, die den Baumwollstoff streift, befreit von dem Korsett, das ihren Körper den ganzen Tag lang einschließt. Ihr Haar gleitet wie eine weiche, zärtliche Welle über ihre Schulter.

»Ich wünsche mir so sehr, du würdest mich umarmen«, sagt Hester mit leicht zitternder Stimme.

Albert schlägt die Augen nicht auf, als er ihr antwortet: »Es war ein sehr langer Tag, Liebste. Ich bin schrecklich müde.« Diese Worte hört Hester sehr oft von ihrem Mann. Sie hat sie sogar in ihrer Hochzeitsnacht gehört.

»Natürlich. Schlaf nur, liebster Bertie«, flüstert sie.

2

Leah las den Brief des Soldaten, und eine steile Falte bildete sich dabei zwischen ihren Augenbrauen. Ryan streckte die Hand aus und strich die Haut an genau dieser Stelle glatt, sodass Leah zusammenfuhr.

»Lass das!«, fauchte sie und riss den Kopf zurück.

»So reizbar«, seufzte Ryan. Er lächelte, als er sich wieder zurücklehnte, doch Leah sah ihm den leichten Verdruss an. Sie spürte Triumph in sich aufflackern und ärgerte sich sofort über sich selbst.

»Das hier ist aber doch nicht das Original, oder?«, fragte sie.

»Natürlich nicht – wir haben ihn abschreiben lassen. Das Papier des Originals ist unglaublich brüchig. Etwas Wasser war eingedrungen – nicht viel, er hatte die Blechschachtel sehr sorgfältig versiegelt – und hatte den Umschlag zerstört. Mit anderen Worten: den Namen des Adressaten, unseres mysteriösen Soldaten.«

»Und sie nennt ihn ›Sehr geehrter Herr‹. Nicht gerade hilfreich«, murmelte Leah.

»Nein, aber wenn sie uns seinen Namen verraten hätte, würde ich dich ja nicht brauchen.« Seine Wortwahl ließ Leah aufblicken. »Ist schon spannend, oder?«, bemerkte Ryan.

»Ist es«, stimmte sie zu. »Wie hatte er die Schachtel versiegelt?«

»Mit Kerzenwachs, wie's aussieht. Geschmolzen und um den ganzen Rand herum glatt gestrichen.«

»Wäre das denn leicht zu machen gewesen? Etwas, das er praktisch jeden Tag getan hätte, oder hat er den Brief nur ab und zu herausgeholt, um ihn zu lesen?«

»Wer weiß? Ich meine, er hat sehr gründlich gearbeitet, das hat wahrscheinlich seine Zeit gedauert. Ich glaube nicht, dass er die Schachtel jeden Tag geöffnet und wieder versiegelt hat.« Ryan zuckte mit den Schultern.

»Dann war dieser Brief also etwas Besonderes für ihn?«

»Das würde ich meinen, ja. Lies ihn laut, damit ich ihn auch noch einmal höre«, schlug er vor.

Pfarrhaus
Cold Ash Holt

Sehr geehrter Herr,
ich weiß kaum, wie ich diesen Brief beginnen soll, da ich bereits so viele geschickt und bisher kaum Antwort erhalten habe. Kaum, schreibe ich – dabei müsste es heißen, gar keine. Ich vermag mir die Situation, in der Sie sich jetzt befinden, nicht vorzustellen, und kann nur annehmen, so unmöglich mir das auch erscheint, dass sie noch schlimmer sein muss als die Umstände, die Sie hinter sich ließen. Der Gedanke daran, dass Sie unablässig in Gefahr schweben, ist grauenvoll – Sie und Ihre Kameraden. Bitte geben Sie auf sich Acht und seien Sie vorsichtig, sofern man auf einem Schlachtfeld von Vorsicht sprechen kann. Ich erfuhr erst kürzlich von Ihrer Abreise an die Front, und das auch nur durch einen Zufall – eine Bekannte erwähnte die Entsendung von Männern wie Ihnen. Mir ist bewusst, dass Sie und ich uns unter sonder-

baren Umständen trennten und unsere gemeinsame Zeit nicht einfach war. Doch obwohl Sie keinen meiner Briefe beantwortet haben, als Sie noch in meiner Nähe waren, fühlt es sich noch schlimmer an, zu wissen, dass Sie nicht mehr auf englischem Boden weilen.

Was also kann ich schreiben? Was könnte ich schreiben, das ich nicht bereits geschrieben habe? Ich begreife es nicht. Ich lebe in ständiger Angst, in Elend und Unwissenheit, und Sie sind meine einzige Hoffnung, je aus diesem Nebel herauszufinden. Doch Sie können oder wollen mir nicht helfen und auch Ihr Schweigen nicht brechen. Was kann ich schon tun? Ich bin nur eine Frau. Ein Eingeständnis der Schwäche, aber allein besitze ich weder die Kraft noch den Mut, irgendeine Veränderung herbeizuführen. Ich sitze in der Falle. Gewiss klingt das in Ihren Ohren jämmerlich, da Sie so viel durchmachen mussten, seit wir uns zuletzt sahen, und nun Dinge ertragen müssen, die ich mir nicht einmal vorstellen kann.

Mein Sohn entwickelt sich prächtig. Zumindest in dieser Hinsicht habe ich also gute Neuigkeiten. Bald wird er drei Jahre alt sein – wo ist nur die Zeit geblieben? Beinahe vier dunkle Jahre sind verstrichen, in denen Thomas mein einziger Lichtblick war. Er flitzt wie ein kleiner Derwisch in Haus und Garten herum. Er ist nicht groß für sein Alter, sagte man mir, aber seine Beine und sein Körper sind robust, und er ist in bester Verfassung. Bisher hat er noch nicht ernsthaft unter irgendeiner Infektion oder Kinderkrankheit gelitten. Er hat braunes Haar, leicht gelockt, und braune Augen. Hellbraune Augen. Ich lasse sein Haar zu lang wachsen, weil ich es so gern bürste! Meine Schwester sagt, er sei zu alt für diese Frisur, und die Leute würden ihn für ein kleines Mädchen halten, aber ich möchte sie noch eine Weile so lassen. Er lernt die ersten Zahlen und kann sich Lieder und Verse binnen Minuten einprägen. Er besitzt eine rasche Auffassungsgabe, überhaupt ist sein Verstand schneller als *meiner, möchte ich behaupten. Ich hoffe, es macht Sie froh, von Thomas zu hören.*

Ich wüsste nicht, was ich sonst noch schreiben sollte. Seit jenem Sommer war alles so seltsam und düster. Ich wünschte, ich könnte die Ereignisse besser verstehen, und zugleich fürchte ich, dass ich nicht den Mut besäße, entsprechend zu handeln, falls sich meine Vermutungen bestätigen sollten. Ich würde mich kaum trauen, eine Sekunde länger in meinem eigenen Haus zu bleiben, und was dann? Meine Schwester würde mich wohl vorübergehend bei sich aufnehmen. Aber nicht für immer – sie und ihr Mann haben jetzt vier Kinder, da ist schlicht nicht genug Platz für Thomas und mich. Würden Sie mir bitte schreiben? Bitte teilen Sie mir über die Ereignisse jenes Sommers alles mit, was Sie wissen – ich flehe Sie an! Selbst wenn Sie glauben, Ihre Antworten würden mich nicht beruhigen, ich muss es wissen. In Angst und Ungewissheit zu leben ist unerträglich, obgleich ich dies nun schon seit vier Jahren aushalten muss. Ich schrieb Ihnen ja bereits davon, was ich an jenem Morgen in der Bibliothek gefunden habe. Von den Dingen, auf die ich dort gestoßen bin. Ich bin sicher, dass ich Ihnen davon geschrieben habe, obgleich mein Verstand damals so aufgewühlt war. Es war wie ein schrecklicher Albtraum. Noch Tage später wachte ich auf, war zwei Herzschläge lang glücklich, doch dann kam mir alles wieder zu Bewusstsein, und mir schien, als trübte sich die Sonne. Macht es mich zur Komplizin, dass ich meine Entdeckung verbarg? Ich fürchte, ja, doch hätte gewiss kaum ein Mensch anders gehandelt. Vielleicht ist das auch nicht wahr. Vielleicht bin ich schwach und ängstlich, und es fehlt mir an Moral und Mut. Was sagt das über Sie und Ihr Schweigen? Schreiben Sie mir, ich flehe Sie an. Lassen Sie mich nicht länger unter Vermutungen und Geheimnissen leiden, die mich Tag für Tag verfolgen.

Mit herzlichen Grüßen
H. Canning

Sie saßen in einem Restaurant in einem Dorf namens Watou – eine Weile zu fahren von Poperinge, wo Leah abgestiegen war und Ryan wohnte. *Das Restaurant ist die Fahrt wert*, hatte er auf ihren fragenden Blick hin gesagt, als sie die Stadt verließen. Und er hatte recht. Das Essen war köstlich, die Atmosphäre angenehm ruhig und vom Geplauder der einheimischen Gäste geprägt, die zum Abendessen kamen. Draußen prasselte der Regen auf die menschenleere Straße herab, sprudelte in den übervollen Rinnsteinen und warf die Straßenbeleuchtung in winzigen Lichtpunkten auf das Fensterglas.

»Da sehnt man sich doch nach dem Sommer, oder?« Leah starrte seufzend hinaus.

»Mir gefällt das, weißt du nicht mehr? Ich mag die düsteren Monate«, entgegnete Ryan und schenkte ihr Rotwein nach.

»Richtig. Das hatte ich vergessen.«

»So schnell vergisst du mich also.« Ryan schüttelte den Kopf. Leah sagte nichts. Sie wussten beide, dass das unmöglich sein würde – vergessen. Sie blickte zu ihm auf. Die Kerze zwischen ihnen auf dem Tisch beleuchtete sein Gesicht. Was in ihr war es nur, das sie so zu ihm hinzog? Etwas Unentrinnbares, wie die Schwerkraft. Es wäre so viel leichter, diesem Etwas einfach nachzugeben – so ähnlich, ermahnte sie sich, wie es leichter wäre, loszulassen und von einer Klippe zu stürzen, als sich wieder auf sicheren Boden hochzuziehen. So viel leichter. Der Wein wärmte ihr Blut und färbte spürbar ihre Wangen. »Du hast einen Schwips«, bemerkte Ryan. Sein Lächeln zeigte sanften Spott, und Vertrautheit und Zärtlichkeit ließen seine Züge weicher erscheinen und die schlimmen Erinnerungen verblassen.

»War das nicht deine Absicht?«, fragte Leah. Ryan schüttelte den Kopf.

»Du wusstest schon immer genau, was du willst. Ich habe nie zu Alkohol gegriffen, um das in meinem Interesse zu verändern.«

»Lügner.« Sie lächelte, und Ryan grinste.

»Es ist wirklich schön, dich zu sehen, Leah. Ich glaube, ich bin noch gar nicht dazu gekommen, dir das zu sagen.« Er streckte die Hand aus, spielte an den heruntergelaufenen Wachstropfen an der Kerze herum und runzelte dabei leicht die Stirn, als sei er in tiefschürfende, beunruhigende Gedanken versunken. *Oh, dieses Spielchen hast du immer perfekt beherrscht,* dachte Leah. Er hatte es stets verstanden, sie zum ersten Schritt zu verleiten, zu näherem Hinsehen zu verlocken.

»Ich werde nicht mit dir schlafen«, erklärte sie unvermittelt.

Ryan zog die Hand von der Kerze zurück, als hätte er sich verbrannt. »Ich kann mich nicht erinnern, dich darum gebeten zu haben«, entgegnete er scheinbar ungerührt.

Sie unterhielten sich, während ihre Teller abgeräumt wurden, und bestellten Desserts. Doch je länger sie miteinander sprachen, umso offenkundiger wurden all die Dinge, über die sie nicht sprechen konnten, und bald verfielen sie in ein unbehagliches Schweigen.

»Warum er diesen Brief wohl aufgehoben hat? Sie hat ihm anscheinend oft geschrieben, ehe er England verlassen hat. Warum gerade diesen einen? Als Liebesbrief kann man ihn kaum bezeichnen«, bemerkte Leah schließlich. Der Kellner brachte ihre Desserts – Profiteroles in einer Pfütze heißer, glänzender Schokoladensauce. Er stellte die flachen Schalen mit großer Geste vor sie hin und drehte sie dann mit den Fingerspitzen, als sei die exakte Position von äußerster Wichtigkeit. Leah fing seinen Blick auf und lächelte flüchtig.

»Ich glaube, unser *garçon* steht auf dich«, sagte Ryan.

»Das bildest du dir nur ein. Das hast du früher ständig gemacht.«

»Außer in der Türkei.«

»Okay, das gebe ich zu. Aber die standen nur auf meine blauen Augen und das blonde Haar. Das hatte nichts mit mir persönlich zu tun.«

»Ich könnte jetzt ein reicher Mann sein. Einer von denen hat mir für dich sein Haus geboten.« Ryan grinste.

»Man kann nichts verkaufen, was einem nicht gehört«, erwiderte sie. »Außerdem war der höchstens sechzehn und wohnte wahrscheinlich noch zu Hause bei Mama.«

»Das war nicht der Einzige«, sagte Ryan und stopfte sich ein ganzes Profiterole in den Mund, sodass er ihn kaum noch schließen konnte. Leah konnte nicht anders, sie musste lachen.

»Du Ferkel! Du hast Schokoladensoße am Kinn. Was war nicht der Einzige wovon?«

Ryan kaute lange, ehe er antwortete: »Das war nicht der einzige Brief in der Blechschachtel unseres Soldaten. Da war noch einer.«

»Tatsächlich? Warum hast du ihn nicht mitgebracht? Was steht drin?«

»Er ist viel kürzer als der, den ich dir gezeigt habe. Und offenbar früheren Datums – ziemlich bald nach dem rätselhaften Ereignis, würde ich meinen. Er klingt ganz schön wirr«, erklärte er.

»Und, wo ist er?«, fragte Leah, stippte den kleinen Finger in die heiße Schokoladensoße und steckte ihn sich in den Mund. So etwas Kindisches tat sie nur bei Ryan. Es war so heimtückisch einfach, wieder in alte Gewohnheiten zu verfallen.

»In meinem Zimmer«, sagte Ryan leise.

Sehr geehrter Herr,
das Kind muss nun jeden Tag kommen, und ich vergehe vor
Angst. Wie kann ich das tun? Sie wissen, wovon ich spreche –
da bin ich mir sicher. Ich könnte ebenso gut allein in diesem Haus
sein, nur von Geistern umgeben. Erkennen Sie, was Sie getan
haben? Halb wünschte ich, ich wäre Ihnen nie begegnet. Mehr
als nur halb, und die meiste Zeit. Jetzt versuche ich, Sie mir
vorzustellen, mir auszumalen, wie Sie wohl ohne Ihre gewohnte
Kleidung aussehen, ohne Ihre Bücher und Ihr Lächeln – all die
kleinen symbolischen Objekte, aus denen Sie sich erschufen –
und ohne Ihre »göttliche Wahrheit«. Was ist daraus geworden?
Alles zurückgelassen, so wie mich?
Alles ist verdorben. Ich habe nicht einmal mehr Freude am
Unterrichten, an den Kindern, denn während ich vor ihnen stehe,
weiß ich, was unter dem Boden zu meinen Füßen liegt.
Ich habe Ihnen schon gesagt, was ich getan habe, nicht wahr?
Ich kann mich kaum erinnern. Ich dachte, das wäre nur
vorübergehend, eine Stelle, an der niemand nachsehen würde. Auf
der Suche nach dem, was ich bereits gefunden und an jenem
Morgen vom Boden der Bibliothek aufgehoben habe. Ich hatte vor,
alles zu vernichten, verstehen Sie? Restlos alles, doch dann dachte
ich, Sie würden es vielleicht eines Tages brauchen, um Beweise
vorzulegen oder etwas zu Ihrer Entlastung vorbringen zu
können. Da bleibt es also, unter den Dielen. Bei der bloßen
Vorstellung erhebt sich ein Sturm des Grauens in meinem Herzen,
der mich vor Schwäche zittern lässt, und daran, es anderswo zu
verbergen oder auch nur zu berühren, ist gar nicht zu denken.
Ich glaube, dieses Kind wird ein Junge, ein kräftiger Junge. Ich
bin kaum mehr zu erkennen, so unförmig. Dieses Geschöpf hat
von meinem ganzen Körper Besitz ergriffen. Inzwischen ist er

*schon zu groß, um sich zu bewegen und mich zu treten, wie er
es in den vergangenen Monaten stets getan hat. Er ist fest
zusammengepresst wie die Luft in einem Ballon. Wie sehr ich
mir wünsche, er würde einfach bleiben, wo er ist! Ich weiß nicht,
woher ich die Kraft nehmen soll, ihn reinen Herzens groß-
zuziehen, fröhlich und unbekümmert, während ich von solchen
Schatten erdrückt werde. Genug für heute. Ich bin müde. Es
erschöpft mich schon, nur einen Brief zu schreiben – und ganz
besonders einen Brief an Sie, da ich inzwischen zu wissen
glaube, dass ich keine Antwort erhalten werde. Dennoch hoffe
ich darauf, und das erschöpft mich sogar noch mehr.
Möge dieser Brief Ihnen, der sich in einer so grausamen Lage
befindet, ein wenig Trost bringen.*

H. Canning

Auch diesen Brief las Leah rasch durch, dann noch einmal.
Sie las ihn ein drittes Mal, aber nur, weil sie nicht wagte aufzublicken, Ryan anzusehen und mit ihm zu sprechen. Wie
kam sie nur immer wieder an diesen Punkt? Sie fluchte innerlich. Da war es wieder, dieses Gefühl, als werde ihr Kno-
chenmark heiß und dünnflüssig, als sei ihre Entschlossenheit eine körperliche Substanz, die unter Druck schmelzen,
in ihren Blutkreislauf strömen und sich darin verlieren
könnte. Dabei war Ryan ihr gar nicht einmal nahe. Er saß
halb auf dem Fensterbrett gegenüber, und sie saß auf der
Bettkante und hielt sich beim Lesen mit einer Hand das
Haar aus dem Gesicht. Doch dann stand er so plötzlich auf,
dass Leah zusammenfuhr.

»Auch noch einen Kaffee?«, bot er in so beiläufigem Tonfall an, dass Leah an sich zweifelte. Oder daran, dass er auch
nur annähernd ähnlich empfand wie sie.

»Nein, danke.« Sie blickte nicht auf.

»Klingt, als hätte sie ganz schön in der Klemme gesteckt, nicht?«, bemerkte er und goss heißes Wasser auf eine weitere Portion Instant-Kaffeepulver. »Was machst du dir für einen Reim darauf?«

»Das kann ich wirklich nicht sagen. Etwas Schlimmes ist passiert. Sie wurde verlassen und musste allein mit den Folgen klarkommen, unser Toter hat sich irgendwohin verkrümelt und ist dann in den Krieg gezogen. Sie glaubt, er wüsste etwas darüber, was da passiert ist«, fasste Leah zusammen. Jetzt blickte sie zu ihm auf. Da er ihr den Rücken zugewandt hatte, war es sicherer. Die lange, geschmeidige Form seiner Wirbelsäule, die breiten Schultern unter dem Hemd. Eigentlich nur Haut und Muskeln und Knochen, nicht anders als sie selbst – aber dennoch irgendwie magisch.

»Aber sie waren kein Liebespaar?«, fragte er.

»Das glaube ich nicht, nein. Sonst würde sie ihn wohl kaum mit ›Sehr geehrter Herr‹ anschreiben. Das hätte auch vor hundert Jahren niemand getan. Es klingt so kalt und förmlich.«

»Der Inhalt des Briefes aber nicht, oder? Ich meine, der ist nicht kalt und förmlich«, entgegnete Ryan. Er setzte sich neben sie, zu nah, sodass sie sich an Oberschenkel, Hüfte, Ellbogen berührten. Leah spürte, wie etwas in ihr nachgab und ein bekannter Schmerz sich ausbreitete. Das war ein merkwürdiger Schmerz, beinahe befriedigend, wie an einem losen Zahn zu wackeln oder an einer Wunde herumzudrücken. Einer Wunde, die sehr tief ging. Sie rief sich in Erinnerung, wie er sie betrogen und damit alles zerstört hatte, was ihr vertraut und sicher erschienen war.

»Ja und nein. Sehr seltsam. Es ist, als versuche sie, anständig und schicklich mit alldem umzugehen, aber das lässt sich nicht mit dem vereinbaren, was sie ihm sagen muss. Und dass sie sich so vage ausdrückt – beinahe, als müsste sie damit rechnen, dass jemand anders ihre Briefe in die Finger bekommt und liest, und für diesen Fall wollte sie nicht zu viel verraten …« Leah verstummte. Ryan hatte ihr das Haar hinters Ohr gestrichen und dabei ganz zart mit den Fingern ihre Wange gestreift. Stumm sah sie ihm in die Augen.

»Du wirst der Sache also nachgehen und versuchen, ihn zu identifizieren?«, fragte Ryan. Leah nickte. »Es ist genau wie früher, dir so dabei zuzuschauen, wie du dich auf ein Geheimnis stürzt. Ein … unerwarteter Bonus.«

»Wie meinst du das? Hast du denn nicht damit gerechnet, dass ich es mache?«

»Nein, ich habe damit gerechnet, dass du es absichtlich nicht machen würdest, nur, weil ich dich darum gebeten habe.«

»Ich habe tatsächlich daran gedacht«, gestand sie. »Ich … zum Teil bin ich deshalb hergekommen, um Nein sagen zu können. Dir etwas zu verweigern.« Tränen stiegen ihr in die Augen, und sie wischte sie zornig weg.

»Du hast gleich die erste Hürde gerissen«, sagte er leise. »Du bist hierhergekommen. Als ich dich darum gebeten habe.«

»Ich weiß. Ich kann das nicht besonders gut, was?«

»Ich weiß nicht. Du hast mich monatelang warten lassen, bis ich dich wiedersehen durfte. Du hast mich dazu getrieben, nach Belgien zu gehen, um dich zu vergessen.«

»Das ist gelogen. Du wolltest schon immer hierher und für die Kriegsgräberfürsorge arbeiten«, erwiderte sie und rang darum, Halt zu finden, sich an irgendetwas festzuklammern, während sie immer weiter vom Rand der Klippe abrutschte.

»Leah, du hast mir so gefehlt«, flüsterte Ryan, die Lippen in ihrem Haar, sodass seine Worte ihre Haut berührten wie Schmetterlingsflügel. Schweigend gab Leah nach.

Als sie aufwachte, trommelte Regen mit ein paar Körnchen Hagel ans Fenster. Das kleine Zimmer war dunkel und trübselig, das Bett zu schmal. Ryan lag mit dem Gesicht zur Wand und dem Rücken zu ihr und schlief tief und fest. Ohne sich zu rühren, ließ Leah den Blick durch den Raum gleiten und erfasste jedes ihrer Kleidungsstücke, die sie am Abend zuvor einfach irgendwo hatte fallen lassen. Eine Sekunde lang suchte sie nach einer Möglichkeit, ungeschehen zu machen, was sie getan hatte, obwohl sie wusste, dass das völlig unmöglich war. Sie schloss die Augen und ließ sich von ihrer Verzweiflung überrollen. Es war ein Gefühl, als würde sie unter der Erde feststecken und langsam ersticken, ohne Ausweg. *Ich werde nie wieder frei sein*, dachte sie.

Doch dann erschienen die Worte aus den Briefen dieser Canning vor dem rötlich-schwarzen Hintergrund ihrer geschlossenen Lider. *Alles ist verdorben. Ich hatte vor, alles zu vernichten ... Da bleibt es also, unter den Dielen. ... von solchen Schatten erdrückt ...* Da gab es etwas zu entdecken, eine verborgene Geschichte, irgendeine Wahrheit. Nicht nur die Identität des toten Soldaten, sondern auch die Umstände, die dieser Frau solche Qualen bereitet hatten. Warum der Mann, dem sie schrieb, ihr nie antwortete, und warum er von all ihren Briefen nur diese beiden aufbewahrt hatte, und warum sie glaubte, er könnte eines Tages etwas beweisen, zu seiner Entlastung vorbringen müssen, wie sie sich ausgedrückt hatte.

Wie eine Rettungsleine, etwas, woran sie sich festklammern konnte, fielen die ausgefransten Fäden dieser Geschichte zu ihr herab. Sie konnte sie gerade so erreichen, indem sie sich konzentrierte und ihren ganzen Willen darauf richtete. Als Allererstes musste sie hier weg. Ohne Ryan zu wecken, ohne mit ihm zu sprechen, sich von ihm zu verabschieden – obwohl sein Geruch an ihrem Haar, an den Fingern und an ihrem Mund haftete, wie Spuren einer tückischen Droge, die sie brauchte und die ihr zugleich schadete. Sie stand auf, zog sich leise an, hob die Kopien der Briefe vom Boden auf und steckte sie in ihre Handtasche. Als sie das Zimmer verließ, glaubte sie, aus dem Augenwinkel etwas schimmern zu sehen, einen kurzen Lichtreflex von der dunklen Gestalt inmitten von Kissen und Decken. Als wären Ryans Augen offen gewesen, als sie sich aus dem Zimmer schlich.

1911

Morgens ist das Haus kühl und still, erfüllt von hellem Sonnenlicht. Es glitzert auf den Staubkörnchen, die in der stillen Luft tanzen und dann langsam auf die Möbel herabsin-
ken. Wenn Cat die Kamine und Teppiche säubert, stieben
ganze Wolken davon auf und lassen sich anderswo nieder,
um gleich darauf wieder weggefegt zu werden, hoch in die
Luft und herunter auf den Boden. Cat ist froh, dass Hester
nie früh genug auf ist, um zu sehen, wie vergeblich das ist.
Menschen bestehen aus Staub. Häuser bestehen daraus. Cat
wischt sich immer wieder die Hände an der Schürze ab, weil
ihr die Vorstellung nicht gefällt, dass der Staub an ihrer
Haut haften bleibt. Sie putzt die unteren Räume und deckt
den Frühstückstisch, ehe Hester herunterkommt. Manchmal wird Cat auch nach oben gerufen, um Hester beim
Ankleiden zu helfen. Wenn dann der Pfarrer von seinem
Morgenspaziergang zurückkommt, frühstückt er mit Hester,
während Cat nach oben geht, die Schmutz- und Flickwä-
sche einsammelt, das Bett macht, Schlaf- und Badezimmer
und den oberen Flur putzt. Sie lüftet Gästezimmer, in denen
sie bisher keine Gäste gesehen hat, öffnet die Fensterläden
von Zimmern, die den ganzen Tag lang niemand betreten
wird, und schließt sie wieder, wenn die Sonne untergeht.
Unablässig jagt und erschlägt sie Fliegen und wartet darauf,

dass diejenigen, die zu hoch und für sie unerreichbar sind, müde werden und sterben.

Die ganze Zeit über dröhnt ihr die Stille in den Ohren. In London war immer das stete Summen und Brummen der Stadt zu hören, selbst in der exklusiven Broughton Street. In jedem Fenster, dessen Läden sie öffnete, wurde sie von den gedämpften Lauten gelebten Lebens begrüßt. Pferdedroschken klapperten vorüber, beschlagene Hufe an den Enden schlanker, sehniger Beine schlugen Funken auf dem Pflaster. Sie hörte die Motorengeräusche von vorbeituckernden Automobilen, Jungen auf Fahrrädern, Lieferkarren, den bedächtigen Schritt eines schweren Zugpferds. Und Fußgänger, Stimmengewirr. Die Dienstboten konnten immer wieder einen Blick auf Passanten erhaschen, waren stets über die neueste Mode informiert. Wenn Cat jetzt die Fensterläden öffnet, begrüßt sie nur endloses Grün – die Weite der Landschaft zu drei Seiten des Hauses wird nicht vom geringsten Anzeichen menschlichen Lebens unterbrochen. Der Himmel ist weit und hoch, und zu hören sind fast ausschließlich Vögel. Hin und wieder rollt ein Wagen vorbei, ab und an bellt ein Hund. Es verstört sie, und doch kann sie alldem nicht widerstehen und ertappt sich immer wieder dabei, wie sie innehält an den Fenstern, die sie eigentlich putzen sollte, und ihr Blick weich wird, wenn er in diese neue, stille Ferne schweift. Und ihr Körper braucht diese Pausen so dringend wie nie zuvor. Sie hat immer gearbeitet, seit sie zwölf Jahre alt war, und ihre Muskeln sind dabei hart und stark geworden. Aber Holloway hat sie so geschwächt, dass ihre Beine zittern, wenn sie vom Keller zum Dachboden hinaufsteigt.

Sie frühstückt mit Mrs. Bell an dem großen Holztisch in der Küche. Der Stuhl der Köchin knarzt Unheil verkündend, wenn er unter ihrer Masse beinahe verschwindet. Nur noch spindeldürre hölzerne Beinchen sind zu sehen, die über den Steinboden schrammen und unter ihrer Last wackeln. Eines Tages werden sie brechen, denkt Cat. Dann wird sie sich das Lachen nicht verkneifen können. Sie malt sich die Szene aus – Mrs. Bell, die zappelnd auf dem Boden liegt, hilflos wie ein Käfer auf dem Rücken.

»Was gibt's da zu grinsen?«, fragt Mrs. Bell argwöhnisch.

»Ich habe mir vorgestellt, wie Sie auf dem Boden landen würden, wenn Ihr Stuhl zusammenbricht«, antwortet Cat aufrichtig.

»Oh, du freches Luder!«, keucht Mrs. Bell und starrt sie an, ausnahmsweise einmal mit aufgerissenen Augen. Aber anscheinend fällt ihr keine weitere Erwiderung ein, also widmet Cat sich wieder ihrem Haferbrei. Sie muss sich beim Essen konzentrieren, auf eine seltsame Art. Sie muss sich darauf konzentrieren, sich *nicht* zu sehr bewusst zu sein, dass sie isst. Wenn sie es zu deutlich wahrnimmt – den Geschmack, die Konsistenz, das kurze, erstickende Gefühl beim Schlucken –, dann steigt Panik in ihr auf, und es geht nicht mehr.

»Ich habe mich gerade gefragt, weswegen sie dich wohl weggesperrt haben«, bringt Mrs. Bell schließlich hervor. »Wahrscheinlich wegen irgendeiner Dreistigkeit, wo du hübsch den Mund hättest halten sollen! Wem hast du denn Widerworte gegeben?«, fragt sie und bemüht sich, zornig zu klingen, doch die Neugier in ihrer Stimme kann sie nicht verhehlen.

Aber Cat kann nicht antworten. Als Mrs. Bell das Gefängnis erwähnt hat, hat sich ihre Kehle zugeschnürt, und der Haferbrei in ihrem Mund kommt nicht mehr weiter. Cat spürt, wie er sie fast erstickt und hinten in ihrer Kehle klebt. Sie stürzt zum Spülbecken, hustet und würgt den Brei hervor.

»Bei allen Heiligen! Was ist denn nur mit dir los?«, ruft Mrs. Bell aus, der das Blut fleckig in die Wangen steigt. »Kein Wunder, dass du dünn bist wie ein Spatz! Davon wird die Herrin erfahren.«

»Sie spart doch noch dabei, wenn ich nichts esse«, japst Cat und wischt sich mit dem Handrücken das Kinn. Mrs. Bell brummt missmutig, und Cat kehrt an den Tisch zurück und schiebt die Schale Haferbrei von sich.

»Hier wird nichts verschwendet! Gib mir die Schüssel«, sagt Mrs. Bell und fährt mit dem Löffel hinein. Wieder wirft sie Cat einen raschen Blick zu. »Was trägst du da für eine Nadel?« Sie zeigt mit dem Finger auf das kleine Fallgitter in Silber und Emaille, das an Cats Kragen geheftet ist.

»Meine Holloway-Medaille. Meine Freundinnen haben sie mir geschenkt, als Zeichen, dass ich für unsere Sache im Zuchthaus war«, erklärt Cat. Unwillkürlich hebt sie die Hand und streicht mit den Fingern darüber.

»Das ist doch nichts, worauf man stolz sein kann«, tadelt die Haushälterin sie scharf.

»Da irren Sie sich.«

»Du solltest sie jedenfalls nicht so offen tragen. Unter deiner Kleidung, wenn's denn sein muss, aber ich will das Ding nicht wieder sehen«, ordnet Mrs. Bell mit einem knappen Recken des Kinns an. Cat blickt finster drein, tut aber, was ihr befohlen wurde.

Nach dem Mittagessen wird Cat ins Wohnzimmer gerufen, als sie gerade auf dem Weg in ihre Kammer ist, um sich ein wenig auszuruhen. Ihre Hände sind rot und runzlig vom Spülwasser, und die Fingernägel, die in der Woche vor ihrer Ankunft ein wenig länger gewachsen waren, sind alle wieder abgebrochen. Die Pfarrersfrau ist in weißen Musselin gekleidet, mit Rüschen an Kragen, Ärmeln und Rocksaum.

Das Korsett schnürt ihre Taille zusammen, trotzdem sind ihre Formen ausladend und weich. Ihre Brüste wölben sich über dem Fischbein und werden leicht in Richtung Achseln nach außen gedrückt. Auch ihr Gesicht wirkt so – breit, weich, entgegenkommend. Die Hände hingegen sind klein und schmal, mit zarten Fingern und glänzend rosa Nägeln. Ihre Füße sind winzig. Wenn sie Schuhe mit hohen Absätzen trägt, erinnert sie ein wenig an einen Kreisel.

»Ah, Cat.« Hester lächelt. »Wärst du wohl so gut, diesen Brief zum Postamt zu bringen und für mich aufzugeben. Danke, mein Kind. Und vielleicht ein paar Madeleines zum Tee? Der Bäcker am Broadway ist ganz ausgezeichnet. Das wird Mrs. Bell nicht gefallen, aber solange sie keinen guten Sandteig rühren kann, bleibt mir ja nichts anderes übrig!« Hester lacht ein wenig. Cat nimmt den Brief und die Münzen, die Hester ihr hinhält. Sie findet es grässlich, *Kind* genannt zu werden von einer Frau, die nur ein paar Jahre älter ist als sie.

»Jawohl, Madam«, sagt sie leise. Hesters Lächeln welkt ein wenig. Cat fällt auf, dass der Blick der Frau an ihr vorbei und um sie herum huscht, und immer wieder hinab zu dem Brief. Als fürchte sie sich davor, ihrem neuen Dienstmädchen in die Augen zu schauen.

»Du kennst den Weg nach Thatcham, ja?«, fragt Hester.

»Nein, Madam«, gesteht Cat. Sie hat gar nicht daran gedacht, sich danach zu erkundigen, und wäre fröhlich ohne Wegbeschreibung losmarschiert.

»Nun, an einem schönen Tag wie heute nimmst du am besten den Fußweg gegenüber – da ist ein Tritt über den Zaun – und folgst ihm zum Steg über den Fluss und weiter, bis du den Kanal erreichst, das sind knapp zehn Minuten. Wende dich nach links und folge dem Treidelpfad gut drei Kilometer lang, dann kommst du nach Thatcham. Ein reizender kleiner Ort. Du kannst dir gern ein wenig Zeit lassen und dich dort umsehen. Es wird dir später nützlich sein, wenn du mit der Lage der Fleischer und anderer Geschäfte vertraut bist«, erklärt Hester. Der Gedanke an diesen Ausflug heitert Cat auf.

»Danke sehr, Madam«, sagt sie mit mehr Gefühl in der Stimme, und Hesters Lächeln wird breiter.

Durch kein Korsett behindert, schwingt Cat sich mit Leichtigkeit über den Zauntritt und spaziert den Pfad über die Weide entlang. Sie weicht Kuhfladen aus und erspürt den seltsamen neuen Boden unter ihren Füßen. Sie ist noch nie über so hohes Gras gelaufen, auf so natürlichem, unbearbeitetem Untergrund. In London gab es zwar Rasen im Garten, aber Dienstboten durften ihn nicht betreten. Der Gentleman nahm es in dieser Hinsicht recht genau – es gab Wege, an die man sich zu halten hatte, aus säuberlich verlegten Steinplatten oder ordentlich geharktem Kies, gesäumt von niedrigen Buchshecken. Hier hingegen wachsen langes, wildes Gras und viele andere Pflanzen, die sie noch nie gesehen hat. Wildblumen, ganz kleine mit Blüten in der Farbe des Sommerhimmels und violette, gelbe, spitze weiße Blütenwölkchen von Pflanzen, die sie nicht benennen kann. Im hellen Sonnenschein dringt die Wärme durch ihre Haut und vertreibt die hartnäckige Kälte der Gefängniszelle. Cat trägt Hesters Brief und die Münzen für das Gebäck in einem kleinen Beutel an einer Schnur, den Mrs. Bell ihr widerwillig geliehen hat. Sie lässt ihn zwischen den Fingern baumeln, schwingt ihn vor und zurück und wirbelt ihn herum, sodass er durch die Luft pfeift.

Der Kanal ist eine breite, träge Rinne aus trübem Wasser, beidseitig bedrängt von den ausladenden Zweigen der Trauerweiden. Junge Holunderzweige neigen sich über das ge-

genüberliegende Ufer und blühen mit würziger Begeisterung. Wolken von Mücken tanzen über der Wasseroberfläche, und bald schwirren sie Cat vor dem Gesicht herum und stechen sie in die Handrücken. Cat erreicht den Treidelpfad und schaut nach rechts. Bis nach London führt dieser Weg. Sie könnte ihm folgen, weiterlaufen, bis ihre Füße wund und blutig wären. Wie lange sie wohl brauchen würde? Sie hat keine Ahnung. Und was sollte sie in London tun? Sie ist nirgendwo mehr zu Hause. Aber sie könnte nach Tess suchen. Sich vergewissern, dass es ihr gut geht, und sie mit hierhernehmen an diesen fremdartigen Ort, so grün und still und anders. Doch Cat wendet sich nach links und geht langsam weiter, schlägt nach den Mücken und weicht den Hinterlassenschaften der Zugpferde aus.

Bald kommen Gebäude in Sicht. Speicher, kleine Werften. Sie kommt an zwei Schleusen vorbei und beobachtet, fasziniert von dem Mechanismus, wie ein Boot eine davon passiert. Wasser schießt schäumend zwischen den nassen Balken hindurch und verbreitet Wolken starker Gerüche: feucht, ein wenig faulig und irgendwie lebendig. Die Brise kräuselt die Oberfläche, sodass das Wasser zu fließen scheint. Cat hebt ein Stöckchen auf, um herauszufinden, ob es sich tatsächlich bewegt. Als sie es ins Wasser wirft, löst sich der Beutel von ihrem Handgelenk und fliegt hinterher.

»Verflucht!«, brummt sie und blickt sich um. Die Ufer des Kanals sind steil, und das Wasser sieht tief aus. Ganz in der Nähe ist ein langes, breites Boot vertäut, doch obwohl es leer zu sein scheint, traut sie sich nicht, es einfach so zu betreten. Sie hebt einen herabgefallenen Ahornast auf und streckt ihn nach dem Beutel aus, der zum Glück auf dem Wasser schwimmt. Sie versucht, das Gleichgewicht nicht zu verlieren und den Ast ruhig zu halten, während sie mit einem seiner Zweige die Schnur des Beutels angelt und ihn langsam zu sich heranzieht. Einen Moment lang funktioniert das, doch dann verliert sie das Gleichgewicht und muss den Ast fallen lassen, um sich abzufangen. Der Beutel treibt in einem gemächlichen Kreis herum. Cat rutscht vorsichtig die steile Böschung hinab, beugt sich gefährlich weit vor und streckt die Hand danach aus. Er treibt wenige Zentimeter vor ihren Fingerspitzen, höchstens zwei Fingerbreit, aber sosehr sie sich auch streckt, sie kann ihn nicht erreichen. »Oh, du stinkendes, verfluchtes kleines Dreckstück!«, schreit sie das Ding an und richtet sich wütend wieder auf.

Ein Lachen erschreckt sie so, dass sie einen Schritt zurückweicht und taumelt.

»He, Vorsicht, Miss. Sie wollen doch nicht auch noch reinfallen, oder?«, sagt ein Mann. Er ragt halb aus einer Luke im Deck des Kahns, der neben ihr vertäut ist. Cats erster, spontaner Eindruck ist lebendiges Braun, Wärme. Die wettergegerbte Haut hat die Farbe der geschrubbten Bohlen des Bootes, das Haar ist struppig, die einfache Kleidung ungefärbt.

»Wer sind Sie?«, fragt sie argwöhnisch.

»George Hobson. Für Sie viel wichtiger ist allerdings, dass ich hier einen Enterhaken habe, falls Sie einen brauchen sollten.«

»Was ist ein Enterhaken, und warum sollte ich einen brauchen?«, erwidert Cat scharf, weil sie das Gefühl hat, dass er sich über sie lustig macht.

»Das hier, und damit hole ich Ihnen den Beutel heraus, wenn Sie mir Ihren Namen nennen«, erklärt der Mann und hebt eine bösartig aussehende metallene Klaue an einem langen Stab vom Deck seines Bootes auf.

Cat sieht ihn stirnrunzelnd an und überlegt kurz, ehe sie sagt: »Also gut, ich heiße Cat Morley. Bitte holen Sie doch den Beutel aus dem Wasser, ehe der Brief darin völlig durchweicht ist.«

Der braune Mann kommt ganz aus der Luke heraus, hockt sich an den Rand seines Decks und fischt den tropfenden Beutel aus dem Kanal. Er schüttelt ihn leicht, faltet die Schnur säuberlich auf der Handfläche zusammen und drückt sie aus. Seine Hände erinnern an Schaufeln, breit und eckig, und die Fingerknöchel sind grün und schwarz von Blutergüssen und mit Narben überzogen. Er springt ans Ufer und kommt auf sie zu. Cat strafft die Schultern und richtet sich zu voller Größe auf, obwohl sie ihm nicht einmal bis zu den Schultern reicht. Er ist außerdem doppelt so breit wie sie und wirkt robust wie ein Baumstamm.

»Ich habe Sie für einen Burschen in einem langen Kittel gehalten, bis Sie den Mund aufgemacht haben«, bemerkt er.

»Vielen Dank, Sir«, erwidert Cat sarkastisch.

»Ach, ich wollte Sie doch nicht beleidigen. Nur dass alle Mädchen hier in der Gegend – und ich höre, dass Sie nicht von hier sind – das Haar lang tragen«, erklärt er. Cat schweigt. Sie streckt die Hand nach dem Beutel aus, und als er ihn nicht herausgibt, verschränkt sie die Arme vor der Brust und beäugt ihn ruhig. »Und ich habe auch noch nie ein Mädchen von hier so fluchen hören wie Sie gerade eben, Miss. Nein, wirklich, noch nie«, sagt er lachend.

»Geben Sie mir bitte den Beutel zurück«, sagt Cat schließlich.

»Bitte sehr.« George nickt und reicht ihn ihr.

Cat öffnet ihn hastig und schüttet Wasser, Algen, Münzen und den Brief heraus, den sie hastig an ihrem Rock abtupft. »Oh, verdammt. Man kann ja die Adresse kaum noch lesen. Die Tinte ist ganz verwischt«, murmelt sie vor sich hin. »Vielleicht ist noch etwas zu retten – ich könnte die Buchstaben nachziehen, wenn jemand mir einen Stift leihen würde. Hier – finden Sie, dass es noch lesbar ist? Können Sie den Namen erkennen?«, fragt sie und hält George Hobson den Brief hin. Der große Mann errötet und betrachtet den Brief mit verblüfftem Stirnrunzeln.

»Ich weiß nicht recht, Miss Morley«, murmelt er und zuckt nichtssagend mit einer Schulter.

»Können Sie etwa nicht lesen?«, fragt Cat ungläubig. George gibt ihr den Brief zurück und runzelt dabei finster die Brauen.

»Als Kahnführer braucht man nicht lesen zu können«, sagt er. »Also dann, guten Tag.« Er wendet sich wieder seinem Kahn zu und geht mit einem großen, sicheren Schritt an Bord.

»Ach, so ist das – Sie dürfen über mich lachen, ich aber nicht über Sie, ja?«, ruft Cat ihm vom Ufer aus nach.

George hält inne und schaut sie freundlich an. »Tja, der Punkt geht wohl an Sie, Miss Morley«, gibt er zu.

»Ich heiße Cat«, sagt sie. »Niemand nennt mich Miss Morley und sagt Sie zu mir, außer …« Sie unterbricht sich. Außer den Polizisten, die sie verhaftet haben, dem Richter, der sie verurteilt hat. Sie zuckt mit den Schultern. »Niemand.«

»Bist du jetzt öfter im Ort, Cat?«

»Hin und wieder, denke ich.«

»Dann werde ich die Augen nach dir offen halten. Und die Ohren nach deiner scharfen Zunge.« Er lächelt. Cat beäugt ihn und neigt den Kopf zur Seite. Sie mag das Funkeln in seinen Augen, und es gefällt ihr, dass sie ihn beschämen konnte wie einen Schuljungen. Mit einem knappen Nicken wendet sie sich ab und geht weiter in den Ort. Nach dem Besuch im Postamt kauft sie die Madeleines, die sie vorsichtig in der Hand trägt. Sie sind noch warm und klebrig, und Vanilleduft steigt aus dem Einwickelpapier auf. Sie kauft sich Zigaretten und die neue Ausgabe der *Votes for Women* für einen Penny bei Menzies. Sie wird das Journal unter ihrem Rock verstecken, wenn sie ins Haus zurückkehrt, es hinauf in ihr Zimmer schmuggeln und nach Feierabend lesen.

Am Donnerstag essen Hester und Albert früh zu Abend. Sie verspeisen ihr Lammkotelett, während es draußen dunkel wird und die Vögel von Fledermäusen abgelöst werden, die durch den Garten sausen. Cat serviert und geht von einem Ende des Tisches zum anderen, erst mit der Suppenterrine, dann mit der Fleischplatte, danach mit dem Gemüse. In London hat sie gelernt, dass sie dabei lautlos und unsichtbar zu sein hat. Dienstboten wurden bei Tisch gar nicht zur Kenntnis genommen. Doch jedes Mal, wenn sie etwas auf Hesters Teller legt, lächelt Hester und bedankt sich leise. Als das die ersten paar Mal geschah, war Cat erschrocken und wusste gar nicht, wie sie darauf reagieren sollte. Jetzt murmelt sie leise »Madam«, jedes Mal, immer wieder, wie ein zartes Echo auf Hesters Worte. Albert scheint von alldem nichts zu bemerken, er isst mit einem vagen, versonnenen Gesichtsausdruck, der hin und wieder vom Ansatz eines Stirnrunzelns, eines Lächelns oder von einer ungläubig hochgezogenen Augenbraue belebt wird. Er ist ganz in seine Gedanken versunken, und Hester beobachtet liebevoll, wie sie sich auf seinem Gesicht spiegeln.

»Was ist denn das Thema des heutigen Vortrags, mein Lieber?«, erkundigt sich Hester, sobald Cat sich zurückgezogen hat. »Albert?«, hakt sie nach, als er nicht antwortet.

»Verzeihung, wie bitte, Liebes?«

»Der Vortrag heute Abend. Ich hätte gern gewusst, worum es geht.« Ein- oder zweimal in der Woche finden in Newbury Vorträge statt, und Albert bemüht sich stets, mindestens einen davon zu besuchen, vor allem, wenn es um ein philosophisches, biologisches oder geistliches Thema geht.

»Ah – der dürfte äußerst interessant werden. Der angekündigte Titel lautet *Naturgeister und ihr Platz in der Weisheitsreligion*. Der Redner gilt in theosophischen Kreisen als aufsteigender Stern – Durrant heißt er, glaube ich. Er kommt aus Reading, sofern ich mich recht erinnere.«

»*Naturgeister?* Was genau meint er denn damit?«, fragt Hester verwundert. Nach der Bedeutung des Wortes *theosophisch* fragt sie nicht – sie ist unsicher, ob sie es richtig aussprechen könnte.

»Tja, liebe Hetty, genau das hoffe ich heute Abend zu erfahren«, antwortet Albert.

»Meint er damit etwa Kobolde und Ähnliches?« Sie lacht kurz auf, wird aber sofort wieder ernst, als Albert leicht die Brauen runzelt.

»Es steht uns nicht zu, über etwas zu spotten, nur weil wir es nicht verstehen, Hetty. Weshalb sollten die Figuren aus Märchen und Mythen nicht eine gewisse Basis in der Realität haben, auf der einen oder anderen Ebene?«

»Ja, natürlich, ich wollte damit nicht …«

»Immerhin wissen wir alle, dass die menschliche Seele existiert, und ist ein Gespenst nicht nur der körperlose Geist einer menschlichen Seele? Bei der Vielzahl an Beweisen würde *deren* Existenz doch gewiss niemand leugnen wollen?«

»Natürlich nicht, Bertie«, stimmt Hester zu.

»Die Hypothese lautet, so glaube ich, dass auch Pflanzen so etwas wie einen Geist oder eine Seele haben – Hüter und Beschützer, die sie hegen und ihr Wachstum und ihre Fruchtbarkeit fördern«, fährt Albert fort.

»Ja, natürlich, ich verstehe«, sagt Hester nun ganz ernst.

Sie halten einen Moment lang inne, und bis auf das leise Klappern ihres Bestecks und die Geräusche, die sie beim Kauen machen, ist es still.

»Und du gehst auf eine Runde Bridge zu Mrs. Avery? Um welche Zeit kann ich dich zurückerwarten?«, fragt Albert schließlich.

»Ach, ich denke doch, dass ich vor dir wieder zu Hause

sein werde, mein Lieber. Wir spielen sicher nur bis gegen zehn«, antwortet Hester hastig. Sie weiß, dass Albert ihre Bridgerunden nicht gutheißt und will so rasch wie möglich das Thema wechseln.

»Und wird Mrs. Dunthorpe ebenfalls anwesend sein?«, fragt Albert ruhig, und dieses angedeutete Stirnrunzeln der Missbilligung, das Hester nicht ertragen kann, kräuselt seine Brauen.

»Ich … ich weiß nicht, Albert. Aber ich bezweifle es, denn beim letzten Mal war sie auch nicht da.«

»Sie ist wirklich nicht der passende Umgang.«

»Ich weiß, mein Lieber, ja, wirklich. Aber selbst wenn sie mit von der Partie sein sollte, kann ich dir versichern, dass wir nur um Streichhölzchen spielen werden, mehr nicht«, versucht Hester ihn zu beruhigen. Mrs. Dunthorpes Begeisterung für das Glücksspiel ist weithin bekannt. Während der vergangenen Weihnachtsfeiertage verlor sie beim Pokerspielen so viel, dass ihr Mann gezwungen war, sein Pferd zu verkaufen.

»Das ist es nicht allein, was mir Sorgen bereitet …«

»Ach, sorge dich nicht, Bertie! Immerhin ist Mrs. Averys Charakter über jeden Zweifel erhaben – und ich hoffe doch, dass du auch meiner eigenen moralischen Natur ein wenig vertraust?«

»Aber natürlich, liebe Hester.« Albert lächelt. »Gerade du hast mir die Reinheit deiner unverdorbenen Seele wahrhaftig bewiesen.«

Eine verräterische Röte kriecht an Hesters Hals empor.

Sie hat im Grunde nicht gelogen, beruhigt Hester sich, als sie Albert auf seinem Fahrrad nachwinkt. Er wird die drei Kilometer nach Thatcham fahren und dann den Zug nach Newbury nehmen. Sobald er außer Sicht ist, hüllt sie sich in einen leichten Mantel, befestigt ihren Hut mit den Nadeln, die Cat ihr reicht, und streicht ihr Haar darum zurecht.

»Ich werde gegen halb elf nach Hause kommen, dann wäre eine Tasse Kakao ganz wunderbar«, erklärt Hester fröhlich und kann es kaum erwarten, endlich loszugehen.

»Jawohl, Madam«, murmelt Cat. Hester bemerkt die dunklen Ringe unter Cats Augen und auch, dass sie viele Tage nach ihrer Ankunft hier im Haus noch genauso mager ist wie zu Anfang. Sie nimmt sich vor, mit Sophie Bell darüber zu sprechen, als sie sich durch den Garten auf den Weg macht. Zornig violette und schwarze Wolken ballen sich am nördlichen Horizont zusammen und türmen sich hoch in den Himmel auf wie riesige, bedrohliche Bäume. Hester kehrt um und holt ihren Regenschirm.

Albert missfällt an Mrs. Dunthorpe nicht in erster Linie ihre Vorliebe für das Glücksspiel, obwohl die schon schlimm genug ist. Noch schwerer wiegt die Tatsache, dass sie ein Medium ist und mehr als ein Abend, der als Bridgerunde begann, mit einer von ihr geleiteten Séance endete. Und sooft Hester sich auch sagt, dass sie es ja nicht *sicher* weiß – sie hat vergangenen Sonntag nach dem Gottesdienst mit ihrer Freundin Claire Higgins gesprochen, und Claire hat sehr deutlich anklingen lassen, dass dieser Abend ein solcher werden könnte. Hester schauert vor angespannter Erwartung.

Mrs. Averys Haus ist das größte im Ort und sehr gut ausgestattet, wie es sich für das Heim einer reichen Witwe gehört. Ihr Mann hatte viel Geld bei der Eisenbahn investiert und sein Vermögen verzehnfacht, um dann eben dem Ding zum Opfer zu fallen, das ihn reich gemacht hatte: Seine Droschke wurde von einem Zug erfasst, als sie spätnachts die Schienen überquerte. Der Kutscher war eingeschlafen, und sein Passagier soll dem Vernehmen nach sturzbetrunken gewesen sein. Er hinterließ eine sehr wohlhabende und sehr gelangweilte Mrs. Avery. Und so ist die Witwe zum Mittelpunkt des gesellschaftlichen Lebens im Ort geworden, ja, im gesamten Bezirk Thatcham – außerhalb der wahrhaft herrschaftlichen Häuser, versteht sich. Sie besucht oft Freundinnen und Verwandte in London und ist stets über die neueste Mode auf dem Laufenden, und Hester fürchtet sich beinahe ein wenig vor ihr. Doch als Frau des Pfarrers stünde es ihr schlecht an, aus Mrs. Averys Kreis ausgeschlossen zu werden. Deshalb ist Hester stets bemüht, sich deren Wohlwollen zu erhalten, und sucht ihre Gesellschaft. An Abenden, da Mrs. Dunthorpe anwesend ist, kostet sie das keinerlei Überwindung.

Mrs. Dunthorpe ist eine untersetzte und vollbusige Frau mit Haar in einem verblassten Braunton und ebenso verblasst wirkenden blauen Augen. Sie ist etwa fünfzig Jahre alt und erst recht spät im Leben zu Wohlstand gelangt – so spät, dass sie den näselnden Dialekt der Thatchamer Gegend nicht mehr loswird, sosehr sie sich auch bemüht. Ohne ihre außergewöhnlichen Fähigkeiten wäre sie womöglich nicht so oft bei Mrs. Avery zu Gast gewesen. Nun jedoch sitzt sie stolz auf einem damastbezogenen Sessel im Salon, während die anderen Gäste eintreffen, und wird von diesen mit etwas weniger Ehrerbietung begrüßt als die Gastgeberin, dafür jedoch mit umso größerer Begeisterung.

»Mrs. Dunthorpe, ich hatte ja so sehr gehofft, dass Sie kommen würden! Werden Sie uns heute Abend zum Zirkel bitten? Werden wir denn etwas von den Geistern hören?«, fragt die zierliche Esme Bullington mit ihrem schwachen Stimmchen flüsternd und ergreift beide Hände der älteren Frau.

Mrs. Dunthorpe lächelt ein wenig geheimnisvoll. »Nun, meine Liebe, das hängt natürlich ganz von den Wünschen unserer charmanten Gastgeberin ab. Aber falls sie einverstanden ist und die Gesellschaft es wünscht, könnte ich selbstverständlich einen Vorstoß in die Welt des Unsichtbaren anführen«, sagt sie so laut, dass es alle hören und Mrs. Avery ein finsteres Gesicht macht.

»Vielleicht warten wir zumindest, bis alle eingetroffen sind und ein Gläschen Sherry getrunken haben?«, schlägt Mrs. Avery recht kühl vor. Mrs. Dunthorpe scheint die Zurechtweisung gar nicht wahrzunehmen, aber Esme Bullington zieht sich mit zwei roten Flecken auf den Wangen von dem Medium zurück.

Hester macht höflich einmal die Runde durch den Salon, ehe sie bei ihrer lieben Freundin Claire Higgins stehen bleibt, deren Mann einer der bedeutendsten Landwirte von Cold Ash Holt ist. Insgesamt sind dreizehn Damen versammelt: eine verheißungsvolle und sorgsam arrangierte Zahl. Sie nippen Sherry aus Kristallgläsern, und bald sind ihre Gesichter unter dem hellen Puder gerötet, ihr Lachen wird freimütiger, und die Lampen scheinen mit ihrem schimmernden Licht die Konturen im Raum zu verwischen und lassen Satinbänder und Augen noch strahlender glänzen. Die gespannte Erwartung gleicht einem tiefen, leisen Summen – man kann nicht genau bestimmen, woher es kommt, es aber unmöglich ignorieren. Als Mrs. Avery schließlich befindet, sie hätten der gepflegten Geselligkeit Genüge getan und bewiesen, dass die Gesellschaft und das Wohlwollen ihrer Gastgeberin das Wichtigste an diesem Abend sind, räuspert sie sich dezent.

»Mrs. Dunthorpe. Wie geht es Ihnen? Fühlen Sie sich einem Versuch gewachsen, Kontakt zu den Geistern aufzunehmen?«, fragt sie. Die anderen Frauen verstummen auf der Stelle und beobachten die matronenhafte Mrs. Dunthorpe genau, während diese sehr sorgfältig zu überlegen scheint.

»Ich glaube, wir könnten heute Abend recht erfolgreich

sein«, verkündet sie schließlich, was mit aufgeregtem Raunen und einem unterdrückten Freudenschrei von Esme Bullington aufgenommen wird.

Gespannt eilen die Damen zu einem großen, runden Tisch am anderen Ende des Salons, um den dreizehn mit rotem Samt bezogene Stühle aufgestellt wurden. Mrs. Dunthorpe bittet sie, sich möglichst dicht an den Tisch zu setzen, die Unterarme darauf zu legen und einander fest an den Händen zu halten. Hester hat Esme Bullingtons zartes Händchen in der einen und die trockenen, runzligen Finger der alten Mrs. Ship in der anderen Hand. Während sie sich unterhalten und Sherry getrunken haben, ist draußen ein frischer Wind aufgekommen, der wie fernes Wispern klingt. Er lässt die knospenden Zweige der Glyzinie am Fenster kratzen und gegen die Scheibe klopfen, als bäte jemand mit suchenden Fingerspitzen um Einlass. Da der Tag so warm war, sind die Vorhänge noch nicht zugezogen, und das Fenster steht zwei Fingerbreit offen. Doch die Temperatur ist stark gesunken, und die hereinwehende Brise ist empfindlich kühl. Noch ist es nicht ganz dunkel draußen, doch hinter den Spiegelbildern im Fensterglas sind nur der dunkelgraue Himmel mit aufgedunsenen Wolken und die knorrigen Zweige der alten Mispel im Garten zu erkennen. Hester erschauert unwillkürlich und spürt, wie Esmes Finger sich fester um ihre schließen.

Ein Dienstmädchen löscht alle Lampen, entzündet eine einzelne Kerze und stellt sie in die Mitte des Tischs, ehe es sich mit gesenktem Blick zurückzieht. Die Kerze lässt winzige Flammen in den Edelsteinen an Mrs. Averys Fingern, Hals und Ohren aufflackern. Albert würde einen solchen Prunk für eine einfache Damengesellschaft nicht gutheißen. Hester unterdrückt die plötzlich in ihr aufsteigenden Schuldgefühle. Albert würde an ihrem Abend hier überhaupt wenig gutheißen, doch für sie sind diese Zusammenkünfte absolut fesselnd. Schweigen senkt sich über den Tisch, als die Frauen schließlich damit fertig sind, sich zurechtzusetzen und an ihren Röcken zu zupfen, und ganz still werden. Hester atmet tief durch, um ihre flatternden Nerven zu beruhigen.

»Ich bitte Sie alle, Ihre Gedanken nun der Geisterwelt zuzuwenden, fort von allem, was Sie um sich herum sehen und hören«, beginnt Mrs. Dunthorpe. Sie trägt ein Schultertuch in hellem Smaragdgrün, das schillert wie ein Starenflügel. »Schließen Sie die Augen und lenken Sie Ihre Gedanken mit all Ihrer Willenskraft. Senden Sie eine Einladung aus, heißen Sie jene Reisenden auf den geistigen Pfaden willkommen, die uns vielleicht hören und uns mit ihrem Besuch beehren möchten.« Ihre Stimme wird tiefer und volltönender. Hester, so kribbelig vor Aufregung, dass sie kaum stillsitzen kann, öffnet ein Auge und wirft einen Blick in die Runde. Sie ist umgeben von den Gesichtern ihrer Gefährtinnen, die auf unterschiedliche Weise Flehen, Inbrunst oder Faszination ausdrücken. Mrs. Dunthorpe hat den Kopf in den Nacken gelegt, und ihre Lippen bewegen sich lautlos. »Es ist eine unter uns, die unsere Energien stört«, blafft das Medium plötzlich. Hester zuckt schuldbewusst zusammen und wirft ihr einen Blick zu, doch Mrs. Dunthorpes Augen sind nach wie vor geschlossen. »Der Kreis unserer Gedanken muss ungebrochen sein, sonst kann sich kein Geist nähern«, fährt sie gereizt fort. Hastig kneift Hester die Augen zu und versucht, sich zu konzentrieren.

Ein langes, tiefes Schweigen tritt ein. Nur leise Atemzüge sind zu hören und das Stöhnen des Windes, der um die Ecken des Hauses wirbelt. Hester spürt Esme neben sich zittern, als sei die junge Frau fluchtbereit wie ein schreckhaftes Reh. »Möchtest du nicht näher kommen? Ich kann dich beinahe hören«, flüstert Mrs. Dunthorpe kaum hörbar. Hester lauscht angestrengt. Sie stellt sich die Geisterwelt als riesige, schwere, schwarze Flügeltür vor, dahinter ein stürmisches Meer von Seelen, die zu verloren oder zu verwirrt sind, um Himmel oder Hölle zu finden. Während Mrs. Dunthorpe spricht, sieht sie in ihrer Fantasie, wie gespenstische Finger sich durch den Türspalt drücken und schieben und sie immer weiter öffnen, um dieser beschwörenden Stimme zu folgen und den Lebenden einen Blick in das kalte, unirdische Reich dahinter zu gewähren. Esmes Zittern hat aufgehört, ihre Hand ist so schlaff geworden wie ein toter Fisch und ebenso kalt. Hester bekommt eine Gänsehaut vor Abscheu, wagt es aber nicht, die Augen zu öffnen oder den Kopf zu wenden, um nach Esme zu sehen. Was, wenn sie jener schwarzen Tür zu nah gekommen sind? Was, wenn sie sich verlaufen haben und selbst in die Geisterwelt hineingeraten sind? Was, wenn die kleine Esme gar nicht mehr da ist und Hester stattdessen die Hand eines Geistes hält – die kalte, tote Hand eines Leichnams? Sie kann keinen Muskel rühren und bekommt kaum mehr Luft.

»Jemand spricht zu mir!«, sagt Mrs. Dunthorpe plötzlich mit vor Erregung angespannter Stimme. »Ja! Ja, ich kann dich hören! Nenn mir deinen Namen …«, bittet sie heiser. Hester hält den Atem an und lauscht mit aller Kraft nach der Stimme, die das Medium hört. »Der Geist bringt eine Warnung … eine Warnung für eine von uns hier in diesem Raum! Er sagt, es stehen dunkle Zeiten bevor … etwas Böses hat ihr Haus betreten, eines unserer Häuser, doch wir ahnen nichts davon«, sagt sie, und ihre angstvoll greinende Stimme senkt sich zu einem Flüstern herab. Hester hört jemanden nach Luft schnappen, kann aber nicht erkennen, wer es ist. »Sag uns mehr, lieber Geist, wer ist dieser Eindringling? Was hat derjenige vor? Woher weißt du davon –

bist du mit jemandem in diesem Raum verwandt? Oder befreundet? Wir nehmen deinen Rat gerne an!« Lange herrscht Schweigen, und im unschuldigen Wind hört Hester Stimmen, die schreien vor Angst und Qual. »Oh! Der Geist fürchtet sich entsetzlich vor dem, was noch bevorsteht! Er will uns warnen ... Die Stimme wird schwächer ... Komm zurück, ich bitte dich, Geist! Ich verliere dich, ich kann nicht mehr hören, was du sagst«, fleht das Medium. Dann stößt Mrs. Dunthorpe laut und erschrocken hervor: »Gott steh uns bei!«

Plötzlich gibt es einen lauten Knall, ein Krachen erschüttert den Tisch, hebt ihn heftig vom Boden an und lässt ihn wieder herabstürzen. Wie aus einer Kehle schreien die Frauen vor Entsetzen auf, unterbrechen den Kreis und schlagen sich die Hand vor den Mund, um weitere Schreie des Grauens und der Erregung zu ersticken. Dann beginnen alle auf einmal zu sprechen wie eine Schar Spatzen.

»Meine Güte, was war das denn?«

»Haben Sie das gespürt? Habt ihr etwas gesehen?«

»Du lieber Himmel, beinahe wäre ich in Ohnmacht gefallen!« Mrs. Dunthorpe kehrt als Letzte in die Wirklichkeit zurück. Ihre Arme bleiben seitlich ausgestreckt, obwohl niemand mehr ihre Hände hält. Langsam rollt ihr Kopf nach vorn, der Mund schließt sich, ihr Atem beruhigt sich. Gebannt beobachten die Frauen ihre geschminkten Lider, bis diese sich flatternd heben. »Heute Abend kann ich nicht mehr tun. Unser Besuch wurde von einem anderen Geist verscheucht, den Trauer und Wut über seinen eigenen Tod umtreiben. Welch ein Jammer, dass ich von der ersten Stimme, die zu uns durchdrang, nicht mehr erfahren konnte, denn offensichtlich wusste sie etwas, das für eine von uns von größtem Wert gewesen wäre. Diese schreckliche Erfahrung hat mich sehr angestrengt. Wir haben Glück, dass jener dunklere Geist weitergezogen ist, statt zu bleiben und uns zu verfolgen«, verkündet das Medium.

Bestürztes Raunen füllt den Raum. Hester schaudert bei der Vorstellung, dass sie einem rachsüchtigen Ghul Tür und Tor geöffnet haben könnten, der sie fortan gejagt, verfolgt und gequält hätte. Esme neben ihr ist selbst so weiß wie ein Gespenst geworden.

»Ist dir nicht wohl, liebe Esme?«, fragt Hester.

»Ich konnte ihn fühlen. Ich habe den letzten Geist gespürt – den Kummer und den Schmerz!«, flüstert die junge Frau.

Mrs. Avery brummt ein wenig undamenhaft und klingelt mit einem silbernen Glöckchen. »Einen Cognac für Mrs. Bullington. Nein, für uns alle, bitte, Sandy«, sagt sie zu dem eintretenden Dienstmädchen.

»Sie sagten *er*, Mrs. Dunthorpe – haben Sie denn genau gehört, dass die Stimme männlich war? Die eines Kindes oder eines Erwachsenen?«, fragt Sarah Vickers. »Können Sie uns sagen, weshalb der Geist so bekümmert war? Wurde er – oder sie – vielleicht … ermordet?«

»Solch kurze Begegnungen vermitteln eher einen Eindruck von Emotionen, Gefühlen, und keine zusammenhängenden Erklärungen«, entgegnet Mrs. Dunthorpe. »Ich konnte den Geist nicht so weit beruhigen, um derart rationale Fragen zu stellen.«

»Aber wenn Sie ihn gehört haben, konnten Sie doch gewiss zumindest das Geschlecht des Geistes bestimmen?«, beharrt Sarah Vickers. In ihrer Stimme schwingt eine leise Herausforderung mit, die Mrs. Dunthorpe keineswegs entgeht.

»Klänge in der geistigen Welt sind völlig anders als die menschliche Stimme, das kann ich Ihnen versichern, Miss Vickers. Aber wenn ich anhand des Tonfalls eine Vermutung äußern sollte, so würde ich sagen, dass die Stimme männlich war. Ein erwachsener Mann.«

»Aha. Nun ja. Ein Jammer, dass er nur lang genug geblieben ist, um gegen den Tisch zu treten, statt uns von sich zu berichten. Womöglich hätten wir etwas für ihn tun und seinen Mörder überführen können!« Sarah lächelt.

»In der Tat«, stimmt Mrs. Dunthorpe frostig zu. Die beiden Frauen funkeln einander an.

»Aber was ist mit der ersten Stimme, die zu Ihnen gesprochen hat, Mrs. Dunthorpe?«, bricht Claire Higgins hastig das unangenehme Schweigen. »Konnten Sie etwas über ihn – oder sie …«

»Das war ein freundlicher Geist, eine Frau, glaube ich. Sie war so fest entschlossen, uns ihre Warnung zu vermitteln, dass ich sie nicht überreden konnte, mir mehr von sich zu erzählen. Ich habe hohes Alter und große Weisheit an ihr gespürt, und dass sie eine kultivierte und vornehme Person war.«

»Nun, wenn sie mit einer von uns verwandt ist, muss sie natürlich aus gutem Hause stammen«, sagt Mrs. Avery nachdenklich. »Meine Mutter ist vor wenigen Jahren gestorben«, fügt sie hinzu. Esme Bullington stöhnt leise auf.

»Glauben Sie, dass es Ihre Mutter war, die eben gesprochen hat? Meinen Sie, die Warnung war für Sie gedacht, Mrs. Avery?«, flüstert sie mit weit aufgerissenen Augen.

»Ich werde jedenfalls auf der Hut sein, falls ich unerwarteten Besuch bekommen sollte.«

»Ich finde, wir alle schulden Mrs. Dunthorpe Dank für eine so fesselnde Demonstration ihrer übersinnlichen Fähigkeiten«, sagt Hester, die sich auf einmal dringend wünscht, das Licht würde wieder eingeschaltet und die Schatten aus den Ecken des Raumes verscheucht.

»O ja! Wirklich bemerkenswert!«, stimmt Esme zu, die langsam wieder Farbe bekommt.

Allmählich lässt die Anspannung im Raum nach, und lebhafte Unterhaltungen beginnen, weil jede der anwesenden Damen ihre Eindrücke von der Erscheinung mit jenen ihrer Nachbarinnen vergleicht. Sie nippen an ihrem Cognac, genießen kandierte Früchte und plaudern schließlich höflich über andere Dinge.

»Mrs. Canning, wie ich höre, haben Sie ein neues Dienstmädchen aus London«, sagt Mrs. Avery quer über den Tisch hinweg zu Hester. Ihre Stimme klingt nicht fragend.

»So ist es, Mrs. Avery. Cat Morley heißt sie. Sie gewöhnt sich gut bei uns ein, ist allerdings nicht so flink und tüchtig, wie ich es von einem Dienstmädchen erwartet hätte, das in einem herrschaftlichen Haushalt ausgebildet wurde.«

»Ich habe gehört, sie sei erst vor Kurzem aus dem Gefängnis entlassen worden. Ist das wahr?«, fragt ihre Gastgeberin, die Gesichtszüge zu einem Ausdruck der Missbilligung zusammengekniffen. Hester spürt, wie ihr das Blut in die Wangen steigt. Wie, um alles in der Welt, konnte sich das herumsprechen? Da kam nur Sophie Bell infrage, und Hester hat sie doch ausdrücklich gebeten, mit niemandem darüber zu sprechen.

»Nun, ich … äh …«, stammelt Hester.

»War sie nun im Gefängnis oder nicht?«

»Nun, bedauerlicherweise ist das wahr. Allerdings nicht sehr lange, habe ich gehört, nur eine kurze Haftstrafe …«

»Und lassen Sie gern eine Verbrecherin bei sich wohnen, unter Ihrem eigenen Dach? Ist das denn *klug*?«, fragt Mrs. Avery. Sie späht an ihrer Nase entlang und nagelt Hester mit ihrer Frage fest.

»Mein … mein Mann und ich halten es für einen Akt der Nächstenliebe, ihr eine Chance zu geben. Sie hat ein Auskommen und die Möglichkeit, sich wieder in die Gesellschaft einzugliedern. Immerhin ist ihre Schuld in den Augen des Gesetzes gesühnt«, bringt Hester ein wenig stockend hervor.

Mrs. Avery brummt, zupft die Ecken ihres Schultertuchs zurecht und senkt das Kinn auf die Brust. Das Licht schimmert auf ihrem eisengrauen Haar. »In der Tat. Das mag sein. Sehr löblich, gewiss, und wohl das Mindeste, was man vom Haushalt eines Geistlichen erwarten darf. Sagen Sie, was hat sie eigentlich verbrochen?«

»Das … nun, ich … die Einzelheiten sind nur dem Mädchen selbst bekannt. Ich meine Cat Morley. Ich habe sie nicht dazu gedrängt, sie preiszugeben …«

»Ach, ich bitte Sie! Das glaube ich Ihnen nicht – Sie müssen doch gewusst haben, welches Verbrechen sie begangen hatte, ehe sie sie einstellten! Nur eine Närrin hätte das nicht in Erfahrung gebracht! Was, wenn sie eine Mörderin wäre?«

»Wenn sie eine Mörderin wäre, hätte sie eine sehr lange Haftstrafe verbüßen müssen und wäre niemals jung genug aus dem Gefängnis gekommen, um hier im Pfarrhaus zu arbeiten«, wirft Sarah Vickers ein, die Hesters Bedrängnis spürt.

»Ich … ich habe mir vorgenommen, nicht darüber zu sprechen. Ich bitte um Verzeihung, Mrs. Avery«, sagt Hester mit rasendem Puls und brennenden Wangen. Sie windet sich ein wenig und wünscht verzweifelt, die Frau möge ihren durchdringenden Blick irgendwo anders hinwenden. »Was immer sie getan hat, muss sie allein mit Gott ausmachen. Ich hoffe, dass sie hier all das hinter sich lassen kann.«

Mrs. Avery zieht kühl die Brauen hoch, und ihr Mund wird noch schmaler. »Ihre Diskretion ist gewiss vorbildlich«, sagt sie, doch die Worte klingen wie ein Peitschenknall.

Unvermittelt keucht Esme Bullington auf und schlägt sich die Hand vor den Mund.

»Mrs. Canning! Was, wenn die Warnung Ihnen galt?

Was, wenn Ihr neues Hausmädchen die Person ist, die der Geist gemeint hat – die Quelle des Bösen, das in Ihr Haus eingezogen ist?«, fragt sie und packt mit ihren kurzen, knochigen Fingern Hesters Arm.

»Oh! Gewiss nicht. Ich bin sicher, dass der Geist nicht Cat gemeint haben kann …« Hester lächelt unsicher.

»Haben Sie ältere weibliche Verwandte, die in letzter Zeit dahingegangen sind?«, fragt Mrs. Dunthorpe sie ernst. Die Blicke aller zwölf Frauen richten sich auf Hester.

»Nun ja, da wäre meine Großtante Eliza. Sie ist vor vier Jahren verstorben, an der Gicht«, gibt Hester zu.

»Das ist es! Sie war es also – sie muss es gewesen sein!«, ruft Esme aus. »Oh, Mrs. Canning! Seien Sie vorsichtig – bitte hören Sie auf ihre Warnung, ja? Dass ein Quell des Bösen Ihr Haus betreten hat und finstere Zeiten über Sie bringen wird … Arme Mrs. Canning! Geben Sie acht!«

»Nicht doch, Esme. Beruhige dich«, ermahnt Mrs. Avery die junge Frau, die sich mit dem Zipfel ihres Taschentuchs die Augen tupft. »Ich bin sicher, dass im Haus eines Pfarrers, immerhin ein Mann Gottes, nichts wahrhaft Böses Fuß fassen kann. Habe ich nicht recht, Mrs. Canning?«

»Ja, natürlich«, antwortet Hester. Den restlichen Abend spürt sie immer wieder Blicke auf sich gerichtet und ertappt ihre Freundinnen mit mitleidigen oder erstaunten Mienen. Sie lächelt öfter, als sie es sonst vielleicht getan hätte, um die Angelegenheit herunterzuspielen, doch für sie ist der gesellige Abend verdorben, denn hinter dieser Fassade verbirgt sich tiefes Unbehagen. Sie denkt an Cat Morleys schwarze Augen, hinter denen finstere Gedanken so gut verborgen bleiben, an die dunklen Ringe unter ihren Augen und ihren ausgemergelten Körper – als fräße irgendein Unheil das Mädchen von innen auf.

Auf dem Heimweg fragt Hester sich besorgt, ob Mrs. Avery sie je wieder zu einer Gesellschaft einladen wird. Zweimal hat Hester gelogen, an einem einzigen Abend – aber beim zweiten Mal war das doch zweifellos richtig von ihr? Sie hatte sich dafür entschieden, keine Einzelheiten über Cats Vergangenheit preiszugeben – und sie weiß mehr, als sie behauptet hat, wenn auch nicht viel mehr. Diesem Schwur ist sie treu geblieben. Donner grollt, als rollten schwere Felsbrocken über den Himmel, und die starken Windböen peitschen die frühlingshaften Zweige, reißen Blätter von den Blüten und schütteln Pollen heraus. Es beginnt zu tröpfeln. Hester zieht ihren Mantel enger um sich und kämpft eine Weile mit ihrem Regenschirm, gibt jedoch auf, da der Wind ihn zu zerfetzen droht.

Der Himmel hängt so tief und schwer, dass der Weg kaum zu erkennen ist. Nur der schwache gelbe Lichtschein aus den Fenstern der Häuser leuchtet ihr den Weg, und auch dieser erlahmt, als sie das Dorf durchquert hat und das letzte Stück Wegs zum Pfarrhaus vor ihr liegt. Hester späht in die Dunkelheit zwischen Bäumen und Hecken und strengt alle ihre Sinne an, wie vorhin bei der Séance. Die schwarzen Schatten scheinen sie zu beobachten, und sie meint, Stimmen und geflüsterte Worte im Wind zu vernehmen. Zitternd hält sie inne. Ihre Knie fühlen sich schwach und wackelig an. Der Wind umtost sie, zerrt an Haar und Nadeln und droht ihr den Hut vom Kopf zu reißen. Sie hält ihn mit einer Hand fest und kneift gegen den beißenden Regen die Augen zusammen. Unmittelbar vor der Gartenmauer ihres Grundstücks steht eine mächtige Rosskastanie, bei Tag schimmern ihre bereits voll entfalteten Blätter, breit und jung, in sanftem Grün. Ein Blitz taucht den Baum in die grauen Farbtöne der Unterwelt, und da, am Baumstamm, wird plötzlich eine reglose Gestalt sichtbar. Hester stockt der Atem. Es ist nicht mehr zu sehen als ein schwarzer Umriss, eine starre Silhouette, aber sie beobachtet Hester eindeutig mit unerbittlicher Geduld. Hester will aufschreien, doch ihre Stimme erstickt. Sie steht da wie erstarrt und denkt an den zornigen Geist, den sie gemeinsam beschworen haben, und an die grausige Warnung vor dem Bösen, die ihr gegolten haben könnte. Einen Moment lang kann sie nicht denken, sich nicht rühren, und ist stocksteif vor Entsetzen. Dann stößt sie einen leisen Schreckensschrei aus und flieht zu ihrem sicheren Haus, und ihr Herz hämmert, als ob es bersten wolle.

Cat wartet, bis sie die Haustür mit einem Knall zufallen hört, ehe sie sich wieder entspannt. Sie stellt sich Hester vor, die mit dem Rücken an der Tür lehnt und keuchend die Augen zukneift, und sie grinst. Dann zieht sie die Hand mit der Zigarette hinter ihrem Rücken hervor und nimmt einen kräftigen Zug. Der Rauch brennt in ihrer Lunge, und sie hustet, hält aber durch. Der Arzt, zu dem der Gentleman sie nach ihrer Entlassung brachte, hat sie dazu ermuntert und ihr erklärt, der heiße Rauch würde helfen, ihre Lunge zu trocknen. Ihre erste Zigarette seit Wochen. Sie ist nach draußen gekommen, um beim Rauchen Ruhe vor Mrs. Bell zu haben und um sich den Sturm anzuschauen. Noch nie hat sie unter einem Baum gestanden, während der Wind ihn so heftig hin und her peitscht. Noch nie hat sie dieses ungeheure Brausen in den Blättern gehört – ein Fauchen und Tosen wie von Wellen, die sich donnernd am Ufer brechen. Sie schließt die Augen und lauscht, lässt sich von dem Geräusch umwirbeln, bis sie das Gefühl hat, nur ein weiteres Blatt an dem Baum zu sein, ein weiteres hilfloses, unbedeutendes Ding, das im nächsten Augenblick davonfliegen könnte. Als direkt über ihrem Kopf ein Donnerschlag kracht, lächelt Cat im Dunkeln.

»Wo, zum Teufel, hast du gesteckt?«, herrscht Mrs. Bell sie an, als sie in die Küche zurückkehrt. »Die Herrin schreit nach der Wärmflasche und Kakao und ihrem wollenen Bettjäckchen aus der Wintertruhe, und du bist nirgends zu finden!«

»Das ist ein Gewitter, kein Schneesturm. Sie braucht wohl kaum ein wollenes Bettjäckchen«, entgegnet Cat, holt etwas Milch aus der Kühlkammer und gießt sie in einen Kupfertopf. Die weiße Flüssigkeit sieht vor dem glänzenden Metall wunderschön aus, und Cat lässt sie im Topf kreisen, während sie ihn auf den Herd stellt.

»Ob sie das Ding braucht oder nicht, spielt gar keine Rolle. Sie will es haben, und für wen hältst du dich, dass du ihr widersprichst, Mädchen?«, grollt Mrs. Bell. »Geh und such es – es muss in der Truhe ganz hinten bei der Treppe sein. Und nimm ja alle Mottenkugeln heraus, ehe du sie ihr gibst. Ach, geh da weg, ich mache das – ehe du noch die Milch anbrennen lässt!«

»Ja, Mrs. Bell«, sagt Cat seufzend.

»Komm mir bloß nicht mit ›Ja, Mrs. Bell‹ …«, beginnt Mrs. Bell, findet aber nicht die passenden Worte für ihre Missbilligung. Sie verstummt, rührt die Milch energisch mit einem Quirl und schüttelt dabei den Kopf. Das eifrige Quirlen schüttelt auch andere Dinge – die gesamte Partie zwischen ihrem Busen und ihren Oberschenkeln wackelt. »Nimm eine Lampe mit – er möchte nicht, dass oben Licht eingeschaltet wird, wenn sie schon zu Bett gegangen ist«, ruft sie Cat nach.

»Ich brauche keine Lampe«, entgegnet Cat, schon auf dem Weg zur Treppe. Nach ein paar Schritten haben ihre Augen sich auf die Dunkelheit eingestellt.

Hester sitzt zitternd im Bett, mit kribbelnden Zehen und Fingern, in die nun das Blut zurückkehrt. Ihr Kopf schmerzt von den Schrecken dieses Abends. Trotz der Lampen, die den Raum in weiches, gelbes Licht tauchen, meint sie immer noch Schatten zu sehen, lauernde Gestalten in den Ecken des Zimmers, die verschwinden, wenn sie den Blick dorthin wendet. *Etwas Böses hat eines unserer Häuser betreten ...* Hester wünscht, Albert möge nach Hause kommen und mit seiner frommen Gelassenheit und beruhigenden Ausstrahlung ihre Ängste bannen. Allmählich entspannt sie sich ein wenig und hat eben zu einer Predigtsammlung gegriffen, als sie ein leises Poltern vor dem Schlafzimmer erschrocken innehalten lässt. Sie wartet mit gespitzten Ohren darauf, das Geräusch noch einmal zu hören. Und tatsächlich, da ist es wieder – ein Scharren, ein leichtes, dumpfes Pochen. Hester tadelt sich für ihre Angst und dafür, dass sie glaubt, irgendetwas Gespenstisches könnte ihr von der Séance bis nach Hause gefolgt sein.

»Wahrscheinlich nur eine der Katzen, du albernes Ding«, sagt sie laut zu sich selbst, und der gewohnte Klang ihrer eigenen Stimme verleiht ihr Mut. Um sich zu beweisen, dass sie ganz rational und nicht furchtsam ist, steht sie auf und geht zur Tür. Doch mit der Hand auf dem Knauf hält sie inne und schluckt. Ihre Kehle ist vollkommen trocken. So leise wie möglich öffnet sie die Tür. Der Flur liegt in völliger Dunkelheit, und ein spürbarer Luftzug streicht von Osten nach Westen hindurch. Hester blickt demonstrativ zu beiden Seiten den Flur entlang, obgleich sie nichts sehen kann außer tintenschwarzer Finsternis, aus der alles Mögliche hervorspringen könnte. Sie bekommt eine Gänsehaut und wendet sich ab, um wieder hineinzugehen. In diesem Moment erscheint eine Gestalt unmittelbar neben ihr. Hester kreischt, doch dann erkennt sie glitzernde dunkle Augen und dunkles Haar im Licht, das hinter ihr aus dem Schlafzimmer dringt. »Cat! Du meine Güte, du hättest mich fast zu Tode erschreckt!« Sie lacht nervös.

»Verzeihung, Madam, das wollte ich nicht. Ich bringe Ihnen Ihr Bettjäckchen«, sagt Cat und hält ihr eine Strickjacke hin, die durchdringend nach Kampfer stinkt.

»Danke, Cat«, sagt Hester, deren Puls noch immer rast. Cat bleibt still stehen und beobachtet sie. Hester wirft ihr einen Blick zu, und wieder überkommt sie dieses Unbehagen. »Warum läufst du denn hier im Dunkeln herum? Warum hast du keine Lampe mitgenommen oder das Licht eingeschaltet?«, fragt sie. Cat blinzelt und sieht sie ruhig an.

»Ich kann recht gut im Dunkeln sehen«, antwortet sie.

»Black Cat«, murmelt Hester. Der Spitzname ist ihr einfach entschlüpft. Sie sieht, dass Cat ganz steif wird.

»Wo haben Sie das gehört?«, fragt das Mädchen abrupt. Hester schluckt nervös.

»Ach, nirgends … Entschuldigung, Cat. Ich wollte dich nicht … Danke, dass du mir die Jacke gebracht hast. Bitte geh jetzt ruhig ins Bett. Ich werde heute nichts mehr benötigen«, entgegnet sie hastig.

»Ich bringe Ihnen den Kakao, sobald er fertig ist«, widerspricht Cat ihr.

»Ach ja, natürlich. Natürlich. Danke, Cat. Entschuldigung.« Hester zieht sich in ihr Zimmer zurück und weiß selbst nicht recht, wofür sie sich eigentlich entschuldigt. Cat steht noch immer im dunklen Flur, als Hester die Schlafzimmertür hinter sich schließt.

Albert kommt bald darauf nach Hause und wirkt geistesabwesend. Unsicher tätschelt er Hesters Schultern, als sie sich in seine Arme stürzt, sobald er das Schlafzimmer betritt.

»Albert! Ich bin so froh, dich zu sehen«, murmelt sie an seiner Brust.

»Fühlst du dich nicht wohl, Hetty?«

»Doch, doch. Es ist nur … das Gewitter. Ich habe mich

auf dem Heimweg davor gefürchtet, weiter nichts«, antwortet sie atemlos. »Ich musste eine Tasse Kakao trinken, um mich wieder aufzuwärmen.«

»Aber vor dem Wetter brauchst du dich doch nicht zu fürchten. Wie der heilige Paulus schrieb: ›Er macht Seine Engel zu Winden und Seine Diener zu Feuerflammen.‹ Im Sturm bewegen sich lebende Geister, Gottes Engel lenken die Wolken, und der mächtige Donnerschlag mag vom Druck der Schallwellen in der Luft verursacht sein, wie die modernen Wissenschaftler uns erklären, doch er ist viel mehr als das – er ist die Stimme Gottes!« Albert lächelt mit strahlenden Augen. Hester erwidert sein Lächeln, unsicher, was sie dazu sagen soll.

»Gehen wir zu Bett. Es ist so kalt heute Nacht«, schlägt sie vor.

»Schön. Es ist schon recht spät – ich werde nicht mehr lange lesen.« Er hat es sich zur Gewohnheit gemacht, jeden Abend mindestens eine halbe Stunde lang in der Bibel zu lesen. Das tut er in stiller Konzentration wie ein Schüler, der weiß, dass eine Prüfung bevorsteht.

Als Albert endlich das Buch zuklappt und mit der Brille darauf auf dem Nachttisch ablegt, schaut Hester ihn an. Er knipst seine Lampe aus, rutscht im Bett ein Stück herab und faltet die Hände auf der Brust. Doch seine Augen bleiben offen. Hester lässt ihre Lampe an und dreht sich zu ihm hin. Das Unwetter hat nachgelassen, aber noch immer heult der Wind und lässt den Regen gegen die Fensterscheiben prasseln. Der Raum, nur von Hesters Nachttischlampe erleuchtet, wirkt wie ein behaglicher Kokon, der sie vor der wilden Nacht schützt. Vielleicht liegt es daran oder auch an dem Schrecken, den sie erlebt hat, jedenfalls verspürt Hester ein großes Bedürfnis nach Trost. Sie sehnt sich danach, von ihrem Mann berührt und im Arm gehalten zu werden. Sie betrachtet sein weiches Gesicht, den warmen Schimmer seiner Haut, leicht gebräunt durch die vielen Stunden, die er im Freien verbringt.

Sie haben noch nie nackt beieinandergelegen, er auf ihr oder umgekehrt. Noch nie hat sich seine Haut an ihre Brust gepresst, und beim Gedanken daran wird Hesters Kehle trocken, und ihr Herz pocht laut. Wortlos rückt sie näher an Albert heran, bis sie die Wange an seine Schulter schmiegen kann. Er rührt sich nicht und sagt kein Wort. Er kann nicht behaupten, müde zu sein, denn es ist offenkundig, dass sein Geist heute Nacht außerordentlich wach ist. Als nach einer Minute kein Protest gegen ihre Berührung erfolgt ist, hebt Hester leicht den Kopf. Albert ist so nahe, dass sie seine Züge nur verschwommen sehen kann. Sein Gesicht ist ein sahnig-heller Fleck, weiche Schattierungen von Gold, Braun und Milchweiß im gedämpften Licht. Sein Geruch erfüllt ihre Sinne. Die Seife, mit der er sich rasiert, und die leichte Schärfe seiner Haut darunter.

»Oh, Albert«, haucht sie, und all ihre Liebe und ihr Begehren drängen in diesen drei Silben aus ihr hervor und lassen ihre Stimme tiefer, volltönender klingen. Sie streicht mit den Händen über seine Brust, drückt sie gegen den Stoff seines Nachthemds, sucht die Hitze der Haut darunter, den leichten Widerstand der spärlichen Härchen, die dort wachsen. Dann reckt sie sich empor und presst den Mund auf seine Lippen, die sich wunderbar warm und weich anfühlen, aber nur einen Augenblick lang, dann schiebt er sie von sich.

»Hetty …«, beginnt er und sieht sie mit einem beinahe verzweifelten, beinahe furchtsamen Ausdruck an.

»Oh, Albert!«, flüstert Hester voller Verzweiflung. »Warum schiebst du mich immer weg? Liebst du mich denn nicht? Es ist doch keine Sünde, wenn Mann und Frau einander berühren, sich umarmen …«

»Nein, nein, das ist keine Sünde, liebe Hetty«, antwortet Albert.

»Warum dann? Weil du mich nicht liebst?«, fragt sie betroffen.

»Aber natürlich liebe ich dich, albernes Ding! Wer könnte eine so wunderbare Ehefrau wie dich nicht lieben?« Er lässt ihre Handgelenke los und verschränkt scheinbar beiläufig wieder die Arme auf der Brust. Doch diese schützende Geste errichtet eine Barriere zwischen ihnen.

»Ich bin nicht albern, Albert. Ich verstehe das bloß nicht. Sind wir denn nur auf dem Papier Mann und Frau?«

»In Gottes Augen sind wir Mann und Frau, und diese Verbindung ist heilig und unverbrüchlich«, erklärt Albert mit beinahe ängstlich klingender Stimme. Sein Blick huscht durch den Raum, als sehnte er sich danach, daraus zu entkommen.

»Das weiß ich, und ich bin froh darüber. Aber unsere Ehe ist nicht vollzogen worden. Und was ist mit Kindern, Albert?«

»Ich …« Albert schließt die Augen und wendet den Kopf ein wenig ab. »Eine Familie wünsche ich mir auch. Natürlich wünsche ich mir das, Hester …«

»Nun, ich kann nicht so tun, als wüsste ich viel über diese Dinge, aber ich weiß, dass wir nie ein Kind bekommen werden, solange du mich nicht berühren oder küssen oder umarmen willst.« Ohne es zu wollen, bricht Hester in Tränen aus. Sie rinnen heiß über ihre Wangen und brennen in ihren Augen.

»Nicht doch, Hetty, nicht weinen! Wir werden Kinder bekommen, alles zu seiner Zeit! Wir sind noch jung, vielleicht sogar zu jung. Womöglich wäre es besser, noch ein wenig zu warten, bis wir beide mehr über die Welt und das Leben gelernt haben …«

»Ich bin fünfundzwanzig, Albert. Viele Frauen, die jünger sind als ich, sind bereits dreifache Mütter!« Sie schnieft und tupft sich mit dem Ärmelsaum ihres Nachthemds die Augen. »Aber es ist nicht nur das – nicht allein! Ich brauche … ich brauche *Zärtlichkeit* von dir, Albert!«

»Hetty, bitte. Beruhige dich«, fleht Albert, und er sieht so bekümmert, so in die Ecke gedrängt und verlegen aus, dass Hester einlenkt.

»Ich will dich nicht unglücklich machen«, sagt sie und schluckt ihr Schluchzen herunter.

»Wie könntest du das? Liebe Hester«, sagt er, und in seinen Augen liegt ein Ausdruck hilfloser Qual. Er sieht noch einen Moment lang ihren Tränen zu, dann rollt er sich auf die Seite, ihr entgegen, und streichelt ihre Wange. Er scheint einen Entschluss gefasst zu haben. »Also schön. Würdest du das Licht ausschalten?«, bittet er, und Hester bemerkt erschrocken, dass seine Stimme zittert. Stumm kommt sie seiner Bitte nach.

Im Dunkeln liegt Hester da und wartet. Albert rückt noch näher und presst den Körper an ihre Seite. Sie wendet ihm das Gesicht zu und kann seine Nähe spüren. Ihr eigener Atem trifft auf seine Haut und wird warm zu ihr zurückgeworfen. Als er sie küsst, schiebt sie sich ihm entgegen, presst die Lippen fest auf seine. Der Raum dreht sich um sie herum, und das Gefühl ist himmlisch, berauschend. Sie schlingt die Arme um ihn und spreizt die Finger, um so viel von ihm zu berühren, wie sie nur kann. Sie schiebt sein Hemd hoch, bis sie die Haut darunter findet, gleitet mit den Händen darüber und genießt das Gefühl, so heiß und weich und glatt. Albert erschauert bei ihrer Berührung. Sacht zieht sie ihn immer näher zu sich heran, bis er das Gleichgewicht verliert und unwillkürlich, weil ihm nichts anderes übrig bleibt, auf ihr zu liegen kommt. Als sie ihn fest umarmt und spürt, wie sein

Gewicht ihr die Luft aus der Lunge presst, schießt sprudelnde Freude durch ihren Körper. Sie lächelt im Dunkeln und küsst ihn erneut.

»Mein Albert … ich liebe dich so sehr«, haucht sie. Sein Kuss ist energisch, die Lippen fest geschlossen. Zögernd öffnet Hester den Mund, nur ein klein wenig, doch Albert weicht zurück. »Entschuldige«, sagt sie hastig.

»Nein, nein. Ich …«, flüstert Albert, ohne den Satz zu beenden. Seine Hände liegen zu beiden Seiten ihres Gesichts, halten zärtlich ihren Kopf und streicheln ihr Haar. Hester windet sich ein bisschen, weil sie will, dass seine Hände sich abwärts bewegen und ihre Brüste, ihren Bauch und ihre Hüfte berühren. Instinktiv bewegt sie die Knie auseinander, Stückchen für Stückchen, sodass es scheint, als würden sie durch das Gewicht seines Körpers gespreizt. Schließlich ruht er an ihrem Becken, und Hester legt die Hände auf seine Hüften, um ihn noch fester an sich zu drücken. Das Gefühl ist unwiderstehlich, beinahe zwingend. Sie spürt einen köstlichen Schmerz tief im Inneren und erbebt vor erwartungsvoller Anspannung. Sie lässt die Hände zu seinem Gesäß wandern und zieht ihn an sich. Albert erstarrt. Er hebt den Kopf, und sie hört ihn schnell und beinahe panisch atmen.

»Albert, was hast du?«, fragt sie und reckt ihm das Gesicht entgegen, um erneut geküsst zu werden. Doch Albert rückt noch weiter ab. Er schluckt hörbar, klettert vorsichtig von ihr herunter und bleibt auf seiner Seite des Bettes liegen, ohne sie auch nur zu berühren. »Albert, bitte! Sag mir doch, was ist«, flüstert Hester, tief verletzt von seiner Zurückweisung.

»Es tut mir so leid, Hetty«, sagt er kleinlaut und verzweifelt. Hester spürt seinen Kummer und beißt sich auf die Unterlippe, um nicht zu weinen. Doch sosehr sie sich bemüht, sie findet keine tröstlichen Worte für ihn, kann ihm nicht sagen, es sei doch nicht so wichtig. Denn in diesem Augenblick ist es wichtiger als alles andere auf der Welt. Sie liegt lange schweigend da, zu aufgewühlt, um schlafen zu können. An Alberts Atem und Reglosigkeit erkennt sie, dass auch er noch wach ist. Sie liegen nur ein paar Fingerbreit voneinander entfernt, doch Hester kommt es so vor, als gähne ein breiter Abgrund zwischen ihnen.

In ihrer Dachkammer beginnt Cat einen Brief an Tess. *Für mich war in dieser vergammelten Zelle das Schlimmste, zu wissen, dass Du irgendwo ganz in der Nähe warst, in einer ebensolchen Zelle, ich Dich aber trotzdem nicht sehen oder mit Dir sprechen konnte*, schreibt sie. Die flackernde Kerze lässt den Schatten ihres Stiftes taumeln und hüpfen. Aber was sie schreibt, ist nicht wahr. Das Schlimmste war das Warten gewesen, im blassen, kalten Morgenlicht, das sie immer so früh weckte. Dann hörte sie den Rollwagen und die Schritte den Gang entlang in ihre Richtung kommen. Sie hörte, wie der Wagen stehen blieb, wie sich Türen öffneten und wieder schlossen, hörte die Schreie und das Handgemenge dahinter, die erstickten Laute, das Würgen und Husten, die Flüche der Wärter. Die ganze Zeit kam all das immer näher, und die ganze Zeit über wusste sie, dass sie schon bald die Nächste sein würde. Gleich war sie an der Reihe. Darauf zu warten war das Schlimmste, denn die Angst raubte ihr fast den Verstand. Benebelt von Hunger und Furcht lag sie an so manchem Morgen eine Stunde lang da und lauschte diesem Wagen, der quietschend und klappernd immer näher kam. Das Geräusch schob eine Bugwelle des Grauens vor sich her die Reihe der Zellen entlang, so stark, dass es beinahe greifbar wurde. Die wenigen einfachen Gegenstände an Bord dieses kleinen Gefährts reichten aus, um selbst starken Herzen alle

Kraft zu rauben und Cat Tränen blanker Panik in die Augen zu treiben.

Ich werde diesen Brief in die Broughton Street schicken in der Hoffnung, dass Du Dich dort gemeldet und Nachricht hinterlassen hast, wo Du jetzt bist, fährt sie fort. Dann hält sie inne und steckt das Ende des Stiftes zwischen die Zähne. Wie kann es sein, dass sie nicht weiß, was sie ihrer besten Freundin schreiben soll? Dem Menschen, an den sie am meisten denkt? *Ich vermisse Dich so sehr, Tess. Hier ist es gar nicht übel, das erkenne ich wohl, doch ich fühle mich die ganze Zeit gefangen. Ich fühle mich, als wäre ich noch immer im Gefängnis. Ergeht es Dir auch so? Als wir beide uns zu jener ersten Versammlung aus dem Haus geschlichen haben – da waren wir frei, Tess! Zum allerersten Mal. Ich hätte nie gedacht, dass es so enden könnte.* Cat starrt auf ihren eigenen schwachen Schatten an der Wand und versinkt in der Erinnerung an damals. Sie hätten nicht einmal Freundschaft schließen dürfen, ein Stubenmädchen und ein Küchenmädchen. Cats Rang war höher, und sie sollte eigentlich nicht mit dem niederen Personal sprechen, nicht einmal bei den Mahlzeiten, zu denen sich die Dienerschaft dreimal täglich an einem langen Tisch versammelte. Zu Anfang hatte Tess sich ein Kellerzimmer mit der Scheuermagd Ellen geteilt. Doch eines Nachts wurde der unterirdisch gelegene Raum überflutet, und es dauerte Wochen, bis er wieder trocken war. Schimmel überzog die Wände wie ein Pelz, und die Feuchtigkeit machte die kalte Luft unerträglich. Also bekam Ellen eine Pritsche im Zimmer des Ersten Küchenmädchens, und Tess zog zu Cat auf den Dachboden.

Tess war erst sechzehn Jahre alt, fast noch ein Kind. Cat brachte ihr Grundkenntnisse im Lesen bei, erzählte ihr von fernen Ländern und las ihr Byron, Milton und Keats vor. Tess' Augen leuchteten auf bei jeder Wendung in einer Ge-

schichte, bei jeder schrecklichen oder wundersamen Bege-
benheit – als der Seemann den Albatros tötete, als Isabella
den Kopf ihres Liebsten im Basilikumtopf vergrub.

Beim ersten Mal war es Tess' Idee gewesen, sich aus dem
Haus zu schleichen. Bis dahin war Cat gar nicht auf den Gedanken gekommen. Sie war zu Gehorsam und Dienstbeflis-
senheit erzogen worden – war dazu erzogen worden, den
Gentleman gleichermaßen zu lieben und zu fürchten. Doch
Tess las das Flugblatt, das in den Dienstbotentrakt gelangt
war, und zeigte es Cat. In einer stillen Ecke des Flurs, im
Eingang zur Spülküche, wo sie weder von der Silberkammer
des Butlers noch vom Arbeitszimmer der Haushälterin aus
gesehen werden konnten, wedelte Tess ihr damit vor der
Nase herum. »Lass uns da hingehen, Cat! Trau dich! Ach
bitte, gehen wir, ja?« Am Sonntagnachmittag, ihrer einzigen
freien Zeit, zogen sie ihre besten Kleider an und gingen hin.
Und dieser Tag entzündete ein Feuer in Cat. Dass es ein Leben außerhalb des Hauses gab! Dass es einen Saal voller
Menschen gab, die sich alle aus freiem Willen versammelt
hatten, und dass sie selbst dazugehörte. Tess' Wangen waren
rosig vor Aufregung, und Cat war wie vor den Kopf geschlagen. Es schien ihr, als hätte das Leben für sie einen ganz
neuen Anfang genommen, und die Welt werde sich nie wieder so träge und eintönig drehen wie zuvor.

Der Versammlungssaal in ihrem Viertel war in Purpur,
Weiß und Grün geschmückt, von den Schärpen, Flaggen und
Wimpeln, die an jedem Geländer und jeder Balustrade hingen, bis hin zu den großen Blumensträußen, die überall in Va-
sen verteilt waren und ihren Duft verbreiteten. Riesige Banner wehten sanft über ihren Köpfen. Eines verkündete: *Wer
frei sein will, muss erkennen, dass niemand ihm die Freiheit gibt
als das eigene Schwert!* Ein anderes zeigte ein elegantes Bild
von Emmeline Pankhurst, lobte ihren *aufrechten Mut* und

nannte sie eine *Vorkämpferin der Frauen*. Die Atmosphäre vibrierte vor Aufregung, und Cat und Tess blieben ganz hinten im Saal stehen, überwältigt von der Eleganz der vornehmen Damen, die weiter vorn saßen und sich gut zu kennen schienen. Noch nie waren die Mädchen mit Frauen der Ober- und Mittelschicht im selben Raum gewesen, ohne diese zu bedienen. Für Tess war das schon genug. Ihr reichte es, als Person zu zählen, eine kleine Weile überhaupt als jemand zu zählen. Doch für Cat waren es die Worte, die Argumente der Rednerinnen an jenem Abend, die sie zutiefst ergriffen und zum ersten Mal in ihrem Leben wachzurütteln schienen.

»Ein Mann mag betrunken sein oder schwachsinnig oder ein verurteilter Verbrecher, er mag ein Invalide sein, untauglich für den Kriegsdienst oder gar Weiße als Sklaven halten, und dennoch darf er wählen! Eine Frau mag Bürgermeisterin sein, Krankenschwester oder Mutter, sie mag eine medizinische Ausbildung haben und Ärztin oder Lehrerin sein, sie mag sich ihren Lebensunterhalt verdienen oder sich und ihre Familie durch ihre Arbeit in einer Fabrik ernähren, und dennoch darf sie nicht wählen! Wenn bei einem leichten Mädchen eine Geschlechtskrankheit festgestellt wird, kann es verhaftet und gegen seinen Willen viele Monate lang festgehalten werden, bis die Infektion erfolgreich behandelt wurde, und doch gibt es keine Strafe für die Männer, die es aufgesucht und angesteckt haben! Ein Mann kann seine Ehefrau schlagen und all seine Triebe an ihr befriedigen, und sie hat keine Möglichkeit, sich ihm zu verweigern. Ein Mann darf vor der Ehe Unzucht treiben und Erfahrung mit mehreren Partnerinnen machen, und dennoch kann er später eine achtbare Ehe schließen – doch die Frauen, mit denen er verkehrte, werden aus der Gesellschaft verstoßen!«

An dieser Stelle kicherte Tess und lief rot an. Cat hieß sie still sein und packte ihre Hände, um sie ruhig zu halten.

»Solange nur Männer wählen können, wird die Regierung dieses Landes sich auch nur der wirtschaftlichen Belange von Männern annehmen. Unsere Gegner verweisen darauf, dass wir nicht dieselbe Erwerbskraft haben wie Männer. Nun, wie könnten wir denn auch, wenn uns alle lukrativen und wichtigen Stellungen verwehrt werden – von Männern? Solange eine Frau keine politische Macht besitzt, wird sie auch keine ökonomische Macht besitzen und stets auf unterster Stufe stehen, was das Einkommen anbelangt. Solange das Parlament nicht uns als Wählerinnen gegenüber verantwortlich ist, wird sich an diesen Ungerechtigkeiten, diesen Missverhältnissen nichts ändern! Es heißt, wenn wir das Wahlrecht bekämen, würden die Frauen nicht mehr auf die Männer hören, und alles würde im Chaos versinken. Wir aber sagen: Warum sollten die Männer nicht einmal auf die Frauen hören? Kameradinnen! Gebt die Botschaft weiter! Opfert eure Zeit für die Sache, gebt euer Geld, wenn ihr könnt. Erhebt die Stimmen und verschafft euch Gehör!«

Es wurde begeistert applaudiert, und dann bekam eine gebrechliche Dame, deren braunes Kleid genau zu den braunen Ringen unter ihren Augen passte, eine Medaille verliehen. Sie hatte bis vor Kurzem im Gefängnis gesessen, weil sie eine Versammlung der Liberal Party gestört hatte. Die Frau heftete sich das Ehrenzeichen ans Kleid und erzählte mit schwacher, näselnder Stimme, was sie erlitten hatte. Sie dankte ihren Schwestern für all die Unterstützung und schwor weiterzukämpfen. Ihr wurde stehend applaudiert.

»Gehen wir lieber, Cat. Es ist schon fast vier Uhr«, flüsterte Tess drängend, als die Dame das Podium verließ.

»Noch nicht. Ich will erst fragen, was wir tun können!«

»Was meinst du damit, Cat? Was sollen wir denn tun?«

»Wolltest du denn, dass wir heute zum ersten und letzten

Mal hierherkommen? Willst du ihnen nicht helfen? Zu ihnen gehören?«, fragte Cat ungläubig.

»Eine von ihnen werden?«, fragte Tess verwundert.

»Du hast doch gehört, was sie gesagt hat! Weshalb sollten wir nicht wählen dürfen? Warum sollte ich weniger verdienen als der Laufbursche, obwohl ich älter bin, länger im Haus arbeite und mein Rang höher ist als seiner?«

»Aber das ist nichts für Unseresgleichen – wir müssen unsere Arbeit tun. Sieh dir doch all diese reichen Damen an! Die haben die Zeit und das Geld, daran teilzunehmen. Was haben wir denn schon?«

»Und wir werden für immer keine Zeit und kein Geld haben und zu viel Arbeit verrichten, wenn wir nichts dagegen unternehmen. Willst du denn gar nicht Teil von etwas Großem sein?«, erwiderte Cat und schüttelte Tess leicht. Tess machte große Augen und schluckte, schließlich nickte sie.

»Doch, das will ich, Cat. Wenn du mit dabei bist. Ich will ein Teil davon sein«, sagte sie und blickte in sanftmütigem Staunen zu Cat auf.

»Gut.« Cat lächelte. »Dann komm. Erkundigen wir uns, was wir tun können.« Sie nahmen Flugblätter mit, bezahlten einen Penny für eine Ausgabe der monatlich erscheinenden *Votes for Women*, erfuhren, wo sich das Büro der Women's Social and Political Union in ihrem Viertel befand und dass sie dorthin gehen und sich für einen Shilling als Mitglieder eintragen lassen konnten.

In den darauffolgenden Wochen besuchten sie den Women's Press Shop in der Charing Cross Road, um sich mit den Farben auszustatten – dort gab es alle möglichen Accessoires in Weiß, Purpur und Grün zu kaufen, von Hutnadeln bis hin zu Fahrrädern. Sie meldeten sich freiwillig dafür, Briefumschläge zu bestücken, Flugblätter zu verteilen und Vorträge und Spendensammlungen zu bewerben. Und so verbrachten sie fortan jeden Sonntagnachmittag, obwohl ihre Füße brannten und ihnen der Rücken wehtat und sie sich eigentlich im Bett ausruhen oder in den Pub gehen oder mit einem Mann hätten treffen können. Die ganze Woche lang trugen sie ihre WSPU-Abzeichen an der Unterwäsche, wo niemand sie sehen und konfiszieren konnte, und von da an waren sie nicht mehr nur Dienstmädchen, sie waren Suffragetten.

Anfangs war es ein Spiel, denkt Cat nun. Ein Spiel, bei dem sie die Regeln diktierte und Tess einfach mitmachte. Bei diesem Gedanken schließt Cat gequält die Augen. Der Brief liegt noch unvollendet vor ihr. Wie kann sie all das in etwas so Unzulänglichem wie einem Brief ansprechen? Wie kann sie hoffen, sie könnte das jemals wiedergutmachen? Die liebe, vertrauensvolle Tess, fast noch ein Kind und voller Bewunderung für Cat, bereit, alles zu tun, worum Cat sie bat. Und das, worum Cat sie bat, würde sie ins Verderben führen. Es würde damit enden, dass Tess in ihrem eigenen Blut lag, mit brutal gebrochenem Willen. Cat beendet den Brief mit zwei kläglichen Worten: *Verzeih mir.* Sie drückt das Papier an die Brust, als könnte es etwas von der Reue in ihrem Herzen aufnehmen und Tess überbringen.

3

Freitag, 2. Juni 1911

Gestern Abend in Newbury habe ich eine ganz außerordentliche Rede gehört, von einem gewissen Robin Durrant. Ein junger Mann, doch in Intellekt und Erkenntnis seinen Jahren offensichtlich weit voraus. Er sprach sehr gewandt über die Grundlagen der Weisheitsreligion bzw. Theosophie. Das gesamte Auditorium war von seinen Ausführungen gefesselt. Den Schwerpunkt bildeten Naturgeister, Belege ihrer Existenz, Methoden, sie zu entdecken, sowie die Gründe, wie und weshalb sie sich dafür entscheiden, sich nach Belieben ihren menschlichen Nachbarn zu zeigen — oder vielmehr nicht zu zeigen. Nach seinem Vortrag unterhielt er sich äußerst klug und scharfsinnig mit mir über die Vereinbarkeit der Theosophie mit dem anglikanischen Glauben.
Den Heimweg legte ich in einem ungeheuren Gewitter zurück. Was lenkt solche Dinge, solch überaus erstaunliche Erscheinungen, wenn nicht Gott, wenn nicht die höhere Macht? Außerordentlich glücklicher Zeitpunkt, trifft dieses Ereignis doch just mit dem Thema meiner Predigt zusammen. Hester durch das Unwetter sehr beunruhigt, in Folge offenbar emotional geschwächt und zu-

wendungsbedürftig. Habe einige Bibelstellen über die Präsenz Gottes in solchen Naturerscheinungen herausgesucht, um sie zu beruhigen, doch manchmal ist sie mit Worten nicht zu trösten. Frauen können bisweilen wie Kinder sein mit ihren einfachen Ängsten und Missverständnissen.

Wieder kam das Thema einer eigenen Familie zur Sprache, und auf ihr Drängen hin näherten wir uns zu diesem Zwecke einander an, bis ich mich aus unserer Umarmung zurückzog. Ich bin sicher, dass ihre Tränen nicht dem Zweck dienen sollen, mich zu erweichen, dennoch nötigen sie mir diese Versuche ab. Aber sie hat recht, es ist die Pflicht eines Ehemannes, sich auf taktvolle Weise mit seiner Frau zu vereinigen, um Kinder zu zeugen. Ich kann ihr mein Widerstreben nicht erklären. Ich kann es mir selbst nicht so recht erklären. Doch irgendetwas hindert mich daran, etwas zwingt mich dazu, mich vor dem eigentlichen Akt zurückzuziehen. Ich kann nur annehmen, dass Gott anscheinend irgendeinen anderen Plan für mich hegt – für uns –, den er noch nicht zu enthüllen bereit ist. Ich wage es nicht, solche Gedanken Hester gegenüber zu äußern, die sich unbedingt eigene Kinder wünscht und diesen körperlichen Ausdruck von Zuneigung zu brauchen scheint, im Gegensatz zu mir. Doch Gott hat uns alle geschaffen und geformt, und Er führt unsere Hand, wenn wir es nur zulassen. Also muss ich meiner Intuition gehorchen. Ich bete darum, dass Hetty dies eines Tages einsehen wird. Der Gedanke, sie könnte unglücklich sein, ist mir ein Gräuel.

1911

Am frühen Montagabend kommt Hester von einem Nach-
mittagsschläfchen nach unten und streift mit sicheren Schritten durch das Haus, auf der Suche nach ihrem Mann. Sie
folgt den leisen Klängen, die seine Finger auf Elfenbeintas-
ten hervorrufen, in die Bibliothek. Dort steht das Klavier, ein
Hochzeitsgeschenk von ihrem Onkel, zwischen Stapeln von
Unterlagen, Gesangbüchern und Notenblättern. Sie lehnt
sich an den Türrahmen und beobachtet ihn einen Moment
lang, lauscht den leisen Tönen – seltsame kleine Phrasen,
ständig wiederholt mit minimalen Variationen hier und da.
Sein Kopf ist konzentriert geneigt, sodass sein Nacken frei-
liegt und die kurzen Härchen darauf in der Nachmittagssonne golden leuchten. Plötzlich ist sie nervös und fürchtet, sie
könnte ihn stören, ihn verärgern. Seit jener Gewitternacht
steht ein stilles, verlegenes Unbehagen zwischen ihnen, das
sie zaudern lässt. Doch er scheint ihre Anwesenheit zu spüren, er richtet sich auf und blickt über die Schulter. »Entschuldige, mein Liebling. Ich wollte dich nicht wecken«, sagt
er, als sie zu ihm geht und sich neben das Klavier setzt.

»Du hast mich nicht geweckt«, versichert Hester ihm und
stellt erleichtert fest, dass er recht entspannt wirkt. »Ich war
ohnehin wach und wollte aufstehen. Schreibst du schon wieder ein neues Kirchenlied?«

»Bedauerlicherweise schreibe ich immer noch an demselben Lied«, antwortet Albert seufzend. »Schon seit drei Wochen! Es gelingt mir einfach nicht, die Worte der Melodie anzupassen ... ich werde noch verrückt dabei.«

»Du brauchst eine Pause, mein Liebster«, schlägt sie vor.

»Ich kann nicht aufhören. Nicht, ehe ich wenigstens ein Stück vorangekommen bin.«

»Spiel es mir doch einmal vor. Vielleicht kann ich dir helfen.« Hester setzt sich neben ihn auf die Klavierbank, den Tasten zugewandt.

»Also schön, aber es ist noch nicht annähernd publikumsreif«, warnt Albert sie verlegen.

»Ich bin doch auch kein Publikum. Ich bin deine Frau.« Hester lächelt und schlingt einen Arm um seinen, nur ganz leicht, um ihn nicht zu behindern. Albert spielt einen Akkord, um die richtige Tonlage zu finden.

»Oh! Gott, unser Vater, überall schauen wir – die Früchte Deiner Fülle, Deine himmlische Zier! Wenn die Wellen am Strand tosen, Vögel singen immerfort – hören wir Deine Stimme und folgen Deinem Wort ...«, singt Albert leise, und seine Stimme hüpft zwischen den Tönen hin und her wie ein Kind beim Himmel-und-Hölle-Spiel. »Da, hörst du?« Frustriert hört er zu spielen auf. »Diese eine Zeile will einfach nicht mit der Musik harmonieren!« Hester streckt die Hand aus und spielt die letzten paar Noten. Sie summt leise mit und lässt die Melodie ihren eigenen Rhythmus annehmen.

»Wie wäre es denn so ...« Sie räuspert sich. »Wenn die Meereswogen rauschen, Vögel singen immerfort, hören wir Deine Stimme und folgen Deinem Wort«, singt sie.

Albert schaut sie bewundernd an. »Liebling, du hast eine musikalische Begabung, um die ich dich wahrhaftig beneide. Du solltest Kirchenlieder komponieren, nicht ich! Ich danke dir.« Er küsst sie auf die Stirn, und sein Gesichtsausdruck ist fröhlich und offen. Hester stockt der Atem, und sie wagt es nicht, ein Wort zu sagen. Also lächelt sie nur und spielt die schlichte Melodie noch einmal. Und da sitzen sie in der weichen Abendsonne, Arm in Arm, und summen, singen und spielen leise vor sich hin.

Um elf Uhr liegt das ganze Haus in Dunkelheit und Schweigen. Die Nacht ist ungewöhnlich mild für diese Jahreszeit. Auf leisen Sohlen verlässt Cat ihre Kammer, schleicht den Korridor entlang und die Hintertreppe hinab. Ihre Füße wissen bereits, welche Dielenbretter sie meiden und wo sie aufsetzen müssen, um kein Geräusch zu machen. Obwohl es schon viel bräuchte, um einen Haushalt zu wecken, der an das gewaltige Schnarchen von Sophie Bell gewöhnt ist, denkt sie bei sich. Draußen auf dem Hof raucht Cat eine Zigarette, an die warme Ziegelmauer gelehnt, und sieht zu, wie die Glut bei jedem Zug rot aufflammt. Wenn sie wieder verblasst, zeichnet sie Muster vor Cats Augen in die Dunkelheit. Auf beiden Seiten des Hauses rufen Eulen und unterhalten sich mit beinahe kindlich klingendem Flöten und Piepsen. Der Himmel ist samtig blauschwarz, und sie beobachtet die kleinen Fledermäuse, die davor herumsausen, fasziniert von ihrem lautlosen Flug. Auf einmal kommt es für sie gar nicht mehr infrage, wieder nach drinnen zu gehen, sich ins Bett zu legen und stillzuhalten in diesem neuen, vornehmen Gefängnis, in das man sie geschickt hat. Dafür summt viel zu viel Leben in der Nachtluft wie statische Elektrizität. Cat macht sich auf den Weg über die Wiese, und der Tau auf den gefiederten Gräsern durchweicht ihre Schuhe.

Ihre Augen passen sich immer besser an die Dunkelheit an, während sie zum Kanal läuft und dort links abbiegt, um dem Treidelpfad nach Thatcham zu folgen. Ihr Herz schlägt schneller, und sie spürt eine ähnliche Erregung wie damals, als sie und Tess zu ihrer ersten öffentlichen Versammlung gingen. Seither sind erst achtzehn Monate vergangen. Ihr kommen sie vor wie ein ganzes Leben. Eine andere Welt. Sie verspürt ein prickelndes Gefühl, das sie nicht benennen kann – beinahe ängstlich, etwas, wovon sie sich fast abwenden möchte, dem sie zugleich aber nicht widerstehen kann. Es lässt ihr Blut rauschen und ihre Fingerspitzen kribbeln. Dort, wo die Lagerhäuser und anderen Gebäude sich allmählich zu dem kleinen Ort verdichten, sitzen einige Männer auf der Brücke, rauchen, reden und lachen. Ein anderes Mädchen hätte darin vielleicht eine Gefahr gesehen, doch Cat fürchtet sich nicht vor ihnen.

»Na, was haben wir denn da?«, ruft einer von ihnen, als sie schnurstracks auf die Brücke zugeht, sie betritt und mit vor der Brust verschränkten Armen darauf stehen bleibt. Sie kann die Gesichter der Männer nicht sehen, nur Schatten und Silhouetten. Ihr Geruch hängt dicht in der Luft – Schweiß und der Gestank hart arbeitender Körper am Ende eines langen, heißen Tages. Bier, Rauch, derbe Leinenkleidung.

»Hast du dich verlaufen, kleines Mädchen?«, fragt ein anderer sie.

»Weder das eine noch das andere – ich habe mich nicht verlaufen und bin auch kein kleines Mädchen. Ich suche nach George Hobson«, sagt sie. Der Name springt ihr ganz leicht auf die Zunge.

»Himmel, der Glückspilz – ein heimliches Rendezvous, was?«, fragt der erste Mann anzüglich, was die anderen zum Lachen bringt.

»Das geht euch nichts an. Wisst ihr jetzt, wo ich ihn finden kann, oder nicht?«

»Ho, die hat aber Temperament! Hübsch scharfe Zunge haben Sie, Miss. Da ist der gute George vielleicht doch nicht zu beneiden!«

»Er wird sicher im Ploughman sein – im Hinterzimmer wahrscheinlich«, sagt einer der jüngeren Männer, der zum ersten Mal den Mund aufmacht. »Wissen Sie, wo das ist? Gehen Sie noch ein Stück weiter und biegen Sie bei der nächsten Brücke nach rechts ab, zur Straße nach London. Ist nicht weit.«

»Danke sehr.« Cat geht weiter, begleitet von einem Konzert gutmütiger Pfiffe und Kommentare.

Erst am Eingang des Ploughman zögert sie, denn die Tür ist niedrig, der Raum drinnen düster und voller Menschen, obwohl die Sperrstunde schon vorüber ist. Einen Augenblick lang spürt sie diese eisigen Klauen, die sie packen, wenn sie eingeschlossen ist oder das Gefühl hat, irgendwo festzustecken. Doch sie überwindet sich und schlüpft durch die Menge, wie es einem größeren Menschen, als sie es ist, gar nicht möglich wäre. In dem Pub sind nur sehr wenige Frauen. Sie tragen enge Blusen, die obersten Knöpfe geöffnet, und haben Biergläser in den Händen, Rouge auf den Wangen und rote Münder mit von Küssen verschmiertem Lippenstift. *Im Hinterzimmer*, hat der junge Mann gesagt. Cat sieht eine grob gezimmerte Holztür, geschlossen und mit einem Riegel versehen, am anderen Ende des Raumes. Sie geht darauf zu. Als ihre Finger den Riegel berühren, zuckt sie zusammen. Auf der anderen Seite der Tür erhebt sich lautes Gebrüll, hundert tiefe Männerstimmen schreien wie aus einer Kehle. Cat zögert beunruhigt. Es hört sich an, als lauere ein großer, aufgepeitschter Mob hinter dieser Tür, und solche Situationen kennt sie gut genug, um sie zu fürchten. Eine Hand packt sie am Unterarm und zieht energisch ihre Finger von dem Riegel.

»He, wo wollen Sie denn hin, junge Dame?«, fragt ein schnurrbärtiger alter Mann. Seine Haut an ihrem Handgelenk fühlt sich an wie ledrige Borke, und sie entwindet sich ihm hastig.

»Lassen Sie mich los!«, faucht sie mit plötzlich rasendem Herzen.

»Schon gut, schon gut, keiner will Ihnen was! Ich hab Ihnen doch nur eine Frage gestellt, weiter nichts.« Er lallt ein wenig, doch sein Blick ist klar, und Cat erkennt, dass er sie leicht aufhalten könnte, wenn er es darauf anlegen würde.

»Ich möchte zu George. George Hobson«, sagt sie und reckt trotzig das Kinn. »Er ist doch da drin, nicht?«

»Wer sind Sie? Seine Liebste? Oder die Tochter? Wüsste nicht, dass er eine hat«, fragt der Mann neugierig.

»Wer ich für ihn bin, geht nur mich etwas an. Lassen Sie mich jetzt durch oder nicht?« Der Mann mustert sie einen Moment lang und kaut dabei nachdenklich auf dem kläglichen Rest seiner Zigarette.

»Sie wissen, was da drin los ist, oder?« Er beäugt sie argwöhnisch und weist mit dem Daumen auf die Tür. Dahinter erhebt sich neuerliches Grölen. Cats Herz schlägt schneller. Sie presst die Lippen zusammen und nickt knapp, obwohl sie nicht die geringste Ahnung hat, was sie in diesem abgeriegelten Raum erwartet. »Na dann, gehen Sie rein. Aber machen Sie ja keine Szene, sonst werfe ich Sie raus, verstanden?« Er beugt sich vor, hebt den Riegel an und schiebt die Tür gerade so weit auf, dass Cat sich durch den Spalt zwängen kann. Sie beißt sich auf die Unterlippe, ballt die Hände zu Fäusten und schlüpft hindurch.

Der Raum ist mit bläulichem Rauch angefüllt, heiß und stickig, und die Decke sogar noch niedriger und ebenso wie die Wände ganz aus Holz. Reihen von Männern stehen mit dem Rücken zu Cat und versperren ihr die Sicht. Sie drängeln und schreien, stampfen mit den Füßen, verziehen die Gesichter, recken geballte Fäuste, wedeln mit Armen und Brieftaschen. Cat geht am Rand der Menge entlang, bis sie eine Lücke entdeckt, und schlängelt sich beinahe unbemerkt bis nach vorne durch. Zuerst erkennt sie ihn gar nicht, den freundlichen Mann, der rot wurde, als sie merkte, dass er nicht lesen kann. Jetzt ist sein kräftiger Oberkörper nackt und glänzt von Schweiß und Blut. Auf seiner Haut spiegelt sich sanft das trübe Licht. Das Haar klebt ihm am Kopf, und aus einer Platzwunde über dem linken Auge rinnt das Blut bis hinab zum Kinn. Aber sein Gegner sieht noch schlimmer aus. Dieser andere Mann ist größer als George, aber nicht so kräftig gebaut. Seine langen Arme sind dünner, obwohl die Muskeln daran hervortreten wie Knoten in einem Tau. Beide Männer haben blutige, aufgeplatzte Fingerknöchel.

Als sein Gegner einen Treffer landet, nimmt George die Wucht auf, stößt den Atem aus und wankt nicht. Er bewegt sich geschmeidig, der Körper biegsam wie der einer Katze, das Ducken seines Kopfes so flink und anmutig, wie man es bei einem so kräftigen Mann nie vermuten würde. Cat beobachtet ihn gebannt. Sie hat noch nie einen Menschen erlebt, der so wach und lebendig aussah. Sie atmet tief ein und spürt den salzigen Geschmack von Schweiß auf der Zunge, hört das Klatschen von Knochen auf Haut und Muskeln, als Fingerknöchel sich tief in irgendeine nachgiebige Stelle versenken, und ein kollektives Aufstöhnen der Menge, die den Schmerz nachempfindet. Cat drückt sich gegen die Taue des improvisierten Boxrings, umklammert fest das derbe Hanfseil und feuert George aus voller Kehle an. Wie anders, wie überwältigend real er erscheint, verglichen mit den fetten Polizisten in London, dem engelsgleichen Pfarrer oder ihr selbst, so zart und knochig.

Ein weiterer Treffer, und George beginnt aus einem Nasenloch zu bluten. Schweiß spritzt durch die Luft, als sein Kopf zur Seite fliegt. Seine Schultern fallen herab, und an den Muskeln seiner Arme stehen die Adern sichtbar hervor. Hässliche violette Blutergüsse bilden sich an seinen Rippen. Doch sein Gesichtsausdruck zeugt von Ruhe und Bedächtigkeit. Cat spürt, dass er genau weiß, was er tut. Was er als Nächstes tun sollte, was er zweifellos schon oft getan hat – er scheint die Strapazen, Erschöpfung und Schmerzen gar nicht wahrzunehmen. Das Gesicht seines Gegners ist vor Kraftaufwand und Aggression zu einer starren Grimasse verzerrt. George wartet ab, setzt die Aggression seines Widersachers gegen ihn ein. Frustriert ihn, sodass der nur noch darauf bedacht ist, anzugreifen und den Kampf zu beenden. Lässt ihn ein paar mächtige Treffer landen, wodurch er den Sieg schon in Reichweite sieht und ungeduldig wird, unachtsam. George wartet wieder, weicht locker aus. Er wehrt gerade rechtzeitig einen Faustschlag ab, der sein rechtes Auge auf der Stelle hätte zuschwellen lassen, und lässt die Faust noch sein Gesicht streifen, als könnte er beim nächsten Mal nicht mehr schnell genug sein. Es funktioniert. Der andere Mann setzt nach, lässt die Deckung sinken und holt zu einem Schlag aus, mit dem er diesen Kampf zu beenden glaubt. Er lässt sich eine Sekunde lang Zeit, Schwung zu holen und den Körper zu verdrehen, um sein ganzes Gewicht in diesen Hieb zu legen. Als George zuschlägt, bewegt sein Arm sich so schnell, dass das Auge ihm kaum folgen kann. Der Aufwärtshaken trifft den größeren Mann mit solcher Wucht am Kinn, dass ihm der Kopf in den Nacken fliegt. Er geht abrupt zu Boden wie betäubt, bleibt auf die Ellbogen gestützt liegen und macht ein verdutztes Gesicht.

George steht bereit, doch sein Gegner kippt langsam um, sinkt auf den Rücken und verliert das Bewusstsein. Wieder gibt es mächtiges Gebrüll, so ohrenbetäubend laut, dass Cat sich nicht einmal denken hören kann. Und ohne es recht zu merken, erhebt auch sie die Stimme und bejubelt Georges Sieg. Geld wechselt die Hände, Männer schütteln den Kopf, George bekommt einen Krug Bier gereicht, Leute klopfen ihm auf die Schultern. Jemand hüllt seinen Oberkörper in eine Decke, doch er streift sie sofort wieder ab, während er sich auf einem hingeschobenen Schemel niederlässt und ein zerschlissenes Musselintuch entgegennimmt, mit dem er sich das Gesicht abwischt. Cat arbeitet sich mit großen Augen unaufhaltsam zu ihm vor.

»Und ich habe dich nach unserer ersten Begegnung für eine sanftmütige Seele gehalten«, sagt sie ohne weitere Vorrede zu ihm. George sieht sie einen Moment lang stirnrunzelnd an, dann lächelt er, und Wiedererkennen spiegelt sich auf seinem Gesicht.

»Cat Morley, die so fein redet und noch feiner flucht«, sagt er und wischt sich mit dem Handrücken den Mund ab. Obwohl er erschöpft und geschunden ist, blitzt ein Strahlen in seinen Augen, das Cat erkennt. Es ist dieses Blitzen, das sie dazu gebracht hat, sich in der Dunkelheit aus dem Pfarrhaus zu schleichen. »Hätte nicht erwartet, dich hier zu sehen.«

»Anscheinend hat diese Stadt nicht viele Belustigungen zu bieten«, erwidert sie trocken.

»Wohl wahr. Aber ich dachte, dass du abends nicht aus dem Haus darfst, sondern mit dem Pfarrer und seiner Frau beten musst.«

»Hast du dich etwa nach mir erkundigt?«, fragt Cat scharf.

»Kann sein – und wenn? Immerhin bist du hergekommen und hast nach mir gesucht.« George lächelt.

»Wohl wahr«, echot Cat. Sie grinst und lässt kurz die kleinen, weißen Zähne aufblitzen. »Gewinnst du immer?«

»Nicht immer. Aber meistens, obwohl man sich ja nicht selbst loben soll. Hier gibt es nicht viele, die gegen mich wetten, aber alle paar Wochen kommt wieder ein Kerl an, der glaubt, er könnte mich schlagen.« George deutet auf den Verlierer des Kampfes, der immer noch an derselben Stelle liegt, wo er zu Boden gegangen ist, als hätte man ihn vergessen.

»Kümmert sich denn niemand um ihn?«

»Seine Freunde sind hier irgendwo. Die werden ihn bestimmt wieder auf die Beine bringen, wenn sie sich nicht schon unter den Tisch gesoffen haben«, versichert George ihr.

»Und warum gewinnst du meistens? Dieser Mann hat längere Arme als du, und er ist größer. Trotzdem hast du ihn mit Leichtigkeit besiegt.«

»So leicht war das nicht.« George tupft Blut von der Platzwunde an seiner Augenbraue, und das Mulltuch färbt sich rot. »Weißt du, eines ist diesen anderen Kerlen offenbar nicht klar: Man gewinnt einen Kampf nicht, indem man hart austeilt, sondern weil man hart *einstecken* kann.«

»Und du kannst viel einstecken, nicht?«

»Dafür hat mein Vater gesorgt. Er hat mich von klein auf trainiert«, antwortet George immer noch lächelnd, doch das Funkeln in seinen Augen erlischt.

»Na ja, mein Vater hat mich immer gut behandelt, und das war irgendwie noch schlimmer«, sagt Cat und verschränkt die Arme vor der Brust.

»Ich habe Gerüchte über deinen Vater gehört«, gesteht George.

»Was immer du gehört hast, es stimmt nicht. Das garantiere ich dir.« Sie steht vor ihm und ist nur wenig größer als er, obwohl er noch sitzt. »Also, lädst du mich nun von deinem Preisgeld auf ein Bier ein oder nicht?«

»Aber sicher, Cat Morley. Aber sicher«, sagt George.

»Vielleicht ziehst du besser erst dein Hemd wieder an«, sagt sie grinsend.

Da der Kampf nun vorüber ist, leert sich der Pub langsam, die Männer machen sich allmählich auf den Weg nach Hause zu ihren unerbittlichen Frauen. Cat und George gehen gemeinsam zur Brücke. Die Nacht ist inzwischen pechschwarz, Cat starrt angestrengt ins Dunkel, als sie den Treidelpfad erreichen, und kann ihn doch nicht sehen. Auf einmal widerstrebt es ihr heftig, diesen Weg einzuschlagen und in ihre enge Dachkammer und zu Mrs. Bells lautem Schnarchen zurückzukehren.

»Ich begleite dich nach Hause. Hast du denn keine Lampe dabei?«, fragt George, der ihr Zögern als Angst vor der Dunkelheit auffasst.

»Nein. Nicht nötig, ich komme zurecht. Der Weg ist ja nicht schwer zu finden«, erwidert Cat. Sie bleiben stehen und wenden einander die Gesichter zu, die im Dunkeln verschwimmen.

»Hast du keine Angst, Cat?«, fragt er verwundert.

»Angst wovor?«

»Mit mir allein unterwegs zu sein, obwohl du mich kaum kennst. Oder davor, mit mir gesehen zu werden.«

»Ich glaube nicht, dass du mir übelwillst, aber falls ich mich täuschen sollte, ist es meine eigene Schuld. Und mit dir gesehen zu werden … Wenn du dich nach mir erkundigt hast, hat man dir doch gewiss gesagt, dass ich eine ruchlose Person bin, von der Gesellschaft verstoßen, eine Verbrecherin und möglicherweise sogar eine Mörderin. Das sind nur ein paar der Gerüchte, die ich so über mich gehört habe. Mein Ruf ist ohnehin schon ruiniert. Also, fürchtest *du* nicht eher, mit *mir* gesehen zu werden?« Sie lächelt schelmisch.

George lacht leise, und der Klang gefällt ihr. Ein tiefes, sattes Glucksen.

»Ich will dir wirklich nichts Böses, das hast du richtig erkannt. Und was den Rest angeht, habe ich den Gerüchten kaum geglaubt, bis du heute Abend am Ring aufgetaucht bist. Jetzt denke ich mir: Ein Mädchen, das so etwas tut, furchtlos und ohne Begleitung, könnte sehr wohl ein paar der Dinge getan haben, von denen man so hört!«

»Ich habe etwas getan. Und dafür im Gefängnis gesessen. Dieser Teil ist wahr. Und was mir und anderen Frauen dort angetan wurde, war viel schlimmer als die Strafe, die wir vielleicht verdient hätten. Viel schlimmer als unser Vergehen, wenn es denn eines war. Seither fürchte ich mich nicht mehr. Weder vor Gerüchten noch vor den erbärmlichen, kleinlichen Weibern, die sie verbreiten«, sagt Cat zornig. »Und jetzt wirst du mich fragen, was ich getan habe, und was danach passiert ist.« Sie seufzt. Solche Fragen scheinen ihr überallhin zu folgen, als hingen sie ihr wie Eisenkugeln um den Hals.

»Nein, werde ich nicht. Wenn du mir davon erzählen willst, werde ich zuhören, aber das geht mich nichts an«, entgegnet George hastig. Cat starrt wieder am Kanal entlang bis zu der Stelle, wo auch das Wasser von der Nacht verschluckt wird. Die Luft ist kühl geworden, und sie zittert. »Ich begleite dich nach Hause. Nicht ganz bis zur Tür, falls du dir Sorgen machst, dass uns jemand sehen könnte. Ich wette, du kannst dich so lautlos bewegen wie ein Gespenst, wenn es nötig ist«, sagt George.

»Black Cat haben sie mich früher genannt – in London. Weil ich so leise und unsichtbar sein kann wie eine schwarze Katze in der Nacht.« Sie lächelt. »Es sind gut drei Kilometer bis zum Dorf, also müsstest du sechs laufen, und das nach dem Kampf heute Abend. Bleib lieber hier auf deinem Boot und ruh dich aus. Bitte fühl dich heute Abend nicht verpflichtet, den Ehrenmann zu spielen.« George räuspert sich und verschränkt ebenfalls die Arme vor der Brust.

»Ich würde diese sechs Kilometer laufen, um mich weiterhin mit dir unterhalten zu können, Cat Morley. Ist das etwa kein guter Grund?«

Cat beäugt ihn einen Moment lang und überlegt, ob sie beharrlich bleiben soll. Doch dann gibt sie nach. »Also schön.«

Der Mond hängt hoch und klein am Himmel wie ein Viertelpenny und wirft nur schwaches Licht auf den Treidelpfad. Hier und da neigen sich Zweige über den Weg, der von dichten Wällen aus gelben Schwertlilien und Weidenröschen gesäumt wird. George besteht darauf voranzugehen, obwohl er groß genug ist, um sämtliche Zweige zu streifen, die dann zurückschnellen, sodass Cat ihnen ausweichen muss. Er brummt und flucht leise vor sich hin.

»Vielleicht sollte ich vorangehen? Ich sehe ganz gut«, sagt Cat.

George bleibt in einem Fleckchen Mondlicht stehen und dreht sich zu ihr um. »Also wirklich wie eine Katze, was?«, fragt er. In der farblosen Nacht ist er grau und schwarz, seine Augen leere Höhlen, sein Gesicht ein dunkles Loch. Einen Augenblick lang kommt er ihr nicht menschlich vor, sondern wie ein Geschöpf aus Stein und Schatten statt aus Fleisch und Blut. Doch dann streckt er die Hand aus, legt sie an ihr Kinn, und seine Haut ist warm und trocken. »In diesem Licht siehst du beinahe wie eine Zigeunerin aus«, bemerkt er leise.

»Meine Mutter hat mir einmal erzählt, dass ihre Großmutter Spanierin gewesen ist. Sie selbst war genauso dunkel wie ich, und die Leute haben immer gesagt, ich sei ihr sehr ähnlich.« Seine Berührung fühlt sich seltsam an, verstörend – ein Eindringen, doch sie stellt fest, dass ihr das nichts ausmacht. Sie greift nach seiner Hand und hält sie fest, und selbst im Dunkeln kann sie sehen, wie begierig, wie hingerissen er sie betrachtet.

Als Cat sich in ihr Zimmer schleicht, ist es so still im Haus, dass sie sich kurz erwischt glaubt. Es fühlt sich an, als hielte sich alles lauernd bereit, um zuzuschnappen wie ein Tellereisen, sobald sie in die Falle tappt. Nicht einmal Mrs. Bells Schnarchen ist zu hören. Cat zieht sich aus und hängt ihre Kleidung ans offene Mansardenfenster, um sie vom verräterischen Geruch nach Bier und Zigaretten zu befreien. Dann liegt sie ganz still im Bett und wagt kaum zu atmen. Obwohl ihr Herz hämmert, ist sie bereit zu kämpfen, bereit aufzuspringen und mit den Fäusten um sich zu schlagen, wenn es sein muss. Wenn sie sie packen, festhalten, sie zwingen … Das wird sie nie wieder zulassen. Doch das sind nur Erinnerungen, zum Teil durch das Bier und die späte Stunde hervorgelockt. Allmählich beruhigt sie sich, schließt die Augen und fragt sich, ob George noch da draußen auf der Wiese steht, wo sie ihn verlassen hat. Vielleicht wartet er, das blutige, geschundene Gesicht zu den Mansardenfenstern erhoben in der Hoffnung, dass sie hinausschauen und ihm winken könnte. Dieser Gedanke tröstet sie, lässt sie langsamer und tiefer atmen, lässt sie schlafen.

Am Morgen wartet Hester mit knurrendem leerem Magen ungeduldig darauf, dass Albert von seinem Morgenspaziergang zurückkehrt, damit sie frühstücken können. Sie legt das Buch beiseite, in dem sie gelesen hat, und schlendert ins Esszimmer, wo der Tisch längst für zwei gedeckt ist. Leere Teller warten zwischen wunderbar gerade platziertem Besteck. In dem stillen Raum knurrt ihr Magen hörbar. Es sieht Albert gar nicht ähnlich, sich so zu verspäten. Wie lange kann ein Mensch denn Zwiesprache mit der Natur halten?, fragt sie sich, nervös vor Hunger.

Da hört Hester Alberts Fahrrad klappern und erhebt sich wieder, ungebührlich hastig, um ihn zu empfangen. Die Haustür steht offen, und Cat poliert die Messingklappe vor dem Briefschlitz mit einem Stück weichem Leder. Der Pfarrer schießt so schnell zur Tür herein, dass er sie anrempelt und sie bei den Oberarmen packt, um nicht zu stürzen.

»Unglaublich, ganz außerordentlich!«, platzt er heraus, als setzte er eine Unterhaltung fort, die sie schon den ganzen Morgen lang führten. Zu Hesters Überraschung stößt Cat einen protestierenden Schrei aus, schlägt um sich, befreit sich aus Alberts Griff, stolpert ein paar Schritte rückwärts, bis sie gegen die Wand stößt, und funkelt ihn mit glühenden Augen an. Albert blinzelt und starrt sie an, als hätte sie sich in eine Schlange verwandelt.

»Cat! Also wirklich, Kind! Beruhige dich«, ruft Hester, schockiert von der übertriebenen Reaktion des Mädchens, das Alberts Berührung offenbar nicht ertragen kann. Die normale Berührung eines Geistlichen. »Es ist doch nur Mr. Canning! Kein Grund, sich so … zu erschrecken«, mahnt sie beunruhigt. Cat entspannt sich und sieht sie mit diesem eigenartig leeren Blick an. Diese ausdruckslose Miene fällt wie eine Maske vor ihr Gesicht, bemerkt Hester. Sie verbirgt die Gedanken des Mädchens, sodass Cats wahre Natur nicht mehr darin zu lesen ist. Hester weicht unwillkürlich vor diesem unheilvollen Blick zurück.

»Verzeihung, Madam. Der Reverend hat mich nur erschreckt, weiter nichts«, entgegnet Cat leise.

»Wir werden jetzt frühstücken, danke, Cat«, erklärt Hester steif und schickt das Mädchen mit kleinen, scheuchenden Bewegungen ihrer Finger in Richtung Küche.

»Frühstücken! O nein – ich könnte keinen Bissen herunterbekommen! Oh, Hester! Ich hatte gerade ein ganz erstaunliches Erlebnis! Etwas Wunderbares ist geschehen!«, ruft Albert aus, eilt weiter auf sie zu, ergreift ihre Hände und drückt sie fest. Sein Gesicht ist vor Freude gerötet, die Augen blitzen vor Aufregung. Sogar sein Haar scheint davon beeinflusst, denn es steht ihm wild vom Kopf ab.

»Was ist denn, mein Lieber? Was ist passiert?«, fragt sie mit vor Schreck leicht schrillerer Stimme.

»Ich … ich weiß kaum, wo ich anfangen … wie ich dir erklären …« Alberts Blick gleitet an ihrem Gesicht vorbei ins Leere. »Worte erscheinen mir auf einmal so … unzureichend …«, fährt er leise fort. Hester wartet einen Moment, dann drückt sie seine Finger, um ihn in die Gegenwart zurückzuholen.

»Komm und setz dich, Bertie, mein Lieber, und erzähl mir alles.«

Albert lässt sich von ihr ins Speisezimmer führen und zu einem Stuhl manövrieren. Cat kommt mit der ersten Platte Rührei und Koteletts und einem Brotkorb herein. Hester nimmt Albert gegenüber Platz, nimmt sich mit, wie sie hofft, nicht allzu offenkundiger Gier etwas Brot und streicht Butter darauf.

»Ich bin ganz Ohr, mein Lieber«, sagt sie, als Albert stumm bleibt. Er blickt zu ihr auf, als sie den ersten Bissen nimmt, springt wieder von seinem Stuhl auf und tritt ans Fenster. Verwirrt kaut Hester langsam auf ihrem Brot herum.

»Ich bin über die Wiesen gegangen, oben am Fluss, einen meiner gewohnten Wege. Da gibt es eine Stelle östlich von hier, ich weiß nicht, ob du sie kennst, wo der Fluss recht flach ist. Und schattig von den Weiden und Holunderbäumen am Nordufer. Das Schilf steht teilweise so hoch wie mein Kopf, und überall verstreut wachsen Wildblumen wie ein Teppich aus Edelsteinen ... Der Boden bildet dort eine breite, flache Senke, die sich bei Regen in eine große, schlammige Pfütze verwandelt. Aber jetzt im Sommer ist sie saftig grün mit hohen Gräsern und Schachtelhalm und Butterblumen und Braunwurz ... Nebel scheint sich in dieser Senke ein wenig länger zu halten. Ich habe zugesehen, wie er sich lichtete und langsam emporstieg, wie er schimmerte, wo die Sonnenstrahlen ihn berührten, und da habe ich gesehen ... ich sah ...«

»Was denn, Albert?«, fragt Hester beinahe erschrocken über die seltsame Art, wie ihr Mann spricht. Albert wendet sich ihr zu, und ein Ausdruck staunender Freude legt sich auf sein Gesicht.

»Geister, Hester! Naturgeister! Nymphen! Die Elementarwesen selbst, die Gott schickt, damit sie die wilden Tiere und die Blumen hegen und all das Walten seiner großartigen Natur lenken! Ich habe sie spielen sehen, so deutlich, wie ich dich jetzt vor mir sehe!«, ruft Albert, und seine Stimme klingt halb erstickt vor Ergriffenheit. Cat, die gerade eine Kanne Kaffee auf den Tisch gestellt hat, hält inne und blickt mit ungläubiger Miene von Albert zu Hester und wieder zurück.

»Danke, Cat«, sagt Hester betont streng. »Albert, das ist ... ganz erstaunlich! Bist du dir sicher?«

»Sicher? Natürlich bin ich mir sicher! Ich habe sie mit meinen eigenen Augen gesehen, so klar wie der helle Tag! Sie sind herrlich, prachtvoll wie wilde Orchideen ... jede einzelne vollkommen ...«

»Aber wie sahen sie denn aus, Albert? Was haben sie gemacht?«

»Sie hatten die Farbe wilder Rosenblüten – weiß, wenn man nicht allzu genau hinsieht, aber aus der Nähe golden und rosig angehaucht und silbrig schimmernd. Alle waren schlank wie Weidenzweige und trugen Gewänder ... ich konnte den Stoff nicht deutlich erkennen, aber er war hell und zart und umwehte sie, als wiege er kaum mehr als Luft. Und wie sie getanzt haben, Hetty! So langsam und anmutig, wie sich eine Pflanze unter Wasser bewegt – vollkommen leicht und fließend. Ihre Arme hoben und senkten sich und ... ach, Hester! Mir ist, als wäre ich Zeuge eines Wunders geworden! Als hätte Gott mir diesen Blick auf das, was der Menschheit gewöhnlich verborgen bleibt, als große Gunst gewährt!«

»Albert ... das ist wirklich erstaunlich. Ich meine ...« Hester stammelt und verstummt schließlich. Albert strahlt sie an, offensichtlich berauscht von seinem Erlebnis. Bei diesem Gedanken runzelt sie die Stirn, mustert ihn genau und beugt sich sogar leicht zu ihm vor, um so unauffällig wie möglich tief einzuatmen. Doch sie erschnuppert keinen Hauch von Cognac oder Wein oder etwas Ähnlichem. Hester lächelt unsicher. »Wirklich ... einmalig«, sagt sie matt. »Und du glaubst wahrhaftig, dass diese Geschöpfe ...«

»Nein, nein – bezeichne sie nicht als Geschöpfe, mein Herz! Sie sind nicht von der gleichen Art wie die Vögel und Kaninchen. Sie sind *göttliche* Wesen, heilige Wesen, die viel höher stehen als wir. Verglichen mit ihnen sind wir nichts als ungeschlachte Tonfiguren!«, erklärt er triumphierend. Hester weiß nicht mehr, was sie noch sagen soll. Albert kommt ihr so fremd und leidenschaftlich vor – sie erkennt ihn kaum wieder.

»Aber verstehst du denn nicht, was das bedeutet?«, fragt Albert nun, wendet sich Hester zu und bemerkt offenbar plötzlich ihre Zurückhaltung. Hester bemüht sich um einen interessierten Gesichtsausdruck und macht große, neugierige Augen, um ihm zu zeigen, dass sie gern hören würde, was das bedeutet, gern glauben wird, was er ihr sagt. Doch diese aufgesetzte Erwartung scheint Albert zu enttäuschen. Er sinkt ein wenig in sich zusammen, sein Lächeln erlischt. In der längeren Pause, die nun folgt, spielt Hester mit ihrem Besteck. Sie sehnt sich danach, das Kotelett auf ihrem Teller anzuschneiden, hat aber das Gefühl, dass sie damit den beabsichtigten Eindruck gespannter Aufmerksamkeit ruinieren würde. »Ich muss auf der Stelle an Robin Durrant, den Theosophen, schreiben«, verkündet Albert und lässt sich wieder auf seinen Stuhl sinken.

Cat kehrt in die Küche zurück und knallt das leere Frühstückstablett auf den Küchentisch.

»Der Pfarrer sieht Feen«, verkündet sie schlicht. Mrs. Bells Kopf taucht verschwitzt und rot aus dem Backofen auf.

»Was soll das heißen?«, fragt sie. Cat hebt ratlos die Hände.

2011

Leah war mit ihrer besten Freundin Sam in einem Café nicht weit von deren Büro verabredet. Sie wählte einen Tisch in der hintersten Ecke aus, weit weg vom Fenster, setzte sich und wartete. Es war ein grauer Dienstagvormittag Anfang März. Leah war seit einer Woche aus Belgien zurück und immer noch aufgewühlt nach dieser Reise – nachdem sie Ryan gesehen hatte und den Leichnam des Soldaten. Einer wie der andere verstörend, fesselnd und beängstigend zugleich. Leah bestellte einen Kaffee und schlürfte ihn kochend heiß. Danach fühlte sie sich schon besser, und kurz darauf platzte Sam zur Tür herein. Sie bewegte sich mit ihrer gewohnten Hast, ganz Ellbogen und Knie, und als sie Leah entdeckte, schüttelte sie in vorauseilender Entschuldigung den Kopf.

»Tut mir so leid, dass ich zu spät komme! Ich konnte nicht früher weg – Abigail macht diese Woche richtig Terror und führt sich furchtbar auf. Alle wissen natürlich, warum sie so biestig ist, aber das können wir schlecht laut sagen. Sie tut so, als läge es an den Quartalszahlen, die ihr nicht gut genug sind. Tut mir leid!«, sprudelte sie atemlos hervor, küsste Leah auf die Wange und umarmte sie kurz.

»Hör auf, dich zu entschuldigen!«, entgegnete Leah. »Ich rechne prinzipiell damit, dass du zu spät kommst. Und du weißt doch, dass es mir noch nie etwas ausgemacht hat, herumzusitzen und Leute zu beobachten.« Sie kannte Sam seit der ersten Klasse, und in all den Jahren war die Freundin nicht ein einziges Mal pünktlich zu einer Verabredung erschienen.

»Also, was hast du Wichtiges zu verkünden – ich sterbe vor Neugier«, sagte Sam, strich sich eine glänzende Strähne hinters Ohr und faltete die Hände vor sich auf dem Tisch. Ihr Gesichtsausdruck war offen, doch ihr Blick huschte über Leahs Gesicht, nie fest auf einen Punkt gerichtet, ständig durch irgendetwas abgelenkt.

»Na ja, vielleicht habe ich auch zu viel Wind darum gemacht. Eigentlich ist es gar keine so große Sache«, sagte Leah und holte tief Luft. Die Entscheidung war ihr nur so gewaltig erschienen, als sie sie getroffen hatte. Es war eben sehr lange her, seit sie sich das letzte Mal für irgendetwas hatte begeistern können – seit sie den enthusiastischen Drang verspürt hatte, zu arbeiten und zu schreiben. Jetzt, wo sie darüber sprach, klang die ganze Sache irgendwie unspektakulär. »Ich werde eine Weile verreisen. Nur ein paar Wochen. Ich bin einer Story auf der Spur.« Sie sah die leichte Enttäuschung in Sams Gesicht und setzte entschuldigend hinzu: »Wusste ich doch, dass ich zu viel Wind darum gemacht habe.«

»Nein! Ich … ich dachte nur, es ginge um etwas anderes. Ich dachte, du hättest vielleicht jemanden kennengelernt«, sagte Sam und wedelte dann mit der Hand, als sie Leahs bedrückte Miene bemerkte. »Vergiss, dass ich das gesagt habe. Nein, das sind doch tolle Neuigkeiten. Freut mich für dich – weiß Gott höchste Zeit, dass du wieder in Schwung kommst. Also, was ist das für eine Story?«

»Es geht um … äh … die Identität eines Soldaten aus dem Ersten Weltkrieg. Seine Leiche wurde eben erst drüben in Belgien entdeckt. Aber ich bin sicher, dass da noch mehr dran ist.«

»Daran, wie er entdeckt wurde?«, fragte Sam verwirrt.

»Nein – daran, wer er ist und was er im Krieg getan hat. Und vor allem in seinem Leben davor. Er hatte zwei Briefe bei sich, die erhalten geblieben sind – das ist an sich schon erstaunlich. Sehr alte Briefe. Am besten liest du sie vielleicht selbst?«, schlug sie vor und fischte die zerknitterten Seiten aus ihrer Handtasche.

Sie hatte sie selbst unzählige Male gelesen, seit sie Ryan in seinem dunklen, kleinen Zimmer zurückgelassen hatte, in Bettwäsche, an der noch ihr Geruch haftete. Diese Briefe hatten etwas so Lebendiges – sie konnte die Angst und Verzweiflung der Frau beinahe spüren, als stiegen sie wie ein Duft von der eleganten Handschrift auf: ihre Verwirrung, die Frustration, nichts ändern und nichts erfahren zu können. Und der seltsame Ton der Briefe wunderte sie. Offensichtlich waren diese Frau und der Soldat an etwas sehr Ungewöhnlichem, zutiefst Erschütterndem beteiligt gewesen: diesem *Verbrechen*, an dem die Frau sich mitschuldig fühlte, weil sie schwieg. Dennoch schrieb sie ihm so förmlich wie einem entfernten Bekannten. Nicht so, wie sie sich einem guten Freund oder nahen Verwandten gegenüber ausgedrückt hätte. Das eindringliche Flehen, mit dem sie um eine Erklärung bat, um mehr Informationen … Inzwischen stieg in Leah selbst eine Art mitfühlende Panik auf, wann immer sie die Briefe zur Hand nahm. Und warum hatte der Soldat gerade diese beiden Briefe aufbewahrt, obwohl es anscheinend viele weitere gegeben hatte? Leah versuchte immer wieder, eine Gemeinsamkeit darin zu entdecken, konnte aber nichts finden – bis auf das Flehen natürlich, die verzweifelten Hilferufe. Aber die hatten doch bestimmt auch in ihren anderen Briefen an ihn gestanden?

»Könnte es sein, dass du da zu viel hineininterpretierst?«, bemerkte Sam, nachdem Leah ihre Neugier erklärt hatte. »Vielleicht hat er die anderen nur verloren, oder sie wurden irgendwie zerstört, oder er hat sie gar nicht erst bekommen«, gab sie zu bedenken. »Wer weiß?«

»Mag sein.« Leah runzelte die Stirn. »Aber er ist mit diesen beiden so achtsam umgegangen. Er hat sie sehr sorgfältig aufbewahrt und sogar in der Schlacht bei sich getragen. Deshalb bezweifle ich, dass er viele andere Briefe verloren hat.«

»Wie bist du überhaupt auf die Geschichte gestoßen?«, fragte Sam.

Leah ließ den letzten Schluck Kaffee in ihrer Tasse kreisen und wich der Frage aus. »Du glaubst also auch, dass da eine Geschichte drinsteckt?«, fragte sie stattdessen.

»Himmel, ja! Wenn du herausfinden kannst, was für ein Verbrechen damals begangen wurde, und vielleicht sogar von wem, und wer dieser Mann und die Frau waren … dann ist da ganz sicher eine Story drin. Wie bist du darauf gestoßen, Leah?«

»Ich war doch letzte Woche verreist – da war ich in Belgien. Jemand von der Kriegsgräberfürsorge hat mich darauf angesprochen. Sie werden den Leichnam noch nicht gleich wieder beisetzen, sondern eine Weile warten, ob ich ihn vielleicht identifizieren kann«, antwortete sie so beiläufig wie möglich.

»Die Britische Kriegsgräberfürsorge? Doch nicht etwa Ryan? Leah – du warst doch nicht in Belgien, um Ryan zu treffen, oder?«, fragte Sam ernst. Sie fixierte Leah mit strengem Blick und ließ ihr keinen Ausweg mehr.

»Nicht, um ihn zu treffen! Nicht direkt deswegen! Er hat sich wegen der Geschichte mit mir in Verbindung gesetzt, und die wollen wirklich herausfinden, wer dieser Soldat war«, versuchte Leah sich zu rechtfertigen. Doch Sam hatte die Arme vor der Brust verschränkt und presste die Lippen zusammen.

»Sag mir, dass du nicht mit ihm geschlafen hast. Sag mir wenigstens das«, forderte sie. Und als Leah ihr nicht antwortete und ihr auch nicht in die Augen schauen konnte, nahm ihr Gesicht einen zutiefst bestürzten Ausdruck an. »Ach, Leah! Was hast du dir nur dabei gedacht?«

»Gar nichts«, antwortete Leah aufrichtig und zwirbelte ihre Serviette zusammen, bis das Papier riss. »Ich habe überhaupt nicht nachgedacht. Anscheinend kann ich das nicht, wenn es um ihn geht. Ich bin dann einfach völlig durcheinander. Ich fühle mich wie ein Handy, das einer verdammten Mikrowelle zu nahe kommt!«, erklärte sie leise und verzweifelt.

»Genau deswegen hatten wir doch beschlossen, dass du ihn nicht wiedersehen würdest. Leah – jedes Mal, wenn du ihn siehst, wirft dich das wieder viele Schritte zurück. Schau dich nur an, du siehst fix und fertig aus.«

»Danke. Glaubst du, das wüsste ich nicht?«

»Warum muss ich es dir dann immer wieder sagen? Im Ernst, Leah. Ryan ist absolut verbotene Zone. Er hat gewaltigen Mist gebaut. Ich meine … *riesigen* Mist.« Sam hielt die Hände zur Verdeutlichung weit auseinander.

»So einfach ist das nicht. Wie du es ausdrückst, hört es sich so kindisch an«, brummte Leah.

»So meine ich das nicht. Ich weiß, wie schwer es für dich ist – das weißt du doch. Und ich war für dich da und habe dir geholfen, die Scherben aufzulesen, oder etwa nicht? Ich will das nur nicht noch einmal machen müssen.«

»Mir geht es gut. Ehrlich. Jetzt habe ich ja diese Story, an der ich arbeite …«

»Wirst du zusammen mit Ryan daran arbeiten? Wirst du mit ihm in Kontakt stehen?«, unterbrach Sam sie.

»Nein. Nein, überhaupt nicht. Ich habe mich nicht mal

von ihm verabschiedet. Ich habe ihm nur eine E-Mail geschrieben, dass ich so viel wie möglich in Erfahrung bringen werde, aber das war alles. Ich werde ihn nicht über den aktuellen Stand auf dem Laufenden halten oder so. Entweder gelingt es mir, in den nächsten paar Wochen etwas herauszufinden, oder eben nicht. Und das Ergebnis, wie auch immer es aussehen mag, kann ich ihm per E-Mail mitteilen. Ich brauche ihn nicht wiederzusehen.«

»Tja, dann will ich nur hoffen, dass du dich selbst davon überzeugen kannst, denn mich überzeugst du kein bisschen.«

»Ach, Sam, komm schon. Ich bin hier, um dir von der Story zu erzählen – nur darum ging es mir, ehrlich. Sie ist mir jetzt schon wichtiger als ... als das, was in Belgien passiert ist. Du brauchst mich nicht dafür zu bestrafen, dass ich ihn wiedergesehen habe. Mit ihm geschlafen habe. Das überhaupt zu tun war schon Strafe genug, okay?«

»Okay! Kein Wort mehr davon. Du fährst also nach ... wie hieß der Ort gleich wieder? Cold Ass?«

»Cold Ash Holt.«

»Das klingt ja ziemlich nach ländlicher Idylle.«

»Stimmt. Liegt irgendwo in Berkshire. Nicht ganz am Ende der Welt, aber zumindest komme ich mal aus London raus. Tapetenwechsel, weißt du? Ein neues Projekt«, erklärte Leah.

»Wie war er denn so? Wie geht es ihm?«, fragte Sam, deren Neugier schließlich doch die Oberhand gewann.

»Unverändert. Prächtig. Ganz großartig.« Leah zuckte unglücklich mit den Schultern.

»Wo willst du anfangen? Mit der Recherche, meine ich.«

»Ich denke, am besten im Pfarrhaus. Die Briefe sind nicht datiert, aber den zweiten hat sie geschrieben, nachdem sie erfahren hatte, dass er in den Krieg gezogen war, also irgendwann zwischen 1914 und 1918. Und aus dem, was sie schreibt, kann man schließen, dass sie den ersten Brief etwa drei oder vier Jahre vorher geschrieben hat. Also brauche ich nur herauszufinden, wer damals dort gewohnt hat und ob Kontakt zu jungen Männern im kriegsfähigen Alter bestand, und was ich sonst noch in Erfahrung bringen kann.« Sie zuckte mit den Schultern. »Die Kriegsgräberfürsorge hat bereits festgestellt, dass kein Soldat mit dieser Adresse registriert war, aber vielleicht kann sich jemand an irgendetwas erinnern.«

Wenn sie auf der Stelle hätte aufstehen und gehen können, hätte sie es getan. Über diese Sache zu sprechen weckte in ihr den beinahe verzweifelten Wunsch, auf der Stelle anzufangen und herauszufinden, was die Verfasserin dieser Briefe so sehr gefürchtet hatte, was sie so verzweifelt hatte wissen wollen. Plötzlich fiel Leah auf, wie sehr diese angespannte Verzweiflung, der Drang danach, sich selbst aufzugeben, der aus diesen Briefen sprach, sie an ihre eigenen Gefühle in Bezug auf Ryan erinnerten. Ihre eigenen Qualen konnte sie nicht lindern, aber vielleicht die von H. Canning. Auf einmal sehnte sie sich danach, irgendwo zu sein, wo es keine Erinnerungen an Ryan gab, an ihre gemeinsame Zeit, wo niemand auch nur von Ryans Existenz wusste. Er klebte an ihr wie Spinnweben, und es juckte sie in den Fingern, sie endlich abzustreifen.

Leah wohnte immer noch in der Wohnung in der Nähe des Clapham Common, die sie mit Ryan geteilt hatte. Sie hatten vier Jahre lang zusammengelebt, seit sie nur zwei Monate nach ihrer ersten Begegnung zusammengezogen waren. Leah war sich noch nie einer Sache so sicher gewesen, dabei war sie normalerweise kein impulsiver Mensch. Sie hatte sich immer als skeptisch betrachtet, was die Liebe anging. Doch dann war plötzlich ein Mann auf der Bildfläche erschienen, der allein durch seine Gegenwart dafür sorgen konnte, dass sie sich viel lebendiger fühlte als je zuvor. Er brauchte sie nicht einmal zu berühren. Sie hatte scherzhaft zu ihren Freundinnen gesagt, dass sie endlich verstehe, worum es in all den Popsongs ging, doch in Wirklichkeit war das kein Scherz gewesen. Sie hatte das Gefühl, als seien ihr die Augen geöffnet worden – oder vielleicht eher das Herz. Als sei sie in ein riesiges, wunderbares Geheimnis eingeweiht worden. Lange Zeit war sie geradezu selbstgefällig gewesen, und danach bombardierten ihre inneren Stimmen sie ständig mit grausamen Sprüchen – über Hochmut, der vor dem Fall kam, und den schmalen Grat zwischen Liebe und Hass.

Sie weigerte sich, aus der Wohnung auszuziehen, die sie liebte und in der sie schon zwei Jahre lang gewohnt hatte, ehe sie Ryan überhaupt begegnet war. Sie würde wieder allein darin leben, entschied sie. Das war jetzt eben nicht mehr Ryans und ihr gemeinsames Zuhause, sondern wieder ihr eigenes – weiter nichts. Doch das stimmte nicht. Die Wohnung war von ihm durchdrungen, von Echos seiner Präsenz, Erinnerungen an seine Berührung. Wochenlang konnte sie ihn noch riechen und glaubte, verrückt zu werden, bis ihr klar wurde, dass die Vorhänge im Schlafzimmer, in deren Nähe er jeden Morgen sein Deo aufgesprüht hatte, den Duft noch immer in Wogen verströmten. Sie nahm die Vorhänge auf der Stelle ab, um sie zu waschen, hockte dann aber zwanzig Minuten lang vor der offenen Waschmaschinentür, wiegte sich vor und zurück und begrub das tränenüberströmte Gesicht in dem staubigen Stoff.

Nachdem Leah sich von Sam verabschiedet hatte, ging sie nach Hause, packte einen kleinen Koffer, legte ihn auf den Rücksitz ihres Wagens und schloss sich dem Stau in Richtung M4 an. Als sie endlich freie Fahrt hatte, brauchte sie nur eine Stunde bis zur richtigen Ausfahrt, und aus irgendeinem Grund war Leah enttäuscht. Ihre große Reise fort von der Stadt, ihre Mission, schien viel weniger bedeutsam dadurch, dass England so klein sein konnte. Ihr Navigationssystem führte sie von der Hauptstraße ab auf eine schmale, gewundene Landstraße zwischen hohen Hecken, die noch winterlich braun und trübselig waren. Es hatte geregnet, und sie rumpelte durch Schlaglöcher, die voller Wasser standen, und musste sich dreimal auf die matschige Böschung quetschen, damit riesige Geländewagen an ihr vorbeidonnern konnten. Als ihr Navi verkündete, sie habe ihr Ziel erreicht, stand sie an einer Kreuzung vor einer kleinen, dreieckigen Grünfläche, flankiert von niedlichen, schiefen Häuschen. Sie sah eine große Kastanie in der Mitte des Dorfangers, einen Briefkasten an einer und eine Telefonzelle an der anderen Ecke und keinerlei Anzeichen von Leben. Über den Dächern der Häuser auf der anderen Seite ragte ein Kirchturm vor dem fleckig grauen Himmel auf, und ein Gefühl von Erregung packte Leah. Falls der tote Soldat mit den Bewohnern des Pfarrhauses befreundet gewesen war, hatte er höchstwahrscheinlich in eben dieser Kirche den Gottesdienst besucht. Sie parkte den Wagen und machte sich zu Fuß auf den Weg dorthin. Es war vollkommen still, und sie ging beinahe auf Zehenspitzen, um die Ruhe nicht zu stören. Eine sanfte, feuchte Brise strich durch die kahle Rosskastanie und ließ die knotigen Zweige sacht aneinanderschlagen.

Der Friedhof war mit Schneeglöckchen, frühen Narzissen und kleinen lila Krokussen gesprenkelt. Die Toten des Dorfes lagen unter ihren Grabsteinen versammelt – die ältesten Steine, verwittert und von Flechten überzogen, standen am dichtesten bei der Kirche. Von dort aus ging es vorwärts durch die Zeit bis hin zu ein paar ganz neuen Steinen.

Die frisch aufgeworfene Erde war deutlich erkennbar, die Buchstaben im Marmor noch messerscharf gemeißelt. Aus irgendeinem Grund fühlte sich Leah nicht wohl bei ihrer Betrachtung – es erschien ihr wie eine zufällige Begegnung von Blicken in einem Umkleideraum, eine winzige, aber eindeutige Verletzung der Privatsphäre. Die Kirche selbst war aus grauem Stein und Feuerstein erbaut, anscheinend viktorianisch. Auf dem bescheidenen Kirchturm prangte ein verrosteter eiserner Hahn, der sich trotz der Brise nicht rührte. Die Tür war fest verschlossen. Daran flatterten und wellten sich an rostigen Reißzwecken befestigte pastellfarbene Handzettel, die Veranstaltungen der Gemeinde ankündigten. Leah drehte noch einmal an dem rostigen Türknauf und rüttelte ein bisschen daran, nur um ganz sicherzugehen. Sie fuhr erschrocken zusammen, als hinter ihr jemand sprach.

»Das nützt nichts, Kind. Heutzutage ist immer abgeschlossen, außer am Wochenende«, sagte ein Mann mit grauem Haar und einem schweren Kugelbauch, der aus einer uralten Donkeyjacke hervorragte. Leah schnappte nach Luft.

»Oh, verstehe. Danke«, sagte sie und wischte sich die Hände am Hosenboden ab.

»Mrs. Buchanan hat den Schlüssel, drüben in Nummer vier am Anger. Aber ich glaube, um die Uhrzeit geht sie immer zu ihrem Yoga«, fuhr der Mann fort.

»Na ja, macht nichts. Danke noch mal.« Leah lächelte knapp und wartete darauf, dass der Mann weiterging. Er erwiderte ihr Lächeln, rührte sich aber nicht. Leah hatte eigentlich noch ein bisschen auf dem Friedhof herumschnüffeln wollen, vielleicht sogar nach Canning-Grabsteinen aus der entsprechenden Zeit suchen, doch der Mann machte keine Anstalten, sich weiter um seine eigenen Angelegenheiten zu kümmern, was immer das auch sein mochte. »Könnten Sie mir vielleicht sagen, wie ich zum Pfarrhaus komme?«, fragte sie und unterdrückte ihre Gereiztheit.

»Gerne doch, gerne«, antwortete der Mann. »Sie gehen von hier links raus und geradeaus bis Brant's Close, dauert nur eine Minute. Die geht links weg. Ist eine neue Straße, eine Sackgasse, mit vielen Häusern. Das Pfarrhaus ist die Nummer zwei, kommt gleich nach der Ecke. Sie können es gar nicht übersehen …« Er folgte ihr den Weg entlang, während er all das erklärte, und einen Moment lang glaubte Leah, er werde sich bis zum Pfarrhaus an ihre Fersen heften. Doch am Friedhofstor blieb er stehen.

»Vielen Dank!«, rief Leah und marschierte zielstrebig davon. Die unhöflichen, aber auch unaufdringlichen Londoner hatten doch etwas für sich, dachte sie. Der Mann legte beide Hände auf den Torpfosten und sah ihr nach.

Haus Nummer zwei war ein bescheidenes quadratisches Backsteingebäude mit einem gepflasterten Weg durch einen sehr ordentlichen kleinen Vorgarten. Kleine Stiefmütterchen nickten mit violetten und goldenen Blüten in einer Reihe von Blumentöpfen unter dem Küchenfenster. Eine Tafel aus schwarzem Schiefer neben der Tür verkündete, dass dies »The Rectory« – die Pfarrei – sei, und Leah wurde plötzlich unsicher, klingelte aber trotzdem an der Tür.

»Ja?« Eine dünne Frau mittleren Alters begrüßte sie lächelnd, aber mit gehetztem Blick, als rechne sie jeden Moment mit einem Angriff. Ein Spitzendeckchen von einer Frau, dachte Leah sofort ein wenig boshaft. Zart und zu nichts Praktischem nütze, so sah sie aus.

»Entschuldigung, ich glaube, ich bin hier falsch«, sagte Leah. Das Spitzendeckchen blinzelte ein paarmal rasch und zog dabei die blaue Strickjacke unter den Armen enger zusammen. »Ich suche nach dem Pfarrhaus – oder vielmehr dem Haus, das ursprünglich einmal das Pfarrhaus war, vor etwa hundert Jahren?«, erklärte sie.

»Ach, das Alte Pfarrhaus? Ja, da sind Sie hier ganz falsch, fürchte ich. Es liegt auf der anderen Seite des Dorfes, nur fünf Minuten zu Fuß. Wenn Sie der Landstraße nach Thatcham folgen – die ist ausgeschildert –, dann sehen Sie es auf der rechten Straßenseite ein Stückchen außerhalb«, sagte die Frau und machte Anstalten, die Tür wieder zu schließen. Leah streckte hastig die Hand aus und hielt sie auf.

»Verzeihung – Sie wissen nicht zufällig, wann es vom Pfarrhaus zum Alten Pfarrhaus wurde, oder? Wann die Kirche es verkauft hat, meine ich«, setzte sie hinzu. Die Frau starrte auf Leahs Hand an der Haustür, als hielte die eine Waffe.

»Tut mir leid, das weiß ich wirklich nicht. Wahrscheinlich irgendwann in den Dreißigerjahren. Damals ging eine Menge Kirchenbesitz in private Hände.«

»Aha, danke. Vielen Dank.« Leah ließ die Tür los und kehrte zur Straße zurück.

Das Alte Pfarrhaus war ein sehr schönes symmetrisches Gebäude im Queen-Anne-Stil, wie Leah vermutete, aber leider schon halb verfallen. Die roten Backsteine ragten stolz hervor, denn der Mörtel dazwischen war längst verwittert und ausgewaschen. Der Vorgarten war überwuchert, doch die kläglichen Überreste der Geranien vom vergangenen Jahr in ihren steinernen Pflanztrögen neben der Tür ließen darauf schließen, dass noch jemand hier wohnte und sich zumindest ein wenig Mühe gab. Leah konnte aber kein Auto in der Zufahrt entdecken, und drinnen brannte auch nirgendwo Licht, obwohl der trübe Tag immer düsterer wurde. Sie blieb ein paar Minuten lang stehen, beobachtete das Gebäude unauffällig und hoffte auf irgendeine Bewegung im Inneren. Dies also war das Haus, in dem die Briefe verfasst worden waren, über denen sie in letzter Zeit so begierig gebrütet hatte. Bei dem Gedanken schlug ihr Herz ein wenig schneller. Es fühlte sich an, als spähte sie durch das winzige Schlüsselloch in einer Tür zur Vergangenheit. Von vager Nervosität erfüllt, ging sie den Weg durch den Vorgarten entlang und betätigte kräftig den Türklopfer aus angelaufenem Messing. Sie hörte den Laut durchs Haus hallen.

Ein Mann, der ungefähr in ihrem Alter sein mochte, öffnete die Tür nur einen Spaltbreit und lugte stirnrunzelnd zu ihr heraus.

»Was ist?«, fragte er barsch. Leah erhaschte einen Eindruck von schmalen grauen Augen, kurzem dunklem Haar, mehrere Tage alten Bartstoppeln und einem etwas irritierten Gesichtsausdruck.

»Oh, hallo. Entschuldigen Sie bitte die Störung ...«, begann sie, um sogleich unterbrochen zu werden.

»Was wollen Sie?«, fuhr er sie an. Hinter ihm war nur Dunkelheit zu erkennen. Leah bemühte sich, nicht allzu auffällig an ihm vorbei ins Innere zu spähen. Auf einmal sehnte sie sich danach, das Haus zu erkunden.

»Ich heiße Leah Hickson, und ich recherchiere für einen ...«

»Recherchieren? Was meinen Sie damit?«, fiel der Mann ihr erneut ins Wort.

Leah spürte, wie ihr der Ärger heiß in die Wangen stieg. »Wie ich Ihnen gerade erklären wollte, suche ich nach jemandem, der ...«

»Sind Sie also Journalistin?«, fragte der Mann barsch.

»Äh, ja, bin ich«, antwortete Leah verblüfft.

»Herrgott noch mal!«, rief der Mann aus und rieb sich mit der freien Hand heftig die Augen. Leah war zu verblüfft, um etwas zu sagen. »Wie haben Sie mich gefunden? Wer hat Ihnen diese Adresse gegeben? Versteht ihr Leute denn nicht die einfachste Ansage – wie ›verpisst euch‹? Meint ihr, ich hätte mich hier raus verzogen, wenn ich mit einem von euch reden wollte?«

»Ich … ich versichere Ihnen, dass ich nicht …«

»Lassen Sie's einfach. Ich habe in den letzten drei Monaten schon jeden verdammten Vorwand von Ihren Leuten gehört. Verschwinden Sie von meinem Grundstück. Sind Sie allein, oder darf ich jetzt damit rechnen, dass ganze Horden von euch hier auftauchen?«, fragte er kalt.

»Nein, nein – nur ich bin hier. Ich …«

»Gut. Sorgen Sie dafür, dass es dabei bleibt. *Und jetzt verschwinden Sie gefälligst.*« Der Mann betonte jedes Wort mit wütendem Nachdruck. Er schlug ihr die Tür vor der Nase zu, und Leah blieb wohl noch eine halbe Minute lang davor stehen, zu verblüfft, um sich zu rühren.

Ihr Blut summte vor Empörung, und die Wut verursachte ihr leichte Kopfschmerzen in den Schläfen. Deshalb klopfte sie schließlich noch einmal, so laut sie konnte, und ziemlich ausdauernd. Doch es kam keine Reaktion von dem Mann mit den grauen Augen oder von sonst jemandem, der vielleicht da war, und von drinnen war kein Laut zu hören. Ein heftiger Regen setzte ein und zwang Leah zum Rückzug. Sie kehrte zu ihrem Auto zurück, holte ihr Notizbuch hervor und schrieb mit ironisch schwungvollen Schnörkeln *Eingeborene feindselig* auf die erste leere Seite. Dann blieb sie eine Weile sitzen und sah den Regentropfen zu, die an ihre Windschutzscheibe klatschten, sich dort sammelten und schließlich hinabrannen. Ryan liebte Regen. Selbst der erinnerte sie an ihn, und sie lebte in einem Land, das berühmt war für seinen Regen. Sie dachte daran, wie dem toten Soldaten das nasse Haar am Schädel geklebt hatte. Wie viel Regen mochte auf seinen Leichnam gefallen sein, während er all die Jahre unentdeckt dort gelegen hatte? Sie stellte sich vor, wie die Tropfen Haut kitzelten, die nicht mehr spüren konnte, Kleidung durchtränkten und zu einem Körper vordrangen, der nicht mehr zittern konnte. Energisch verbannte sie diese Gedanken aus ihrem Kopf. Sie wollte nicht, dass der Tote noch in ihren Träumen auftauchte.

Sie fuhr zurück zur Hauptstraße und folgte dann der A4 nach Thatcham. Dort stellte sie den Wagen ab, spazierte eine Viertelstunde herum und kam rasch zu dem Schluss, dass sie in keinem der Pubs in diesem kleinen Ort übernachten wollte. An der Straße mit den meisten Geschäften, genannt The Broadway, reihten sich die Läden von Billig-Ketten und winzige Bankfilialen aneinander. Leute marschierten tapfer durch den immer heftigeren Regen, Gesichter und Blicke gesenkt, und wichen schicksalsergeben den schmierigen Pfützen aus. So trübselig konnte wirklich nur eine Kleinstadt am matschigen Ende des Winters aussehen. Aber es gab eine altmodische Buchhandlung, in der Leah eine angenehme halbe Stunde damit zubrachte, sich umzuschauen und dabei ein wenig zu trocknen. Sie kaufte zwei Bücher über die Geschichte der Gegend, und die Dame an der Kasse empfahl ihr eine Unterkunft, einen Pub namens The Swing Bridge, auf halbem Weg zurück nach Cold Ash Holt in einer Nebenstraße am Kanal. Leah folgte ihrem Rat und bekam ein Zimmer, üppig ausgestattet mit schwerem Chintz und dicken Kissen. Aber es war warm und bot eine weite Aussicht über die regennassen Flussauen im Osten. In der Ferne, durch eine Reihe schmaler Pappeln hindurch, glaubte Leah, den Turm der Kirche von Cold Ash Holt auszumachen. Sie kochte sich eine Tasse Tee vom Teetablett auf ihrem Zimmer, setzte sich ans Fenster und hing ihren Gedanken nach.

Im Swing Bridge Pub saßen hauptsächlich Einheimische in Gruppen an der Bar zusammen oder auf Bänken an klebrigen Holztischen. Jeder Neuankömmling wurde mit einem freundlichen Nicken und leisen Worten im gedehnten Dialekt begrüßt. Leah kam um acht zum Abendessen herunter und wurde in den Restaurantbereich geführt, der in einem kälteren und scheußlich leeren, offenen Nebenraum lag. Sie bekam einen Tisch, der für zwei Personen gedeckt war, und setzte sich so hin, dass sie zumindest zur Bar hinüberschauen konnte. Der leere Raum hinter ihr verursachte ein unangenehmes Kribbeln in ihrem Nacken. Sie bestellte Fish and Chips und wünschte, sie hätte ein Buch mitgebracht, an dem sie sich festhalten konnte. Sie hatte vage daran gedacht, sich zu ein paar Einheimischen zu setzen und sich Geschichten über den Ort erzählen zu lassen. Doch ihre Gespräche wirkten zu persönlich, die Gruppen so geschlossen, dass Leah auf einmal zu schüchtern war, um sich zu ihnen zu gesellen. Die vielen Gräten in ihrem Fisch boten immerhin Beschäftigung.

Als sie wieder aufblickte, stellte sie überrascht fest, dass sie nicht mehr die Einzige war, die allein dasaß. Mit unbequem abstehenden Knien balancierte der Mann aus dem Alten Pfarrhaus auf einem Barhocker. Obwohl sie ihn nur kurz im Halbdunkel gesehen hatte, war sie sicher, dass sie sich nicht täuschte. Er hatte sich nicht die Mühe gemacht, seine Jacke auszuziehen – einen unförmigen, verwaschenen grünen Anorak – und trug einen dunkelblauen Hut tief in die Stirn gezogen. Ganz der lässige Nachbar, dachte Leah. Doch dann fiel ihr Blick auf seine Füße: Seine Stiefel waren aus feinem braunen Leder, die Schnürsenkel fest um solide Messinghaken gezogen. Sie waren zu sauber und zu teuer. Leahs Neugier wuchs. Der Mann versuchte ganz offenbar, nicht aufzufallen, ja nicht erkannt zu werden. Allerdings sah sie mehr als einen Blick in seine Richtung huschen, gefolgt von gemurmelten Bemerkungen. Der Mann starrte resolut auf den Zapfhahn vor ihm und trank sein Bitter mit sturer Entschlossenheit.

Leah konnte nicht widerstehen. Als der Mann sein Glas ausgetrunken hatte, stand sie rasch auf und fing ihn auf dem Weg zur Tür ab.

»Na, hallo«, sagte sie fröhlich. Der Mann sah sie verblüfft an und runzelte die Stirn, als er sie schließlich erkannte. Er versuchte, an ihr vorbeizugehen, doch sie tat ebenfalls einen Schritt zur Seite. »Wir haben vorhin irgendwie aneinander vorbeigeredet, und es tut mir leid, falls ich Sie gestört haben sollte. Ich heiße Leah Hickson, wie gesagt. Und Sie sind?« Sie streckte ihm die Hand hin. Er schaute verächtlich darauf hinab und ergriff sie nicht.

»Sie wissen verdammt genau, wer ich bin. Jetzt gehen Sie bitte aus dem Weg und lassen Sie mich in Ruhe – ist es denn zu viel verlangt, wenn ich am Freitagabend mal ein Bier trinken will, ohne verfolgt zu werden?«, sagte der Mann mit gepresster Stimme.

»Ich versichere Ihnen, dass ich nicht die leiseste Ahnung habe, wer Sie sind«, fiel Leah ihm ins Wort. »Und ich bin Ihnen nicht gefolgt – ich habe mir für ein paar Tage ein Zimmer hier genommen. Das warme Frühstück soll hervorragend sein.«

»Na, wunderbar. Sie sind also *rein zufällig* hier abgestiegen. Was soll das werden? Wollen Sie mir auch die Chance geben, meine Version der Geschichte zu erzählen? Das habe ich alles schon oft genug gehört!«, fuhr der Mann sie an. Seine Kiefermuskeln waren verkrampft, und Leah fiel plötzlich auf, wie erschöpft er aussah. Er hatte dunkle Ringe unter den Augen und müde Fältchen um die Mundwinkel.

»Hören Sie, ich enttäusche Sie nur ungern, aber ich weiß

wirklich nicht, wer Sie sind. Offensichtlich sind Sie nicht so berühmt, wie Sie glauben. Ich bin Journalistin, ja, aber ich arbeite an einer Story über einen Soldaten aus dem Ersten Weltkrieg. Ich bin in Cold Ash Holt, weil ich Informationen über ihn suche. Er hatte Verbindungen zum Pfarrhaus – deshalb habe ich bei Ihnen angeklopft. Was auch immer Sie getan haben mögen oder auch nicht – tut mir leid, das interessiert mich wirklich nicht. Außer, es nützt mir dabei, mehr über meinen Soldaten herauszufinden, und das glaube ich kaum.« Eine lange Pause entstand, während der Mann ihre Worte anscheinend überdachte. Sein Gesichtsausdruck schwankte zwischen Erleichterung, Ungläubigkeit und Ärger.

»Und Sie wollen wirklich nicht bloß …« Er verstummte und machte mit einer Hand eine drehende Geste, die sie nicht verstand.

»Ich sage Ihnen die Wahrheit. Und falls Sie Zeit haben und sich mal einen Moment lang entspannen können, würde ich Ihnen gern noch ein Bier ausgeben und Ihnen ein paar Fragen über das Pfarrhaus stellen.« Der Mann starrte sie einen Augenblick lang an und rieb sich dann mit den Fingern der linken Hand kräftig die Augen, wie er es schon vorhin an seiner Haustür getan hatte. Ein nervöser Tick oder vielleicht ein Anzeichen tiefer Müdigkeit.

»Na gut. Sicher. Wenn es wirklich so ist, wie Sie behaupten«, gab er nach.

»Es ist so«, versicherte Leah ihm ein wenig belustigt. »Setzen wir uns an den Kamin – ich habe im Nebenraum zu Abend gegessen, und da kommt man sich vor wie in einem Mausoleum.«

Die angriffslustige Haltung rann förmlich aus dem Mann heraus wie Wasser durch ein Sieb. Er sank in einem Sessel am Kamin zusammen, und Leah beobachtete ihn verstohlen durch den Spiegel hinter der Bar, während sie auf ihr Bier wartete. Doch sie hätte sich gar nicht so vorsichtig bemühen müssen, ihn nichts merken zu lassen, denn er starrte in die Luft zwischen seinen Knien und zupfte geistesabwesend an der Nagelhaut eines Daumens herum. Mit einer hektischen Bewegung zog er sich plötzlich den Hut vom Kopf, und Leah fiel auf, dass sein Haar dringend gewaschen werden müsste und auch einen neuen Schnitt vertragen konnte. Der Mann war groß und schlank, und seine Kleidung saß so locker, als hätte er sie von jemand anderem geborgt oder kürzlich viel Gewicht verloren. Als sie zum Tisch zurückkehrte, schaute er zu ihr auf, der Blick in den blassgrauen Augen gleich wieder wachsam.

»Einer der Vorteile daran, mal aus London wegzukommen – man kann sich ein Bier leisten, ohne gleich einen Kleinkredit aufnehmen zu müssen«, bemerkte Leah und setzte sich. Der Mann reagierte nicht.

»Also, worüber wollen Sie sprechen? Über diese alberne Geschichte mit den Feen? Das war kurz vor dem Ersten Weltkrieg, wenn ich mich recht erinnere«, sagte er und nahm einen tiefen Zug aus seinem Glas. Leahs Puls beschleunigte leicht.

»Sicher, darüber würde ich gern mehr hören …« Sie machte eine einladende Pause, doch der Mann füllte sie nicht aus. »Ich weiß, dass Sie gewissermaßen inkognito sind, aber dürfte ich zumindest Ihren Namen erfahren?«, wagte sie einen Vorstoß.

»Entschuldigung, ja, natürlich. Verzeihung. Die letzten Monate waren … ziemlich schwierig für mich. Ich heiße Mark. Mark Canning«, sagte er. Leah lächelte, und Schmetterlinge flatterten in ihrem Bauch.

4

Liebste Amelia,

ich will Dir von einem weiteren Neuankömmling in unserem stillen Haushalt berichten: Mister Robin Durrant ist nun unser Gast, der Theosoph. Da Dir dieser Begriff wahrscheinlich nicht bekannt ist, erlaube mir, ihn Dir zu erläutern – nicht, dass ich behaupten könnte, eine Expertin in Sachen Theosophie zu sein! Ich musste sie mir von Albert erklären lassen, und dabei habe ich die Hälfte nicht verstanden. Er beschreibt Theosophie als die Suche nach Weisheit und spiritueller Erleuchtung, durch welche die Theosophen sich von den Fesseln der körperlichen Existenz zu befreien und mit Wesen höherer spiritueller Ebenen in Kommunikation zu treten hoffen. Ich hatte ja geglaubt, dass wir ebendies durch das Gebet anstreben, doch offenbar verhält es sich hier ganz anders.

Albert hat Mr. Durrant vor etwa zwei Wochen in Newbury kennengelernt, wo dieser einen Vortrag über Naturgeister und ähnliche Erscheinungen hielt. Albert hat damals nicht viel darüber gesprochen, doch vor ein paar Tagen kam er von seinem Morgen-spaziergang zurück in der festen Überzeugung, solch magischen Geschöpfen – die ich allerdings nicht so bezeichnen sollte – auf einer Wiese in der Nähe von Cold Ash Holt begegnet zu sein.

Ich muss sagen, dass die Auen hier um diese Jahreszeit wirklich bezaubernd sind. Sie bersten geradezu vor Leben, wilden Blumen und frischem Grün. Die Gräser wachsen so schnell, dass man ihnen beinahe dabei zuhören kann, wenn man innehält und ihnen lauscht! Falls die Natur tatsächlich ein körperliches spirituelles Wesen hervorbringen kann, dann wäre dies gewiss die perfekte Umgebung dafür. Doch ich kann nicht anders, als zu zweifeln. Es erscheint mir so außergewöhnlich – als wäre er nach Hause gekommen und hätte behauptet, ein Einhorn gesehen zu haben! Aber natürlich sagt er die Wahrheit, und als seine Frau muss ich ihm zur Seite stehen und seinem Urteilsvermögen trauen. Immerhin ist er ein Gelehrter und ein Mann Gottes. Derartiges kann ich von mir nicht behaupten.

Dieser junge Mann, Mr. Durrant, soll also am heutigen Vormittag eintreffen, nachdem Albert ihm von seinen Beobachtungen geschrieben hat. Er wird eine Weile bei uns bleiben – ich muss gestehen, dass ich von Albert nicht erfahren konnte, wie lange genau. Mrs. Bell ist in heller Aufregung wegen der Mittags- und Abendmahlzeiten für drei Personen, denn seit Langem musste sie nur für Albert und mich kochen. Was nur beweist, liebste Schwester, dass Du und mein lieber Schwager, von der süßen Ellie und John ganz zu schweigen, uns längst einmal wieder hättet besuchen sollen. Lass mich nur wissen, wann Ihr kommt – Eure Zimmer sind jederzeit für Euch bereit. Falls er eine Weile bleiben sollte, dieser Mr. Durrant, so hoffe ich doch, dass er ein angenehmer Mensch ist und nicht allzu vornehm, klug und gelehrt, denn sonst weiß ich nicht, wie ich mich mit ihm unterhalten sollte, ohne ihm unsäglich albern zu erscheinen!

Was ich nun schreibe, wird Dich gewiss zum Lachen bringen – aber bitte lach nicht, denn es ist mir ganz ernst. Mittlerweile befürchte ich, dass mit Albert etwas nicht stimmen könnte. In körperlicher Hinsicht, meine ich – natürlich niemals mit seinem Herzen oder seinem Charakter. Erst gestern Nachmittag fuhr ich von der Schule nach Hause, und als wir an John Westcotts Farm vorbeikamen, erblickte ich seinen Hengst, der soeben eine Stute »deckte« – ich glaube jedenfalls, dass man so diesen natürlichen und notwendigen Vorgang bezeichnet. Westcotts Töchter schnitten gerade Gras für ihre Schweine am Straßenrand und knicksten ganz entzückend vor mir, doch ich muss gestehen, dass meine Aufmerksamkeit ganz von dem Spektakel hinter ihnen gefesselt war. Äußerst anstößig von mir, gewiss, und ich hätte mich zweifellos davon abwenden sollen, aber solche Einblicke in die Natur sind ganz alltäglich, wenn man auf dem Lande lebt. Nicht eine Sekunde lang würde ich meinen geliebten Ehemann mit einem Bauerngaul vergleichen, doch ich kann nur davon ausgehen, dass der körperliche Aufbau der meisten Geschöpfe sich auf allerunterstem Niveau – zumindest im Grunde – ähnelt. Oder irre ich mich auch darin? So. Mehr werde ich zu dieser Angelegenheit nicht sagen, denn ich erröte und fühle mich wie eine schändliche Verräterin, während ich Dir dies schreibe, dabei bist Du mein eigen Fleisch und Blut! Falls Du durch irgendeinen zufälligen Gnadenakt verstehen solltest, was ich mit diesem Vergleich meine, dann wäre mir Deine Erklärung wie immer höchst willkommen, liebe Schwester.

Cat Morley bereitet mir ebenfalls Sorgen. Sie ist nach wie vor schrecklich dünn und sieht immer müde aus. Anscheinend spricht ihre Konstitution so gar nicht auf das gesunde Leben hier an, obgleich ich mir nicht vorstellen kann, wie ein Körper dieser wohltuenden Umgebung widerstehen könnte. Vielleicht liegt ihrem Zustand ein tieferer Aspekt zugrunde, den ich noch nicht entdeckt habe, irgendeine Verderbnis, die tiefer sitzt, als ich ahne. Ich habe Sophie Bell gebeten, nachts nach ihr zu sehen und festzustellen, ob sie schläft, doch anscheinend schläft Sophie selbst so tief, dass es ihr schwerfällt, aufzustehen und nach dem Mädchen zu schauen. Was sie in den langen, dunklen Nacht-stunden tun könnte, statt zu ruhen, kann ich mir kaum vorstellen. Der Gedanke ist überaus beunruhigend. Außerdem habe ich von Sophie erfahren, dass sie kaum etwas isst und die Mahlzeiten gelegentlich unterbricht, weil sie von einer Art Krampf oder Übelkeit gepackt wird. Ich muss dieser Sache auf den Grund gehen. Wenn ich mich nach ihrer Gesundheit erkundige, behauptet sie stets, es gehe ihr gut, und die Infektion der Lunge, die sie sich in London zugezogen hatte, bessere sich beständig. Was macht man nur mit einem Menschen, der krank ist, es aber nicht zugeben will? Ich tue mein Bestes, damit sie sich hier wohlfühlt, aber das ist nicht immer so einfach, wie es sein sollte. Sie erinnert mich oft an einen Falken – einen kleinen, wilden, grimmigen Vogel wie einen Zwerg- oder Baumfalken.

Nun, ich sollte diesen Brief jetzt beenden und alles für Mr. Durrants Ankunft vorbereiten. Natürlich werde ich Dir in ein paar Tagen wieder schreiben, um Dir von ihm zu berichten, doch ich hoffe, Du wirst mir verzeihen, falls mein Brief sich verzögern sollte – ich werde ganz von den Vorbereitungen für unsere Krönungsfeier in Anspruch genommen. Heute in einer Woche, und wir haben noch immer nicht genug Fahnenstoff. Das Ganze ist recht aufwendig geworden. Ich denke schon, dass wir letztendlich alles bewältigen werden, doch dies ist wirklich kein günstiger Zeitpunkt für einen Hausgast. Der arme Bertie – Männer ahnen nichts von solcherlei Dingen, nicht wahr? Schreib mir bald, liebe Amelia, und sofern Du es ertragen kannst, widme Deine Gedanken meiner Frage zu dem Pferd. Wie schrecklich, von so etwas zu schreiben!

Deine Dich liebende Schwester
Hester

1911

Es ist noch nicht annähernd Mittagszeit, als ein forsches Klopfen an der Tür Cat aus ihren träumerischen Gedanken reißt. Den ganzen Vormittag lang war sie schon abgelenkt, und ihr Blick schweift immer wieder durch die Fenster des Flurs, die sie mit zusammengeknülltem Zeitungspapier putzen soll, in die Ferne. Gedanken an George Hobson lenken sie so von der Arbeit ab. Sie hat ihn am Abend zuvor wiedergesehen und so viel Bier mit ihm getrunken, dass sich ihr der Kopf drehte und sie innerlich glühte. Jetzt dreht sich ihr Kopf immer noch, ihr ist flau im Magen, und hinter ihren Augen pocht beständig ein dumpfer Schmerz. Vor Müdigkeit sind ihre Glieder schwer und ihre Gedanken träge. Schon so früh am Tag ist die Luft warm, und der feine Schweißfilm auf ihrer Oberlippe schmeckt salzig. Als der Türklopfer sie zwingt, sich zu bewegen, dreht sie sich um und sieht sich plötzlich in einem prunkvoll gerahmten Spiegel an der Wand: ein grau-weißes Gespenst mit dunklen Augenringen und passendem tristem Kleid. Immer noch von Holloway gezeichnet. Mit leicht angewiderter Miene öffnet Cat die Tür.

»Ja, bitte?«, fragt sie den jungen Mann, der vor der Schwelle wartet. Sein Gesicht ist im gleichen Maße frisch wie ihres matt. Er hält eine lederne Tasche in der einen und einen Koffer, über den sein Jackett drapiert ist, in der anderen Hand. In Hemdsärmeln und Weste erinnert er Cat an den Sohn des Gentleman, wenn er auf ein paar Tage von der Universität zu Besuch kam – die gleiche luxuriöse Lässigkeit.

»Guten Morgen. Mein Name ist Robin Durrant, und ich glaube, man erwartet mich.« Der junge Mann lächelt. Seine Zähne sind sehr weiß und ebenmäßig, und um seine Augen bilden sich freundliche Fältchen.

»Bitte kommen Sie herein. Ich gebe Mrs. Canning Bescheid, dass Sie da sind«, entgegnet Cat dennoch beinahe missmutig. Sie nimmt dem Mann die Ledertasche ab und hängt sein Jackett an die Garderobe im Flur.

»Danke. Sehr freundlich von Ihnen.« Robin Durrant lächelt immer noch. Cat wendet sich abrupt von seiner guten Laune ab, geht den Flur entlang und klopft an die Tür des Musikzimmers.

»Ein Mr. Robin Durrant ist soeben eingetroffen, Madam. Er sagt, er werde erwartet«, verkündet sie. Hester lässt unvermittelt den Füllfederhalter fallen, blickt auf und errötet schuldbewusst. Cat fragt sich beiläufig, was für skandalösen Klatsch der Brief, an dem sie schreibt, wohl enthalten mag.

»Du meine Güte! Jetzt schon? Ich bin nicht dazu gekommen, mich fertig zu machen, und Albert ist noch nicht zurück ...«, stammelt Hester.

»Er ist schon hier und wartet im Flur«, entgegnet Cat milde.

»Ja, nun denn – ich komme natürlich sofort«, sagt Hester, doch da erscheint Robin Durrant hinter Cat und räuspert sich.

»Ich bitte vielmals um Verzeihung – ich kam nicht umhin, Sie draußen zu hören. Bitte machen Sie sich keine Umstände, Mrs. Canning. Ich komme zu früh, was furchtbar unhöflich von mir ist, und werde Sie nicht weiter stören, sondern zu gegebener Zeit wiederkommen. Es ist warm heute, ein herrlicher Tag für einen Spaziergang. Nein, bitte – behalten Sie Platz«, sagt er fröhlich. Hester sieht ihn hilflos an, und er verschwindet wieder im Flur.

»Sollte ich ihn nicht vielleicht aufhalten, Madam?«, schlägt Cat nach kurzem Zögern vor.

»Ja, bitte! Er soll keinesfalls glauben, er müsse wieder gehen«, sagt Hester ein wenig überfordert. Cat holt Robin Durrant an der Haustür ein.

»Verzeihung, Sir, aber Mrs. Canning besteht darauf, dass Sie bleiben«, sagt sie tonlos. »Sie kann Sie jetzt empfangen.«

»Ach, tatsächlich?« Robin Durrant lächelt erneut. Sein Lächeln scheint stets in Warteposition zu sein, sein Gesicht jederzeit bereit, es zu formen. »Dann bleibe ich natürlich. Wer könnte einer solchen Einladung widerstehen?« Er wirft Cat einen wissenden Blick zu, der sie augenblicklich misstrauisch macht, und kehrt zum Musikzimmer zurück.

»War er das an der Tür?«, fragt Mrs. Bell, als Cat in die Küche kommt.

»Ja. Sie wird jeden Moment klingeln und Tee verlangen, sobald sie sich wieder so weit gefasst hat, dass es ihr einfällt«, antwortet Cat, füllt Wasser in den Kessel und stellt ihn auf.

»Wie ist er – jung, alt, reich oder arm?«, fragt die dicke Köchin. Eine fettige Lammschulter auf dem Küchentisch erfüllt den Raum mit dem süßlichen Geruch von rohem Fleisch. Schmeißfliegen umschwirren den Braten aufmerksam und warten auf eine Chance, sich darauf niederzulassen. Doch Sophie Bell steht mit einem Geschirrtuch bereit.

»Arm sicher nicht, und recht jung. Etwa so alt wie die Pfarrersfrau, würde ich vermuten.« Cat schenkt sich ein Glas Wasser ein und stürzt es mit riesigen, geräuschvollen Schlucken herunter.

»Du meine Güte – wie eine Kuh am Trog«, tadelt Mrs. Bell. Cat wirft ihr einen vernichtenden Blick zu.

»Jetzt wissen Sie, wie es mir geht, wenn ich Ihnen jeden Tag beim Essen gegenübersitzen muss«, brummt sie.

»Noch so eine freche Bemerkung, und du kannst zukünftig draußen auf dem Hof essen – oder überhaupt nicht, wenn's nach mir geht.«

»Sicher«, seufzt Cat gleichgültig.

»Du solltest sie ›die Herrin‹ oder wenigstens ›Mrs. Canning‹ nennen, nicht ›die Pfarrersfrau‹, das gehört sich nicht. Alles, was aus deinem Mund kommt, klingt irgendwie respektlos, und es steht dir nicht zu, so zu reden«, sagt Mrs. Bell.

»Und weshalb sollte ich Leuten Respekt zollen, die sich meinen Respekt nicht verdient haben?«

»Weil die meisten Leute – jedenfalls in deinem Leben, möchte ich behaupten – ihn sehr wohl verdienen, ob du dieser Meinung bist oder nicht. Die Herrin gibt dir ein Dach über dem Kopf und anständige Arbeit, obwohl dich sonst niemand anstellen würde, nicht mit deiner Vergangenheit.«

»Ich verschaffe mir selbst ein Dach über dem Kopf, indem ich in jeder wachen Minute in diesem Haus arbeite! Und was meine Vergangenheit angeht … Die herrschenden Klassen stellen Regeln auf, nach denen sie die anderen bestrafen, nur damit sie einen Grund haben, zu strafen und uns kleinzuhalten, das ist meine Meinung. Wie könnte ich sie respektieren, wenn der Zufall meiner Geburt und die Regeln, die sie geschrieben haben, mich dazu zwingen, jeder ihrer Launen zu gehorchen, während sie den ganzen Tag lang herumsitzen können, unfähig, selbst die einfachsten Dinge ohne fremde Hilfe zu erledigen? Und dafür soll ich ihnen noch dankbar sein, obwohl *sie* in Wahrheit *mir* dankbar sein sollten! Wo wäre sie denn ohne mich? Ohne mich, die sie anzieht, ihre Kleider wäscht, ihr das Essen vorsetzt und ihr Bett macht?

Und ohne Sie, die ihr das Essen kochen? Sie brauchen uns viel mehr, als wir sie bräuchten. Wenn ihre Regeln nicht in allen Dienstboten so tief verwurzelt wären wie bei Ihnen, Sophie Bell, dann könnten wir in diesem Land viel erreichen.« Cat beendet ihre Tirade, hält sich mit einer Hand den dröhnenden Kopf, gießt sich noch ein Glas Wasser ein und stürzt es ebenso gierig hinunter. Sophie Bell blinzelt wie ein erschrockenes Kaninchen, und ihr herabfallender Unterkiefer wippt auf ihrem Doppelkinn.

»Was um alles in der Welt haben sie dir da oben in London nur beigebracht?«, fragt sie schließlich fassungslos.

»Was sie mir beigebracht haben?«, echot Cat. Sie denkt kurz darüber nach. »Sie haben mir beigebracht, dass sie einen mit allen Mitteln niederzwingen werden, falls man sich von ihren Regeln nicht kleinhalten lässt«, antwortet sie leiser.

Sophie Bell scheint zu warten, beinahe so, als wollte sie noch mehr hören. Doch als Cat nichts weiter sagt, wendet sie sich wieder der Lammschulter zu, runzelt besorgt die Stirn und verscheucht die Fliegen mit ihrem Küchentuch.

»Geh schnell hinaus und hol etwas Rosmarin für das Lamm, Cat, sei so gut«, sagt sie geistesabwesend.

Hester legt hastig den Brief an Amelia beiseite, den sie eben unterschrieben hat, aber noch nicht in einen Umschlag stecken konnte. Sie streicht ihr Kleid glatt, das vorn ein wenig zerknittert ist, und prüft, ob ihre Frisur sitzt. Ohne Alberts Vorbild als Hinweis darauf, wie sie diesem jungen Mann begegnen und wie respektvoll sie sich ihm gegenüber verhalten sollte, fühlt sie sich recht verloren und beinahe verschüchtert. Sie hört den Gast näher kommen und faltet sittsam die Hände vor ihrem Rock.

»Mr. Durrant, bitte kommen Sie doch herein«, sagt sie auf sein höfliches Klopfen hin. »Ich muss mich für die kurze

Verwirrung entschuldigen. Selbstverständlich haben wir Sie erwartet, und Sie sind uns höchst willkommen.« Hester lächelt, als ihr Gast den Raum betritt.

»Bitte, Sie brauchen sich doch nicht zu entschuldigen. Meine Mutter würde mich tadeln, weil ich früher angekommen bin als geplant und Sie dadurch gestört habe. Ich freue mich sehr, Sie kennenzulernen, Mrs. Canning.« Er schüttelt ihr herzlich die Hand und drückt den Daumen einen Moment lang gegen ihren Handrücken. Vor dem Fenster trimmt Blighe, der Gärtner, die Ligusterhecke mit einer Schere, die knirscht, wenn er sie öffnet, und quietscht, wenn er sie zuschnappen lässt. Diese gequälten Geräusche untermalen die Unterhaltung.

»Es ist mir ein Vergnügen, Mr. Durrant. Albert hat Ihren Vortrag über Theosophie in den höchsten Tönen gelobt«, fügt Hester hinzu und hofft, dass sie das Wort richtig ausgesprochen hat. Robin Durrants knappes Nicken lässt das Gegenteil befürchten. Sie mustert ihn gründlicher. Er ist mittelgroß und von durchschnittlicher Statur, schlank, aber mit recht breiten Schultern. Seine Hand hat sich bei der Begrüßung genauso weich und warm angefühlt wie ihre eigene. Sein Gesicht ist herzförmig geschnitten, mit markanten Wangenknochen und sanft gewölbten Brauen, und am Kinn deutet sich ein Grübchen an. Sein Haar ist dunkelbraun, und er trägt es recht lang, ganz weiche, ungebändigte Locken – jungenhaft und ein wenig derangiert. Er hat hellbraune Augen in der Farbe von reinem Karamell und trägt keinerlei Spuren des Alters an sich. Hester blinzelt und erkennt bestürzt, dass sie ihn offen angestarrt hat. Sie spürt, wie ihr die Hitze in die Wangen steigt, und ihre Kehle ist merkwürdig trocken.

»Genau genommen drehte sich mein Vortrag nicht um die Theosophie im Allgemeinen, sondern um das Phänomen der Naturgeister. Dieses Thema interessiert mich ganz besonders und ist gewissermaßen mein Fachgebiet«, erklärt Robin Durrant.

Hester blinzelt erneut und weiß einen Augenblick lang nicht, was sie sagen soll. Sie ist ganz durcheinander. »Ja, natürlich«, bringt sie schließlich hervor. »Möchten Sie nicht Platz nehmen? Ich lasse uns gleich den Tee bringen.« Sie weist auf einen Sessel.

»Danke. Sehr freundlich.« Mr. Durrant zeigt ein weiteres Lächeln, und Hester erwidert es. Ja, es wäre schwer, Robin Durrant nicht anzulächeln.

»Ich nehme an, Ihr Mann geht seinen Pflichten in der Gemeinde nach?«, erkundigt sich Robin einige Minuten später, als Hester ihm eine Tasse Tee reicht.

»Ja. Er bemüht sich stets, die Vormittagsstunden in der Kirche zu verbringen. Offenbar finden die Gemeindemitglieder da am besten Zeit, ihn aufzusuchen, wenn sie ihn brauchen. Und falls er nicht dort ist, streift er durch den gesamten Pfarrbezirk und macht Besuche …«

»Kümmert sich um seine Schäfchen, wie es sich für einen guten Hirten gehört«, vermutet Robin Durrant und zieht dabei eine Augenbraue leicht in die Höhe.

»So ist es«, entgegnet Hester. »Und Sie kommen aus Reading, soweit ich weiß?«

»Das stimmt. Meine Eltern leben noch dort, in dem Haus, in dem meine Brüder und ich aufgewachsen sind. Natürlich haben meine Geschwister die Gegend längst aus beruflichen Gründen verlassen. Nur ich bin dem Nest so nah geblieben.«

»Oh, Ihre Mutter freut sich gewiss sehr darüber, Sie in ihrer Nähe zu haben«, sagt Hester. »Es muss sehr schwer für eine Mutter sein, wenn alle ihre Kinder irgendwann ausfliegen. Bildlich gesprochen, natürlich. Was tun Ihre Brüder denn beruflich, das sie von zu Hause fortführt?«

»Nun ja.« Robin Durrant setzt sich in seinem Sessel zurecht, und ein merkwürdiger Ausdruck huscht über sein Gesicht. »Mein älterer Bruder William ist beim Militär. Er hat eine hervorragende Offizierskarriere eingeschlagen und wurde erst kürzlich zum Oberst befördert.«

»Du meine Güte! Er muss ein mutiger Mann sein. Aber Ihre Familie ist doch gewiss immer in Sorge … war er denn schon im Kriegseinsatz?«

»Ja, allerdings. Tatsächlich war es eben der erwähnte Mut, den er in Südafrika bewies, der zu seiner Beförderung führte. Er wurde sogar mit einer Tapferkeitsmedaille ausgezeichnet.«

Hester reißt anerkennend die Augen auf. »Das klingt ja ganz nach einem echten Helden«, sagt sie.

»Heldenhaft ist er, und beinahe kugelsicher, wie es scheint. Er wurde im Lauf seiner Karriere schon dreimal verwundet – zweimal durch Pfeile und einmal durch einen Gewehrschuss, doch er steht immer wieder auf, als könnte ihm das alles nichts anhaben!« Robin lacht kurz auf. »In der Familie heißt es schon scherzhaft, er müsse bei Manövern den Bürzel schön tief halten. Zweimal nämlich war die erlittene Verletzung der typische Wildererschuss.«

Hester nickt vage, ohne ihn recht zu verstehen. »Von Pfeilen getroffen! Du meine Güte, dass die Welt noch von solchen Wilden bevölkert ist!«, haucht sie. »William muss das Herz eines Löwen besitzen.«

»Mein jüngerer Bruder John hat vor nicht ganz drei Jahren das Medizinstudium in Oxford mit einem hervorragenden Examen abgeschlossen. Derzeit ist er in Newcastle, er hat eine neue Operationsmethode für die Entfernung der … Was war das gleich, die Milz? Es will mir im Moment nicht einfallen. Nun, jedenfalls irgendeines Organs entwickelt«, endet er mit einer unbekümmerten Geste.

»Ich muss schon sagen, Ihre Familie leistet ganz Außerordentliches!«, ruft Hester bewundernd aus. »Und ist Ihr Vater ebenfalls ein bedeutender Mann?«

»O ja. Er hat über vierzig Jahre in der Armee gedient und war lange Gouverneur in Indien, bis seine Gesundheit ihn zwang, in unser gemäßigteres Klima zurückzukehren. Er ist wahrhaftig ein großartiger Mann. Keiner seiner Söhne durfte an Versagen jemals nur denken«, sagt Robin Durrant, und seine Miene verfinstert sich ein wenig.

»Es ist vielleicht nicht ganz einfach … den Erwartungen eines solchen Mannes gerecht zu werden?«, wagt Hester eine Vermutung.

Robin holt tief Luft und scheint darüber nachzudenken. Dann schüttelt er den Kopf. »O nein! Der alte Knabe hat einen sehr weichen Kern. Damit wollte ich nur sagen, dass er uns stets gelehrt hat, an uns zu glauben und von uns selbst das Beste zu erwarten. Eine solche Erziehung macht es einem Kind leicht, Großes zu leisten«, erklärt er.

Hester errötet leicht, denn es ist ihr peinlich, dass sie seine Worte falsch interpretiert hat.

»Nun, offensichtlich leisten Sie selbst Großes in der Theosophie.« Sie lächelt. »Albert war sehr beeindruckt von Ihrem Vortrag.«

»Damit habe ich mir leider ein Gebiet ausgesucht, von dem mein Vater nicht allzu viel versteht. Und ich glaube nicht, dass ein einzelner Mensch überhaupt in diesem Sinne Großes darin leisten kann – es geht immerhin darum, Menschen zu einer Bruderschaft zu einen, in der Gleichgestellte zusammenkommen. Sie fordert von uns, Stolz und persönlichen Gewinn zu opfern«, entgegnet Mr. Durrant ernst.

»Aber ja, natürlich.« Hester nickt. In der kurzen Pause quietscht und klappert die Heckenschere. »Oh! Ich glaube, ich höre Berties Fahrrad!«, ruft sie erleichtert aus.

Albert lächelt breit, als er Robin Durrant die Hand schüttelt, und sein Gesicht strahlt vor Aufregung, wie Hester sie bei ihm noch nie gesehen hat. Ganz gewiss nicht an ihrem Hochzeitstag, an dem seine Miene ängstliche Konzentration ausdrückte, so als graute ihm entsetzlich davor, etwas Falsches zu tun oder zu sagen. Sie drückt zärtlich seine Hand, als er neben ihr stehen bleibt, und freut sich, ihn so lebhaft und angeregt zu sehen.

»Sie wollen die Stelle gewiss besichtigen. Die Senke in der Feuchtwiese. Natürlich bezweifle ich, dass wir die Elementarwesen selbst sehen werden, so spät am Tag in der prallen Sonne. Ich habe sie in der frühen Morgendämmerung entdeckt, die Sie in Ihrem Vortrag ja auch als den günstigsten Zeitpunkt bezeichnet haben«, sagt Albert.

»Ich würde die Stelle in der Tat gern sehen.« Robin Durrant nickt. »Aber das müsste wohl ein wenig warten, wenn Sie pünktlich zu Mittag essen möchten, Mrs. Canning?«

»Nicht doch, wir werden rechtzeitig zurück sein. Es macht dir doch nichts aus, Hetty? Wir brauchen ja nicht lange zu bleiben«, sagt Albert, ehe Hester antworten kann. Während er spricht, bleibt sein Blick auf Robin Durrant geheftet, obwohl er den Kopf leicht in Richtung seiner Frau neigt, als wüsste er, dass er eigentlich sie ansehen sollte.

»Nein, natürlich nicht. Tun Sie, was Ihnen beliebt, meine Herren«, sagt Hester. »Ich werde Mrs. Bell Bescheid geben, dass wir uns um zwei Uhr zu Tisch setzen statt um eins. Sie hat eine wunderbare Lammkeule im Ofen, glaube ich.«

»Vielleicht … Ich weiß, dass ich Ihnen damit Umstände bereite, aber vielleicht würden Sie Ihrer Köchin auch mitteilen, dass ich keinerlei Fleisch esse.« Mr. Durrant lächelt ein wenig schüchtern.

»Kein Fleisch?«, platzt Hester heraus, ehe sie sich besinnen kann.

»Jawohl, kein Fleisch. Die Theosophie lehrt uns, dass etwas von der animalischen Natur des Tieres *physiologisch* in den Körper des Menschen eindringt und aufgenommen wird, wenn dieser Fleisch verzehrt. Das macht ihn grober, beschwert Geist und Körper und behindert die Entwicklung der Intuition und der spirituellen Kräfte«, erklärt der Theosoph mit unablässigem, entwaffnendem Lächeln.

Hester ist einen Moment lang wie vor den Kopf geschlagen. Sie wirft Albert einen Blick zu, doch der zieht gerade einen leichten Mantel über und tastet die Taschen ab, um sich zu vergewissern, dass er ein Taschentuch bei sich hat.

»Nun. Also schön. Selbstverständlich gebe ich der Köchin Bescheid«, murmelt Hester, die Sophie Bells Reaktion auf diese Neuigkeit fürchtet. Die Männer eilen aus dem Haus, und in der plötzlichen Stille schließt Hester hinter ihnen die Tür. Sie bleibt am Fenster im Flur stehen und beobachtet, wie die beiden erst durch den Vorgarten und dann die Landstraße entlanggehen. Albert spricht die ganze Zeit über sehr angeregt und gestikuliert dabei lebhaft. Robin Durrant geht festen Schrittes und mit erhobenem Kopf. Hester stößt ein kleines Seufzen aus. Auf einmal wünscht sie, die beiden hätten sie eingeladen, sie zu begleiten. Albert schaut am Gartentor nicht zu ihr zurück oder winkt noch einmal, wie er es sonst stets tut.

Vom Fenster im Musikzimmer aus sieht Cat die Männer fortgehen und wendet einen Moment lang das Gesicht der Sonne zu. Sie sehnt sich danach, den grauen Teint zu vertreiben, jede Spur davon durch die gleißende Sonne wegzubrennen. Sie sieht die Gesichter der Bauersfrauen und ihrer Kinder vor sich: ganz Bronze und Gold, mit Sommersprossen, die wie braune Zuckerkrümel über den Nasen verstreut sind. Genau das will sie auch. Wenn sie bei George ist, spürt sie, wie alles aus ihr herausrinnt, die klamme Kälte, die tödliche, verborgene Krankheit, die sich an ihr festklammert. Die Erinnerungen an Angst und Schmerz. George und die Sonne spenden Leben und geben ihr die Kraft, weiterzumachen, Tag und Nacht. Sie wendet sich vom Fenster ab und wieder dem Staubwischen zu. Mit dem weichen Tuch streicht sie langsam über die Konturen eines geschnitzten Stuhls. Ihr gefällt das seidige Gefühl des Holzes unter ihrer Hand. Auf dem Tisch liegt der Brief, den Hester gerade geschrieben hat, als Robin Durrant kam – der Brief, der sie über ihrem Stift erröten ließ. Cat schlendert hinüber, bleibt vor dem Tisch stehen und beginnt zu lesen.

Sie liest, dass jemand in ihr Zimmer kommen könnte, um zu prüfen, ob sie schläft. Das Herz schlägt ihr bis zum Hals, als wollte es sie ersticken. Dann pocht es vor rasender Wut darüber, überprüft, überwacht, gefangen gehalten zu werden. Sie ist zu zornig, um sich über Hesters Sorge um ihre Gesundheit zu freuen oder sich über deren Befürchtungen hinsichtlich möglicher seelischer Abgründe zu amüsieren. Als sie den letzten Absatz liest, breitet sich ein ungläubiges Lächeln auf ihrem Gesicht aus. Beinahe lacht sie laut auf – nicht vor Boshaftigkeit, aber von dem Pfarrer und einem brünstigen Hengst in einem Satz zu lesen … Dann hört sie ein Geräusch vor der Tür und tritt hastig vom Schreibtisch zurück. Sie hat sich den Staublappen unter den Arm geklemmt und bekommt ihn nicht schnell genug wieder zu fassen, um den Eindruck zu erwecken, sie hätte ganz unschuldig Staub gewischt, als Hester den Raum betritt. Die Pfarrersfrau scheint in sorgenvolle Gedanken versunken, doch als sie Cat erblickt, lächelt sie zögerlich. Cat erwidert das Lächeln knapp und eilt hinaus.

Natürlich wurden Tess und sie entdeckt. Einer der Diener sah sie eines Sonntagnachmittags, als sie vor dem Gebäude der Liberal Party Flugblätter verteilten. Oder es vielmehr versuchten. Männer eilten an ihnen vorbei, stießen grob ihre Hände beiseite oder rempelten sie an, als wären sie unsichtbar. Ein paar Herren warfen den beiden finstere Blicke zu und brummten »eine Schande«. Die Mädchen hatten sich so ausstaffiert, dass ihre Kleidung der WSPU-Uniform möglichst nahekam – Schärpen in Grün, Weiß und Purpur hingen von der rechten Schulter und führten unter dem linken Arm hindurch. Sie hatten Bänder in denselben Farben um ihre Hauben gebunden. Sie konnten sich die eleganten, taillierten weißen Jacken für sieben Shilling und Sixpence nicht leisten, die sie hätten tragen sollen, und auch nicht die feschen, gewagten Röcke in Grün oder Purpur, die gerade einmal bis zum Rand des Knöchels reichten. Sie gehörten zur Arbeiterklasse, wie jeder sehen konnte, und doch waren sie als Suffragetten zu erkennen.

Sie hielten zusammen, arbeiteten Seite an Seite, lachten über die Grobheiten der Männer und warfen einander Bemerkungen über deren Figur, Kleidung und Gehabe zu. Natürlich nahm keiner von denen ein Flugblatt, aber die Mädchen riefen trotzdem ihre Parolen und schafften es, einigen weiblichen Passanten ihre Schriften in die Hand zu drücken. Dann entdeckte Cat Barnie, der sich gerade eine neue Schachtel Zigaretten in die Tasche steckte, die Straße entlang auf sie zukommen. Sie erstarrte, sah, wie er sie erkannte und seine Miene sich veränderte. Er blieb natürlich nicht stehen, um mit ihnen zu sprechen, denn dabei wollte er in der Öffentlichkeit gewiss nicht gesehen werden. Doch als er an ihnen vorüberging, konnte er ein schadenfrohes Grinsen ob seiner Entdeckung kaum unterdrücken. Barnie war ziemlich reizbar und machte gern Ärger, den er selbst allerdings als »Spaß« bezeichnete. Seit er in die Broughton Street gekommen war, hatten sowohl Tess als auch Cat seine Avancen bereits zurückgewiesen. Deshalb nannte er sie nur noch »die Sapphos«, und sein Begehren schlug in Bosheit um.

Die Neuigkeit, was das Stubenmädchen und die zweite Küchenmagd in ihrer Freizeit trieben, gelangte von Barnie zur Haushälterin, dann zum Butler und schließlich zum Gentleman. Er ließ die beiden in seinem Arbeitszimmer antreten. Tess bebte vom Lockenkopf bis zu den abgewetzten Schuhsohlen, doch Cat drückte ihre Hand und reckte trotzig das Kinn. Sie wusste, dass sie nicht so leicht entlassen werden konnte. Das hatte ihre Mutter ihr noch gesagt, bevor sie gestorben war.

»Nun, Catherine und Teresa«, begann der Gentleman. Als Tess ihren Namen hörte, begann sie noch heftiger zu zittern, als hätte sie bis zu jenem Moment halb gehofft, übersehen zu werden. Cat begegnete dem Blick des Gentleman und weigerte sich, die Augen niederzuschlagen, obwohl sie dazu all ihren Mut zusammennehmen musste. Das Studierzimmer war ein imposanter, von zahllosen Büchern gesäumter Raum, die Wände in dunklem Mahagoni getäfelt, weinrote Teppiche auf dem Boden. Eine schwächliche Herbstsonne warf ihr Licht durch die hohen Fenster, sodass der Raum beinahe an das Innere einer Kirche erinnerte. Die stille, staubige Luft war kühl und unbewegt. Der Gentleman war über sechzig, groß, breit und kräftig gebaut. Ein grauer Backenbart verbarg die Kieferpartie, deren Konturen längst unter erschlaffter Haut verschwammen. Seine Augen waren zwar klein, aber fröhlich und gütig. Außer natürlich, wenn er getrunken oder gespielt hatte. Beides beherrschte er bekanntermaßen schlecht. »Wie ich höre, seid ihr beide unter die Politikaster gegangen«, sagte er und schaute sie dabei mit einem Ausdruck an, als amüsierte ihn diese Vorstellung.

»Ich weiß nicht, was Sie damit meinen, Sir«, erwiderte Cat zaudernd. Tess stierte den Fußboden an, so still wie ein Grab, abgesehen vom Flattern ihres angstvollen Atmens.

»Nicht doch, Catherine, spiel mir nicht die unwissende Dienstmagd vor – das nehme ich dir nicht ab«, tadelte er sie. Cat blinzelte und ließ ihren stählernen Blick ein wenig weicher werden, als sie erkannte, dass er ihnen wohl keine Standpauke halten würde.

»Wir haben nichts Böses getan. Der Sonntagnachmittag ist unsere freie Zeit. Es ist kein Verbrechen, sich einer politischen Vereinigung oder Partei anzuschließen und für sie zu werben.«

»Meiner Auffassung nach habt ihr an den Sonntagnachmittagen frei, damit ihr Verwandte besuchen, nähen oder lesen oder etwas ähnlich Nützliches tun könnt«, entgegnete der Gentleman milde.

»Die Sonntagnachmittage sind *unsere* Zeit«, erwiderte Cat störrisch.

»Catherine! Du bist wahrhaftig genauso starrsinnig wie deine Mutter.« Er lachte leise.

»Danke sehr, Sir«, entgegnete Cat mit dem Anflug eines Lächelns. Der Gentleman nahm seine Brille ab und legte sie auf das offene Wirtschaftsbuch vor ihm. Er lehnte sich auf seinem Stuhl zurück, verschränkte die Arme und schien eine Weile zu überlegen. Die Mädchen blieben stehen, stramm wie Wachsoldaten.

»Nun, wie du ganz richtig sagtest, ist es kein Verbrechen, Flugblätter zu verteilen und so weiter. Ich nehme doch an, dass ihr für diese Tätigkeit keine Bezahlung erhaltet? Gut. Aber man kann heutzutage keine Zeitung mehr in die Hand nehmen, ohne von einem weiteren Mädchen zu lesen, das wegen irgendeiner Albernheit in Verbindung mit diesen aufrührerischen Blaustrümpfen verhaftet wurde. Sie gehen zu weit. Widernatürliche Kreaturen – äußerst unweiblich, diese Umtriebe. Doch ich halte nichts davon, das freie Denken zu verbieten, nicht einmal meinen eigenen Dienstboten. Macht also meinetwegen damit weiter, wenn es denn sein muss. Aber ich will nicht noch einmal hören, dass ihr euch auf der Straße herumgetrieben, Parolen geschrien und aufrechte Bürger auf dem Wege zu deren eigenen politischen Versammlungen belästigt habt. Dass mir das nicht wieder vorkommt! Ich dulde es nicht, dass ihr dieses Haus mit derart ausfallendem Benehmen in Verruf bringt. Habt ihr mich verstanden?«

»Dürfen wir weiterhin zu den Versammlungen gehen?«, fragte Cat.

»Ihr dürft Mitglieder dieser Frauenrechtsorganisation bleiben und deren Versammlungen besuchen, jawohl. Ihr dürft meinetwegen auch deren Schriften lesen, aber lasst sie nirgendwo herumliegen, wo die anderen Dienstboten sie sehen könnten. Und ich will nicht hören, dass ihr die anderen Mädchen dazu ermuntert, euer neuestes Hobby zu teilen.«

»Dürfen wir ein kleines Abzeichen der Organisation tragen?«

»Während ihr euch innerhalb dieses Hauses aufhaltet, dürft ihr das nicht, nein«, erwiderte der Gentleman mit blitzenden Augen. Er hatte schon immer ein Faible für Verhandlungen gehabt.

»Emma darf ein Kruzifix tragen. Weshalb dürfen wir dann kein Symbol tragen?«

»Emma ist strenggläubig. Solltest du ebenfalls einen gekreuzigten Jesus tragen wollen, darfst du das selbstverständlich gerne. Ich hoffe doch, du vergleichst Gott, unseren Herrn, nicht mit Mrs. Emmeline Pankhurst?« Er lächelte. Cat bemühte sich, keine Miene zu verziehen, konnte aber nicht verhindern, dass ihre Mundwinkel zuckten.

»Gewiss nicht. Denn wenn Gott eine Frau wäre, müssten wir sicher nicht so hart um unsere Grundrechte kämpfen«, erwiderte sie.

»Wenn Gott eine Frau wäre! Wenn Gott eine Frau wäre!« Der Gentleman lachte. »Catherine, du bist mir vielleicht eine. Ich hätte dich nie das Lesen lehren dürfen. Für Frauen gilt tatsächlich, dass die Halbgebildete schlimmer ist als die Unwissende!« Er gluckste vor Lachen. Cats Lächeln erlosch, und ihre Augen musterten ihn wieder kalt. Der Gentleman schwieg eine Weile. »Und diesen stechenden Blick deiner Mutter hast du obendrein. Fort mit euch zweien, geht an eure Arbeit.« Er entließ sie mit einer wedelnden Handbewegung. »Ich will nichts mehr davon hören.« Cat wandte sich zum Gehen und zog Tess an der Hand mit sich. Das Mädchen schien in eine Art Trance verfallen zu sein. »Warte, Catherine – hier. Lies das, wenn ich bitten darf. Vielleicht machen wir noch eine kluge Sozialistin aus dir, anstelle einer unflätigen Suffragette«, sagte der Gentleman und reichte ihr eine Handvoll Flugschriften der Fabian-Gesellschaft. Cat nahm sie begierig entgegen und las das Deckblatt des ersten Pamphlets: *Abhandlung Nr. 144 – Die Mechanisierung: ihre Herren und Diener.* Der Gentleman wusste, wie gern sie las – er hatte diese Liebe in ihr genährt.

»Danke sehr, Sir«, sagte sie aufrichtig erfreut. Er tätschelte beiläufig ihre Schulter und wandte sich dann ab.

Sobald sie wieder unten waren, stieß Tess einen gewaltigen Seufzer aus, als hätte sie während des gesamten Gesprächs den Atem angehalten.

»Oh, du lieber Gott, ich dachte schon, er wirft uns aus dem Haus, ja, wirklich!«, rief sie aus.

»Sei nicht albern – ich habe dir doch gesagt, dass er uns nicht hinauswerfen würde, oder?«, entgegnete Cat, nahm Tess bei den Oberarmen und schüttelte sie leicht. Tess wischte sich Tränen der Erleichterung aus den Augen und schaute sie an.

»Ich verstehe nicht, wie du es fertigbringst, so mit ihm zu sprechen! Du hast wirklich Nerven! Ich wäre beinahe gestorben vor Angst!«

»Du verstehst das nicht? Kannst du es nicht erraten?«, fragte Cat ernst.

»Was denn erraten, Cat? Was meinst du damit?«, fragte Tess verwirrt. Über die Schulter ihrer Freundin hinweg sah Cat Mrs. Heddingly im Schatten ihrer offenen Zimmertür stehen. Die Haushälterin beobachtete sie mit tadelnder Miene.

»Ach, nichts. Komm, wir gehen lieber wieder an die Arbeit«, sagte sie.

Nach diesem Vorfall verteilten sie ein paar Wochen lang keine Flugblätter mehr. Und als sie schließlich wieder damit anfingen, achteten sie darauf, nicht einmal in die Nähe der Geschäfte zu kommen, in denen Barnie seine Zigaretten oder Streichhölzer kaufte.

Hester findet Cat am Kopf der Kellertreppe, erstarrt und wie in einem Traum gefangen. Ihre Reglosigkeit ist erschreckend, und einen Augenblick lang zögert Hester unsicher. Schließlich räuspert sie sich vielsagend und sieht das Mädchen zusammenfahren.

»Ah, Cat. Würdest du mich bitte in den Salon begleiten? Ich möchte dich sprechen«, sagt sie und macht sich auf den Weg. Das dunkelhaarige Mädchen folgt ihr.

»Madam?«, sagt Cat, bleibt im Salon vor Hester stehen und lässt die Arme an den Seiten herabhängen. Hester wünschte, Cat würde die Hände geschlossen vor sich oder im Rücken halten, weiß aber nicht, wie sie ein solches Anliegen vorbringen soll. Es erscheint ihr nur so unnatürlich, die

Hände derart herabhängen zu lassen. Als rechne Cat damit, sie in einem plötzlichen Kampf einsetzen zu müssen.

»Cat.« Hester lächelt. »Nun, Mrs. Bell hat die milde Beschwerde geäußert, dass du ihr nicht immer mit dem angemessenen Respekt begegnest – nein, bitte lass mich ausreden«, sagt sie, als Cat Anstalten macht, zu widersprechen. »Offenbar hast du eine Weile gebraucht, um dich hier einzugewöhnen, und das ist ganz verständlich, nachdem … nach alldem, was du erlebt hast. Ich habe mich bei Mrs. Bell eingehend nach deiner alltäglichen Arbeit hier erkundigt, und sie findet nichts daran auszusetzen. Und ich muss schon sagen, wenn Sophie Bell an deiner Arbeit nichts auszusetzen hat, dann gibt es daran nichts auszusetzen!«

»Diese Frau hasst mich«, sagt Cat ausdruckslos.

»Nicht doch! Ganz gewiss nicht! Wenn sie streng mit dir umgeht, nun, dann deshalb, weil es ihr sehr wichtig ist, dass alles richtig und ordentlich gemacht wird. Jedenfalls sind der Pfarrer und ich durchaus zufrieden mit deiner Arbeit und werden dich sehr gern bei uns behalten, aber ich muss dich bitten, Mrs. Bell den Respekt zu erweisen, der einer Frau in ihrer Position zusteht. Immerhin ist sie hier die Haushälterin und schon seit einigen Jahren bei mir angestellt. Sie darf keinesfalls verärgert werden!« Cat begegnet ruhig Hesters Blick und sagt nichts, was diese hoffen lässt, dass sie sich fügen wird. »Nun, das wäre also geklärt. Hier, Cat – das habe ich für dich gemacht. Ein kleines Willkommensgeschenk, mit dem du dein Zimmer ein wenig schmücken kannst.« Sie reicht Cat eine gerahmte Stickerei. Cat blickt einen Moment lang darauf hinab, und als sie den Kopf wieder hebt, glänzen ihre Augen wie von Tränen.

»Danke, Madam«, sagt sie, und die Worte klingen abgehackt, fast ein wenig erstickt. Hester ist erfreut, als sie sieht, dass Cat anscheinend geradezu überwältigt ist.

»Es ist mir ein Vergnügen, Kind. Nun geh ruhig wieder an die Arbeit«, sagt sie und entlässt Cat mit einem Nicken. Cat stakst mit gestrafften Schultern hinaus.

In der Küche schleudert Cat die Stickerei auf den Tisch, starrt sie an und beißt sich fest auf die Unterlippe. Der Bursche vom Lebensmittelgeschäft liefert Kisten voller Ware und hat Mühe, durch die hoch gestapelten Päckchen Mehl, Reis und Gelatine etwas zu sehen.

»Ist das zu fassen?«, fragt Cat ihn und deutet zornig auf den gerahmten Stoff.

»Was denn, Miss?«, fragt der Junge. Er ist höchstens zwölf Jahre alt.

»Das!« Cat hebt den Rahmen auf und fuchtelt wütend damit herum. Der Bursche tritt näher, kneift kurzsichtig die Augen zusammen und liest stockend:

»De… Dem…«

»Demut!«, faucht Cat.

»Demut ist des Dieners wah…re Würde«, sagt der Junge und blickt zu ihr auf, um festzustellen, ob er es richtig gemacht hat.

»Ist das zu fassen?«, fragt Cat erneut. Der Bursche zuckt verständnislos mit den Schultern.

»Weiß nicht, Miss«, nuschelt er und tritt den Rückzug an.

»Was für eine Laus ist dir denn jetzt schon wieder über die Leber gelaufen?«, fragt Mrs. Bell, die in die Küche gewatschelt kommt und den Wasserkessel auf den Herd knallt.

»Nichts, was Sie etwas anginge, Mrs. Bell«, erwidert Cat tonlos.

»Alles in diesem Hause geht mich etwas an, mein Mädchen«, sagt die Haushälterin tadelnd. Sie entdeckt die Stickerei auf dem Tisch, greift danach und betrachtet den Spruch. »Das hat sie für dich gemacht, ja?« Cat nickt. »Worüber regst du dich denn so auf?«

»Ich … Ich bin mit dieser Aussage *nicht* einverstanden.«

Mrs. Bell wirft ihr einen abschätzigen Blick zu. »Tja nun, das glaube ich gern, so voll heißer Luft und großartiger Meinungen, wie du bist. Sei bloß dankbar, dass du eine Herrin hast, die etwas Hübsches für dich macht, statt dich mit der Peitsche anzutreiben. Der erste Herr, für den ich gearbeitet habe, ist heruntergekommen und hat die Küchenmädchen geschlagen, wenn ihm sein Tee zu kalt war oder zu heiß oder zu lange gezogen. Ich sage dir, du hast es hier gut getroffen, und das solltest du besser nicht vergessen!« Ihre Arme, die sie vor der Brust verschränkt hat, sehen aus wie dicke Schinken.

»Weshalb sollten für uns andere Regeln gelten, Sophie? Sind wir nicht auch menschliche Wesen, genau wie die da oben?«, fragt Cat. Sie greift wieder nach dem gestickten Sinnspruch und betrachtet ihn genau. Hester hat eine kleine Tigerkatze in eine Ecke gestickt, die zwischen blauen Kornblumen einen Buckel macht. Cat streicht mit dem Daumen über das perfekt gestickte kleine Geschöpf und runzelt die Stirn.

»Wovon *redest* du nur, Mädchen? Natürlich gelten für die andere Regeln als für uns!«

»Aber warum sollte das so sein?«, fragt Cat hitzig.

»Weil es schon immer so war, und so wird es auch immer bleiben! Wie ist es nur dazu gekommen, dass du völlig vergessen hast, welchen Platz du in dieser Welt einnimmst?«, fährt Mrs. Bell auf.

»Ich glaube nicht, dass ich in dieser Welt überhaupt einen Platz habe«, murmelt Cat.

»Doch, den hast du. Und zwar hier, in dieser Küche, wo du mir jetzt helfen wirst, den Tee vorzubereiten.« Mrs. Bell wendet sich geschäftig wieder dem Herd zu.

Später hängt Cat Hesters Stickerei an die Wand ihres Schlafzimmers, wo früher das Kruzifix gehangen hatte. Obwohl ihr jedes Mal heiß wird vor Ärger, wenn sie den Spruch darauf liest, gefällt ihr die kleine Tigerkatze, die sich zwischen den Kornblumen versteckt. Cat fühlt sich heute Nacht ein wenig leichtsinnig, beinahe unbekümmert. Sie wartet kaum ab, bis alle schlafen gegangen sind, ehe sie aus ihrem Zimmer schleicht, die Hintertreppe hinunter und hinaus auf den Hof. Mrs. Bell schnarcht noch nicht. Als Cat zum Haus aufblickt, brennt im Schlafzimmer Licht. Man könnte nach ihr klingeln, damit sie heiße Schokolade kocht oder ein Buch aus der Bibliothek holt. Bei dem Gedanken schlägt ihr Herz schneller. Doch sie will sich nicht drinnen festhalten lassen, will nicht überwacht werden. Soll die Pfarrersfrau doch merken, dass sie verschwunden ist, denkt Cat hitzköpfig. Sollen sie sie doch rauswerfen. Lieber auf der Straße stehen, als eine Gefangene sein. Die Nacht ist still und warm. Von den Flussauen dringt gelegentlich das kehlige Quaken eines Frosches herüber, das Sirren und Summen von Insekten. Die Luft duftet nach heißen Backsteinen, trockenem Gras und zartem Tau.

Auf leisen Sohlen geht Cat am Haus entlang und zu der kleinen Ansammlung von Nebengebäuden um den Hof – Holzlager, das Gärtnerhäuschen, Gewächshäuser und der Werkzeugschuppen. In Letzterem stellt der Pfarrer immer sein Fahrrad unter. Cat tastet im Dunkeln danach, flucht leise, als ihre forschenden Hände Dinge wackeln und klappern lassen, und dann tritt sie gegen einen Spaten, der umkippt und auf den Betonboden zu fallen droht. Im letzten Moment fängt sie ihn mit zitternden Händen auf. Sie ist erst ein einziges Mal Fahrrad gefahren – sie hatte sich in London eins vom Metzgerburschen geborgt, um eine Runde darauf zu drehen. Stumm verflucht sie die leise quietschenden Räder, während sie es den Pfad durch den Garten entlang und dann zum Tor hinaus schiebt. Sie sieht nicht, dass hinter ihr in der Dunkelheit die Spitze einer Zigarette erglüht und Robin Durrant, der an der Fassade des Hauses lehnt und blaue Rauchwolken in den milden Himmel pustet, ihr nachschaut.

Cat schiebt das Fahrrad ein gutes Stück die Straße entlang, ehe sie aufsteigt, für den Fall, dass sie stürzen sollte. Und sie stürzt tatsächlich, so verblüfft über die rasche Vorwärtsbewegung, dass sie zu lenken vergisst, schlingernd ins Gras am Straßenrand gerät und dort scheppernd umkippt. Sie wischt sich Staub und Steinchen von den zerschrammten Händen und einem Knie, hebt das Rad auf, rafft die Röcke und schwingt erneut ein Bein über den Sattel. Sie wird nicht bei etwas versagen, das selbst dem Pfarrer so leicht gelingt, mit seinen zu kurzen Hosen und seinem mädchenhaft weichen Gesicht. Allmählich kommt sie in Schwung und stellt fest, dass es immer leichter wird, sich aufrecht zu halten und geradeaus zu lenken, je schneller sie fährt. Obwohl sie ein paar weitere Male nur knapp einen Sturz vermeiden kann, kommt sie gut voran und erreicht auf dem Pfad durch die Wiese schon bald den Kanal. Der helle, staubige Treidelpfad verläuft schnurgerade und ist als Schneise zwischen dunklen Binsen und Wiesenkerbel, Disteln, Ampfer und Löwenzahn gut zu erkennen. Cat tritt in die Pedale, so schnell sie sich traut. Der Wind streicht wie mit Fingern durch ihr kurzes Haar, lässt ihre Augen tränen und kühlt ihre Haut. Ein Grinsen stiehlt sich in der Dunkelheit auf ihr Gesicht, aufgeregt und unbekümmert. Sie wäre einfach an dem Kahn vorbeigefahren, auf dem George nachts schläft, um ihn in Thatcham zu suchen. Doch in der Kabine brennt Licht, also bleibt sie ruckelnd stehen.

Als Cat so plötzlich anhält, wird ihr schwindelig, und

sie bleibt eine Weile auf dem Pfad stehen, bis sie zu Atem kommt und wieder sicher auf beiden Beinen steht. Das Wasser des Kanals ruht schweigend neben ihr, und im schwachen Schein der Sterne sieht sie Wasservögel lautlos vorübergleiten. Cat streckt sich vom Ufer zum Boot und klopft sacht gegen den Rumpf. Abblätternde Farbe bleibt an ihren Fingerknöcheln kleben. Von drinnen ist ein Poltern zu hören, das Scharren von Stiefeln auf Holz. George öffnet die Kabinentür und hält eine Lampe hoch, deren Licht Cat so schmerzhaft blendet, dass sie die Hände vors Gesicht schlägt.

»Ich werde noch blind!«, ruft sie. Vom Sprechen verkrampft sich ihre Brust, und sie hustet so heftig, dass sie sich, überwältigt vom plötzlichen Schmerz hinter ihren Rippen, zusammenkrümmt. Dieser Husten lauert also immer noch in ihrem Inneren. Er hat sie noch nicht verlassen.

»Cat, bist du das? Fehlt dir etwas?« George späht in die Dunkelheit und dreht die Lampe herunter, um das Licht zu dämpfen.

»Wie viele andere Mädchen besuchen dich denn mitten in der Nacht, George Hobson?«, fragt sie spitz, als der Hustenanfall endlich vorüber ist.

»Nur du, Black Cat.« Er lächelt.

»Tja, dann muss ich es wohl sein. Musst du arbeiten? Warum bist du nicht im Pub?«

»Ich kann nicht jeden Abend in den Pub gehen, Cat Morley. Da hätte ich mich bald arm gesoffen. Ja, ziemlich bald sogar«, sagt er wehmütig. »Warum keuchst du denn so? Bist du gerannt?«

»Fahrrad gefahren«, antwortet Cat. »Ich habe mir das Fahrrad des Pfarrers geborgt und war viel schneller hier als zu Fuß! Also kann ich auch viel schneller wieder zurück sein und länger bei dir bleiben.«

»Du hast dir sein Fahrrad *geborgt?* Das bedeutet im Allgemeinen, dass du um Erlaubnis gefragt hast ...«

»Sei nicht albern. Was er nicht weiß, macht ihn nicht heiß. Was tust du eigentlich abends auf so einem kleinen Kahn?«

»Komm an Bord, dann zeige ich es dir«, lädt George sie ein. Im gedämpften Lampenschein hat sein Gesicht scharfe Konturen. Die Falten um seine Augen, von der Sonne graviert, die breite Furche über seinen Brauen, das kräftige Kinn. Die Blutergüsse von seinem letzten Kampf sind verblasst und erscheinen nur noch als vage, bräunliche Flecken wie schmuddelige, verschmierte Daumenabdrücke. Sein Hemd ist am Kragen offen, die Ärmel sind hochgekrempelt. Er zeigt so viel Haut, so viel von seinem Körper, sichtbare Beweise seiner Vitalität. Cat genießt seinen Anblick und fühlt sich mit jeder Sekunde stärker. Etwas entfaltet sich in ihr, wenn er lächelt, wie die frischen grünen Blätter einer zarten Pflanze. Sie nimmt seine Hand und macht einen großen Schritt auf das Deck, doch an der Kabinentür zögert sie. Da drin ist es wirklich sehr beengt.

»Ich ... ich mag enge Räume nicht«, sagt sie.

»Ich brauche die Tür ja nicht zu schließen, wenn du das nicht möchtest«, entgegnet George, nicht im Mindesten verwundert über ihr Eingeständnis. Cat steigt ein paar der schmalen hölzernen Stufen hinunter, setzt sich dann und schlingt die Arme um die Knie. Hinter ihrem Kopf erstreckt sich immer noch der gewaltige, beruhigende Nachthimmel.

Die Kabine ist niedrig und schmal mit kaum etwas darin außer einem Bett an einer Seitenwand und ein paar Regalbrettern und einem Ofen an der anderen. Auf dem Bett liegen Flickenteppiche als Matratze und fadenscheinige Decken. Ein Blechkessel steht auf dem Ofen, doch die Asche darin ist längst erkaltet. George beobachtet, wie sie rasch den Blick durch seine Behausung schweifen lässt. Er runzelt leicht die Stirn, als wäre er auf einmal unsicher.

»Ist ziemlich einfach, das gebe ich zu. Muss einem sehr ärmlich vorkommen, wenn man in vornehmen Häusern wohnt.«

»Ich arbeite in diesen vornehmen Häusern«, korrigiert ihn Cat. »Aber ich wohne in einer engen Dachkammer, die bei dieser Hitze unerträglich ist«, fügt sie hinzu.

»Ja, es ist wirklich heiß. Ich hätte es nicht ausgehalten, den Ofen anzuheizen, deswegen kann ich dir nicht mal Tee oder Kakao anbieten.«

»Du hast Kakao da? Ist das bei dir so üblich?«, fragt Cat und zieht eine Augenbraue hoch.

»Um ehrlich zu sein, nein«, gibt George zu. »Aber ich habe Ingwerlimonade.«

»*Ingwerlimonade?*«

»Die mochte ich schon als Kind.« George zuckt verlegen mit den Schultern. »Also, möchtest du welche?«

»Na schön. Gerne. Meine Kehle ist ganz trocken vom Husten.«

»Woher kommt der eigentlich? Man hört es manchmal, wenn du sprichst. Dann scheint dein Atem zu stocken, als warte der Husten nur darauf, sich über dich herzumachen.« Er nimmt eine braune Flasche von einem Regal und gießt den Inhalt in zwei Zinnbecher. Cat überlegt, bevor sie antwortet. Sie hört es nicht gern – dass andere die Zeichen dieser verborgenen Infektion an ihr wahrnehmen können.

»Ich habe im Gefängnis eine Lungenentzündung bekommen«, antwortet sie knapp. »Der Arzt hat zwar gesagt, es würde lange dauern, bis sie ausgeheilt ist, aber ich gebe zu, ich hatte gehofft, dass es schneller gehen würde.«

»Das muss ja ein feuchter, scheußlicher Ort gewesen,

wenn du dir da so eine hartnäckige Krankheit eingefangen hast«, sagt George vorsichtig.

»War es. Aber davon bin ich nicht krank geworden. Das kam davon, wie sie mit mir umgesprungen sind. Davon, wie wir … behandelt wurden«, sagt sie und nippt an ihrer Ingwerlimonade, den Blick auf den dunklen Boden des Bechers gerichtet.

George streckt einen dicken, rauen Daumen aus, legt ihn unter ihr Kinn und hebt ihr Gesicht an, bis sie ihn ansieht. »Ich würde mit jedem, der grob mit dir umspringt, ein Wörtchen reden«, erklärt er ernst. »Mehr als nur reden, um genau zu sein. Du bist so ein zierliches Ding. Ich habe etwas gegen Leute, die gegen viel schwächere Gegner boxen.«

»Das hätte ich zu gern gesehen. Du gegen die Verbrecher da drin, die sich als Wärter bezeichnet haben.« Cat grinst. »Hätte ihnen gutgetan, es mit gleicher Münze heimgezahlt zu bekommen.«

»Soweit ich diesen Beruf verstehe, muss man dabei grausam und brutal sein. Da ist es kein Wunder, dass grausame Schläger ihn gern ausüben. Mein Vater saß auch mal im Gefängnis – und das war ganz gut so für uns Kinder und für meine Mutter. Er hat sich die Polizisten vorgenommen, die versucht haben, ihn vom Pub nach Hause zu schaffen, sturzbetrunken wie immer. Sie haben ihn in den Schwitzkasten genommen, dass er nur noch zu Boden starren konnte, und ihn vor den Augen seiner Kumpel abgeführt – er hat gekocht vor Wut! Ich war froh, dass sie ihn auf der Wache behalten haben, denn diese Erniedrigung hätten wir ausbaden müssen, wenn sie ihn wieder nach Hause geschickt hätten.« Er schüttelt den Kopf bei dieser Erinnerung.

»Was war er denn von Beruf, dein Vater?«

»Beruf? Das ist nicht das richtige Wort dafür. Er war Hilfsarbeiter, in der Landwirtschaft und sonst noch hier und da. Was immer er an Arbeit bekommen konnte. Wenn etwas getan werden musste, das allen anderen zu schwer oder zu schmutzig war, haben sie meinen Vater dafür geholt. Er hat den Welpen die Schwänze kupiert, bei jedem neuen Wurf. Er hat sie abgebissen.«

»Abge*bissen*? Das ist ja abscheulich!«

»So ist es angeblich richtig – der stumpfe Druck von den Zähnen schließt die Haut um die Wunde. Aber nur ein Barbar konnte so etwas tun, also haben sie meinen Vater gerufen«, erklärt George. »Ich erinnere mich noch daran, wie jämmerlich sie geschrien haben, all die armen kleinen Hunde. Mir ist davon fast das Blut in den Adern gefroren, aber mein Vater hat nicht mal mit der Wimper gezuckt.«

»Aber ich war kein brutaler Säufer. Ich habe nur getan, was man mir befohlen hat, im Gefängnis.«

»Was die Wärter dir befohlen haben? Immer?«

»Na ja … vielleicht nicht immer«, gibt Cat zu und lässt den Kopf wieder sinken. In Wahrheit hat sie immer wieder Mittel und Wege gesucht, sich über die Regeln hinwegzusetzen, und die Rebellische gegeben. Es war ihr Verhalten, das die Wärter auf Tess aufmerksam gemacht hatte, die brav und still genug gewesen war, um übersehen zu werden. Bis dahin. Cat schluckt krampfhaft. »Können wir uns über etwas anderes unterhalten?«

»Wir können uns unterhalten, worüber du willst, Cat Morley«, sagt George leise.

Cat blickt sich wieder in der Kabine um und nippt an ihrer Limonade.

»Warum mietest du dir kein Zimmer in der Stadt?«

»Habe ich früher, aber dann hat Charlie Wheeler – ihm gehört dieser Kahn und noch drei weitere zwischen Bedwyn und Twickenham –, dann hat er gesagt, ich könnte zwischen den Fuhren an Bord schlafen, wenn ich will, ganz umsonst.

Für ihn ist es sicherer, einen Mann an Bord wohnen zu haben, und ich kann so mehr Geld sparen.«

»Wofür sparst du denn?«, fragt Cat.

George überlegt eine Weile, ehe er antwortet. Dann greift er zu einem Stapel Unterlagen auf dem Regal und reicht ihr einen zerknitterten und abgegriffenen Handzettel.

»Mit dem Handel auf dem Kanal ist es bald vorbei, Cat. Manche Strecken sind so schlecht instand gehalten, dass man vor lauter wucherndem Unkraut und Ästen, die ins Wasser ragen, kaum noch durchkommt. Und die Schleusen sind so leck, dass sie fast nicht mehr funktionieren. Nur wenige Frachtunternehmen nutzen noch Lastkähne, weil die Eisenbahn inzwischen überall hinkommt, und das auch noch viel schneller. Charlie Wheeler ist ein Mann der Tradition und hält sich mit kleinen Ladungen und kurzen Strecken über Wasser, aber bald wird auch er aufgeben müssen.«

Cat betrachtet den Handzettel. Darauf ist ein grobkörniges Foto abgedruckt, ein Dampfer voller Mädchen in Sonntagsschul-Uniform, die unter ihren Strohhüten hervor in die Kamera lächeln. »Scenic Pleasure Cruises« steht darüber. »Bootsausflüge?«, fragt sie.

»Ja, Vergnügungsfahrten hat der Mann es genannt, den ich kennengelernt habe. Er betreibt sein Geschäft droben in Bath und Bradford, und früher war er Frachtschiffer, genau wie Charlie Wheeler. Jetzt verdient er gut – besser als vorher –, indem er Leute auf dem Kanal spazieren fährt.«

»Und du willst hier weggehen, um für ihn zu arbeiten?«, fragt Cat mit trauriger Miene. Ihr ist augenblicklich klar, dass sie das Leben in Cold Ash Holt nicht ertragen könnte ohne George.

»Nein! Nein, auf keinen Fall! Ich will mein eigenes Boot kaufen und es genauso machen wie er! Ich kann mir zwar nur ein altes Boot leisten, aber ich könnte es reparieren und selbst in Schuss bringen. Vertäuen würde ich es in Hungerford, denn dort gibt es noch keine solchen Ausflugsboote. Es würde mein Zuhause und mein Geschäft zugleich werden, und ich wäre endlich frei und könnte meinen eigenen Weg gehen«, sagt George mit fester, entschlossener Stimme.

»Das wäre himmlisch. Frei zu sein!« Cat starrt in die Ferne, ganz begeistert von dem Gedanken. Sie kann sich kaum vorstellen, wie es sein könnte, einfach so zu leben, wie es ihr gefällt. Doch einen Moment lang löst der Gedanke ein aufgeregtes Kribbeln aus, das ihr wie ein Schauer über den Rücken läuft. Dann seufzt sie. »Ich glaube nicht, dass ich je frei sein werde.«

»Jeder Mensch kann frei sein. Man muss nur einen Weg dahin finden.«

»Und wie lange wird es dauern, bis du genug Geld für dein Boot gespart hast?«

»Nicht mehr lange. Noch vier Monate vielleicht. Oder sogar schon eher, wenn ich mehr Kämpfe arrangiert bekomme – und gewinne, versteht sich.«

»Natürlich wirst du sie gewinnen! Niemand könnte dich schlagen – ich habe dich kämpfen sehen. Du bist wie Hektor, oder Achill.«

»Wie wer?«, fragt George stirnrunzelnd.

»Halbgötter der Antike.«

»Ach ja? Und woher um alles in der Welt weißt du von denen?«

»Mein Vater hat mich lesen gelehrt, als ich noch sehr klein war. Er hat mir Bücher geliehen, die ein Kind aus der Arbeiterschicht normalerweise nie zu lesen bekäme. Ich glaube, das hat ihn sehr amüsiert«, schließt Cat grimmig.

»Warum das denn?«

»Ihm war immer klar, dass ich im Leben nicht aus dem Stand herauskommen werde, in den ich zufällig hineingeboren wurde. Warum hat er sich dann überhaupt die Mühe gemacht, meinen Horizont zu erweitern? Mich zu bilden? Das habe ich mich oft gefragt.«

»Vielleicht wollte er dir nur einen guten Anfang verschaffen. Vielleicht dachte er ja, dass du doch über deinen Stand hinauswachsen könntest mit dieser Bildung, die er dir geschenkt hat?«

»Er hätte mir diesen Anfang mit Leichtigkeit selbst bieten können, und doch hat er mich zur Dienerin gemacht. Seine Bildung war ein grausames Geschenk, eine hübsche, leere Schachtel.«

»Aber dennoch ein Geschenk, und vielleicht gut gemeint. Ich habe von meinem Vater nichts bekommen außer Prügel und blaue Flecken.«

»Vielleicht hat er dir damit ein Geschenk gemacht, ohne sich dessen bewusst zu sein. Vielleicht hat er dich das Kämpfen gelehrt, und mit dem Geld, das du dabei verdienst, wirst du bald frei und unabhängig sein.« Cat streckt die Hand aus, streicht Georges muskulösen Arm hinauf und schmiegt sie an seinen Nacken.

»Die meisten Mädchen würde es abschrecken, mich kämpfen zu sehen, überhaupt zu wissen, was ich tue. Immerhin breche ich damit das Gesetz, und der Sport ist nicht gerade vornehm«, sagt George leise und beugt sich zu ihr herüber. Sie neigt den Kopf und berührt seine Stirn mit ihrer.

»Wozu brauche ich Vornehmheit? Die ist nichts als eine Maske, die Männern erlaubt, grausam und unaufrichtig zu sein«, murmelt Cat. Sie küsst ihn, und eine verblüffte Sekunde lang erstarrt er, als sei er unsicher. Doch dann schlingt er die Arme um sie, hebt sie mühelos vom Stuhl auf seinen Schoß und drückt sie an sich. Cat lässt sich von ihm in den

Armen halten und nimmt die Hitze wahr, die zwischen ihrer Haut und seiner aufflammt, sie schmeckt seinen Mund und spürt ihren rasenden Herzschlag, der so laut in ihren Ohren hämmert. Sie streckt einen Arm nach hinten aus, um die Kabinentür zu schließen, als George sie rückwärts zu dem schmalen Bett zieht, und es ist ihr völlig gleichgültig, dass die Kabine so klein und die Decke so tief ist. Sie bemerkt es nicht einmal.

Am Sonntag steht Hester nach dem Gottesdienst neben Albert vor der Kirche, um jedes Gemeindemitglied höflich zu verabschieden. Die Sonne strahlt feurig vom reinen, blauen Himmel. Das Licht ist so klar, dass es jeden Grashalm auf dem Friedhof deutlich hervorhebt, jedes glitzernde mineralische Körnchen in den Granitsteinen. Es schimmert auf Robin Durrants leicht zerzaustem Schopf und enthüllt dort goldene und rostrote Strähnen, die Hester zuvor nicht aufgefallen waren. Eine Hand auf ihrem Arm fordert ihre Aufmerksamkeit.

»Ist das euer Hausgast?«, fragt Claire Higgins so leise, dass der Pfarrer sie nicht hören kann. Das Sonnenlicht schmeichelt Claires Gesicht nicht gerade – es bringt feine Härchen auf ihrer Oberlippe zum Vorschein und ein Ansammlung von Mitessern auf ihrer sonst recht hübschen Nase. Hester sorgt sich plötzlich darum, wie viele ihrer eigenen Makel wohl ebenso auffallend sichtbar sein mögen.

»Ja. Das ist Mr. Robin Durrant, der Theosoph. Albert und er studieren die spirituelle Seite unserer Flussauen«, erwidert Hester flüsternd. Claire mustert Robin von den Füßen aufwärts bis zum Gesicht. Ihre Miene drückt interessiertes Wohlgefallen aus und macht Hester ein wenig nervös.

»Ist er verheiratet?«, fragt Claire, ohne den Blick von ihm abzuwenden, während sie langsam über das seidige Ende ihres grünen Hutbandes streicht.

»Nein, meine Liebe, aber du«, entgegnet Hester. Sie wirft ihrer Freundin mit hochgezogenen Augenbrauen einen tadelnden Blick zu, und die beiden müssen lachen.

»Stell mich ihm vor«, zischt Claire, als Robin zu ihnen herübergeschlendert kommt.

»Meine Damen, darf ich Sie zurück ins Dorf begleiten?« Er lächelt sie an und verschränkt weltmännisch die Hände im Rücken.

»Mr. Durrant, darf ich Ihnen meine liebe Freundin Mrs. Claire Higgins vorstellen?«

»Mrs. Higgins, es ist mir ein Vergnügen«, sagt Robin und drückt ihr gut gelaunt die Hand.

»Ich hoffe doch, die neugierigen Blicke, die während des Gottesdienstes auf Sie gerichtet waren, haben Sie nicht abgeschreckt, Mr. Durrant«, sagt Claire. »Ich fürchte, wir bekommen hier in Cold Ash Holt viel zu selten berühmten Besuch. Und gewiss niemand so Aufregenden wie einen Spiritisten.« Die drei wenden sich von der Kirche ab und spazieren den Kiesweg zum Tor entlang.

»Nun, da muss ich Sie leider enttäuschen, Mrs. Higgins, denn ich bin weder sonderlich berühmt noch ein Spiritist.«

»Ach? Ist ein Theosoph denn so viel anders als ein Spiritist?«, fragt Claire.

»Allerdings, Mrs. Higgins. Ganz anders.«

»Wissen Sie, wir haben erst neulich Abend eine Séance mit einer Spiritistin hier aus der Gegend abgehalten. Aber erzählen Sie das nicht dem Pfarrer, sonst bringen Sie Hester in Schwierigkeiten!«, bemerkt Claire in verschwörerischem Tonfall.

»Claire!«, protestiert Hester, doch Robin lächelt sie so herzlich an, dass sie sich gleich wieder entspannt.

»Keine Sorge, Ihr Geheimnis ist bei mir sicher«, sagt er. Claire strahlt ihn an und drückt kräftig Hesters Arm. »Aber dürfte ich Ihnen auf diesem Gebiet zur Vorsicht raten?«, fährt Robin fort. »Ich fürchte, die meisten *Medien*, wie sie sich selbst bezeichnen, sind schlicht Betrüger.«

»Oh, aber doch nicht Mrs. Dunthorpe?«, ruft Claire aus. »Sie kann über die materielle Welt hinausschauen und in die Geisterwelt blicken. Wir haben es beide selbst erlebt, nicht wahr, Hester? Ich bin überzeugt davon, dass ihre Fähigkeiten echt sind.«

»Und ich nehme an, sie spricht mit Verstorbenen?«, fragt Robin ernst.

»Nun ja, das tut sie«, antwortet Hester ein wenig zögerlich. »Allerdings habe ich nie einen dieser Geister, mit denen sie spricht, tatsächlich gesehen oder gehört …«

»Dann befürchte ich, dass Sie, wie so viele andere, von dieser Frau hereingelegt wurden.« Robin schüttelt den Kopf. »So etwas wie Geister von Toten gibt es gar nicht – jedenfalls nicht so, wie solche Jahrmarkt-Medien sie darstellen.« Er winkt verächtlich ab. »Wenn der Körper stirbt, verschmilzt das individuelle Bewusstsein des Menschen wieder mit der universellen Seele und wartet in Seligkeit darauf, eines Tages wiedergeboren zu werden. Die Persönlichkeit des Toten ist verloren, was bedeutet, dass es Geister mit jeglichem Wissen über ihr vorheriges Leben gar nicht geben *kann*«, erläutert er.

»Ach, tatsächlich? Und sie kam mir immer so aufrichtig vor in ihrem Glauben, und mit ihrer Gabe …«, murmelt Claire beinahe bestürzt.

»Davon bin ich überzeugt, Mrs. Higgins. Sie brauchen sich nicht dafür zu schämen, dass man Sie auf diese Weise getäuscht hat – so wie Ihnen ist es schon Tausenden ergangen! Und ich will nicht behaupten, dass die Dame keinerlei hellsichtige oder sonstige Fähigkeiten hat, aber selbst wenn dem so wäre, ist sie ungeschult und verwirrt ohne rechte Anleitung«, sagt Robin verständnisvoll.

»Nun, vielleicht sollten wir lieber nicht mehr hingehen?«
Claire wirft Hester einen bekümmerten Blick zu.

»O weh, jetzt habe ich Sie wohl beunruhigt und Ihnen
den Spaß verdorben?« Robin bleibt stehen, wendet sich
Claire und Hester zu und presst mit einer aufrichtigen Geste die Handflächen zusammen. »Bitte verzeihen Sie mir. Ich
gehe keinen Schritt weiter, ehe Sie mir nicht vergeben haben, und wenn ich deswegen das Mittagessen versäumen
sollte!« So bleibt er stehen, ganz ernst und flehend, bis Claire
kichert und Hester spürt, dass ein kleines Lächeln an ihren
Mundwinkeln zupft. »Ha, Sie haben mir verziehen. Das
sehe ich Ihnen an.« Er grinst fröhlich.

»Gehen Sie nur weiter, Mr. Durrant. Sie sollen keinesfalls
das Mittagessen versäumen«, versichert Claire ihm.

»Tja, das beruhigt mich zumindest in einer Hinsicht«, bemerkt Hester.

»Ach, und das wäre?«, fragt Robin.

»Nun, bei unserer letzten … Sitzung mit Mrs. Dunthorpe
erhielt sie eine ausgesprochen düstere Warnung von einer
der Geisterstimmen, die sie hörte. Oder vielmehr glaubte,
gehört zu haben.«

»Ach ja, richtig, Hetty!«, ruft Claire aus.

»Anscheinend ist ein Quell des Bösen in das Leben einer
der Anwesenden getreten, der großes Unheil über uns bringen
wird. Nach einiger Diskussion lautete der Schluss, die Warnung
sei für *mich* bestimmt«, erklärt Hester leichthin, obwohl sie sich
sehr gut an den kalten Schauer erinnert, der sie überlief, und an
die dunkle Gestalt unter dem Baum, die sie beobachtete.

»Für Sie, tatsächlich? Nun, keine Sorge, werte Mrs. Canning«, entgegnet Robin. »Ich bin mir ziemlich sicher, dass
Mrs. Dunthorpe nur den Widerhall ihrer eigenen lebhaften
Vorstellungskraft vernommen hat. Ja, darauf würde ich sogar
meinen letzten Shilling verwetten.«

»Mr. Durrant!«, ruft Albert hinter ihnen. Alle drei bleiben stehen, drehen sich um und sehen den Pfarrer mit hastigen, ungelenken Schritten herbeieilen. Sein Talar flattert ihm um die Knie. »Mr. Durrant, dürfte ich Sie einen Moment aufhalten, um Ihnen jemanden vorzustellen?«, fragt er atemlos.

»Ja, selbstverständlich, Reverend. Meine Damen, würden Sie mich bitte entschuldigen?« Er neigt höflich den Kopf. Albert nickt seiner Frau und ihrer Freundin kurz zu und führt den Theosophen von dannen, wobei eine Hand beinahe dessen Rücken berührt.

»Nun, er ist wirklich reizend, findest du nicht?«, raunt Claire. »Weißt du, was ich glaube? Ich glaube, dein Mann war ein wenig eifersüchtig, als er gesehen hat, wie du mit diesem jungen Mann davonspaziert bist, in eine Unterhaltung vertieft.«

»Nicht doch!« Hester lacht. »Gewiss nicht. Glaubst du wirklich?«, wagt sie dann doch zu fragen.

»Unbedingt! So ein charmanter Mann … und so gut aussehend. Außerdem habe ich gesehen, wie er dich angeschaut hat … vielleicht hat der Pfarrer sogar Grund dazu, eifersüchtig zu sein?«, fügt sie schelmisch hinzu.

»Also *wirklich*, Claire!«, sagt Hester mahnend, muss aber dennoch lächeln.

»Und ich sage dir noch etwas – ich bin auch eifersüchtig. Auf dich, weil du so einen aufregenden Gast im Hause hast! Zu uns nach Park Farm kommt *nie* irgendjemand Interessantes zu Besuch. Das ist einfach ungerecht«, sagt Claire seufzend und hakt sich bei Hester unter, als sie weitergehen. Hester schweigt, ein wenig beschämt darüber, wie angenehm es sich anfühlt, beneidet zu werden.

5

Cat hört den Milchwagen draußen auf dem Kies knirschen und geht mit den leeren Krügen hinaus. Es ist noch keine sieben Uhr, und der Morgenhimmel ist so klar und farblos wie Glas. Barrett Anders, der Milchmann, ist dünn und schweigsam. Seine Latzhose stinkt nach Vieh, doch seine Hände sind rosig sauber geschrubbt. Sein Mund verschwindet hinter einem üppigen Schnurrbart, ebenso schmierig grau wie sein Haar.

»Das Übliche bitte, Barrett«, sagt Cat und unterdrückt ein Gähnen. Während der ersten Stunde, nachdem sie aus ihrem unruhigen Schlaf erwacht ist, fühlt sie sich immer verfroren, zittrig und ein wenig benommen. Sie stellt die schweren Krüge auf den Boden, und der Milchmann misst zwei Pint Buttermilch ab und je ein Pint Magermilch und Sahne. Er taucht den langstieligen Messbecher aus Zinn in die großen Kannen. Das Pferd, ein stämmiges, kurzbeiniges Tier mit massigem Hinterteil, hebt den Schweif, furzt laut und lässt einen Haufen Pferdeäpfel auf die Einfahrt fallen. Cat verdreht die Augen. »Die werde *ich* aufsammeln müssen, vielen Dank auch«, brummt sie. Barretts Mund zuckt unter dem Schnurrbart.

»Ach wo, da wird sich die Herrin drüber freuen. Bisschen was extra für die Rosen, und ganz umsonst«, sagt er in gedehntem Dialekt.

»Zu gütig von dir, du alter Klepper«, bedankt Cat sich bei dem Pferd. Nachdem Barrett wieder auf seinem Wagen sitzt und langsam den Weg zum Dorf entlangrollt, bleibt Cat noch einen Moment lang stehen, die Hände um den Sahnekrug gelegt. Sie mag die morgendliche Ruhe, die Stille, die kühle, feuchte Luft. Sie ist so lieblich, dass man kaum glauben kann, in welch drückend heißen Mief sie sich bis zum Nachmittag verwandeln wird. Über ihr zieht laut kreischend eine Gruppe Mauersegler dahin. Sie fliegen gen Westen, wo der Himmel noch eine dunklere Farbe hat. Cat starrt ihnen nach, erfüllt von der Sehnsucht, ihnen zu folgen.

In diesem Moment hört sie die Tür, die sich hinter ihr öffnet, und leise Stimmen. Sie dreht sich um und sieht den Pfarrer und den Theosophen aus dem Haus kommen, ausgerüstet mit ihren Ferngläsern und Tornistern. Der Pfarrer schreitet schwungvoll aus, bohrt dabei einen Spazierstock aus poliertem Walnussholz in den Kies und redet ernsthaft und ununterbrochen. Mr. Durrant trägt einen modischen Leinenmantel, eine Hand lässig in der Tasche. In der anderen trägt er eine kastenförmige Kamera in einem Futteral aus hellbraunem, goldgeprägtem Schweinsleder. Als die Männer an Cat vorbeigehen, schnappt sie die gedämpften Worte des Pfarrers auf.

»… glaube, dass es einen besonderen Grund dafür gibt, dass ich das Landleben und die wilde Natur schon immer so sehr geliebt habe. Ja, der Grund dafür, dass ich mich immer von der Natur angezogen und getröstet fühlte, war womöglich der, dass ich mich die ganze Zeit über, ohne mir dessen bewusst zu sein, in der Nähe dieser Elementarwesen aufgehalten habe – Wesen, die höher und Gott näher stehen als die gesamte Menschheit«, sagt er. Sein Gesicht wirkt ganz beseelt, er ist so verzückt, dass er sein Dienstmädchen gar nicht bemerkt, das mit den Milchkrügen zu Füßen im Morgengrauen steht.

»Das ist durchaus möglich, Albert. Du musst zumindest über eine gewisse Begabung zur Inneren Schau verfügen, damit du die Elementare überhaupt sehen konntest, und an diesem Punkt beginnen wir alle. Sag mir, warst du in einer Art Trance, als du sie entdeckt hast?«, fragt der Theosoph.

Cat wirft ihnen einen finsteren Blick zu, als sie in kaum zehn Metern Abstand an ihr vorbeigehen. Der friedliche Augenblick ist ihr verdorben. Am Tor zur Straße blickt der Theosoph zu ihr zurück, ohne dass der Pfarrer es bemerkt, und schenkt ihr ein Lächeln, das ihr allzu wissend, allzu vertraulich erscheint. Sie wendet sich ab und hebt einen weiteren Krug auf, den sie mit in die Küche nimmt.

Sie werden mindestens eine Stunde lang fort sein, das weiß Cat. Der Theosoph hat sich rasch angewöhnt, ebenso früh aufzustehen wie der Pfarrer, und nun spazieren sie vor dem Frühstück immer gemeinsam durch die Auen. Doch das sind keine Spaziergänge mehr. *Beschwörungen*, so hat der Theosoph das neulich Abend genannt – sie hat es gehört, als sie ihm ein weiteres Käseomelette servierte.

Ein Gefühl von Neugier nagt an ihr, und Cat stiehlt sich die Treppe hinauf und den Flur entlang zu dem Gästezimmer, das nun Mr. Durrant bewohnt. Leise schließt sie die Tür hinter sich, für den Fall, dass Hester schon wach sein sollte. Dann zieht sie die Vorhänge auf, stemmt die Hände in die Hüften und lässt den Blick durch das Zimmer schweifen. Es bietet einen chaotischen Anblick. Jeden Morgen räumt sie es auf, und jeden Abend deckt sie das Bett auf und zieht die Vorhänge wieder zu; und dennoch gelingt es dem Theosophen, in der kurzen Zeit dazwischen mehr Unordnung zu verbreiten als ein ganzer Haufen Kleinkinder. Kleidung und Schuhe liegen achtlos auf dem Stuhl, dem

Fußschemel, dem Boden verteilt. Ein Teller voller Käserinden und Weintraubenstängel mitten auf der seidenen Daunendecke ist von fettigen Fingerabdrücken umgeben, ein hoher Bücherstapel neben dem Bett umgekippt und die zerwühlten Decken und Laken halb zu Boden gerutscht. Eines der Kopfkissen wurde aus seiner Hülle gezogen. »Herrgott im Himmel, hat er hier drin einen kleinen Wutanfall bekommen?«, brummt Cat und beginnt die Kleider aufzuheben, auszuschütteln und ordentlich in den Schrank zu hängen. Sie macht das Bett, sortiert die Schuhe und stellt ein schmutzverkrustetes Paar neben die Tür, um es zum Putzen mit hinunterzunehmen. Sie stapelt die Bücher wieder auf, und dabei fällt ein Briefumschlag aus dem Haufen.

Cat hebt ihn auf, und die Adresse sticht ihr ins Auge. *Mr. Robin Durrant, The Queen's Hotel, Newbury.* Hat er also in einem Hotel gewohnt, ehe er ins Pfarrhaus kam? Ohne zu zögern öffnet Cat den Umschlag und zieht vorsichtig mit zwei Fingerspitzen den Brief heraus. Das Papier ist glatt und teuer, die Tinte tiefschwarz; das Datum liegt zwei Wochen zurück.

Lieber Robin,
ich fürchte, der Inhalt dieses Briefes wird Dich nicht erfreuen,
doch nach langen Diskussionen sind Deine Mutter und ich
übereingekommen, dass mein Vorschlag wahrhaftig zu Deinem
Besten ist. Natürlich liegst Du uns am Herzen, Deiner Mutter
vielleicht sogar zu sehr – sie vergöttert Dich und würde Dir
niemals etwas verweigern. Zuweilen frage ich mich, inwieweit
Dir diese Tatsache bewusst ist und ob Du ihre Zuneigung nicht
gelegentlich zu Deinem Vorteil nutzt. Vielleicht wäre das nur
natürlich, vielleicht haben wir bei Deiner Erziehung Fehler

gemacht. Wie dem auch sei, es ist an der Zeit, dass Du auf eigenen Füßen stehst. Diese Theosophie wird Dich in der Welt nicht weiterbringen, Robin. Ich lege Dir nicht nahe, sie aufzugeben – betreibe sie weiterhin als Hobby, wenn Du möchtest. Als berufliche Laufbahn jedoch ist sie völlig ungeeignet. Du musst Dich auf etwas verlegen, das Dir _Aussichten_ bietet, etwas, wodurch Du Dir einen Namen machen und ein Vermögen erwerben kannst. Nimm Dir ein Beispiel an Deinen Brüdern – in der Medizin und beim Militär. Sie schaffen sich ihren Platz in der Welt. Damit will ich nicht sagen, dass Du ebenfalls die medizinische Laufbahn hättest einschlagen sollen, denn Du hast einfach nicht Johns lerneifrigen Kopf zum Studieren. Doch ich bitte Dich erneut, das Militär in Betracht zu ziehen. Ich – wir – sind davon überzeugt, dass die Disziplin und Ordnung Dir helfen würden, ruhiger zu werden. Und immerhin würdest Du damit in meine Fußstapfen treten. Aber selbst wenn Du weiterhin darauf bestehen solltest, dass die Armee nicht der richtige Weg für Dich ist: Ich bestehe darauf, dass Du irgendeinen Weg findest – einen _lohnenden_ Weg. Und obgleich es mich schmerzt, dies niederzuschreiben, lehne ich Deine letzte Bitte um finanzielle Unterstützung hiermit ab. Ich kann Dir nicht guten Gewissens noch mehr Geld zukommen lassen, wenn ich Dir damit ermögliche, Dich noch länger um einen ordentlichen Beruf herumzudrücken. Ich weiß, dass Du das Zeug dazu hast, es sehr weit zu bringen, genau wie Deine Brüder, und dabei will ich Dir gerne helfen. Ich bin gewiss, dass Du uns letztendlich nicht enttäuschen, sondern doch noch mit Stolz erfüllen wirst. Hoffe, Dir geht es gut.

Mit väterlichen Grüßen
W.E. Durrant

Als Cat den Brief zu Ende gelesen hat, faltet sie ihn sorgfältig wieder zusammen und steckt ihn zurück in den Umschlag. Dann schiebt sie ihn zwischen zwei Bücher und stapelt diese sorgfältig aufeinander, sodass von dem Umschlag nichts zu sehen ist. Sie denkt an Robert Durrants neuen Leinenmantel, die teure Kameratasche. Sie räumt seine feinen Schuhe auf, und ein Lächeln breitet sich dabei auf ihrem Gesicht aus.

Spät am Abend macht Cat sich wieder auf, um George bei der Brücke am Rande von Thatcham zu treffen. Vor den Silhouetten der Werfthallen erscheint er als Schemen, der sich nur durch die Bewegung eines Arms verrät, durch das orangerote Glimmen seiner Zigarette. Er zündet ein Streichholz an, und der Gesichtsausdruck, mit dem er sie begrüßt, wirkt besitzergreifend und schüchtern zugleich. Diese Miene lässt irgendetwas in Cat die Hand nach ihm ausstrecken, schiebt sie unwiderstehlich auf ihn zu. Es ist, als sei er ein Magnet, von dem sich das Eisen in ihrem Blut angezogen fühlt.

»Gehen wir also in den Ort?«, fragt sie und bleibt dicht neben ihm stehen, nah genug, um seine Wärme zu spüren und den leichten Geruch nach Sägespänen und Pferd an seiner Kleidung zu riechen. Er nimmt ihre Hand.

»Ich würde dich eines Tages zu gern mal bei Tageslicht sehen«, bemerkt er. »Wir sind immer im Dunkeln, wie bei einer Romanze zwischen Geistern.«

»Eine Romanze? Ist das hier also eine?«, fragt sie spitz.
»Tja, wenn die Sonne aufgeht, löse ich mich in einer Nebelwolke auf.«

»Das könnte ich beinahe glauben, Black Cat. Ja, wirklich!«, entgegnet er ernst.

»Am Sonntagnachmittag hätte ich Zeit. Oder kommst du

zu der Krönungsfeier in Cold Ash Holt? Da könnten wir uns treffen«, sagt sie. Doch George schüttelt den Kopf.

»Morgen muss ich mit einer Fracht los. Ich werde ein paar Tage unterwegs sein.«

»Oh«, sagt Cat enttäuscht. »Na, dann machen wir wohl das Beste aus dieser Nacht.«

»Das sollten wir.« George lächelt. »Komm. Ich will dir etwas zeigen.«

Er führt sie weiter, nicht in den Ort hinein, sondern fort vom Kanal zu einem Labyrinth aus verlassenen Lagerhallen und baufälligen Werkstätten, die sich um einen kleinen Platz drängeln – der heruntergekommene Mittelpunkt des ehemals so lebhaften Handels auf dem Kanal.

»Wohin gehen wir?«, fragt Cat.

»Wir sind schon da. Komm mit – diese Leiter hinauf«, sagt George und deutet auf eine dünne Metallleiter, die an der Mauer des größten Gebäudes befestigt ist.

»Was ist da oben? Dürfen wir das überhaupt?«

»Seit wann kümmert es dich denn, ob etwas erlaubt ist, Cat?«, erwidert er.

Cat zuckt mit einer Schulter und beginnt zu klettern. »Da hast du recht«, sagt sie.

Die Leiter ist hoch, der Abstand zwischen den Sprossen zu groß für Cat, deren Arme viel kürzer sind als die der meisten Männer. Als sie endlich oben ankommt und auf ein mit Tonziegeln gedecktes Dach tritt, keucht sie. Sie beugt sich vornüber, denn die Luft sticht in ihrer Brust wie tausend Glassplitter. Einmal schafft sie es noch, Atem zu holen, ehe der Husten ihren Körper schüttelt und ihr die Luft nimmt. Der Schmerz ist fürchterlich. George kann nichts tun, bis der Anfall vorbei ist. Er versucht sie festzuhalten, doch der Druck auf ihren Rippen ist unerträglich, und sie schiebt seine Arme mit einer schwachen, zitternden Hand von sich. Als der Husten endlich nachlässt, sitzt sie auf dem Dach, die Stirn gegen die angezogenen Knie gepresst. Ihre Kehle brennt, doch die eisernen Bänder um ihre Brust lockern sich mit jedem vorsichtigen Atemzug ein wenig mehr.

»Geht es dir wieder besser?«, fragt George besorgt. Er nimmt ihre Hand und reibt mit dem Daumen ihre Fingerknöchel. Cat nickt.

»Es wirft mich einfach um, wenn ich so husten muss«, sagt sie entschuldigend. »Aber ich glaube, es ist gar nicht so schlimm, wie es sich anhört. Der Arzt sagt, dass der Körper auf diese Weise nur loswerden will, was die Lunge blockiert.« Sie blickt auf, sieht im Licht der Sterne tiefe Sorgenfalten auf Georges Gesicht und fühlt sich schuldig. Viele Frauen haben Holloway in viel schlimmerem Zustand verlassen als sie. Manche waren womöglich gar nicht mehr in der Lage gewesen, das Gefängnis überhaupt zu verlassen – sie hat keine Möglichkeit, das herauszufinden. Mit einer plötzlichen, schrecklichen Klarheit sieht sie Tess vor sich, in der Ecke ihrer Zelle zusammengesunken wie eine zerbrochene Puppe. »Schau nicht so verängstigt drein – zumindest hat es nicht angefangen, während ich noch auf der Leiter war«, sagt sie mit leicht zitternder Stimme.

»Ich hätte dich nicht drängen sollen, hier hochzuklettern. Ich habe nicht daran gedacht … Es tut mir leid, Cat.«

»Das braucht dir nicht leidzutun. Wenn mit jedem solchen Hustenanfall wieder etwas von der Infektion aus meiner Lunge verschwindet, hast du mir sogar geholfen. Also, was tun wir auf einem Dach?«

»Sieh dich mal um. Ich bin so gern hier oben. Nach einem heißen Tag bleiben die Ziegel noch stundenlang warm, und man kann einfach nur daliegen, das Gefühl genießen und die Welt betrachten. Schau«, sagt George, und Cat folgt seinem Blick.

Sie sind so hoch wie die obersten Kronen der Kastanien, unter ihnen nur tiefe Schatten und die Umrisse niedrigerer Dächer. Im Osten erfüllen die Lichter von Thatcham die Luft mit einem blassgelben Schein, und am Horizont sind gerade noch die Lichter von Newbury zu erkennen, die schwach in der Ferne schimmern. Der Himmel über ihren Köpfen ist violett und nachtblau, gespickt mit kalten, weißen Sternen. Cat atmet vorsichtig ganz tief durch und riecht den heißen Teer der Straßen, das ausgetrocknete Holz der Lagerhallen.

»Alles sieht so friedlich aus. Von hier oben kann man nichts von den Streitereien, den Lügen oder Kämpfen sehen. Nichts von Not und Elend. Das bleibt alles auf dem Boden, wie Matsch und Dreck. Es ist beinahe so, als wäre man weit draußen auf dem Meer. Findest du nicht?«, murmelt sie.

»Ich war noch nie draußen auf dem Meer.« George legt einen Arm um ihre Schultern.

»Ich auch nicht. Aber ich habe darüber gelesen.«

»Hier ist weit und breit keine Menschenseele. Außer dem alten Clement, der unter der Brücke schläft«, sagt George leise.

»Dann bin ich dir ja geradezu ausgeliefert.« Cat lächelt. Ihre gedämpften Stimmen klingen laut in der stillen Nacht. Im Baum neben ihnen rascheln hastige Flügelschläge, als Vögel aus ihrem Schlaf geweckt werden, und eine zarte Brise kühlt Cats Haut.

»Nein, Cat, ich bin dir ausgeliefert«, erwidert George. Ihre Küsse sind drängend, hastig. Cat zieht George das Hemd aus, fährt mit den Lippen seinen Oberkörper hinab und schmeckt Salz.

Anfangs ist George sehr zurückhaltend und berührt sie ganz vorsichtig, trotz der Begierde, die aus seinen Augen leuchtet. Schließlich sagt Cat: »Ich bin keine Invalidin,

George Hobson.« Er fährt mit den Händen durch ihr kurzes Haar und zieht ihren Kopf zurück, um ihre Kehle zu küssen. Mit Leichtigkeit hebt er sie hoch, sodass sie auf seinem Schoß zu sitzen kommt, ganz nah an seinem Körper, und sie lieben sich, während sich durch die kühle Nachtluft die Härchen auf ihren Armen aufrichten.

Der Tag, an dem das Fest zu Ehren der Krönung von König George V. stattfinden soll, zieht wolkenlos herauf, und schon am Vormittag flimmert die Luft vor Hitze. Die Blätter der Buchen rollen sich ein wenig ein vor Trockenheit und zeigen ihre silbrige Unterseite. Die Musiker der Blaskapelle spielen mit hochroten Gesichtern und leiden in ihren feschen Uniformen. Auf der Wiese vor der Kirche hat man mehrere Zelte aufgebaut und die Seiten hochgerollt und festgebunden, damit sich die Luft darunter ein bisschen bewegen kann. Bunte Wimpel hängen an langen Schnüren rund um den Rasen und den Weg zur Kirche entlang, und Claire Higgins, die für die Blumenarrangements zuständig ist, hetzt besorgt von einem Strauß zum nächsten, während die Blüten in der Hitze welken.

»Claire, meine Liebe, ich fürchte, da kannst du nichts tun. Komm und trink ein Glas Limonade, ehe du noch in Ohnmacht fällst«, ruft Hester ihr zu.

»Wenn ich nur die Wicken in den Schatten unter den Baum stelle, halten sie sich vielleicht noch eine Stunde …«, protestiert Claire schrill und lässt sich nicht aufhalten.

»Nimm zumindest deinen Sonnenschirm mit!«, ruft Hester ihr nach und zieht sich dann in ein weißes Zelt zurück. »Cat! Was macht der Tee?« Hester schaut sie freundlich an. Cat steht schon den ganzen Vormittag lang in der Gluthitze des Erfrischungszeltes an einem kleinen Ofen, auf dem sie einen Kessel Wasser nach dem anderen kocht. Ihr Kleid ist im Rücken schweißnass, das Haar klebt ihr am Kopf, aber sie darf ihre Haube nicht abnehmen. Am Hals hat sie einen roten Fleck, wo George sie ein wenig zu heftig geküsst hat. Zum Glück ist ihr Haar inzwischen gerade lang genug, um ihn zu verdecken. Hastig streicht sie sich eine Strähne hinters Ohr.

»Der Tee ist längst fertig, Madam. Aber alle wollen Limonade. Es ist einfach zu heiß für Tee«, antwortet Cat tonlos.

»Unsinn! Ich finde Tee an einem heißen Tag äußerst erfrischend. Ja, ich hätte gerne gleich eine Tasse, bitte.«

Den ganzen Tag lang kocht Cat Tee und serviert ihn den Einwohnern von Cold Ash Holt. Hester und die anderen Frauen arrangieren Törtchen und Gebäck auf hübschen Etageren und reichen Schälchen voll Erdbeeren mit Sahne. Kinder lecken in verzweifelter Hast an ihrem Wassereis, das binnen Sekunden schmilzt und ihnen die Arme bis zu den Ellbogen hinabbrinnt. Derart gezuckert werden die Kleinen von überreizten Wespen kreuz und quer über die Wiese gejagt. Robin Durrant schlendert von einem Stand zum nächsten, die Hände hinter dem Rücken verschränkt wie ein wohlwollender Ehrengast, gefolgt vom Pfarrer und einer kleinen Schar Männer und Frauen. Cat beobachtet ihn und wundert sich darüber, dass er die Leute in so kurzer Zeit derart beeindruckt hat.

»Das ist also das neue Mädchen der Cannings. Catherine, nicht wahr?«, bemerkt Mrs. Avery laut, als sie mit einigen Begleiterinnen am Tisch mit dem Tee vorübergeht. Sie hebt ihr Lorgnon an einem Stiel über den Rücken ihrer knochigen Nase und späht damit auf Cat herab.

»Man nennt mich Cat, Madam«, erwidert Cat, der Mrs. Averys Art überhaupt nicht gefällt.

»Na, ich habe doch nicht mit *dir* gesprochen, Mädchen. Vorlautes Ding, nicht? Erst kürzlich aus London gekommen, und aus Gründen, über die man besser nicht spricht, soweit ich weiß«, erklärt Mrs. Avery ihrer Freundin. Zorn flammt in Cat auf. Sie hält die Teekanne vor sich hoch, setzt ein leeres Lächeln auf und lässt dazu den passenden ordinären Dialekt verlauten.

»Tee, Madam? Was vom besten britischen?«, zwitschert sie.

»Nein, danke«, faucht Mrs. Avery und zieht mit angewidert gerümpfter Nase von dannen.

»Hochmütige alte Ziege«, brummt Cat vor sich hin.

»Lächeln, meine Damen! Sehen Sie hierher!«, ruft ein Mann im braunen Leinenanzug und Melone ihnen zu. Er hat die Kamera auf seinem Stativ schussbereit auf das Erfrischungszelt gerichtet.

»Oh, der Mann von der Zeitung!«, sagt Hester. Cat tritt zum Eingang des Zeltes, noch immer die versilberte Teekanne in der Hand, mit der sie Mrs. Avery angepöbelt hat. Sie späht unter der muffigen Plane hervor, während die Pfarrersfrau und die anderen Damen des Ortes die Schultern straffen und ihre Sonnenschirme in reizendem Winkel neigen. Die Kamera gibt ein lautes Schnappgeräusch von sich.

»Und noch eines, wenn Sie die Güte hätten!«, ruft der Fotograf. »Bleiben Sie genau, wie Sie sind, und lächeln Sie, lächeln!« Cat starrt in die Kameralinse und zieht im hellen Sonnenschein ein finsteres Gesicht. Sie starrt mitten da hinein, als könnte sie mit ihrem bösen Blick die Aufnahme ruinieren. Die Damen vor ihr bilden ein Meer aus weißer Spitze und Rüschen und zarten, dünnen Schleiern; sie lächeln geziert für die Aufnahme. Cat amüsiert sich bei dem Gedanken, dass sie im Hintergrund zu sehen sein wird, klein und dunkel und übellaunig. Sie kämpft gegen den Drang an, der Kamera die Zunge herauszustrecken.

Sie ist nicht nur deshalb so schlecht gelaunt, weil sie die heißeste und langweiligste Tätigkeit an diesem Tag verrichten muss. Obendrein wird sie keinen freien Augenblick haben, um das Fest selbst ein bisschen zu genießen, und wenn es vorbei und alles aufgeräumt und zusammengepackt ist, wird sie auch noch versuchen müssen, ihre tägliche Arbeit im Pfarrhaus irgendwie zu bewältigen. In der *Votes for Women* sind diese Woche prächtige Fotografien von der Krönungsparade der Bewegung abgedruckt, die eine Woche zuvor, am siebzehnten Juni, in London stattgefunden hat. Von Pferden gezogene Festwagen, geschmückt mit Girlanden, Bändern und Blumenkränzen in den Farben der WSPU; Suffragetten aus ganz London in fantastischen Kostümen, als Libertas und Justitia und die vier Winkel des Britischen Weltreichs. Cat wünscht so sehr, sie wäre dabei gewesen und mit einer Girlande roter Englischer Rosen neben den weißen Pferden hergegangen. Sie wünscht, sie wäre ein Teil von etwas gewesen, das so prachtvoll, so schön und vor allem so bedeutend war. Sie beobachtet aus dem Teezelt heraus, wie die Männer des Ortes einen Wettbewerb im Tauziehen beginnen und die Frauen schwatzen und sich mit Kuchen vollstopfen. Der Mann, der sie gerade fotografiert hat, schlüpft direkt vor ihr ins Zelt.

»Guten Tag, Miss. Könnte ich rasch eine Tasse Tee trinken, im Vorbeigehen sozusagen?«, fragt er, legt seine schwere Kamera auf einem Tisch ab und zückt ein Taschentuch, mit dem er sich das Gesicht wischt.

»Aber natürlich, und ich gebe Ihnen ganz frischen, nicht den, der schon so lange dasteht, weil Sie den Tag auch mit Arbeit zubringen müssen«, antwortet Cat müde.

»Heißer als unter Satans Zehennägeln, nicht?« Der kleine Mann grinst. Er hat ein spitzes Gesicht, jungenhaft, aber wachsam wie ein kleines Raubtier. Auf Wangen und Kinn sprießt ein feiner Flaum hellbrauner Härchen.

»Allerdings, und kein bisschen kühler, wenn man neben diesem Teekessel steht, das kann ich Ihnen sagen.«

»Bekomme ich trotzdem noch etwas von dem frischen Tee, wenn ich gestehe, dass ich mit der Arbeit für heute fast fertig bin?«, fragt er. Cat tut so, als zögerte sie mit der Kanne über seiner Tasse, und der Mann grinst erneut.

»In welcher Zeitung erscheinen denn die Bilder?«, erkundigt sie sich.

»Im *Thatcham Bulletin*. Ich hatte gehofft, hier auch ein bisschen Klatsch für die Gesellschaftsseiten aufzuschnappen, aber alle sind furchtbar höflich und patriotisch. Mit anderen Worten, langweilig.« Er nimmt die Tasse von ihr entgegen und lässt sich damit auf einen der hölzernen Stühle sinken.

»Haben Sie den neuen Liebling von Cold Ash Holt denn noch nicht kennengelernt? Den Theosophen?«, fragt Cat.

»Nur kurz. Er war ganz begierig darauf, sich fotografieren zu lassen.«

»Das klingt nach ihm.«

»Er und der Pfarrer arbeiten wohl zusammen an irgendeiner wissenschaftlichen Abhandlung oder so. Ich konnte nicht viel darüber in Erfahrung bringen. Hat sich sehr trocken angehört, muss ich leider sagen. Aber Pfarrer sind nun mal keine verlässliche Quelle für Skandale.« Er nippt an seinem Tee, blickt dann auf und bemerkt Cats nachdenkliche Miene. »Warum fragen Sie, Miss? Wissen Sie vielleicht mehr darüber?« Cat wirft ihm einen kurzen Blick zu und überlegt.

»Ich bekäme furchtbare Schwierigkeiten, wenn herauskäme, dass ich über seine Angelegenheiten geredet habe. Vor allem mit der Presse«, sagt sie vorsichtig.

»Aber ich weiß ja gar nicht, wer Sie sind – und ich verspreche, mich nicht nach Ihnen zu erkundigen«, sagt der Mann und legt eine Hand aufs Herz.

»Also gut«, sagt sie schließlich. »Dann werde ich Ihnen ein bisschen mehr über Mr. Robin Durrant erzählen.«

Am Ende der Woche passt Cat vor dem Haus die Lieferung der Zeitung ab und verschwindet dann mit ihr durch die schmale Tür zur Kellertreppe. Sie setzt sich auf halbem Weg hinab in die Küche auf eine Stufe und blättert die Zeitung durch, bis sie die Fotografien vom Krönungsfest findet und sich selbst darauf entdeckt, wie ein Geist im Schatten am Rand des Zeltes, während Hester und die anderen Frauen im Vordergrund strahlen. In der linken unteren Ecke der Seite ist eine schlechte, körnige Aufnahme des Pfarrers neben Robin Durrant abgedruckt. Der Pfarrer lächelt selbstzufrieden, mit gerecktem Kinn und geschwellter Brust. Cat fragt sich, weshalb er da wohl beinahe platzt vor Stolz. Sie blättert weiter zu den Gesellschaftsseiten – kaum journalistisch verbrämter Klatsch, anonym zusammengestellt »von Ihrem Spitzel«. Cat überfliegt den Text, bis ihr der Name, nach dem sie sucht, ins Auge sticht.

Mr. Robin Durrant beehrte das Krönungsfest von Cold Ash Holt mit seiner Anwesenheit, zur offenkundigen Freude mehrerer Damen des Ortes. Der aus Reading stammende Mr. Durrant behauptet, Feen, Kobolde und andere Fantasiegestalten sehen zu können, und nach ebendiesen sucht er in unseren Flussauen – unterstützt von Reverend Albert Canning, dem geschätzten Pfarrer von Cold Ash Holt. Die Jagd dauert bereits drei Wochen, hat sich bisher jedoch als fruchtlos erwiesen. Vermittels welcher Methode Mr. Durrant eine Fee einzufangen gedenkt, konnte Ihr Spitzel nicht in Erfahrung bringen, und ebenso wenig, was er mit ihr tun würde, wenn es ihm denn gelingen sollte. Anscheinend ist Mr. Durrants Vater, der hochverehrte Wilberforce Edgar Durrant, ehemals Gouverneur von Indien, von der ungewöhnlichen Mission seines Sohnes nicht eben angetan. Wenn dem jungen Mr. Durrant bei seiner Feenjagd Erfolg vergönnt sein sollte, findet er vielleicht ja auch einen Goldschatz, der seinen Vater froher stimmen könnte?

»Cat! Wo steckst du? Komm herunter und bring das Frühstück nach oben!«, schallt Mrs. Bells Stimme die Treppe herauf. Cat faltet die Zeitung wieder zusammen und eilt leichtfüßig in die Küche hinab. »Was gibt's denn da zu grinsen?«, fragt die Haushälterin argwöhnisch. Cat zieht eine Augenbraue in die Höhe, sagt jedoch nichts. Mrs. Bell brummt: »Na, wenn's was Ungehöriges ist, kannst du nur hoffen, dass ich nicht dahinterkomme.« Cat bringt das Frühstück nach oben, legt die Zeitung ordentlich auf die Anrichte und wartet.

Vor dem Mittagessen staubt sie sämtliche Bilder im Flur und im Treppenhaus ab. Mit einer fest zusammengewickelten Ecke ihres Staubtuchs kommt sie auch in die kleinen Lücken und geschnitzten Vertiefungen der prächtigen Rahmen. Schwere Ölgemälde dahingeschiedener Cannings, Ahnen des Pfarrers, deren würdevolle Antlitze für immer auf Leinwand gebannt wurden. So kaufen die Reichen sich Unsterblichkeit, denkt Cat, die jedes einzelne Gesicht genau betrachtet und in die toten Augen starrt. Indem sie irgendein neues Land entdecken, ein neues Ding erfinden, ein Buch oder ein Theaterstück schreiben. Und jenen, die dazu nicht klug genug, nicht mutig oder talentiert genug sind, bleibt immer noch ein Porträt, oder heutzutage eine Fotografie. So sorgen sie dafür, dass ihre Namen weiterleben, ihre Gesichter nicht zu Staub vergehen. So, wie ich vergehen, einfach verschwinden werde, denkt sie. Eines Tages. Die Armen sind zu sehr damit beschäftigt, ums Überleben zu kämpfen, sie haben keine Zeit, sich Gedanken darüber zu machen, wie sie sich über den Tod hinaus erhalten könnten. Zu Tausenden verschwinden sie jeden Tag, werden auf ewig unsichtbar für zukünftige Generationen. Niemand wird je wissen, dass es mich gegeben hat. Cat versucht, sich nichts daraus zu machen, denn das sind ja nur leere Eitelkeiten. Doch der Gedanke ist alles andere als tröstlich.

Plötzlich schwebt Albert vom Salon zur Bibliothek über den Flur, und Cat schnappt nach Luft. Der Pfarrer wirkt eigenartig abwesend, er treibt von Raum zu Raum, so leise und gedankenverloren, dass Cat oft gar nicht weiß, wo er gerade ist. Das ist überaus beunruhigend. Anhand der Geräusche im Haus weiß ein Dienstbote stets, wo die Herrschaften sich aufhalten. Das muss man wissen, damit man ihnen ausweichen kann, hier hinein- und dort hindurchschlüpfen kann, um zu putzen und Ordnung zu schaffen, ohne je gesehen zu werden. Damit man sich einmal eine winzige Pause gönnen, sich einen Augenblick lang an einen warmen Kachelofen lehnen oder sein Spiegelbild in einem vergoldeten Rahmen betrachten oder aus dem Fenster in die weite Welt hinausschauen kann, eine Welt, in der ein Dienstbote nichts zu suchen hat. Immer wieder hat Cat sich dieser Tage von einer frisch polierten Kaminplatte aufgerichtet oder mit dem Staubwedel in der Hand von einem Bücherregal abgewandt, und da saß der Pfarrer plötzlich hinter ihr in einem Sessel und las oder schrieb in sein Tagebuch, ohne sie zu beachten. Er ist wie eine Katze, die sich die seltsamsten Stellen zum Schlafen aussucht, sodass man immer befürchten muss, versehentlich auf sie zu treten. Cat fühlt sich nie ganz wohl im Haus, wenn sie weiß, dass der Pfarrer zu Hause ist.

Sie hört, wie sich die Tür auf der anderen Seite der Bibliothek quietschend öffnet und kurz darauf mit einem dumpfen Schlag wieder schließt. Sie hält inne.

»Hast du das gesehen?« Robin Durrants laute Stimme unterbricht abrupt die Stille. Cat hört am lauten Klatschen, dass die Zeitung zornig hingeworfen wird.

»Robin!« Die Stimme des Pfarrers klingt lebhaft vor Freude. »Unser Bild? Ja, das habe ich gesehen. Ich finde, es ist recht gut geworden, obwohl …«

»Ich rede nicht von dem *Bild*, ich rede von dem Klatsch, den dieser … dieser *Spitzel* über mich verbreitet!«, bellt Robin. Seine Stimme bebt vor Empörung, und Cat kann das wutverzerrte Gesicht direkt vor sich sehen. Sie beißt sich auf die Unterlippe, um einen aufsteigenden Lachanfall zu unterdrücken, geht ein paar kleine Schritte weiter auf die Bibliothek zu und späht durch den Spalt zwischen den Türflügeln. Robin ragt vor dem sitzenden Pfarrer auf, die Kiefermuskeln vor Zorn verkrampft, während der Pfarrer den kurzen Artikel liest. Hat wohl einen empfindlichen Nerv getroffen, was?, denkt Cat.

»Also, Robin, dieser anonyme Spitzel ist ein Journalist der niedersten Sorte, und jeder weiß, dass man ihm kein Wort glauben kann. Bitte rege dich nicht darüber auf …« Albert räuspert sich beinahe schüchtern nach diesen besänftigenden Worten.

»*Fantasiegestalten* nennt er sie. *Fantasiegestalten!* Hält er mich vielleicht für dumm? Wie kann er es wagen, einfach davon auszugehen, dass er mehr von solchen Dingen verstünde als ich? So eine *Unverfrorenheit!*«

»Wirklich, Robin, du brauchst dir das nicht so zu Herzen zu nehmen … niemand wird diesen Artikel groß beachten«, sagt Albert, in dessen Stimme nun wachsende Besorgnis mitschwingt.

»Und dieser Scherz, von wegen einen Goldschatz für meinen Vater finden … was soll das denn heißen? War etwa jemand von der Zeitung in Reading und hat meinen Vater belästigt? Oder die Dienstboten zu Hause danach ausgefragt, was mein Vater von der Theosophie hält?«, fährt Robin auf. In der qualvollen Pause wartet Cat darauf, dass Robin zwei und zwei zusammenzählt und die wahre Quelle dieser Klatschgeschichte errät. Ihr Herzschlag dröhnt ihr in den Ohren.

Der Pfarrer murmelt etwas, das Cat nicht versteht, doch seine Stimme klingt kleinlaut und unglücklich.

»Der hat doch keine Ahnung, wovon er redet – einer von diesen engstirnigen Idioten, die unter ihren Schnurrbärten höhnisch über mich grinsen … nicht die geringste Ahnung. Und keine Ahnung, wer ich bin, oder bald sein werde!«

»Robin, bitte, du brauchst dich wirklich nicht so zu erregen …«

»O doch, allerdings! Seit Jahren bin ich von Zweiflern und Kleingeistern umgeben, von Leuten, die sich gern über Dinge lustig machen, die sie nicht begreifen können. Ich habe es satt! Ich werde ihre Scham *genießen*, wenn mein Name erst auf der ganzen Welt bekannt ist! Wenn ich zur Rechten von Madame Blavatsky persönlich sitze! Dann werden sie ihre Worte bereuen!«

»Aber natürlich, Robin«, sagt Albert unsicher. Durch den schmalen Spalt kann Cat seine verblüffte Miene sehen, seine Haltung, Gesicht und Körper stets dem auf und ab gehenden Theosophen zugewandt wie eine Blume, die sich zur Sonne dreht. Als Robin ihm nahe kommt, hebt Albert die Hand, als wollte er sie dem anderen auf den Arm legen; doch der Theosoph wendet sich wieder ab und stapft zornig zum Fenster. Eine lange Pause entsteht, während derer der Pfarrer schockiert dasteht wie erstarrt und der Theosoph die Hände zu wütenden Fäusten ballt. In der Stille wagt Cat nicht, sich zu rühren. Sie hat zu wenig Vertrauen in ihre Fähigkeit, sich völlig lautlos zu bewegen.

»Wir kommen viel zu langsam voran. Viel zu langsam«, sagt Robin schließlich barsch. »Seit fast einem Monat bin ich schon hier, und wir haben *nichts* gesehen. Ich habe ihre Anwesenheit gespürt, ja ... aber sie wollen keine Gestalt annehmen. Diese Stümper in dem fotografischen Atelier, zu dem du mich geschickt hast, liefern immer wieder nur leere, überbelichtete Bilder. So geht das nicht, Albert!«

»Nein, natürlich nicht, es tut mir wirklich leid ... aber was sollen wir tun?«, fragt Albert, und Cat hat beinahe Mitleid mit ihm, so vollständig ist seine Unterwerfung. »Wie könnten wir weiter vorgehen?«

»Ein Theosoph muss im Leben nach Reinheit und höchster Ethik streben, und danach, seinen Mitmenschen zu dienen mit allem, was er tut. Nach Güte, Großzügigkeit und Erkenntnis.« Robin spricht so betont deutlich wie zu einem Kind. »Reinheit ist unabdingbar. Vor allem jedoch muss man sich bemühen, die Lehre der Göttlichen Wahrheit so vielen Menschen wie möglich nahezubringen. Besonders in letzterer Hinsicht muss ich noch größere Anstrengungen unternehmen.«

»Aber wie?«, drängt Albert auf Antwort. Cat schleicht ein Stück weiter den Flur entlang, sodass sie die beiden noch hören, aber notfalls ungesehen davonhuschen kann.

»Ich will der Welt den unwiderlegbaren Beweis dafür vorlegen, dass die Theosophie die Wahrheit lehrt«, erklärt Robin. »Eine Fotografie. Ich werde der Menschheit zeigen, dass die Welt der Elementarwesen real ist. Ich werde der Theosophie zum Durchbruch, zur weltweiten Anerkennung verhelfen und somit die Narren zum Schweigen bringen, die mit ihrem Spott so schnell bei der Hand sind!«

»Und ich werde dir natürlich dabei helfen. Was immer ich dazu tun kann ... Ich lerne so viel, unentwegt. Und ich hoffe, in Zukunft noch weiser und fähiger zu werden ...«, beginnt Albert begierig.

»Aber du behinderst mich!«, schneidet Robin ihm das Wort ab. In einer verblüfften Pause sind wieder rastlose Schritte zu hören. »Albert ... Ich finde keine andere Erklärung dafür, dass ich die Elementarwesen noch nicht sehen konnte, als *deine* Anwesenheit. Du bist kein Eingeweihter, und deine feinstofflichen Schwingungen klingen für sie misstönend! Ohne die Fähigkeit, dich auf ihre energetische Frequenz einzustimmen, bist du ihnen unerträglich!«

»Aber ... aber ... *Ich* war es doch, der die Elementarwesen zuerst gesehen hat, Robin. *Ich* habe sie als Erster gesehen!«

»Sie haben beschlossen, sich dir zu enthüllen, das ist wahr. Und du hast durchaus Potenzial, wie ich dir bereits sagte. Aber wir haben schlicht nicht die Zeit, abzuwarten, bis deine Schwingungen ausreichend verfeinert sind. Ich muss vorerst ohne dich weiterarbeiten, mein Freund«, verkündet der Theosoph. Ein langes, unbehagliches Schweigen entsteht, das Robin schließlich mit leiser Stimme bricht. »Ist dir schon einmal in den Sinn gekommen, dass sie an jenem Morgen vielleicht in deinen Geist geschaut und *mich* darin entdeckt haben – deine Erinnerung an mich, an meinen Vortrag? Hast du dich je gefragt, ob sie sich zwar dir gezeigt, jedoch in Wirklichkeit Kontakt zu *mir* gesucht haben?«, fragt Robin, und der Zorn in seiner Stimme ist größtenteils verbrannt. Er hat etwas Steinhartes, Kaltes in der Asche hinterlassen. Der Pfarrer schweigt lange.

»Du willst mich also nicht mehr dabeihaben?«, fragt er

schließlich, und Cat runzelt die Stirn. Er klingt wie ein Kind, dem beinahe das Herz bricht.

»Nein. Nicht bei den Beschwörungen draußen in den Flussauen.«

»Vielleicht ist es wie bei jedem wilden Lebewesen so, dass sich erst Vertrauen entwickeln muss, bevor eine Annäherung möglich ist«, versucht Albert es.

»Um irgendeine Chance zu haben, ein Elementarwesen auf einer Fotografie zu erfassen, brauche ich all meine geistig-seelischen Kräfte. Ich kann es mir nicht leisten, dass du dabei das Gleichgewicht störst ... Aber setze deine Studien fort, Albert. Frage mich, was immer du möchtest, und ich werde dich lehren, was ich kann«, fügt Robin sanfter hinzu. »Du stehst erst am Beginn des langen Weges zur Erleuchtung, doch die ersten Schritte hast du schon getan – die ersten und allerwichtigsten! Gib die Hoffnung nicht auf. Bald, wenn ich den Beweis in Händen halte, wirst du Teil der größten geistigen Revolution sein, die diese Generation in der zivilisierten Welt erlebt!«

»Du bist also sicher, dass es dir gelingen wird? Was noch niemandem zuvor gelungen ist?«, fragt Albert.

»Es wird mir gelingen«, bestätigt Robin, und seine Überzeugung klingt wie Stahl aus seiner Stimme. Cat fühlt sich plötzlich unbehaglich und huscht den Flur entlang und hinab zur Küche, wohin sie ihr gewiss nicht folgen werden.

Am Freitagmorgen ist es heiß, sobald die Sonne über dem Horizont aufsteigt. Hester sitzt an ihrem Frisiertisch, und während sie beginnt, sich das Haar hochzustecken, spürt sie, wie feucht es sich dicht an ihrer Kopfhaut anfühlt. Albert ist längst nicht mehr im Schlafzimmer. Als sie sein glattes Kissen betrachtet, ist sie nicht einmal sicher, ob er überhaupt zu Bett gegangen ist. Doch sie selbst hat eine sehr unruhige

Nacht hinter sich, wovon die zerwühlten Laken zeugen. Wieder betrachtet sie sein von der Sonne beinahe schmerzhaft hell beleuchtetes Kopfkissen. Ihre Gedanken wenden sich erneut den Worten des Theosophen zu, den vielen, vielen Worten, die er seit seiner Ankunft gesprochen hat – die meisten davon an Albert gerichtet. Worte, die wie Regentropfen von seinen Lippen fallen. Albert scheint sie aufzusaugen wie ausgedörrte Erde. Hester merkt es an seinem Gesichtsausdruck, an diesem kleinen, gedankenverlorenen Stirnrunzeln und der Art, wie sein Blick sich im Ungewissen verliert. In letzter Zeit hat sie das Gefühl, Albert nur noch in Begleitung von Robin Durrant zu sehen, nie mehr alleine. Der Theosoph ist stets an seiner Seite. Oder vielleicht ist eher Albert stets an Robins Seite. Hester seufzt.

Während sie Gesichtscreme in die Augenwinkel tupft, beginnt sie im Geiste einen Brief an Amelia. *Es würde mich nicht so belasten, wenn ich nur einen Anhaltspunkt hätte, wie lange er noch zu bleiben gedenkt ...* entwirft sie ihre Erläuterung. *Berties Bezüge sind bescheiden wie eh und je – so bescheiden, dass sie nicht für das Telefon reichen, das ich so gern installieren lassen würde. Und doch können wir diesen jungen Mann anscheinend monatelang unterhalten, so lange es eben dauert, bis er sein Projekt abgeschlossen hat!* Wie gern sie die Stimme ihrer Schwester hören würde. Doch selbst wenn sie die Mittel dazu besäßen, würde Albert ihr wahrscheinlich ein Telefon verweigern. Sein Misstrauen gegenüber der modernen Welt wächst zusehends. *Ich glaube, wenn es in seiner Macht stünde, würde er Automobile verbieten, sämtliche Züge demontieren und die Schienen aufrollen lassen! Dem Himmel sei Dank dafür, dass er zumindest die Vorteile des elektrischen Lichts einsieht.* Doch das hört sich an, als kritisiere sie Albert ebenso wie ihren Hausgast, und Hester kommt sich plötzlich vor wie ein mürrisches Eheweib und eine wenig gastfreundliche Hausherrin, also verwirft sie den im Geiste verfassten Brief wieder. Das Schlafzimmer ist auf einmal zu ruhig, zu still. Hester hat das dringende Bedürfnis, mit jemandem zu sprechen.

Unten im Salon findet sie Albert, der mit trübseliger Miene hinter der Morgenzeitung aufblickt. Ausnahmsweise einmal ist der Theosoph nirgends zu sehen. Hester beugt sich vor und küsst Albert auf die Wange.

»Guten Morgen, mein Lieber. Wie geht es dir?«, begrüßt sie ihn.

»Gut, Hetty. Gut«, entgegnet Albert geistesabwesend. Hesters Lächeln verblasst.

»Ich wusste nicht, dass du mit dem Frühstück auf mich wartest. Es tut mir leid, dass ich erst so spät heruntergekommen bin! Ich dachte, du würdest noch eine Weile mit Mr. Durrant unterwegs sein«, bemerkt sie.

»Das macht nichts. So hatte ich Gelegenheit, die Zeitung zu lesen, ehe der Tag beginnt und wichtigere Dinge meine Aufmerksamkeit verlangen.«

»Weshalb bist du denn heute Morgen nicht mit Mr. Durrant hinausgegangen?«

»Nun ja … Er hat da eine Theorie. Ja, eine Theorie, die wir gerade überprüfen. Aber ich habe heute Morgen einige besorgniserregende Neuigkeiten in der Zeitung gelesen.«

»Ach? Nichts allzu Schreckliches, hoffe ich?«

»Die Polizei hat neulich Abend sieben Männer wegen unerlaubten Glücksspiels verhaftet. Gestern standen sie deshalb vor Gericht. Glücksspiel – Wetten auf einen Hahnenkampf obendrein! Keine zwei Meilen von hier in Thatcham – ist das denn zu fassen? Von all den blutigen, brutalen Dingen, auf die man Wetten abschließen kann, entscheiden sie sich ausgerechnet dafür, zwei arme, dumme Tiere aufeinanderzuhetzen.«

»Nein, das ist wirklich grausam! Wie abscheulich«, ruft Hester aus.

»Einer von ihnen war Derek Hitchcock von der Mile End Farm. Ein Mann aus Cold Ash Holt, ein Mitglied meiner eigenen Gemeinde«, fährt Albert fort. Seine Stimme ist angespannt vor Erregung, das Gesicht vor Sorge beinahe verkniffen.

»Liebling! Du darfst wirklich nicht von dir erwarten, dass du jede einzelne Seele dieser Gemeinde stets auf dem rechten Pfad halten kannst! Urteile nicht zu hart über dich selbst. Menschen gehen in die Irre – das liegt in ihrer Natur. Du leistest so großartige Arbeit, indem du ihnen das Wort Gottes näherbringst.«

»Aber das ist nur die Spitze des Eisbergs all der Verderbtheit, die uns umgibt, Hetty! Alles ist unrein, auch die Herzen aller Männer und Frauen! Erst neulich habe ich der Familie Smith einen unerwarteten Besuch abgestattet, nur um auf den allzu offenkundigen Grund dafür zu stoßen, weshalb die älteste Tochter nicht mehr zum Gottesdienst kommt – sie erwartet ein Kind, Hetty! Hochschwanger, und dabei ist sie selbst erst siebzehn und unverheiratet.« Albert schüttelt den Kopf und blickt verzweifelt zu seiner Frau auf. Hester lässt sich auf die Armlehne seines Stuhls sinken und ergreift fest seine Hand.

»Albert! Viele junge Mädchen haben sich schon von den süßen Worten eines Verehrers betören lassen … das ist natürlich bedauerlich und eine Tragödie für die kleine Smith, aber sie kann doch Buße tun – sie kann die Gnade Gottes wiedererlangen, wenn sie ihren Fehltritt aufrichtig bereut. Und die allermeisten Leute hier sind gute, freundliche, ehrliche Menschen. Lieber Albert, was hat dich nur in solche Verzweiflung gestürzt?« Hester schmiegt die Handflächen zärtlich an seine Wangen. Albert weicht ein wenig zurück, als wollte er ihrem Blick nicht begegnen, doch Hester lässt ihn nicht los.

»Etwas, das Robin gestern Morgen zu mir gesagt hat«, gesteht er schließlich matt.

»Was hat er gesagt?«, fährt Hester auf. Ihre Stimme klingt schärfer, als sie beabsichtigt hat. Albert blickt erschrocken zu ihr auf, und sie bemüht sich um ein Lächeln. »Was hat er denn gesagt, mein Lieber?«

»Er hat mich gebeten, ihn morgens nicht mehr in die Auen zu begleiten. Er hat angedeutet, dass er mit seinen Fotografien eher Erfolg haben könnte, wenn ich nicht dabei bin. Möglicherweise wirken meine ungenügend verfeinerten, unreinen Schwingungen abstoßend auf die Elementarwesen«, erklärt Albert kläglich.

»Deine unreinen Schwingungen? Was für ein Unsinn! Niemand könnte reineren Geistes sein als du, Albert!«

»Er meint damit eher meine mangelnde Ausbildung, in theosophischer Hinsicht. Ich bin noch nicht fähig, mich innerlich so auf sie einzustimmen, dass ich … in Harmonie mit ihnen schwinge. Das könnte der Grund dafür sein, dass es uns noch nicht gelungen ist, sie auf Film zu bannen, und dass ich sie nicht noch einmal habe sehen können. Ich bin eben kein Eingeweihter.«

»Aber du hast sie doch ursprünglich entdeckt, Bertie! Wie könntest du dann der Grund dafür sein, dass sie jetzt fortbleiben?«, fragt Hester.

»Sie haben sich mir kurz zu erkennen gegeben, das stimmt. Vielleicht war ich unbewusst in eine Art Trancezustand hineingeraten, den ich willentlich nicht wieder zu erreichen vermag.« Albert spricht wie zu sich selbst. »Das wäre möglich. Vielleicht war mein Geist zu unruhig, zu rastlos, seit ich sie gesehen habe. Ich war zu sehr von meinem selbstsüchtigen Wunsch beherrscht, sie noch einmal zu sehen und mehr zu erfahren. Ich muss ihnen wie eine derbe, klirrende Schelle klingen mit diesem Drang! Ja, jetzt wird mir alles klar – ich war einfach unwürdig in meiner Dummheit!«

»Albert, sprich nicht so! Du hast dich in all den Jahren, seit ich dich kenne, niemals dumm verhalten – seit wir kleine Kinder waren! Und nicht ein *einziges* Mal unwürdig. Du warst immer nur gut, freundlich und großzügig. Und wenn diese *Theosophie* dich irgendetwas anderes lehren will, dann irrt sie schlicht und einfach, und es wäre vielleicht besser, nicht noch mehr davon zu lernen!«, ruft Hester aus.

»Hetty!«, fährt Albert sie barsch vor unvermitteltem Zorn an. »Sag so etwas nicht!« Hester weicht verletzt zurück.

»Ich hoffe doch, ich störe nicht«, sagt Robin Durrant, der in der offenen Tür erscheint, als habe er schon die ganze Zeit über dort gestanden, eine Hand in der Tasche, die andere um seine Frena-Kamera gelegt. Hester springt von der Armlehne auf und wendet sich erschrocken ab. Die Haut unter ihrem Kragen kribbelt, und sie ist ein wenig atemlos.

»Ah, Robin! Nein, natürlich nicht. Natürlich nicht«, sagt Albert errötend. In dem kurzen, unbehaglichen Schweigen, das darauf folgt, holt Hester tief Luft, um sich zu fassen.

»Guten Morgen, Mr. Durrant. Ich hoffe, Sie haben gut geschlafen?«, sagt sie schließlich. Ihre angespannte Stimme klingt unpassend schrill. Robin Durrant lächelt sie auf diese lässige Art an, und für einen kurzen Moment scheint sein Blick sie vollkommen zu durchschauen. Sie spürt, wie ihre Wangen glühen, und würde am liebsten den Blick abwenden oder sich die Hände vors Gesicht halten wie ein Kind. Aber das geht natürlich nicht. Das Blut pulsiert ihr in den Schläfen und schießt ihr in die Wangen, und sie weiß, dass er sie heftig erröten sieht. Er hält sie mit seinen Augen noch eine Sekunde lang auf diese Weise fest, dann blinzelt er und lässt den Blick ganz entspannt durch den Raum gleiten.

»Ja, danke sehr. Ich schlafe hier immer gut – die Ruhe auf dem Land ist so wohltuend für Körper und Geist. Finden Sie nicht?«

»O ja, durchaus«, bringt Hester mühsam hervor. Sie räuspert sich und verschränkt die Hände vor ihrem Rock. »Ich finde es hier auch immer sehr friedvoll«, fügt sie hinzu, doch Robin Durrant sieht den Pfarrer an, auf den dasselbe lässige Lächeln eine ganz andere Wirkung hat. Albert scheint einen Moment den Atem anzuhalten, dann breitet sich auf seinem Gesicht ebenfalls ein zaghaftes Lächeln aus und lässt seine Augen aufleuchten.

»Und?«, fragt er, und Robin Durrant lächelt breiter.

»Ja, Albert. *Ja.* Ich habe sie gesehen!«, sagt er.

Albert faltet in sprachloser Freude die Hände, die Fingerspitzen an den Lippen wie im Gebet, und seine Beklommenheit verfliegt. Ein unangenehmes Gefühl von vager Furcht windet sich in Hesters Magengrube, doch sie kann es beim besten Willen nicht benennen und weiß auch nicht, was sie dagegen tun könnte.

6

Am späten Montagvormittag schrubbt Cat Hesters Unterwäsche in einem Holzbottich voll warmer Seifenlauge. Sie
ist für diese Arbeit eigens hinaus auf den Hof gegangen, wo
sie ungestraft mit Waschwasser spritzen und sich die Sonne
ins Gesicht scheinen lassen kann. Die Stücke gelten als zu
kostbar und empfindlich, um sie der Waschfrau mitzuge-
ben, und sie zu reinigen ist eine mühselige Angelegenheit.
Cat entfernt die Stäbe aus den Korsetts und wäscht jedes
einzeln. Mit einer weichen Bürste bearbeitet sie den Satin,
vorsichtig und nur in Längsrichtung, bis alle Flecken und
Gerüche daraus verschwunden sind. Jedes Korsett muss unter der Pumpe gründlich ausgespült, dann in Form gezogen, wieder auf seine Fischbeinstäbe gespannt und zum
Trocknen flach ausgebreitet werden, damit die Sonne den
weißen Stoff bleichen kann. Cat muss alle halbe Stunde
nach den Korsetts schauen, bis sie trocken sind, und sie mit
Zupfen und Streichen wieder in ihre ursprüngliche Form
bringen.

Hesters Unterhosen sind diese Woche fleckig. Die dunklen, blutigen Spuren im Zwickel und an den Beinen lösen
sich im Wasser braun auf und lassen den Geruch von ros-
tigem Eisen aufsteigen. Cat rümpft die Nase, während sie
schrubbt, wringt, spült und wieder schrubbt. Ihre Hände

schmerzen und schwellen im Wasser an. Sie ist froh, dass George sie bei dieser Arbeit nicht sehen kann.

»Bist du immer noch nicht damit fertig?«, bemerkt Mrs. Bell, die den Kopf zur Küchentür heraussteckt. Cat wedelt zornig mit einer fleckigen Unterhose.

»Eine Zwölfjährige könnte ihre Regel besser handhaben als die Pfarrersfrau!«, ruft sie.

»Bist du wohl still!« Mrs. Bell blickt sich aufgebracht um.

»Ich wünschte wirklich, der Pfarrer würde endlich mal rübersteigen und seine ehelichen Pflichten erfüllen, dann hätte ich mal eine Zeit lang nicht so viele Blutflecken zu schrubben. Oder tun Geistliche so etwas nicht?«

»Ich kann mir das kaum vorstellen, wie die beiden …« Mrs. Bell kichert, ehe sie sich besinnt. »Sei nicht so respektlos«, ermahnt sie Cat hastig.

»Aber ich habe nie gehört, wie sie es tun. Sie etwa?« Cat grinst schelmisch.

»Also wirklich! Ich habe nie nach so etwas gelauscht!«, erwidert Mrs. Bell, deren Augen ausnahmsweise einmal vergnügt funkeln.

»Man müsste wohl sehr genau hinhören, nehme ich an. Klingt wohl eher nach zwei keuchenden Kaninchen als nach einem röhrenden Hirsch«, sagt sie, und Mrs. Bell kann nicht anders, als laut herauszulachen.

»Cat, du bist unmöglich«, schnauft sie, um dann hastig zu husten und in Schweigen zu verfallen, als Hester vom hinteren Tor her den Hof betritt und auf sie zu kommt.

Hester hat den Vormittag damit zugebracht, die schmuddeligen, mageren Kinder der Bluecoat School zu unterrichten, einer kleinen Armenschule der Gemeinde. Das Schulhaus war früher einmal eine Kapelle. Das beengte, uralte Gebäude mit dem spitzen Giebeldach und niedrigen, schmalen

Türen kauert ganz allein und Hesters Gefühl nach beinahe ein wenig verloren an der London Road am Rand von Thatcham. Doch an Schultagen wird es belebt von den Stimmen der zwanzig kleinen Mädchen, die schwatzen und lachen. Ihre Worte hallen von den Steinmauern und knorrigen Dachbalken wider. Wenn Hester eintrifft, setzen sich die Mädchen in ihren zerlumpten Kleidern hastig an ihre Pulte, werden ganz still und beobachten sie mit großen Augen, die wie Glasperlen blitzen. Hester liebt diesen Moment, in dem sie mit vor dem Rock gefalteten Händen dasteht und ihr das Herz in der Brust vor Freude schwillt.

Sie lehrt die Mädchen Kochen und Nähen, lässt sie Blumen pressen und Aufsätze schreiben und bringt ihnen Benehmen und korrekte Grammatik bei. Wann immer ihr etwas einfällt, von dem sie glaubt, es könnte den Mädchen nützlich sein, bemüht sie sich, sie auch darin zu unterweisen. Und obwohl die meisten von ihnen arm sind und selbst wiederum jung heiraten und Kinder bekommen, sich in der Landwirtschaft krummarbeiten oder eine Stellung in einem der großen Anwesen in der Umgebung suchen werden – Hester gefällt der Gedanke, dass es niemals vergeudete Zeit ist, ein Gedicht zu lernen, das noch der schlichtesten Seele ein wenig Trost bringen könnte. Für gewöhnlich ist sie nach ihrem Unterricht voller Energie, beschwingt und bestens aufgelegt. Heute jedoch nicht. Eine vage Sorge verfolgt sie, als hätte sie etwas Wichtiges verlegt. In Gedanken geht sie die Ereignisse der letzten Wochen noch einmal durch, verfolgt die Spur dieser Sorge zurück und bemüht sich vergebens, festzustellen, wo genau dieses überaus wichtige Etwas verloren gegangen sein könnte.

Ein ungewöhnlicher Laut lässt Hester aufblicken, und sie sieht Sophie Bell, die sich lachend über Cat und den Waschtrog beugt. Hester hält inne, und ihr wird bewusst, dass sie ihre Haushälterin zum allerersten Mal laut lachen hört. Sie nähert sich den beiden Dienstboten interessiert, doch als diese Hester entdecken, verstummt das Gelächter abrupt. Cat schrubbt weiter, und Sophie Bell wendet so schuldbewusst den Blick ab, dass Hester den starken Eindruck gewinnt, die beiden hätten sich gerade über sie lustig gemacht. Bestürzt merkt sie, dass ihr ganz unerwartet Tränen in die Augen steigen. Sie blinzelt hastig und lächelt, damit man ihr nichts anmerkt.

»Guten Morgen, meine Damen. Ich hoffe, es geht Ihnen beiden gut?«, sagt sie. Cat und Mrs. Bell nicken und murmeln dabei etwas vor sich hin. »Ich habe auf dem Rückweg von der Schule Mrs. Trigg besucht, Mrs. Bell. Sie hat sich nach Ihnen erkundigt.«

»Ach. Und wie geht es ihr? Schon besser?«, fragt Sophie.

»Ich fürchte, nein. Sie muss immer noch das Bett hüten. Ich weiß, dass sie sich über mehr Besuch sehr freuen würde«, bemerkt Hester.

Mrs. Bell nickt beflissen, sodass ihr Doppelkinn wackelt. »Ich werde bald bei ihr vorbeischauen, Madam«, sagt sie. Hesters Blick fällt auf den Waschzuber und die Flecken, an denen Cat herumschrubbt. Über ihren Ellbogen trocknet das Waschwasser schon zu schaumigen Ringen. Vielleicht haben die beiden deshalb über sie gelacht? Wieder brennen Tränen in Hesters Augen, und sie wendet sich abrupt ab, um an ihnen vorbei und weiter zur Vorderseite des Hauses zu gehen.

In diesem Moment ist von drinnen ein lautes Scheppern zu hören, gefolgt von kratzenden Geräuschen und einem dumpfen Krachen. Die drei Frauen wechseln einen raschen Blick. Hester schiebt sich an Sophie Bell vorbei, die länger braucht, um sich in Bewegung zu setzen, und erreicht die Hintertür als Erste. In dem kurzen Flur, der in die Küche mündet, liegt die Tür zur Kühlkammer. Der kleine Raum ist an das Haus angebaut und ein wenig tiefer im Boden versenkt. Drei Stufen führen hinunter, und durch den Steinboden und die Lagerregale aus soliden Schieferplatten bleibt er länger kühl, sogar bei großer Hitze. Das einzige kleine Fenster, nicht einmal vierzig Quadratzentimeter groß, sitzt knapp unter der Decke in der Wand gegenüber der Tür. Es ist keine Scheibe darin, nur ein Drahtnetz zum Schutz vor Insekten und Ungeziefer. Man fühlt sich in dem Raum wie in einer kompakten Höhle, und genau so ist er auch gedacht. Sämtliches Fleisch, Käse, Milch, Sahne und Obst – alles, was in einem warmen Zimmer verderben würde – halten sich länger auf den kühlen Schieferplatten oder an bestialisch aussehenden Haken in der Decke. Als Hester zu der Kammer eilt, lehnt Robin Durrant neben der Tür zum Kühlkeller.

»Was ist passiert? Das war der Teig für die Würstchen im Schlafrock!«, ruft Mrs. Bell aus, die hinter ihrer Herrin hergewatschelt kommt. Hester wirft einen Blick auf Robin Durrant, der ausnahmsweise einmal ernst wirkt, und dann in den kleinen Raum hinab, wo Albert sich die Arme mit Vorräten füllt.

»Albert? Was, in aller Welt, geht hier vor?«, fragt sie ihn.

»All diese Sachen müssen ausgeräumt werden, Hetty. Robin braucht dieses Zimmer«, erklärt Albert fröhlich.

»Aber … das ist die Kühlkammer, Mr. Durrant. Ich kann mir nicht vorstellen, dass sie Ihnen nützlich sein könnte«, sagt Hester.

»Sehr nützlich sogar, meine liebe Mrs. Canning. Ich habe nämlich beschlossen, meine Aufnahmen selbst zu entwickeln. Meine Ausrüstung wurde heute Morgen geliefert. In den hiesigen Labors ist man offenbar überfordert mit der Präzision, die für meine Arbeit nötig ist. Außerdem brauchen sie viel zu lange, um mir meine Abzüge zur Verfügung zu stellen«, sagt Robin. Er löst sich von der Wand, verschränkt die Hände hinter dem Rücken und macht keinerlei Anstalten, Albert zu helfen. »Ich bitte um Entschuldigung wegen Ihres Teigs, Mrs. Bell.« Der Theosoph lächelt die Haushälterin an, die innerlich kocht vor stummem Zorn.

»Aber … ich verstehe das nicht«, sagt Hester. »Hier bewahren wir frische Lebensmittel auf, die kühl gelagert werden müssen. Was hat das mit Ihren Fotografien zu tun?«, fragt sie.

»Verzeihung, meine Liebe«, sagt Albert und zwängt sich zwischen den beiden hindurch, die Arme mit Schinken und Käse beladen.

»Ich brauche eine Dunkelkammer, Mrs. Canning. Einen vollständig abgedunkelten Raum, in dem ich meine Filme sicher entwickeln kann. Dieser Raum hat nur ein winziges Fenster und eine gute, solide Tür. Also ist er ideal geeignet.«

»Aber das geht nicht, Reverend«, protestiert Mrs. Bell an den Pfarrer gewandt. »Bei diesem Wetter! Da wird sich nichts auch nur bis zum Abend halten, wenn ich es nicht kühl lagern kann! Im Winter könnten wir vielleicht auf die Kammer verzichten, oder auch noch im Frühjahr, aber jetzt? Nein, nein – kommt nicht infrage!«

»Bedauere, Mrs. Bell, aber das ist der ideale – nein, der *einzige* Raum – der dafür infrage kommt. Mr. Durrants Anforderungen sind sehr spezifisch«, entgegnet der Pfarrer mit fester Stimme und unerbittlicher Miene.

»Und kann er mir spezifisch erklären, wie ich ohne Kühlkammer zurechtkommen soll?«, fährt die Haushälterin auf, was Robin Durrant sehr zu amüsieren scheint.

»Das wäre alles, danke sehr, Mrs. Bell«, sagt Hester so besänftigend wie möglich. Mit finsterer Miene zieht die Haushälterin sich in die Küche zurück. Hesters Puls rast, und sie hat ein merkwürdiges Rauschen in den Ohren. »Albert«, versucht sie ihren Mann auf sich aufmerksam zu machen, als dieser wieder in die Kammer hinabsteigt und beginnt, sich Schüsseln voller Obst und Gemüse aufzuladen. »*Albert!*« Sie spricht eindringlich, aber leise, damit nur er sie hören kann. »Es muss irgendeinen anderen Platz für Mr. Durrants Ausrüstung geben! Dieser ist wirklich nicht geeignet – erstens gehört er zu den Wirtschaftsräumen, und Mrs. Bell hat ganz recht, gegen einen solchen Eingriff in ihr Reich zu protestieren. Außerdem ist es bei dieser Hitze ein Unding, keinen Raum für die Lagerung verderblicher Lebensmittel zu haben! Hättest du doch nur vorher mit mir darüber gesprochen, dann hätte ich dich gleich darauf hinweisen können, dass dies keine Lösung sein kann, und …«

»Doch, Hetty. Robin hat sich das ganze Haus angesehen, und dies ist der einzige Raum, der sich einigermaßen als Dunkelkammer eignet«, beharrt Albert.

»Nun ja … wie wäre es mit einem der Nebengebäude? Der alte Holzschuppen hat gar kein Fenster – könnten wir Mr. Durrant nicht dort die nötigen Arbeitsflächen schaffen?«

»Der alte Holzschuppen? Der ist voller Staub und Spinnweben, Hester! Sei doch nicht so albern! Wie sollte Robin inmitten von bröckelndem Putz und Sägespänen etwas so Empfindliches und Bedeutendes wie die Fotografie eines Elementarwesens hervorbringen? Du musst wirklich endlich damit aufhören, diese Arbeit zu behindern!«

»Aber … aber ihr solltet euch hier unten nicht einmal *aufhalten*«, flüstert Hester unglücklich. Zwei Premieren binnen fünf Minuten, denkt sie – Sophie Bell laut lachend und Albert im Untergeschoss, im weiblichen Reich von Küche und Hauswirtschaftsräumen.

»Verzeihung«, sagt Albert erneut und geht mit der Ladung Obst und Gemüse an ihr vorbei. Hester dreht sich nach ihm um und begegnet dem Blick des Theosophen, der noch immer untätig im Flur herumsteht. Sie kann ihm nicht standhalten und schlägt die Augen nieder, von vager Empörung erfüllt.

»Ich bedauere *sehr*, dass ich Ihnen solche Umstände bereite«, sagt Robin ohne jedes hörbare Bedauern. Hester beißt die Zähne zusammen und ringt sich ein knappes Lächeln ab, ehe sie an ihm vorbeigeht und ihrem Mann folgt. Sie bringt es nicht über sich, die Entschuldigung höflich anzunehmen.

»Sie kommen gewiss zurecht, Mrs. Bell. Sie sind eine so tüchtige Frau, Sie wissen sich doch zu helfen«, sagt Albert etwas verlegen zu der Haushälterin, als Hester die Küche betritt.

»Dann wenigstens die Milch, Reverend? Es kann doch nicht schaden, wenn ich die Milch dort drin lagere – sie braucht auch nicht viel Platz …«

»Nein, ich fürchte, das kommt nicht infrage. Das Risiko einer Kontamination ist zu groß. Nun, also … Es tut mir leid, wenn Ihnen das lästig ist, Mrs. Bell, aber die Bedürfnisse unseres Gastes gehen in diesem Fall vor. Unsere Arbeit ist von äußerster Wichtigkeit. Ich wäre Ihnen dankbar, wenn Sie jetzt die restlichen Lebensmittel wegräumen würden, und dann möchte ich nichts mehr davon hören«, sagt der Pfarrer und geht die Treppe hinauf.

»Madam, können Sie nicht mit ihm reden? Das ganze Essen wird verderben!«, fleht Sophie Hester an, sobald Albert außer Hörweite ist.

Hester bekommt plötzlich kaum noch Luft, sodass sie nur hilflos den Kopf schütteln kann. »Es tut mir leid, Sophie. Bitte tun Sie einfach Ihr Bestes«, entgegnet sie schließlich. Dann blickt sie hinter sich in den Flur, doch Robin Durrant ist auf den Hof hinausgegangen und hat die halb leere Kühlkammer und die verschüttete Panade hinter sich gelassen, die schon die Fliegen anzieht. Sekunden später erscheint Cat mit empörtem Gesicht in der Hintertür und wischt sich die Hände an ihrer Schürze ab.

»Der Theosoph hat mich hergeschickt, damit ich seine verdammte Schweinerei aufwische«, faucht sie und zuckt leicht zusammen, als sie bemerkt, dass Hester noch im Raum ist. »Verzeihung, Madam«, murmelt sie.

»Nein, ist schon gut, Cat. Aber wenn du gerade Zeit hast, kümmere dich bitte darum«, sagt Hester kleinlaut und flüchtet vor der Wut der beiden Frauen. Am Kopf der Treppe bleibt sie stehen, weil sie plötzlich nicht mehr weiß, wohin sie gehen oder was sie als Nächstes tun sollte. Es scheint, als hätte sich das Haus irgendwie verändert – als wäre in ihrer Abwesenheit jemand hier gewesen und hätte sämtliches Mobiliar ein wenig verrückt, sodass nichts mehr am rechten Fleck steht. *Unsere Arbeit ist von äußerster Wichtigkeit.* Alberts Worte hallen ihr durch den Kopf. Ist da also dieses wichtige Etwas verloren gegangen? Hat es an dem Tag angefangen, als Albert ins Haus gerannt kam und ihr sagte, er hätte ein Elementarwesen gesehen? Damals konnte sie kaum glauben, dass er das ernst meinte. Beunruhigt und beinahe beängstigt geht Hester in den Salon und setzt sich auf die Kante eines Stuhls. Sie fühlt sich mutterseelenallein.

Mrs. Bell wartet, bis Hesters Schritte verklungen sind. Dann dreht sie sich mit vor Wut verkniffenem Gesicht zu Cat um.

»Was soll das alles?«, fragt Cat.

»Tja, der junge Gast braucht eine *Dunkelkammer*. Anscheinend, um Fotografien darin zu machen, obwohl es mir ein Rätsel ist, was für Bilder er in einem Raum ohne Licht machen will. Und das soll ausgerechnet meine Kühlkammer sein! Kein anderer Raum im Haus ist ihm gut genug – es muss dieser hier sein! Und sämtliche Lebensmittel müssen ausgeräumt werden, damit er da drin Platz hat, wofür auch immer. Heute Abend haben wir nur noch ranzige Butter und saure Milch!«

»Schon gut – beruhigen Sie sich. Er wird die Bilder in der Dunkelkammer entwickeln, nicht aufnehmen«, sagt Cat.

»Bilder entwickeln? Was meinst du damit?«

»Die Platten sind sehr lichtempfindlich, solange die Filme nicht entwickelt sind – so kommt ja überhaupt erst ein Bild auf das Material. Danach darf kein Licht mehr darauf fallen, bis das Bild mit den richtigen Chemikalien fixiert ist – schon der geringste Schimmer würde die Aufnahme ruinieren«, erklärt Cat.

»Woher, in Gottes Namen, weißt du das alles? Nein, sag nichts. Aus London«, brummt Mrs. Bell.

»So ist es. Der Gentleman ist ein begeisterter Hobbyfotograf.«

»Ja, natürlich. Also, da du ja in London so ungeheuer viel gelernt hast, weißt du vielleicht auch, wie wir verhindern sollen, dass die Milch hier noch vor der Mittagszeit umkippt?«, fragt sie säuerlich.

Cat denkt nach. »Wissen Sie was, mir fällt da tatsächlich etwas ein«, sagt sie dann leichthin. »Hat die Pfarrersfrau irgendwo gummierte Decken? Für ein Picknick im feuchten Gras oder Ähnliches?«

»Ich glaube schon, in einer der Truhen. Was, um alles in der Welt, hast du damit vor?«

»Suchen wir sie erst einmal, dann zeige ich es Ihnen«, sagt Cat. Sie späht den Flur entlang, ehe sie die Treppe hinaufgeht, und sieht die Silhouette des Theosophen, der noch immer draußen auf dem Hof steht. Die Vorstellung, dass er sich von jetzt an oft hier unten aufhalten wird, gefällt ihr überhaupt nicht – dass er da sein und sie sprechen hören könnte oder ihr bei der Arbeit zusehen. Sie kann nicht recht sagen, warum, aber es wäre ihr lieber, ihn nicht in der Nähe zu haben. Es kommt ihr so vor, als sei die sichere Küche kein abgeschiedener Rückzugsort mehr.

In einer der Kommoden im Flur findet Cat, was sie sucht: zwei große, quadratische Decken aus wasserdichtem Wachstuch. Sie holt eine Rolle kräftiges Juteseil aus dem Gewächshaus, dann packt sie zusammen mit der Haushälterin das Fleisch und alle Milchprodukte in einen großen Korb. Jede von ihnen nimmt einen Henkel, und so schleppen sie den Korb hinaus in den Garten bis zur hinteren Ecke des Rasens. Hier spendet ein Grüppchen alter Apfelbäume, auf denen Misteln kauern, ein wenig Schatten. An diesem vor der Sonne geschützten Fleckchen, kühl und beruhigend, wächst das Gras höher und grüner.

»Was soll das werden, Mädchen?«, fragt Mrs. Bell, als Cat ihre Seite des Korbs schwer zu Boden fallen lässt. Cat deutet auf eine verfallene kleine Mauer mit einer halb verrotteten Abdeckung aus Holz darüber.

»Der alte Brunnen«, sagt sie und hievt die schwere Abdeckung beiseite. Der dunkle Schacht atmet einen feuchten, modrigen Geruch aus. Cat streift die Spinnweben vom Rand und schnippt ruhig eine Spinne von der Hand, die gerade versucht, an ihren Fingern hochzukrabbeln.

»*Igitt*, wie hältst du das nur aus?«, bemerkt Mrs. Bell und schüttelt sich.

»Es gibt weitaus Schlimmeres im Leben als Spinnen, Sophie Bell.«

»Für dich immer noch Mrs. Bell«, ermahnt sie die Haushälterin, doch sie klingt dabei irgendwie geistesabwesend

»Also: Wir verschnüren die Sachen in Bündel, schön fest, und lassen sie ein Stück in den Brunnen hinab. Dann binden wir sie oben irgendwo fest. Wir brauchen dafür so was wie einen Balken – hier, das geht«, erklärt Cat, hebt ein geborstenes Brett vom Boden auf und legt es quer über die runde Öffnung.

»Kühl ist es wohl da drin. Jedenfalls kühler als in der Küche«, gesteht Mrs. Bell ihr zu.

»Allerdings.« Cat klappt den Deckel des großen Korbs auf und beginnt, den Inhalt auf dem üppigen Gras zu verteilen.

»Aber mit den Milchkrügen geht das nicht. Die müssen wir drinnen in Eimer mit kaltem Wasser stellen.«

»Und wenn die Milch gegen Nachmittag schlecht zu werden droht, kochen wir den Rest einfach auf. Dann müsste sie sich wenigstens bis morgen früh halten«, fügt Cat hinzu.

Eine sachte Brise streicht durch die Blätter über ihnen, die trocken sind wie Pergament. Mrs. Bell tritt zurück und verschnauft einen Moment. Sie beäugt den Brunnenschacht mit finsterem Argwohn, beinahe so, als hätte sie Angst davor.

»Woher wusstest du überhaupt von diesem Brunnen?«, fragt sie schließlich.

»Ach, wissen Sie, ich habe mich eben … umgesehen«, antwortet Cat.

»Darauf möchte ich wetten. Eher herumgeschnüffelt, nehme ich an.« Mrs. Bell bleibt still stehen und beobachtet den Brunnen; sie macht keine Anstalten, mit auszupacken. Cat öffnet gerade den Mund, um sie um Hilfe zu bitten, als Sophie Bell sagt: »Ich kann da nicht näher heran, glaube ich. Nein, kann ich nicht. Nicht zu nahe, und reinschauen schon gar nicht.« Sie schaudert leicht und klemmt die Hände fest in die fleischigen Achselhöhlen.

»Aber warum denn nicht? Was gibt es da zu fürchten? Eine so füllige Frau wie Sie könnte doch gar nicht hineinfallen«, sagt Cat, die immer noch fleißig auspackt. Doch als sie aufblickt, sieht sie, dass die Haushälterin ganz blass geworden ist. Ihr Gesicht ist beinahe gelblich weiß, wie die Butter, die Cat in Händen hält. »Geht es Ihnen nicht gut?«, fragt sie sanfter.

»Ich habe in einem Brunnen meinen Walter verloren. Meistens versuche ich, nicht daran zu denken, wie man das eben so macht. Du weißt schon. Aber manchmal kann man eben nicht anders, als doch daran zu denken«, sagt Sophie Bell, und ihre Stimme klingt ungewohnt, viel dünner und leiser als sonst – tonlos und niedergeschlagen.

»Walter? Ich habe noch nie gehört, dass Sie ihn erwähnt haben. Wer ist Walter?«

»Mein kleiner Junge natürlich! Erst fünf war er, als ich ihn verloren habe.« Sophie Bell presst die Lippen fest zusammen, sodass ihr Kinn Dellen bekommt.

»Er ist in einen Brunnen gefallen?«, fragt Cat leise.

»Die größeren Jungen haben ihn herausgefordert – eine Art Mutprobe. Die kleinen Mistkerle. Sie hatten nichts Böses im Sinn, das weiß ich, aber damals hätte ich ihnen natürlich den Hals umdrehen können. Sie haben behauptet, er würde sich nie trauen, so weit am Seil runterzuklettern, dass er das Wasser berühren kann. Der dumme Junge hat es tatsächlich versucht – er wusste es ja nicht besser. Beinahe hat er es auch wieder nach draußen geschafft, haben sie hinterher erzählt, aber dann ist er am Seil abgerutscht und wieder reingefallen. Er hat sich den Kopf an der Wand gestoßen, und das war's dann.« In der Stille nach Mrs. Bells Geschichte kommt ein Rotkehlchen angeflattert, um sie auszuspähen. Cat bricht ein Krümelchen Käse ab und wirft es vor den Vogel ins Gras.

»Das ist schrecklich, Sophie«, sagt sie leise, und mitfühlender Kummer schnürt ihr die Kehle zu. »Es tut mir sehr leid, das zu hören.«

»Ist bald zwanzig Jahre her, aber er fehlt mir immer noch. Nächste Woche hätte er Geburtstag gehabt. Er wäre jetzt kaum älter als du.«

»Waren Sie damals verheiratet?«

»Natürlich war ich verheiratet, Herrgott! Wir sind nicht alle so auf Skandale aus wie du, Cat Morley. Und als Nächstes willst du sicher wissen, was aus meinem Mann geworden ist. Tja, der ist mir dann an einem Tumor gestorben. Keine zwei Jahre, nachdem Walter in den Brunnen gefallen war. Kein großer Verlust für mich oder für die Menschheit, aber er hatte mir meinen Walter geschenkt, und dafür war ich ihm dankbar. Ein süßes Kind war er – so lieb und so fröhlich.«

»Ich hatte keine Ahnung, dass Sie einen solchen Verlust erlitten haben«, sagt Cat sanft. Am liebsten würde sie Sophies Hand nehmen, doch die Haushälterin hält die Arme fest verschränkt. »Es muss sehr hart für Sie gewesen sein, damit weiterzuleben. Kein Wunder, dass Sie so verbittert geworden sind.«

»Den ganzen Tag lang deine frechen Bemerkungen zu hören trägt nicht unerheblich zu meiner Verbitterung bei, junge Dame. Du hast die üble Angewohnheit, einfach alles auszusprechen, was dir in den Kopf kommt, weißt du das?«, erwidert Sophie.

»Ja, das hat man mir schon gesagt. Aber Sie hätten doch wieder heiraten und noch ein Kind bekommen können, nicht?«, fragt Cat. Mrs. Bell schüttelt traurig den Kopf.

»Nur ein Mädchen, das noch kein Kind geboren hat, könnte glauben, dass eins so leicht zu ersetzen wäre. Es bricht einem das Herz, ein Kind zu verlieren. Und außerdem haben die Männer nach einer wie mir nicht gerade Schlange gestanden. Wahrscheinlich war es da sowieso schon zu spät, um noch ein Kind zu bekommen, selbst wenn ich einen Mann gefunden hätte, der mir gefällt.«

»Ach, ich weiß nicht. Sie hätten sich doch ohne Weiteres ins Herz eines Mannes kochen können.« Cat lächelt.

»Du hast heute wohl die Weisheit mit Löffeln gefressen, was? Na los, sehen wir zu, dass wir hier fertig werden. Wir müssen uns um das Mittagessen kümmern. Der Herrin knurrt sicher bald der Magen. Ganz zu schweigen von diesem gelehrten jungen Mann, dessen Arbeit ja so ungeheuer wichtig ist.«

»Ja, wer hätte geahnt, dass sie derart wichtig ist? Der Pfarrer behandelt ihn, als gehörte er zum hohen Adel«, bemerkt Cat.

»Ja, nicht? Nun, dann muss er wohl mehr wissen als wir, nehme ich an.«

»Da bin ich mir nicht so sicher«, brummt Cat. Mrs. Bell wirft ihr einen fragenden Blick zu, und Cat zuckt mit den Schultern. »Der Pfarrer sollte vorsichtig sein. Offenbar hat Robin Durrant keinen eigenen Wohnsitz. Ich habe das Gefühl, dass er nur zu gern diesen hier übernehmen würde.«

»Wie meinst du das, übernehmen?« Die Haushälterin runzelt die Stirn. Cat zuckt erneut mit den Schultern.

»Wir werden sehen«, sagt sie.

Als alle Teller und Gläser vom Abendessen gespült, abgetrocknet und aufgeräumt sind, der Esstisch gewischt und die Servietten gefaltet und glatt gepresst oder in den Waschkorb gelegt sind, schlüpft Cat zur Hintertür hinaus auf den Hof und steckt sich eine Zigarette zwischen die Lippen. George wird noch ein paar Tage mit dem Kahn unterwegs sein – er bringt eine Ladung Holz den Kanal hinauf nach Surrey. Viereckige Zaunpfosten mit scharf gespitzten Enden, frisch behauen, das Holz hell und feucht. Cat hat die Männer den Kahn beladen gesehen, als sie mit den Briefen von Hester auf dem Weg zum Postamt in Thatcham war. Georges Boot hatte Gesellschaft von zwei weiteren Lastkähnen bekommen. Die Pferde wurden aus ihren baufälligen Ställen geholt und reckten sich nach langen, grünen Stängeln, während sie an die Taue geschirrt wurden. Sie schüttelten die Mähnen und schlugen mit den Schweifen nach den Fliegenschwärmen. Die Männer trugen dicke Arbeitshandschuhe und hatten sich die Hosenbeine unter dem Knie mit Schnüren umwickelt, zum Schutz gegen die Ratten, die panisch flüchteten, als die hohen Holzstapel abgebaut und auf den Kähnen neu aufeinander geschichtet wurden. George klebte das Hemd am Rücken, und er runzelte im grellen Sonnenschein die Brauen. Sie rief nicht nach ihm, denn es erschien ihr nicht richtig, ihn bei der Arbeit zu stören. Es gefällt ihr, dass sie ihn dieses Mal gesehen hat, er sie aber nicht. Das ist, als besäße sie jetzt ein kleines Stückchen mehr von seinem Leben, als er ihr freiwillig gegeben hat. Jetzt wünscht sie, er wäre schon zurück. Sie könnte allein im Dunkeln spazieren gehen, aber ohne Ziel kommt ihr das sinnlos vor.

Sie tastet in ihrer Tasche nach den Streichhölzern, da flammt plötzlich neben ihr in der Dunkelheit eines auf und lässt sie zusammenzucken. Robin Durrant beugt sich vor und erscheint hinter dem orangeroten Flämmchen, das er ihr mit einem leichten Lächeln hinhält. Aus irgendeinem Grund, den Cat nicht genau bestimmen kann, ist ihr erster Impuls, es abzulehnen. Doch sie nimmt das Feuer an, tut einen langen Zug an ihrer Zigarette und hustet ein wenig.

»Danke«, sagt sie reserviert.

»Gern geschehen«, entgegnet er. Cat mustert ihn im schwachen Lichtschein, der durch die Tür fällt. Er bewegt sich ein wenig zurück und lehnt sich an die Wand. Sein Körper biegt sich elegant zu einer lässigen Haltung, die Hüfte leicht vorgeschoben, der Kopf zurückgeneigt.

»Was tun Sie hier draußen? Sie rauchen ja nicht einmal«,

bemerkt sie. Der Hof ist für sie inzwischen ihr Platz, diese Augenblicke nach dem Abendessen ihre Zeit.

»Ich habe geraucht. Bin gerade fertig geworden, ehe du herausgekommen bist, Cat.« Die Art, wie er ihren Namen ausspricht, hört sich für sie allzu vertraulich an. »Tut mir leid, wenn ich dich erschreckt habe«, fährt er fort und wendet ihr den Kopf zu. Die Konturen seines Gesichts werden sanft erhellt. Sauber und klar, glatte Stirn, der Schwung seines Kiefers. Die Augen verlieren sich im Schatten. Sein Gesicht ist schön, wird Cat plötzlich bewusst. Geradezu makellos schön, wie das eines Heiligen oder eines Sinnbilds der Liebe auf einem Gemälde. Aber auch undurchschaubar, undurchdringlich. Seine Freundlichkeit wirkt wie eine Maske.

»Sie haben mich nicht erschreckt.«

»Nein. Ich möchte wetten, dass so einiges nötig wäre, um dich zu erschrecken«, entgegnet er. Cat ignoriert ihn und zieht an ihrer Zigarette. Die Spitze glüht hell auf. »Man sagt, du hast schon einiges erlebt. Ein ziemlicher Hitzkopf, habe ich gehört«, sagt er beinahe kameradschaftlich.

»Wer hat Ihnen das erzählt? Ich dachte, die Pfarrersfrau hätte dem Klatsch abgeschworen.«

»Nicht doch, die gute Hester war es nicht. Aber in einem kleinen Ort spricht sich so etwas schnell herum. Das weiß ich selbst am besten – erst neulich habe ich im Vorbeigehen gehört, wie ein Kind, das keine sechs Jahre alt war, mich als den *Feenmann* bezeichnet hat. Nun erklär mir doch bitte mal, wie es auf diese Idee gekommen sein könnte.«

»Ein kleines Mädchen mit dunkelbraunen Locken und Stupsnase, nehme ich an?«, fragt Cat.

»Ja, tatsächlich – du kennst sie?«

»Tilly. Die Tochter von Mrs. Lynchcombe, die unsere Wäsche macht. Ich denke, Sophie Bell hat ihr erzählt, was Sie hier so treiben, und diesem Kind entgeht nichts.«

»Gut möglich. Allerdings sehe ich auch, wie *du* dich an halb geöffneten Türen herumdrückst, wenn ich mich mit dem Pfarrer oder seiner Frau unterhalte. Und offenbar aufmerksam zuhörst«, setzt er spitz hinzu. Cat zügelt ihren Ärger, wendet sich von ihm ab und schweigt. Über ihrem Kopf kreisen Motten flatternd um das Licht im Flur und stoßen sich dabei den weichen Staub von den samtenen Flügeln. »Komm schon, Cat – Schüchternheit kaufe ich dir nicht ab. Du bist nicht der Typ dafür.«

»Was wissen Sie schon über meinen Typ? Was wissen Sie überhaupt von mir?«

»Womit meine Einschätzung bewiesen wäre.« Er lächelt.

»Sie lächeln zu viel. Die Leute müssen doch merken, dass Sie sich über sie lustig machen«, sagt sie ruhig.

»Überraschend wenige«, gibt Robin zu. »Du bist sehr ungewöhnlich für ein Dienstmädchen, Cat Morley.«

»Wie sollte ein Dienstmädchen denn sein? Ich dachte, Ihre Theosophische Gesellschaft unterscheide Menschen nicht nach ihrer Klasse oder Rasse.«

»So ist es. Aber obgleich es solche Unterschiede nicht geben sollte, sind sie trotzdem eine Tatsache. Die Theosophie lehrt ebenfalls, dass ein Mensch, der in diesem Leben schwere Arbeit leisten oder Leid ertragen muss, damit für Missetaten in einem vergangenen Leben büßt. Das ist das Weltgesetz, karmische Gerechtigkeit.«

»Ja, ich habe Sie neulich Abend darüber sprechen hören. Ich bin Dienstbote, weil ich in einem anderen Leben eine Mörderin war, ist das so richtig?«, fragt Cat trocken.

»Vielleicht.« Robin grinst, offenbar erfreut darüber, dass es ihm gelungen ist, sie herauszufordern.

Cat denkt kurz darüber nach. »Vielleicht. Aber vielleicht war ich in einem vergangenen Leben auch eine hungrige Bettlerin, aber eine ganz besonders gute, und dies ist meine

Belohnung. Sie waren vielleicht ein König, aber schlecht und verderbt. Und dies ist Ihre Strafe.« Sie weist auf seine ganze Person – sein zerzaustes Haar, die leicht zerknitterte Kleidung. Robin Durrant lacht leise. »Karmische Gerechtigkeit, sagen Sie? Das ist überhaupt keine Gerechtigkeit«, erklärt sie.

»Ist denn die christliche Denkweise gerechter? Dass eine Gottheit eine menschliche Seele erschafft und ihr nur ein einziges Leben zugesteht? Und während dieser Lebensspanne darf dieser Gott ihr Schmerz und Leid und Unglück zuteilwerden lassen, die er ganz ohne Grund einfach so verabreicht? Oder nur, um diesen Menschen auf die Probe zu stellen? Was wäre das für ein grausamer Gott!«

»Aber wie könnte eine Seele in einem neuen Körper aus den Fehlern ihrer Vergangenheit lernen, wenn ihr nicht die Möglichkeit gegeben wird, sich daran zu erinnern?«, erwidert Cat.

»Nun ja …« Robin Durrant gerät ins Stocken. »Tja. Indem sie der Lehre der Theosophie folgt und dadurch Einsicht in ihren Zustand erlangt.«

»Das ist keine Antwort. Sie sagen damit, dass man, um Wissen zu erlangen, dieses Wissen schon besitzen muss? Wie sollte ein Armer im Staub des tiefsten Afrika auch nur eine Ahnung von diesem großartigen Plan bekommen? Ihre Karma-Theorie ist nicht gerechter als die Vorstellung von einem willkürlichen, gedankenlosen Universum.«

»Daran glaubst du also? Ein großes Nichts? Bist du Atheistin?«, fragt Robin. Cat zuckt bei dem Wort zusammen, weil sie fürchtet, der Pfarrer oder seine Frau könnten es hören. Sie zieht ein letztes Mal an ihrer Zigarette und tritt sie unter dem Absatz auf den Pflastersteinen aus. Die Nacht ist schwül und stickig. Schlaf zu finden wird schwierig sein. In der Ferne grollt Unheil verkündender Donner.

Der westliche Horizont färbt sich dunkelviolett, und die üblichen Geräusche der Nacht sind gedämpft, wie erstickt. Cats Körper sehnt sich nach George, nach seinen schweren, ruhigen Händen.

»Ich habe am Abgrund des Todes gestanden. Ich habe genau hingeschaut. Und da war nichts«, sagt sie schließlich schroff.

»Du bist wirklich recht seltsam für ein Dienstmädchen«, wiederholt Robin.

»Sie essen kein Fleisch, aber Sie trinken Wein und Cognac, und Sie rauchen. Ich würde meinen, Sie sind recht seltsam für einen Theosophen.«

»Aber die Theosophische Gesellschaft besteht doch nicht aus Heiligen, Cat. Nur aus Sündern, die sich bemühen, bessere Menschen zu werden.« Cat verdreht leicht die Augen, löst sich von der Wand, verschränkt die Arme und geht zur Tür. »Doch nicht schon zu Bett? Willst du dich heute Abend denn gar nicht mit deinem Liebsten treffen?«, fragt Robin freundlich. Bei diesen Worten zögert Cat und wirft ihm einen besorgten, zornigen Blick zu. Sein Lächeln wirkt jetzt kälter, schärfer, und der wissende Ausdruck in seinen glitzernden Augen macht sie nervös. Robin zuckt allzu beiläufig mit den Schultern. »So etwas spricht sich herum. Aber keine Sorge. Dein Geheimnis ist bei mir sicher.« Sein Tonfall klingt betont lässig und straft seine Worte damit Lügen. Cat runzelt die Stirn und betritt das Haus. »Warte – möchtest du nicht noch etwas bleiben und dich mit mir unterhalten?«, fragt er. Da ist es wieder, dieses lässige, etwas träge, hinreißende Lächeln.

»Warum in aller Welt sollte ich das wollen?«, faucht Cat ihn an. Dann besinnt sie sich und zügelt ihre scharfe Zunge. »Gute Nacht, Sir«, sagt sie höflich und lässt ihn in der Dunkelheit stehen.

Am nächsten Morgen nimmt Cat den kleinen Stapel Briefe vom Postboten entgegen und arrangiert sie auf einem Silbertablett, um sie hinauf an den Frühstückstisch zu bringen. Da sticht ihr ihr eigener Name ins Auge. Er steht auf einem kleinen grauen Umschlag, in einer runden, kindlichen Handschrift, die sie nicht erkennt. Der Poststempel ist aus London. Cats Herz zieht sich schmerzhaft zusammen. Tess, denkt sie, lässt den Brief in die Schürzentasche gleiten und bringt hastig das Tablett hinauf an den Frühstückstisch. Sie stellt es recht unsanft vor dem Pfarrer auf den Tisch und zieht sich zurück, ohne Hesters höfliches Dankeslächeln zu bemerken oder Robin Durrants Blick, der ihr folgt. Sie schlüpft hinaus auf den Hof, reißt den Briefumschlag auf und starrt auf das helle Papier. Der Himmel ist mit weißen Wolken bedeckt, so dicht und einförmig, dass es den Anschein hat, als sei der Himmel heute zu müde für Blau. Doch der Brief ist nicht von Tess.

Liebe Cat,
ich schreibe dir weil ich weis das Mrs. Heddingly den Brief aufgemacht hat den wo du unserer Tess geschrieben hast. Die ist nicht mehr hier. Ich finde sie hätte ihn nicht aufmachen sollen weil sie hätte ihn auch weiterschicken können hat sie aber nicht. Wir haben alle Tess ihren Namen vorne drauf gesehen und später bin ich heimlich in Mrs. Heddinglys Zimmer gegangen und habe ihn mir angeschaut. Das war auch nicht richtig aber sie hat zuerst was falsch gemacht weil sie ihn aufgemacht hat. Ich habe ihn nicht gelesen ich schwörs nur geschaut von wem er war und mir aufgeschrieben wo du jetzt bist damit ich dir das schreiben kann. Tess mus jetzt im Armenhaus arbeiten. Frosham House heist es und es liegt an der Sidall Road in der Nähe von Soho. Was ich gehört habe gibt es schlimmere aber trotzdem ist es nicht

gut da und die wo reingehen kommen dünn und schwach wieder
raus oder gar nicht. Wir konnten ihr alle kein bisschen nicht
helfen weil wir selber kein Geld haben was wir ihr geben könnten
und sie keine Familie hat. Ich mus sagen das es falsch von
Mrs. Heddingly war ihr deinen Brief nicht zu geben aber als es
pasiert war hat sie ein gutes Wort für Tess eingelegt aber der Herr
wollte nichts davon wisen. Frosham House erlaubt Besuche nur
jeden dritten Sonntag im Monat am Nachmittag und sonst nie.
Ich und Ellen waren letzten Monat da aber Tess wollte nicht
rauskommen und mit uns reden. Ich hoffe dir geht es beser Cat.
Hier ist es nicht wie früher ohne dich und Tess.

Von Suzanne

Im Armenhaus. Tess. Cat liest den Brief erneut, und das
Herz wird ihr schwer wie Blei in der Brust. Sie schließt die
Augen und ballt die Hand zur Faust, sodass das zerknitterte
Papier in ihre Haut schneidet. Wie konnte er das tun? Der
Gentleman mit seiner vorgetäuschten Gutmütigkeit und seinen fortschrittlichen Ideen. Er muss gewusst haben, dass
Tess sich ohne Cat im Haus still und brav betragen hätte. Er
muss gewusst haben, dass ein Waisenmädchen, das seine
Stelle verliert und kein Empfehlungsschreiben bekommt,
nur zweierlei Möglichkeiten hat: entweder seinen Körper zu
verkaufen oder ins Armenhaus zu gehen. Die Ungerechtigkeit brennt in Cats Kehle wie Galle. In diesem Augenblick
hasst sie ihn, trotz allem. Tess, im Grunde noch ein Kind, vor
eine solche Wahl zu stellen. Sie hätte sich nie als Hure durch-
bringen können. Sie hat Angst vor Männern und träumt immer noch davon, dass sich eines Tages ein Prinz mit zärtlichen Händen und poetischer Seele in sie verlieben und sie
ihrer goldenen Locken und ihres weichen, weißen Leibes

wegen heiraten wird. Und wer weiß – vielleicht wäre das irgendwann sogar geschehen. Vielleicht eher ein Handwerker als ein Prinz, aber immerhin. Jetzt nicht mehr. Jetzt erwartet Tess nichts als endlose Schufterei und von Ratten angeknabbertes Brot, und der Gestank der hilflosen Alten und Kranken in ihren feuchten Kammern. Wie sehr Cat ihn hasst!

Als Cat vorzeitig aus dem Gefängnis entlassen wurde, war ihr nicht klar, was das bedeutete: dass sie Tess nie wiedersehen würde. Cat war zu zwei Monaten verurteilt worden, wurde aber zehn Tage früher entlassen. Die schwere Infektion in ihrer Brust hatte sie fast aufgezehrt, ihre Haut spannte sich straff über die Knochen, ihr Haar war kurz geschoren worden, und ihre gesprungenen Lippen weinten Blutstropfen, wenn sie sprach. Die WSPU schickte ein Empfangskomitee, das sie und zwei andere Mädchen abholte, die ebenfalls vorzeitig entlassen wurden, weil ihre Kräfte rasch schwanden und die Regierung keine Märtyrerinnen wollte. Man fuhr sie zu einem Versammlungssaal, wo ein großer Frühstücksempfang für sie stattfand und Lobreden auf ihre Tapferkeit gehalten wurden. Nur diese Ansprachen hielten Cat davon ab, vor Erleichterung und Schmerz laut zu schluchzen. Sie bewahrte die Fassung, indem sie kein Wort sagte – sie hielt die zerschundenen Lippen leicht zusammengepresst und murmelte nur einen kurzen Dank, als ihr die Holloway-Medaille an den Kragen gesteckt wurde.

Sie selbst konnte die Speisen nicht anrühren. Von den beiden anderen Mädchen knabberte das eine höflich an Sandwiches, Kuchen und Obst, während das andere so schnell und verzweifelt über das Essen herfiel, dass es würgen musste. Die Frauen drängten Cat zu essen, damit sie wieder zu Kräften kam. Sie brachten ihr sogar einen Becher Fleischbrühe, nachdem sie alles andere abgelehnt hatte. Cat probierte vorsichtig davon, konnte die Brühe aber nicht herunterschlucken und spuckte sie schließlich so unauffällig wie möglich wieder in den Becher. In einem prachtvollen, goldgerahmten Spiegel an einem Ende des Saals erhaschte sie einen Blick auf sich selbst. Ein bleiches Gespenst in Lumpen mit schorfigen Stellen um den Mund und blauen Flecken an Hals und Handgelenken. Ihre Kleider hingen lose an ihrem knochigen Körper herab, und wo ihre Kopfhaut nicht von einem Hut bedeckt wurde, hatte sie eine hässliche graue Farbe. Die Frauen des Empfangskomitees, die sich emsig um sie bemühten, sahen aus wie dralle, glänzende Vögel – wie dicke Rebhühner oder Tauben mit ihren üppigen Brüsten und den strahlenden, fröhlichen Augen. Cat starrte in den Spiegel und erkannte sich kaum wieder.

Später brachte man sie heim in die Broughton Street, und von dort fuhr der Gentleman auf der Stelle mit ihr zu seinem eigenen Arzt. Dies war das erste und einzige Mal, dass sie in seinem Automobil mitfuhr. Obwohl sie so benommen und erschöpft war, nahm sie die völlig neuartige Fortbewegung in einem Wagen mit Selbstantrieb sehr wohl wahr. Erst später, als Tess noch immer ihre Strafe absaß und Cat erfuhr, dass man für sie selbst eine neue Stellung auf dem Land gefunden hatte, wurde ihr klar, dass sie ihre Freundin vielleicht nie wiedersehen würde, nichts wiedergutmachen konnte. Am Tag ihrer Abreise fuhr sie mit dem Bus zum Bahnhof Paddington. Mrs. Heddingly begleitete sie, um sich zu vergewissern, dass sie auch wirklich in den Zug stieg, während Cat Tränen über die Wangen strömten und ungehindert von ihrem Kinn tropften.

»Diesen Sonntag? Tut mir leid, Cat, aber das kommt nicht infrage«, sagt die Pfarrersfrau, als Cat ihre Bitte vorbringt. Hester Canning sitzt am Schreibtisch im Musikzimmer und arrangiert gepresste Veilchen, gelbe und indigoblaue Stiefmütterchen und rosaroten Phlox zu einem passenden Muster in ihrer Blumenpresse. Sie arbeitet rasch, denn in der Hitze des Tages beginnen die Blütenblätter bereits zu welken. Mehrere angerissene Veilchen hat sie schon beiseitegelegt.

»Aber sie lassen Besucher nur am dritten Sonntag des Monats ein. Das ist dieser Sonntag. Wenn ich diese Woche nicht hingehe, kann ich sie erst wieder in einem Monat besuchen, Madam ...«

»Aber so kurzfristig, Cat, und morgen reist meine Schwester mit ihrer Familie an, da wirst du hier dringend gebraucht. Es tut mir wirklich leid, aber ich kann dir nicht freigeben. Ich verspreche dir, dass du deine Freundin nächsten Monat besuchen darfst. Wie wäre das? Den dritten Sonntag im August hast du dann ganz für dich, zum Ausgleich für den Nachmittag, den du diese Woche nicht freibekommst. Wenn du mit dem Frühzug in die Stadt fährst, kannst du viel Zeit mit deiner Freundin verbringen.« Hester lächelt fröhlich, als ginge es um einen vergnüglichen Ausflug. Sie schließt den hölzernen Deckel der Blumenpresse und dreht an den Schrauben. Die beiden Holzplatten werden immer fester zusammengedrückt, und die hilflosen Blumen, die dazwischen gefangen sind, werden platt gepresst und erstickt. Cat versucht, ruhig weiterzuatmen, doch sie hat das Gefühl, dass es ihr die Brust zusammenpresst, als drehe Hester zugleich auch an ihr Schrauben immer fester zu. Wie kann sie der Pfarrersfrau nur erklären, was ein Armenhaus in London bedeutet? Die Worte wollen sich nicht zu Sätzen verbinden, sondern verfangen sich in ihren verzweifelten Gedanken. In einem Monat könnte Tess schon verwelkt und verloren sein. Nicht unbedingt tot, doch das Licht in ihrem Inneren könnte erloschen, ihre Unschuld erstickt sein, ihre Seele zerdrückt wie diese Blütenblätter, aber ohne als hübsches Bild irgendwo erhalten zu bleiben. Cat hat Menschen gesehen, die aus dem Armenhaus freigekauft wurden. Sie kamen ihr vor wie bloße Hüllen. Hinter ihren Augen war nichts als hallende Leere und die Schatten von Kummer und Verzweiflung.

»Bitte«, versucht sie es noch einmal mit einer Stimme, die kaum mehr ist als ein Krächzen. »Es ist außerordentlich wichtig. Teresa ist eine sehr gute Freundin, und sie hat allein meinetwegen ihre Stellung verloren ... *Ich* bin daran schuld. Ich muss sie besuchen. Ich muss ihr ein paar Sachen bringen, die sie in ihrer Not ein wenig trösten könnten ...«, fleht sie.

»Cat, bitte. Genug davon. Ich bin sicher, dass für das Mädchen gut gesorgt wird. Immerhin sind die Armenhäuser für Menschen wie sie geschaffen worden – um ihnen Unterkunft und Verpflegung zu gewähren und eine Möglichkeit, sich diese Annehmlichkeiten zu verdienen. Sie wird nächsten Monat immer noch dort sein und sich gewiss genauso über deinen Besuch freuen, wie sie sich jetzt freuen würde. Es ist wirklich nur angemessen zu verlangen, dass du mich früher informierst, wenn du dir freinehmen willst. Das siehst du doch gewiss ein?« Hester lächelt flüchtig und ein wenig geistesabwesend. Annehmlichkeiten? Cat starrt sie verblüfft an. Glaubt diese Frau denn tatsächlich, dass in einer solchen Einrichtung irgendetwas angenehm ist? Sie bleibt ganz still stehen, kann sich einfach nicht rühren. Noch immer will sie kaum glauben, was sie eben gehört hat. Hester beschäftigt sich noch eine Weile mit ihrem Hobby und blickt dann mit einem Ausdruck leichten Unbehagens zu ihr auf. »Das wäre alles, Cat.«

Den restlichen stickigen Tag lang arbeitet Cat hart und schnell. Zornig schrubbt sie den Steinboden im Flur, bis sich eine dunkle Schweißspur auf dem Rücken ihrer Bluse abzeichnet. Die Laken zieht sie so heftig von den Betten, dass sie zu zerreißen drohen, und das Gemüse putzt sie in unachtsamer Hast. Dabei schneidet sie sich in den Daumen, merkt es aber erst, als Sophie Bell ihr über die Schulter späht und über die rot verschmierten Stangenbohnen schimpft.

»Was ist heute nur in dich gefahren?«, fragt die Haushälterin.

»Ich will fort!«, bringt Cat nur heraus, denn vor Frustration zittert ihre Stimme, und ihre Zunge ist wie gelähmt.

»Na, bei Gott, Mädchen, da ist die Tür«, brummt Sophie Bell. »Halt still!« Sie verbindet Cats Daumen mit einem sauberen Tuch und umwickelt es fest mit Bindfaden. Beinahe augenblicklich dringt rotes Blut durch den Stoff und entfaltet sich dort wie eine Rosenblüte. »Du hast dich böse geschnitten. Dummes Mädchen«, bemerkt Mrs. Bell, und für Cat sind diese Worte sehr tiefsinnig – ein Urteil über so viel mehr, als Sophie Bell ahnen kann.

Am frühen Abend setzt endlich der Regen ein. Eine dicke Wolkendecke lag schon den ganzen Nachmittag lang drückend schwül über dem Haus und wurde immer dunkler und schwerer. Um halb sechs fallen die ersten Tropfen, so warm wie Badewasser und weich wie geschmolzene Butter. Cat serviert das Abendessen, angewidert von all dem Luxus, dem Übermaß. Mit blasierter, ach so frommer Miene lehnt der Theosoph das Fleisch ab. Wie viele andere Menschen auf der Welt hätten dieses Fleisch bitter nötig?, fragt sich Cat. Jetzt wird es in die Küche zurückgehen, wo es verdirbt und dann weggeworfen wird, vergeudet, weil die Kühlkammer mit dem Spielzeug dieses gedankenlosen jungen Mannes belegt ist. Sie reißt die Teller vom Tisch, mit geschürzten

Lippen und gerunzelter Stirn. Und später, als alle Arbeit getan ist, schlüpft sie hinaus in den prasselnden Regen und wird augenblicklich bis auf die Haut durchweicht. Sie holt das Fahrrad des Pfarrers aus dem Schuppen und schiebt es klappernd am Haus vorbei, doch der Regen übertönt die Geräusche. Am Gartentor hält sie inne, schwingt ein Bein über den Sattel, legt den Kopf in den Nacken und lässt den Regen diesen Tag abwaschen und alles, was er mit sich gebracht hat. Ihre Wut hängt wie ein Geruch an ihrer Haut, ein klebriger Gestank, den sie nicht loswird. Es regnet inzwischen so heftig, dass die Tropfen auf ihrem Gesicht beinahe wehtun. Blitze lassen sie Rot sehen – die Innenseiten ihrer Augenlider glühen. Sie kann den Donner in ihrer Brust spüren wie einen zweiten Herzschlag, der ihren Puls unangenehm und holprig beschleunigt. Wenn der Blitz sie jetzt träfe, denkt sie, würde es ihr nichts ausmachen. Sie würde es nicht fühlen. Eine Hand auf ihrem Arm lässt sie erschrocken nach Luft schnappen.

»Schon wieder auf und davon? Bei diesem scheußlichen Wetter?«, fragt Robin Durrant mit erhobener Stimme, um den Regen zu übertönen.

»Was tun Sie hier draußen?«, fragt Cat, verwirrt über sein plötzliches Erscheinen. Er hält sich das Jackett über den Kopf, aber es ist patschnass, Wasser tropft von dem Stoff, rinnt seine Arme hinab und durchweicht sein Hemd.

»Tja, ich wollte Sie in Ihrem Zimmer aufsuchen, aber Sie waren nicht da. Also habe ich angenommen, dass Sie zu einer Ihrer Verabredungen unterwegs sind. Er muss ein großartiger Liebhaber sein, wenn Sie der Versuchung selbst bei diesem Unwetter nicht widerstehen können.« Robin grinst.

»Allerdings ist er das!«, faucht Cat ihn an, doch Robin grinst nur noch breiter. Splitter einer neuen Angst bohren sich in Cats Kopf. Er war in ihrem Zimmer? Wie leise er wohl sein konnte, wenn er vorsichtig war? »Und jetzt lassen Sie mich los.«

»Einen Moment noch. Ich habe Arbeit für Sie. Kommen Sie am Sonntag bei Sonnenaufgang zum Übertritt im Zaun an der Landstraße.« Robin fährt sich mit der Zunge über die Unterlippe und leckt das Regenwasser ab.

»Ganz gewiss nicht!«

»Aber ganz gewiss. Sonst werde ich Ihre abendlichen Ausflüge den Cannings gegenüber erwähnen müssen. Der Pfarrer ist sehr um die Reinheit und Moral seiner Herde bemüht. In seinem eigenen Haushalt wird ihm erst recht daran gelegen sein, würde ich meinen.« Das sagt er leichthin, im Plauderton, beinahe ein wenig gelangweilt. Cat funkelt ihn an und versucht zu ergründen, ob er sie tatsächlich verraten würde, und weshalb er das tun sollte. »Sonntag bei Sonnenaufgang«, wiederholt er und grinst sie an wie ein aufgeregtes Kind, ohne jede Boshaftigkeit – als hätte er ihr nicht gedroht, als übte er keine Macht über sie aus. Cat entreißt ihm ihren Arm und stemmt sich in die Pedale, um von ihm wegzukommen. Durch Regen und Dunkelheit kann sie kaum etwas sehen, und durch die rasende Wut in ihrem Herzen kaum atmen. George ist weg, nicht für sie erreichbar, dennoch fährt sie so schnell sie kann. Das Fahrrad schlingert durch Pfützen die schmalen, steinigen Wege entlang. Nur um vom Pfarrhaus fortzukommen, nur um der Illusion von Freiheit willen.

7

Hester hört den Ponywagen die Einfahrt entlangkommen, und in ihrem Magen flattert es vor kindlicher Freude, gemischt mit etwas, das beinahe Erleichterung gleichkommt. Sie eilt zur Haustür und winkt ihrer Schwester, ihrer Nichte und ihrem Neffen zu, die aus dem Wagen steigen, während Mr. Barker das Gepäck von den Riemen befreit und auf dem Boden stapelt.

»Oh, bitte Vorsicht mit diesem Stück! Es ist zerbrechlich«, ruft Amelia aus. Mr. Barkers Unterkiefer verschwindet grimmig in seinem Bart, und er nickt verdrießlich.

»Liebste Amelia! Ich freue mich so, dass du da bist! Kommt, Kinder, lasst euch ansehen«, sagt Hester. Sie hält die beiden Kinder auf Armeslänge bei den Schultern. Der elfjährige John hat hellblondes Haar und ein recht verkniffen wirkendes Gesicht, und er ist nur Haut und Knochen. Die achtjährige Ellie ist rundlich und fröhlich mit hellgrauen Augen und einem eingezogenen Kinn wie dem einer Porzellanpuppe. Ihr blau-weißes Matrosenkleidchen spannt sich über einem runden Bauch und ist zerknittert von der Reise. *Genau so sah ich wohl in ihrem Alter aus,* denkt Hester, und ein Gefühl von tiefer Zuneigung breitet sich fast schmerzhaft in ihrer Brust aus. »Du meine Güte, seid ihr aber groß geworden! Ich erkenne euch ja kaum wieder! Riesig seid ihr!«, ruft sie aus. Ellie strahlt sie an, doch John verdreht ein wenig die Augen, senkt dann den Kopf und scharrt verlegen mit den Füßen.

»Jetzt mach nicht so ein Gesicht, John! Gib deiner Tante einen Kuss«, weist Amelia ihn scharf zurecht.

»Ach, nicht doch.« Hester geht in die Hocke und lächelt die Kinder an. »Erzwungene Küsse will ich gar nicht haben, nur freiwillig verschenkte. Was sagst du, John?« Hesters Neffe beugt sich vor und küsst sie hastig auf die Wange. Ellie streckt die Arme aus, und Hester drückt sie freudig an sich. »Lauft nach hinten in den Garten und vertretet euch die Beine, Kinder. Na los! Wenn euch warm wird, holt euch ein Glas Limonade!«, ruft sie ihnen nach. Schon traben sie dankbar davon und verlieren sich zwischen den hohen Blumenrabatten und den unter der Sonne leidenden Stauden.

»Ach, dem Himmel sei Dank!«, seufzt Amelia, stellt ihr Toilettenköfferchen ab und umarmt ihre Schwester. »John war während der ganzen Fahrt hierher unausstehlich! Er kann nichts dafür – er ist nur so enttäuscht, dass sein Vater nicht mitgekommen ist …«

»Ja, wo ist Archie denn? Wollte er nicht auch kommen?«

»Doch, aber er hat es sich in letzter Minute anders überlegt. Es tut mir so leid, Hetty! Typisch Archie – er hatte bereits einen Termin in seinem Club, von dem er mir nichts gesagt und den er selbst schon ganz vergessen hatte. Aber ich bin hier und habe die Kinder mitgebracht, und wir werden uns gewiss auch ohne ihn gut amüsieren.« Amelia lächelt. Sie ist fünf Jahre älter als Hester und besitzt eine Anmut und Eleganz, um die ihre jüngere Schwester sie stets beneidet hat. Katzenhafte Wangenknochen, ein zartes Kinn und tiefblaue, mandelförmige Augen. Ihre Schönheit war das vorherrschende Gesprächsthema in der Saison ihres Debüts, doch jetzt wirken ihre Wangen ein wenig hohl, sie hat zarte Ringe unter den Augen, und ihre Haut hat bereits das lebendige Strahlen der Jugend eingebüßt.

»Du siehst ein bisschen müde aus, Amy. Geht es dir nicht gut?«, fragt Hester mitfühlend. Amelias Lächeln erstarrt, und zu Hesters Entsetzen treten ihr Tränen in die Augen, die in der Sonne glitzern. »Amy! Was hast du? Was fehlt dir denn?«, fragt sie und ergreift die langgliedrigen Finger ihrer Schwester.

»Wir unterhalten uns lieber nicht hier draußen«, sagt Amelia mit gesenkter Stimme, weil Cat hinter ihnen im Hausflur erschienen ist. »Haben wir die üblichen Zimmer?«

»Oh, also ... leider hat Mr. Durrant das Zimmer bezogen, in dem sonst die Kinder wohnen. Ich fand es unhöflich, ihn umzuquartieren, da er schon einige Wochen bei uns ist und es sich in diesem Zimmer so bequem gemacht hat ...«

»Ja, das erwähntest du bereits«, entgegnet Amelia besorgt.

»Aber Cat hat ihnen das Gästezimmer in der Westecke zurechtgemacht – da werden sie es bestimmt sehr gemütlich haben.«

»Kann denn niemand dem Mädchen mit unserem Gepäck helfen?«, fragt Amelia und mustert Cats magere Arme und Schultern, als die einen der großen Reisekoffer packt. Sie biegt den ganzen Körper zurück, um ihn vom Boden hochzuheben.

»Ich komme schon zurecht, danke, Madam«, presst Cat hervor, die kaum atmen kann.

»Augenblick – bitte lassen Sie mich das nehmen«, sagt Robin Durrant, der eben in der Haustür erscheint. Er nimmt Cat mit Leichtigkeit den Koffer aus der Hand und trägt ihn in den Flur.

»Oh! Mr. Durrant ... sehr freundlich von Ihnen. Darf ich Ihnen meine Schwester vorstellen, Mrs. Amelia Entwhistle? Amy, das ist unser Gast, der Theosoph Mr. Robin Durrant«, sagt Hester, bemüht, sich durch ihren Tonfall nicht zu verraten. Sie weiß gar nicht, was sie eigentlich zu verbergen versucht, doch in letzter Zeit ist da etwas. Da ist ganz eindeutig etwas. Robin schüttelt Amelia sacht die Hand.

»Sehr erfreut, Sie kennenzulernen, Mrs. Entwhistle«, sagt er mit seinem breiten, entwaffnenden Lächeln. Und Amelia kann nicht anders, als es zu erwidern.

»Ebenfalls sehr erfreut«, sagt sie.

»Tja, ich muss zum Bahnhof, der Zug nach Reading geht bald. Ich habe da etwas zu erledigen … aber ich hoffe, dass wir beim Abendessen Gelegenheit haben werden, uns ein wenig zu unterhalten, Mrs. Entwhistle. Kann ich Ihnen irgendetwas aus der Stadt mitbringen, Mrs. Canning?« Er sieht Hester mit strahlenden Augen an, und es fällt ihr schwer, seinem Blick zu begegnen.

»Nein, danke sehr, Mr. Durrant.« Sie kann nicht verhindern, dass die Worte ein wenig barsch klingen.

»Dann wünsche ich den Damen einen schönen Tag.« Er verabschiedet sich mit einer kleinen Verbeugung und spaziert in Richtung Gartentor davon. Sobald er außer Sicht ist, wendet Amelia sich ihrer Schwester zu und mustert sie neugierig.

»Wir haben viel zu bereden«, sagt sie, als die beiden ins Haus gehen. Im Flur beugt Cat sich vor und stemmt den schweren Koffer ein zweites Mal hoch.

Die beiden Schwestern lassen sich im Schatten eines Kirschbaums auf der Terrasse hinter dem Haus nieder, wo der Hauch einer Brise die stehende Hitze bewegt. Sie sitzen auf filigranen Eisenstühlen, die so heiß sind, dass sie durch ihre Röcke auf der Rückseite ihrer Beine brennen. Amelia fächelt sich mit einem wunderhübschen Seidenfächer sanft Luft zu, und ihr Blick folgt instinktiv ihren Kindern, die durch den Garten rennen und hüpfen. Sie spielen beinahe grimmig entschlossen, mit schmalen Augen und gerunzelten Stirnen.

»Ich habe noch nie eine solche Hitze erlebt wie in diesem Sommer!«, verkündet sie schließlich. »Auf der Fahrt hierher sind wir einer Gruppe Kinder begegnet, die auf der Straße gespielt haben, und weißt du, was sie gemacht haben? Sie haben Strohhalme in Blasen von geschmolzenem Teer auf der Straße getunkt, als Leim, und die Halme dann zu Buchstaben und Bildern an eine Scheunenwand geklebt! Geschmolzener Teer, und das vor zehn Uhr morgens!«

»Wirklich außergewöhnlich. Mich erschöpft diese Hitze sehr, dich auch?«, stimmt Hester zu.

»Wahrlich. Du hast in deinen Briefen nicht erwähnt, dass Mr. Durrant so …«

»So was?«

»So jung und gut aussehend ist«, sagt Amelia und beobachtet ihre Schwester aufmerksam.

»Ich muss doch erwähnt haben, dass er jung ist? Und gut aussehend … das war mir noch gar nicht richtig aufgefallen, um ehrlich zu sein. Sieht er denn so gut aus?«, entgegnet Hester ausweichend. Plötzlich ist sie verlegen, als hätte man sie bei einer Lüge ertappt.

»Das weißt du genau – jetzt spiel hier nur nicht die Unschuld. Du hast Augen im Kopf, nicht wahr? Oder hast du nur Augen für Albert?«

»Vielleicht liegt es daran, ja … Außerdem ist er unser Gast. Da denke ich natürlich nicht an solche Dinge. Und zudem …« Sie verstummt verlegen und weiß selbst nicht so recht, was sie hatte sagen wollen.

»Ja?«

»Ach, nichts. Aber bitte, Amy, nun sag mir, was dich so bekümmert?«, fragt Hester, um das Thema zu wechseln. Cat kommt mit einem Tablett Eistee und Limonade, frischen

Orangenschnitzen und Sandkuchen an den Tisch. Kleine Schweißtropfen stehen auf ihrer Stirn. Amelia wartet, bis das Dienstmädchen wieder ins Haus gegangen ist, ehe sie seufzend beginnt.

»Du darfst mit keiner Seele darüber sprechen, nicht einmal mit Albert. Versprichst du mir das? Also, der Kummer, den du mit Albert hast, meine Liebe … das Problem, von dem du mir öfter schreibst? Ich fürchte, ich habe genau das *gegenteilige* Problem mit Archie.« Sie legt den Fächer an die Lippen, als widerstrebte es ihr, die Worte hinauszulassen.

»Ich verstehe dich nicht ganz, Amy«, flüstert Hester, als die Kinder ganz dicht an ihnen vorbeilaufen, mit geröteten Gesichtern und schweißfeuchtem Haar.

»Ich habe ihn neulich dabei ertappt, wie er … wie er … sich zum Narren gemacht hat. Mit dem Zimmermädchen, Danielle.«

»*Nein!* Ach, du Ärmste, das ist ja *grauenhaft!* Bist du sicher?«

»Absolut sicher, fürchte ich. Oh, das Mädchen habe ich natürlich sofort hinausgeworfen. Das ist erst diese Woche passiert, und um ehrlich zu sein, ist das der Grund dafür, dass er nicht mit uns hierhergereist ist. Und so etwas ist schon früher vorgekommen, obwohl ich dir nie davon erzählt habe, Hetty. Ich habe mich zu sehr geschämt … Aber er hat mir versprochen, *fest versprochen*, dass das nie wieder passieren würde. Jetzt spricht er von seinen Trieben, die befriedigt werden müssten, und er könne eben nicht anders«, sagt sie mit vor Ärger halb erstickter Stimme. »Glaubst du, dass das stimmen könnte? Hältst du es für möglich, dass ein Mann zum Sklaven seiner Begierden werden kann?«

Hester denkt gründlich nach, ehe sie antwortet. Sie nimmt die Hand ihrer Schwester, doch ihrer beider Haut ist heiß und wird bald feucht, wo sie einander berühren. »Ich glaube, jeder Mensch kann ein Sklave seines Begehrens werden, wenn er es zulässt. Muss sich nicht jeder von uns an seinem Verhalten messen lassen – daran, für welche Handlungsweise er sich entscheidet, obgleich ihm andere Möglichkeiten offenstünden?«

»Du hast recht«, antwortet Amelia düster. »Es gibt keine Entschuldigung für das, was er getan hat. Es ist abscheulich.«

»Nun, Amelia, du weißt selbst am besten, dass man mich keineswegs als Autorität bezeichnen kann, was die Bedürfnisse und Begierden von Männern angeht«, sagt Hester mit einem leichten Seufzen. »Archie hat schwer gesündigt, sowohl gegen dich als auch gegen Gott. Aber vielleicht wäre Vergebung die christliche Antwort darauf? Wenn der Schuldige seine Verfehlung bereut, natürlich …«

»Aber das ist es ja gerade, Hetty! Diesmal wirkte er nicht einmal reumütig. Er schien beinahe wütend auf mich zu sein, weil ich ihn mitten in seinem Vergnügen gestört habe! Oh, es war grauenvoll! Unerträglich!« Sie birgt das Gesicht hinter den Fingerspitzen und beginnt leise zu weinen.

»Liebste Amy, bitte weine nicht! Die Kinder dürfen das nicht sehen … Bitte, meine Liebe, verzweifle nicht. Archie liebt dich und die Kinder. Ich *weiß*, dass er euch liebt, und du weißt es auch. Vielleicht werden Männer tatsächlich von stärkeren Trieben beherrscht als wir Frauen. Ich kann mir kaum vorstellen, dass ein guter Mann wie Archie sich andernfalls so verhalten würde. Kann irgendjemand einem anderen Menschen ins Herz schauen? Wahrhaftig? Bitte weine nicht.« Langsam hebt Amelia das Gesicht und tupft sich die Augen mit ihrem Taschentuch trocken.

»Nun, was in meinem Herzen vorgeht, habe ich ihm gesagt. Er tötet meine Liebe mit seiner Untreue. Womöglich wäre ein einziger weiterer Vorfall genug, um sie endgültig auszulöschen, habe ich ihm gesagt.« Hester ist zu schockiert, um etwas zu erwidern. »Und was ist mit deiner Ehe, Hetty? Hat sich etwas gebessert in letzter Zeit?«, erkundigt sich Amelia. Hester senkt den Blick auf ihre Hände, die in den Falten ihres Baumwollkleids ruhen. So runde, glatte Finger, die Nägel poliert und sauber. Aus irgendeinem Grund kann sie den Anblick kaum ertragen. Abneigung gegen sich selbst packt sie so heftig, dass sie diese Finger zu Fäusten ballt und zudrückt, bis sich ihre Nägel in die Handballen bohren.

»Ich habe aus Liebe geheiratet, Amelia. Wie du weißt … und wie unsere Eltern auf ihre sanfte Art beklagten. Und obwohl ich einen bescheidenen Mann mit begrenzten Mitteln gewählt habe, dachte ich, dass ich reich an Liebe sein würde – dass ich geliebt werden und Kinder großziehen würde, umgeben von all dieser Liebe …« Sie blickt über den versengten Rasen zu John hinüber, der seine Schwester neckt, indem er ihr Haarband hoch über ihren Kopf hält und es wegzieht, sobald sie danach greift. Das kleine Mädchen hüpft und schnappt gutmütig danach, immer fröhlich, ohne die Geduld zu verlieren. Wieder spürt Hester einen heftigen Stich der Sympathie für die Kleine, wie für eine Kameradin auf dem gleichen Lebensweg.

»Und … wirst du denn nicht geliebt?«

»O doch. Als Schwester, als Freundin. Aber anscheinend nicht so, wie ich ihn liebe. Nicht als Ehefrau. Nicht als … Geliebte.« Sie stößt ein tiefes Seufzen aus und spürt, wie die Last ihrer eigenen Worte sich immer schwerer auf ihren Geist herabsenkt. »Und jetzt hat er einen neuen Freund, einen neuen Vertrauten, und ich fürchte, dass er sich von Tag zu Tag ein wenig mehr von mir entfernt.«

»Das ist doch nicht möglich, Hetty? Albert war dir doch immer so treu ergeben?«, entgegnet Amelia.

»Vielleicht war er das früher einmal. Aber jetzt ist alles

anders. Sogar seine Gemeinde leidet bereits unter der Ablenkung durch Mr. Durrant.«

»Wie meinst du das?«

»Nun, Pamela Urquhart war beispielsweise neulich hier, um sich zu erkundigen, ob der Pfarrer krank sei, weil er sie seit über zwei Wochen nicht mehr besucht hatte. Ich muss zur Erklärung sagen – Mrs. Urquharts Vater ist sehr alt und gebrechlich und wartet schon seit geraumer Zeit darauf zu sterben. Er leidet sehr, der arme Mann, jeder Tag ist eine Prüfung für seinen Glauben, und er kann schon seit Monaten nicht mehr in die Kirche gehen. Also hat Albert ihn oft besucht, um ihm Trost zu spenden und mit ihm zu beten, mindestens zweimal die Woche. Doch seit der Theosoph hier ist, hat er diese Besuche eingestellt. Ich weiß einfach nicht, was ich davon halten soll, Amy. Es sieht Albert so gar nicht ähnlich, seine Pflichten zu vernachlässigen, doch diese neue Begeisterung scheint Vorrang vor allen anderen Angelegenheiten zu haben.«

»Diese neue Begeisterung – meinst du damit für die Theosophie oder für Mr. Durrant?«, fragt Amy ein wenig spitz.

»Die Theosophie … oder vielmehr beides, denke ich«, sagt Hester, blickt zu ihrer Schwester auf und versucht, in deren Miene zu lesen.

»Das ist tatsächlich eine besorgniserregende Entwicklung. Ich frage mich, was Albert an diesem Mann so anziehend findet?«

»Du glaubst also, es liegt an dem Mann und nicht an den Ideen, die er mitgebracht hat?«

»Nun, du etwa nicht, meine Liebe? Immerhin ist anzunehmen, dass Albert schon vor einiger Zeit von Feen und der Theosophie erfahren hat. Weshalb wird er dann erst seit Mr. Durrants Ankunft dermaßen davon in Anspruch genommen?«

»Amy – ich verstehe dich nicht«, sagt Hester verzweifelt.

»Vielleicht irre ich mich. Ich muss den jungen Mann ein wenig besser kennenlernen«, entgegnet Amelia, lehnt sich auf ihrem Stuhl zurück und lässt den Blick in die Ferne schweifen. Ihre Tränen, schon von der Sonne getrocknet, haben zartrosa Spuren in ihrem Gesichtspuder hinterlassen.

»Aber natürlich«, sagt Hester und versucht immer noch zu enträtseln, was ihre Schwester gemeint haben könnte.

In der Küche schiebt Cat das leere Tablett auf den Tisch und geht dann hinüber zur Spüle. Sie hält die Hände in das Wasserbecken, in dem die Milchkrüge stehen. Eigentlich sollten sie darin kühl gehalten werden, doch das Wasser ist inzwischen so warm wie Blut. Sie spritzt sich dennoch etwas davon auf die Unterarme und fährt sich mit den nassen Händen über den Nacken in der Hoffnung auf ein wenig Erfrischung.

»Die Milch wird bis heute Abend schlecht«, warnt sie Mrs. Bell, die in ihren Stuhl gequetscht dasitzt, die aufgeschlagene Zeitung vor sich auf dem Tisch.

»Sie wird noch schneller sauer werden, wenn du ständig deine heißen Hände ins Becken tauchst«, erwidert die Haushälterin.

»Ich kann nicht anders. Sobald ich mich in dieser Hitze bewege, koche ich. Und *irgendjemand* muss sich ja in diesem Haus bewegen«, brummt sie matt. Sophie Bells Gesicht ist puterrot, gesprungene Äderchen zeichnen sich dunkel auf ihren Wangen ab, und wenn sie sich zu viel bewegt, wird ihre Oberlippe weiß, und ihr Blick verschwimmt. Cat will auf keinen Fall, dass die Frau in Ohnmacht fällt. Dann könnte sie weiß Gott kein Mensch aufheben, und sie müssten den ganzen Tag lang über ihren massigen Körper hinwegsteigen, bis es kühler würde und sie von selbst wieder auf die Füße käme.

»Sieh mal da drüben«, sagt Mrs. Bell seufzend. »Ich habe etwas von dem Eistee für uns zurückbehalten. Und schenk mir auch ein Glas ein, wenn du schon dabei bist.« Cat zieht das Leinentuch von einem Krug auf dem Wandbord und verscheucht damit eine Handvoll durstiger Fliegen, die vergeblich auf einen Schluck gewartet haben. Die Eisbrocken im Krug – von einem Block, der am Morgen aus Thatcham geholt wurde – sind vollständig geschmolzen, aber der Tee ist noch kühl und schmeckt köstlich nach frischer Minze und Zitronen. Cat stürzt ihr Glas herunter wie ein Kind und schließt die Augen, als ein herrlich kalter Schauer sie überläuft. »Wenn die Männer den ganzen Tag lang unterwegs sind, haben wir wenigstens ein bisschen weniger Arbeit«, bemerkt Sophie Bell. »Hast du gehört, wo der Feenmann hinwollte?«

»Nach Reading, hat er gesagt«, antwortet Cat und wischt sich den Mund am Schürzensaum ab. »Er hat nur gesagt, er hätte dort etwas zu erledigen.«

»Hm. Also, ich bin diese Woche zufällig Dolores Mickel begegnet, deren Schwester in einem großen Haus in Reading in Anstellung ist, und sie sagt, dass die Familie, für die ihre Schwester arbeitet, die Familie Durrant schon sehr lange kennt. Mr. Robin war nicht immer Theosoph, hat sie mir erzählt.« Sophie Bells Augen glitzern verschlagen, wie immer, wenn sie tratscht.

»Nicht?«, fragt Cat. Auf einmal will sie mehr über den Mann erfahren. *Kenne deinen Feind* – die Worte schießen ihr plötzlich durch den Kopf. *Meinen Feind?*

»O nein. Er war lange weg und hat studiert, und als er wieder zurück war, haben seine Eltern jedes Mal, wenn sie zum Essen kamen, eine andere Geschichte erzählt. Erst war er Dichter, dann hat er für irgendwelche Zeitungen geschrieben. Dann wollte er ein Kirchenmann werden – ein methodistischer Pastor, meine Güte. Er war ein paar Monate lang in Griechenland, aber anscheinend wusste niemand so genau, was er da gemacht hat. Als er zurückkam, hat er fürs Parlament kandidiert, einfach so! Für die Liberal Party, aber er ist nicht gewählt worden. Und ehe man sich's versieht, ist er Theophist oder wie immer er das nennt, und behauptet, das wäre die ganze Zeit seine wahre Berufung gewesen.« Mrs. Bell macht eine wegwerfende Handbewegung, bei der ihre fleischigen Arme wabbeln.

»*Theosoph*. Tja. Klingt ganz so, als wüsste er nicht, wer er ist und woran er glauben soll, nicht wahr?« Cat grinst boshaft. »Interessant.«

Mrs. Bell blickt mit argwöhnisch zusammengekniffenen Augen zu ihr auf. »Jetzt erzähl das bloß nicht herum – und ihm schon gar nicht. Ich habe gehört, wie du dich mit ihm unterhalten hast, draußen auf dem Hof. Dass du mir ja nicht leichtsinnig wirst, Cat.«

»Nein, Sophie Bell. Ganz gewiss nicht.«

Als Cat am Nachmittag eine Stunde Pause hat, bleibt sie in ihrem Zimmer und hält den Atem an, wann immer sie glaubt, jemanden im Flur zu hören. Aber es ist nur das Haus, das in der Hitze stöhnt, weil sich seine Balken und Bretter ausdehnen. Der Himmel vor ihrem offenen Fenster ist lodernd blau. Sie kann die Pfarrersfrau und ihre Schwester hören, deren Stimmen endlos wie Spiralen kreisen. Die Kinder necken sich atemlos, und ihre Stimmen kommen näher und entfernen sich wieder wie eine kleine, rastlose Schar Vögel. Cat kann den Gedanken nicht verdrängen, dass Robin Durrant nachts vor ihrem Zimmer war, dass er von ihrem schlaflosen Leben weiß. Er ist wie ein ständiges Jucken oder ein summendes Insekt, das sie einfach nicht loswird. Und sie weiß, dass er dieses Wissen irgendwie gegen sie einsetzen will. Falls er vorhaben sollte, seine Lust an ihr zu befriedigen, denkt sie grimmig, steht ihm eine Enttäuschung bevor. Sie wird ihm die Augen auskratzen, ehe sie zulässt, dass er sie anfasst. Aber sie wird ihn treffen, wie er es verlangt hat. Allein schon deshalb, weil sich unter all ihrer Wut auch ein Funken Neugier regt. Über solchen Gedanken verrinnt kostbare Zeit. Cat schüttelt den Kopf, packt den Bleistift fester und schreibt. Sie verfasst einen weiteren Brief an Tess, diesmal an Frosham House adressiert. Schuldgefühle wühlen in ihrem Magen, schwappen wie Säure in ihr und stören ihre Konzentration. *Ich ertrage den Gedanken nicht, dass Du jetzt dort bist. Ich werde mir etwas überlegen, um Dich herauszuholen, das schwöre ich*, schreibt sie. Aber was sollte ihr einfallen? Was kann sie tun? Sie beißt sich auf die Unterlippe und schreibt noch einmal *Ich schwöre es Dir*, wie um sich selbst zu verpflichten, wirklich etwas zu unternehmen. *Bitte sei stark, Tessy. Halte durch, bis ich eine Möglichkeit finde.*

Das Anliegen der Suffragetten wurde Tess allmählich langweilig, während Cat sich der Sache immer mehr verschrieb. Tess hatte sich nur dafür interessiert, weil sie dadurch aus dem Haus kamen, in dem sie einen Großteil ihres Lebens verbrachten. Ihr ging es um kleine Fluchten, nie um die politischen Ziele an sich. Sie flüsterte mit unterdrücktem Kichern, dass sie gar nicht wüsste, wen sie wählen sollte, selbst wenn sie das Wahlrecht bekäme. Die Kampagne war eine aufregende Abwechslung von der Arbeit, die jedoch nicht mehr so aufregend war, nachdem sie mehrere Wochen lang Flugblätter verteilt und Bänder verkauft, Ausgaben der *Votes for Women* feilgehalten, Parolen gerufen und finstere Blicke von achtbaren Männern und Frauen kassiert hatten.

»Ich verstehe nicht, was die so schlimm an uns finden«, sagte Tess eines Tages, verletzt von der herablassenden Kälte reicher Damen. »Schließlich werden sie auch was davon haben.« Sie schob die Unterlippe vor wie ein Kind, strich sich das Haar hinter die Ohren und zupfte verlegen ihre Ärmelsäume zurecht – sie zappelte genauso, wie sie es tat, wenn Mrs. Heddingly oder sonst ein Vorgesetzter ihre Arbeit inspizierte.

»Weil die Reichen immer etwas dagegen haben werden, wenn die Armen irgendetwas anderes tun, als sie zu bedienen«, erklärte Cat ihr kühn. »Kopf hoch. Noch eine halbe Stunde, dann gebe ich dir einen Becher heiße Schokolade aus«, sagte sie und drückte Tess' Schultern. Bald wurde deutlich, dass diese kleinen Belohnungen alles waren, was Tess noch in der WSPU hielt, und Cat wusste, dass sie ihre Freundin nicht drängen sollte mitzumachen. Aber wenn sie ehrlich war, wünschte sie sich, das Abenteuer mit jemandem zu teilen. Tess hatte sie ursprünglich zu der Bewegung gebracht, und es wäre Cat irgendwie falsch erschienen, sich sonntags ohne sie hinauszuschleichen und den feinen, gebildeten Damen zuzuhören, die über Rechte und Gesetze, Wahlen und Gerechtigkeit sprachen. Sie wäre sich nicht halb so mutig und verwegen vorgekommen ohne Tess, die immer ein wenig unsicherer war, immer ermuntert werden musste. Cat hält im Schreiben inne und schließt die Augen vor innerer Qual. Sie hat ihre Freundin benutzt. Sie hat Tess dazu benutzt, sich selbst auf eine Weise sehen zu können, die ihr gefiel. Zum ersten Mal in ihrem Leben konnte sie ein klein wenig Macht über einen anderen Menschen ausüben.

Zwei Monate nachdem sie ihren Shilling bezahlt und der Vereinigung beigetreten waren, ließ Cat die Sekretärin ihres Ortsverbandes wissen, dass sie bereit wären, aktivere Rollen zu übernehmen. Sie sagte es ganz leise, als könnte sie jemand belauschen, doch die Dame im WSPU-Büro blickte scharf zu ihr auf.

»Fenster einwerfen? Politische Debatten stören?«, fragte sie unvermittelt. Cat nickte erschrocken, und ihr pochte das Herz laut in den Ohren. Die ältere Frau schaute mit durchdringenden, aber freundlichen dunklen Augen über den Rand ihrer halbmondförmigen Brillengläser zu Cat empor. »Ausgezeichnet, Genossin. Gutes Mädchen. Ich werde an dich denken.« Cat lächelte knapp, nickte und ging hinaus in den Hauptraum des Büros, in dem haufenweise Flugblätter lagen. Die Wände waren mit Bannern und Parolen und gerahmten Fotografien von Märtyrerinnen der Wahlrechtsbewegung bedeckt. Da war ein prächtiges Bild von Jeanne d'Arc, der Schutzpatronin der WSPU. Mit grimmiger Miene ragte sie hinter einer Reihe von Freiwilligen auf, die Faltblätter in Briefumschläge steckten. Der Raum roch stickig nach Papier und Schreibmaschinenfarbe, und die warme Luft vibrierte von all den geschäftigen Stimmen, Schritten und dem Lärm der Druckmaschine. Dies war das Zentrum eines Kriegszuges, wo Schlachten geplant und Verluste gezählt wurden. Cat fand es herrlich. Eine Geschäftigkeit, die nichts mit Putzen zu tun hatte oder damit, jene zu verhätscheln und zu bedienen, die zu faul waren, die Arbeit selbst zu tun. Tess war nicht dabei, als Cat sie beide für militante Aktionen bereit meldete. Tess wartete draußen, sie sah dem Leierkastenmann mit seinem Äffchen zu, das einen winzigen Zylinder und eine rote Weste trug, und lachte herzlich über dessen Späße.

Robin Durrant kommt rechtzeitig aus Reading zurück, um schnurstracks zum Esstisch durchzugehen, mit glühenden Wangen und zerzaustem Haar.

»Ich bitte um Verzeihung. Sie haben doch hoffentlich nicht auf mich gewartet?«, keucht er und wirft nacheinander Albert, Hester und Amelia einen kurzen Blick zu. Und dieses eine Mal huscht sein Blick zu flink, wirkt sein Lächeln ein wenig bemüht. Hester bemerkt, dass seine ganze Haltung inneren Aufruhr verrät.

»Keineswegs, Robin. Ganz und gar nicht. Ich hoffe, du hast in der Stadt gefunden, was du brauchtest?«, erkundigt sich Albert. Der Pfarrer ist so adrett und gepflegt wie stets, das weiche Haar zurückgekämmt, der Bart säuberlich getrimmt. Hester wirft ihm einen Seitenblick zu, weil sie allerdings auf Robin gewartet haben und es schon nach neun Uhr ist. Doch Alberts Gesichtsausdruck ist offen und unbekümmert.

»Ja, und ich habe außerdem die Gelegenheit genutzt, meine Eltern zu besuchen, da ich sie seit einigen Wochen nicht mehr gesehen hatte. Mein jüngerer Bruder ist gerade zu Besuch, sodass ich alle drei auf einmal antreffen konnte«, sagt er und sitzt schon beinahe, ehe die Damen sich niedergelassen haben. Mit einem Schnippen aus dem Handgelenk lässt er seine Serviette in den Schoß fallen und greift nach seinem Glas, ehe er bemerkt, dass Cat ihm noch nicht eingeschenkt hat. Albert entgeht die Geste nicht – er steht selbst auf, um den Wein von der Anrichte zu holen. Hester spürt Amelias fragenden Blick über den Tisch hinweg, als dem Theosophen noch vor ihr, dem weiblichen Gast, eingeschenkt wird.

»Und wie geht es Ihrer Familie? Sind alle wohlauf?«, erkundigt sich Hester.

»O ja, es geht ihnen gut. *Sehr* gut, danke der Nachfrage«, antwortet Robin eigenartig betont.

»Ihr Bruder ist Arzt, sagten Sie, nicht wahr?«

»Chirurg, genau genommen – da besteht ein Unterschied, ein sehr bedeutender Unterschied sogar, auf den er Sie zweifellos augenblicklich hinweisen würde«, entgegnet Robin säuerlich. Obwohl die Fenster den ganzen Nachmittag lang geöffnet waren, ist die Luft im Esszimmer stickig. Robin fährt sich mit einem Finger unter dem Kragen entlang, und ein Schweißfilm glänzt auf seinem Gesicht.

»Es ist wirklich viel zu warm hier drin, nicht?«, bemerkt Albert. »Wenn das Mädchen kommt, werde ich ihm sagen, dass es die Fenster wieder öffnen soll.« Doch kaum hat Cat getan, wie ihr geheißen, dringen die ersten Motten und andere Insekten herein und stürzen sich auf die Lampen, so-dass Amelia leise Entsetzensschreie ausstößt. Cat schließt die Fenster wieder und mustert die Vielfalt des geflügelten Lebens, das durch den Raum schwirrt, mit leichter Belusti-gung. »Das wäre alles!«, fährt Albert Cat an, und ihre Miene wird hart, als sie sich zum Gehen wendet. Hester sieht in diesem Moment zufällig Robin an und bemerkt, dass sich sein rechtes Auge zu einem kaum merklichen Zwinkern schließt, als er Cat nachschaut. Doch als sie sich nach dem Mädchen umsieht, ist dessen Gesicht ausdruckslos und ver-schlossen.

»Ich habe erst kürzlich meine Klasse in der Bluecoat School gefragt, wie Feen ihrer Meinung nach aussehen, und was sie tun. Alle Kinder hatten etwas dazu zu sagen, und sie haben mir einige entzückende Bilder gemalt«, sagt Hester in die angespannte Stille hinein. Robin nickt mit immer noch leicht gerunzelten Brauen.

»Hübsche kleine Mädchen mit Schmetterlingsflügeln, nehme ich an?«, fragt er ein wenig barsch.

»Ja, in verschiedenen Variationen«, bestätigt Hester.

»Ich glaube, dass viele Kinder tatsächlich hellsichtig sind, bis sich der Geist mit dem Einsetzen der Pubertät ver-schließt, weil irdische Ablenkungen die innere Sicht ver-schleiern«, sagt Robin. »Das ist der Grund dafür, dass sie alle so mit Elementarwesen vertraut sind – und weshalb Kinder-märchen so oft von Feen handeln. Ich würde Sie sehr gern einmal begleiten und mit den Kindern in Ihrer Klasse über das sprechen, was sie gesehen haben, Mrs. Canning.«

»Oh, das hätten Sie natürlich gern tun können, Mr. Durrant, aber bedauerlicherweise ist die Schule jetzt für den restlichen Sommer geschlossen. Ich werde erst nach der Ernte wieder dort unterrichten.«

»Oh. Schade.« Robin zuckt mit den Schultern.

»Aber weshalb sollten diese Naturgeister in menschlicher Gestalt erscheinen? Warum sollten sie die Gestalt von Mädchen annehmen, und sei es mit Flügeln und anderen nicht menschlichen Attributen? Wenn sie die Wächter der Pflanzen und Bäume sind – die Seelen dieser Pflanzen, wie Hester es vorhin ausgedrückt hat –, dann sollten sie doch gewiss auch wie diese Pflanzen aussehen?«, fragt Amelia in unverhohlen skeptischem Tonfall. Hesters Herz schlägt schneller, und ein kribbelndes Unbehagen lässt sie unruhig auf ihrem Stuhl herumrutschen. Stumm fleht sie ihre Schwester an, Frieden zu wahren. Robin schaut einen Moment lang konzentriert auf seine Suppe herab, ehe er antwortet.

»Nun, natürlich deshalb, weil die Elementare in der Lage sind, unsere Gedanken zu lesen, ja, in unseren Geist zu blicken. Sie nehmen Gestalten an, die sie dort vorfinden, sodass sie sich uns zeigen und verständlich machen können. Gestalten, die sie schön finden, und wir ebenfalls.«

»Sie können unsere Gedanken lesen?«, fragt Albert und klingt beinahe erschrocken.

»Selbstverständlich – vielleicht nicht auf bewusste oder schlüssige Art und Weise, aber sie können gewiss aus unseren Bildern und Gefühlen schöpfen. Emotionen und die Schwingungen der inneren Energie einer Person empfangen sie ganz zweifellos«, erklärt Robin und sieht Amelia dabei so intensiv in die Augen, dass sie den Blick abwenden muss.

»Aber ihr Verhalten ist doch rein … zweckgerichtet, nicht

wahr?«, fragt Albert, als wollte er den Frauen das Verständnis solcher Dinge erleichtern.

»So ist es. Sie handeln ausschließlich im Rahmen ihres Daseinszwecks, der darin besteht, Energie an ihre Schützlinge zu verteilen. Sie erfüllen abstrakte Befehle ihrer Vorgesetzten, der *Deva* – die man mit Engeln niederer Ordnung vergleichen kann.«

»Engel niederer Ordnung? Tatsächlich?«, wiederholt Amelia, ohne den Zweifel in ihrer Stimme verbergen zu wollen. »Und wie sehen *die* aus?«

»Ich habe noch nie selbst einen gesehen. Dazu bedarf es eines höheren Initiationsgrades, als ich ihn derzeit besitze. Allerdings hoffe ich, eines Tages so weit fortzuschreiten. Diejenigen, die sie gesehen haben, beschreiben ihre gewaltige Größe und ungeheure Kraft. Sie werden oft mit Ley-Linien assoziiert und mit den mächtigen Energieströmen der Erde selbst. Ich glaube, dass die Deva unseren folkloristischen Überlieferungen von Drachen und Riesen zugrunde liegen.«

»*Drachen?* Wirklich?« Amelia wirft ihrer Schwester einen belustigten Blick zu.

»Ich kann Ihnen versichern, dass niemand mehr über solche Geschöpfe weiß als Mr. Durrant, Mrs. Entwhistle«, wirft Albert in verteidigendem Tonfall ein. Man sieht die Gedanken, die über sein Gesicht jagen und bedrückte Schatten auf seine Augen werfen. Am liebsten hätte Hester nach seiner Hand gegriffen, doch das gehörte sich nicht bei Tisch.

»Oh, gewiss«, sagt Amelia mit ironisch hochgezogenen Augenbrauen. Robin lächelt nachdenklich, wie über einen Witz, den er mit niemandem teilt. Hester sucht verzweifelt nach einer Möglichkeit, das Gespräch in eine andere Richtung zu lenken, doch Robin redet weiter, ehe ihr etwas Passendes einfällt.

»Es gibt zahlreiche Hinweise darauf, dass diese Geschöpfe trotz ihrer grundlegend einfachen Natur ein Leben in größerer Freiheit und Freude genießen als die gesamte Menschheit. Das Ziel der Theosophie ist es, dieses Ungleichgewicht aufzuheben und dem Menschen zu erlauben, in vollem Wissen um seine Lage und Beschaffenheit freier zu leben, weniger im Alltäglichen und Materiellen gefangen«, erklärt er, legt den Löffel beiseite und faltet die Hände vor sich auf dem Tisch. »Geoffrey Hodson, ein berühmter Hellseher, hat in Lancashire Undinen – Wassergeister – beobachtet, die im Wasserfall eines Flusses mit starker Strömung umhertollten. Die Geschöpfe, etwa dreißig Zentimeter groß, schwebten in den Regenbogen, die durch den Sprühnebel entstanden, und absorbierten die Lebensenergie der Sonne und des Wassers, bis diese zu stark für sie wurde. Er sah, mit welcher Anstrengung und Konzentration sie diese Energie aufnahmen und hielten, bis sie beinahe platzten. Dann versprühten sie sie in einem machtvollen Augenblick schier grenzenloser Euphorie. Ihre Farben flammten strahlend auf, ihre Augen leuchteten vor unfassbarer Freude und Verzückung, und danach sanken sie in einen verträumten Zustand entspannter Seligkeit.« Hester starrt auf ihren Löffel, der über ihrem Suppenteller in der Luft erstarrt ist. Sie wagt es nicht, zu irgendjemandem am Tisch aufzublicken. Sengende Hitze steigt ihr in die Wangen.

»Und was soll dieses Ereignis uns wohl sagen?«, fragt Amelia eisig.

»Vielleicht, dass wir uns durch die zwanghafte Begrenzung unserer natürlichen Rhythmen, durch gesellschaftliche Regeln und Konventionen immer weiter von der Elementarebene entfernen, von den göttlichen Prozessen der Natur«, antwortet Robin mit unschuldiger Stimme, in der kein Hauch von Unschicklichkeit mitschwingt. »Die Ekstase der

Undinen nährte erkennbar das Wasser und die Pflanzen am Ufer. Diese nahmen die gesammelte Lebenskraft in sich auf, als sie freigesetzt wurde.«

»Wollen Sie damit andeuten, dass Menschen etwas Ähnliches erreichen könnten?«, fragt Amelia, obwohl Hester sie im Stillen anfleht, endlich damit aufzuhören. Robin schaut von Amelia zu Albert und dann zu Hester hinüber, die seinen Blick spürt und nicht anders kann, als aufzublicken.

»Ich will damit andeuten, dass ein Versuch nicht schaden könnte«, sagt er. In der Stille summen die Motten und Fliegen um den gläsernen Kronleuchter und stoßen gegen die kleinen Glastropfen, sodass sie sich drehen und zarte Funken an den Wänden aufleuchten lassen. Albert räuspert sich.

»Noch ein Stück Brot, Mrs. Entwhistle?«, fragt er leise.

In der Samstagnacht tut Cat kein Auge zu. Sie denkt an die Motten im Speisezimmer, die bis zum Morgen erschöpft und benommen oder tot in den Falten der Vorhänge und in den Ecken unter den Fensterflügeln hängen werden. Aus irgendeinem Grund macht es ihr zu schaffen, dass sie aus einer Laune des Pfarrers heraus in das Zimmer gelockt und dort eingeschlossen wurden. Die Schwester ist sehr schön, und sie hat die gleichen blauen Augen wie der Gentleman. Cat war erschrocken, als diese Augen sie zum ersten Mal musterten und in ihre eigenen schauten. Sie rechnete damit, gescholten oder belehrt zu werden, doch die blauen Augen bewegten sich weiter, nachdem sie nur leicht und achtlos ihr Gesicht gestreift hatten – der Blick, mit dem alle Reichen das Personal musterten. Und obwohl es gar keinen Sinn hatte, regte sie sich innerlich darüber auf. Lange nach Mitternacht ist von unten ein lautes Poltern zu hören. Cat fährt zusammen, und ihr Herzschlag beschleunigt sich. Das könnte eines der Kinder sein, das verbotenerweise aufgestanden war; es könnte Robin Durrant sein, der aus irgendeinem Grund dort unten herumschlich. Der schöne, unbekümmerte, betrügerische Robin Durrant. *Was will er?* Sie hatte unbedingt ein wenig schlafen wollen. George sollte am nächsten Tag zurück sein, bis zum Mittag. Abends wird sie ihn sehen, und sie möchte nicht ausgezehrt und erschöpft wirken, grau oder fahl. Aber der Schlaf will sich einfach nicht einstellen. Sie wartet und lauscht allzu aufmerksam.

Der Tod kommt in ihre Kammer geschlichen und füllt sie mit seiner kalten Gesellschaft. Cat gleitet in einen erschöpften Trancezustand hinüber, in dem sie ans Sterbebett ihrer Mutter zurückkehrt: trübselig und düster hinter geschlossenen Vorhängen, mit dem Eisengeruch von Blut in jeder Ecke und dem Gestank des Todes, der schon dahinter lauert. Diesen Gestank konnten auch die Blumen nicht vertreiben oder überdecken, die Cat gekauft und um das Bett herum aufgestellt hatte, und ebenso wenig die Kräuter, die sie immer wieder aufs Feuer warf. Das Kissen ihrer Mutter war mit roten Flecken verkrustet. Jedes Mal, wenn sie husten musste, drang mehr hellroter Auswurf hervor. Sie wandte schwach den Kopf zur Seite und ließ ihn in den Kissenbezug sickern. Sie hatten inzwischen den Versuch aufgegeben, alles mit Taschentüchern aufzufangen. Sie besaßen nicht genug Taschentücher. Ihre Mutter konnte nicht einmal mehr den Kopf heben, um in eine Schüssel auszuspucken, und Cat konnte sie nicht jedes Mal anheben. So oft, so viele Male am Tag. Schwindsucht, hatte der Arzt Monate zuvor verkündet, ohne Hoffnung, Versprechen oder einen Hauch Trost in der Stimme. Und sie schwand tatsächlich dahin – am Ende glich sie einem Gespenst, eingesunken und aller Kraft, sogar der Sprache beraubt. Ihre Augen stumpften zu einem matten Grau ab, genau wie ihr Haar und ihre Haut. Nur einer von vielen Schatten im Raum. Sie war nur noch so wenig sie selbst, bereits so leblos, dass Cat erst merkte, dass sie gestoben war, als das Rasseln ihrer Lunge plötzlich verstummte. Ihre Mutter wirkte ganz unverändert. Cat blieb eine Weile neben dem Bett sitzen, beobachtete sie und wusste nicht, was sie tun sollte. Dieses feuchte Rasseln der Luft in den Atemwegen ihrer Mutter, so gleichmäßig wie ein eigener Herzschlag, begleitete sie nun schon so lange, dass die Stille unerträglich war. Zitternd stand sie schließlich auf und lauschte, bis die Stille in ihrem Kopf schmerzte. Damals war sie zwölf Jahre alt gewesen.

Beim ersten Morgengrauen steht Cat auf. Sie schüttelt den Eindruck ab, den Schlaflosigkeit so oft hinterlässt: dass Jahre vergangen seien, ganze Generationen geboren und gestorben, während die Nacht sich dahinschleppte. Ihr Rücken ist steif, die Muskeln hart verspannt, weil sie den ganzen Tag gearbeitet und dann zu lange in einer Position gelegen hat. Als sie sich streckt, knacken die Gelenke. Sie biegt den Rücken durch wie eine Tänzerin und spürt, wie die Sehnen schmerzhaft zum Leben erwachen. Cat wäscht sich das Gesicht, und das plätschernde Wasser im Becken klingt ihr so laut wie Donnerschläge. Sie kämmt sich das Haar, das wie Rabenfedern an ihrem Kopf liegt, zieht sich leise an und schleicht dann auf Zehenspitzen die Hintertreppe hinunter. Im Haus herrscht Ruhe, kein Mensch und kein Balken, kein gefangenes Insekt oder schlafloses Kind regt sich. Cat hebt so vorsichtig wie möglich den Riegel der Hintertür an und hält sich ganz am Rand des Gartens, bis sie durch das Seitentor auf die Straße entkommen kann. Der Himmel leuchtet blässlich in einer undefinierbaren Farbe, irgendwo zwischen Grau und Gelb und Blau. Die Sonne hat den Horizont im Osten noch nicht erreicht. Mit heißem, hungrigem Magen versucht Cat sich zu erinnern, wann sie zuletzt etwas gegessen hat. Sie pflückt eine Handvoll Walderdbeeren am Wegrand und beißt bewusst auf jede einzelne, um den sauer spritzenden Saft zwischen den Zähnen zu genießen.

Robin Durrant ist vor ihr am Übertritt zu den Wiesen. Cat hält überrascht inne, als sie ihn sieht. Sie hatte fast erwartet, dass er nicht kommen würde, beinahe geglaubt, dass um diese Uhrzeit niemand existierte außer ihr selbst. Aber natürlich ist das eine Illusion, hervorgebracht von ihrer Einsamkeit. Am anderen Ende des Dorfes brüllt eine Kuh. Ihr klagender Ruf hallt von dort, wo das Melken schon begonnen hat, durch die stille Luft. Robin Durrant blickt auf, als er Cats Schritte hört, aber sie kann sein Gesicht im Halbdunkel nur undeutlich erkennen. Cat bleibt in sicherem Abstand stehen und sieht seine Zähne hell aufschimmern.

»Du kannst ruhig näher kommen, ich werde dich nicht beißen«, sagt er sanft.

»Ich habe kaum eine Ahnung, was Sie tun werden oder nicht. Und ich bleibe genau hier stehen, bis Sie mir gesagt haben, was Sie von mir wollen«, erwidert Cat.

»Komm mit. Gehen wir ein Stück von der Straße weg. Ich will nicht, dass dich jemand sieht.«

»Was soll das heißen? Wohin gehen wir?«

»In die Auen. Ich habe die perfekte Stelle gefunden.« Er streckt die Hand aus, um ihr über den Tritt zu helfen, doch Cat rührt sich nicht. Sie reckt das Kinn und fixiert ihn mit einem harten Blick. Robin schüttelt den Kopf und lässt die Hand sinken. »Schau, ich schwöre dir, dass ich nicht die Absicht habe, dir auch nur ein Haar zu krümmen. Ich gebe dir mein Wort darauf.« Cat überlegt noch einen Moment lang und gibt dann nach. Sie ignoriert die erneut dargebotene Hand und springt über den Tritt im Zaun.

»Was zählt schon das Wort eines Scharlatans?«, brummt

sie und geht ein Stück neben ihm, sodass sie ihn im Auge behalten kann. Er trägt eine breite Ledertasche über der einen Schulter und seine Frena-Kamera in der anderen Hand, die er beim Gehen lässig schwingt.

»Ein Scharlatan bin ich, ja? Das ist ein starkes Wort, Cat Morley, und ungerecht obendrein. Wie kommst du auf die Idee, mich so zu bezeichnen?«

»Ich weiß, was ich sehe. Wer außer einem Scharlatan würde den Pfarrer um den Finger wickeln, seiner Frau den Kopf verdrehen und das Hausmädchen erpressen, alles an einem einzigen Tag? Sie sind wie eine Schlange, die ihre Opfer mit ihrer Schönheit und Anmut betört, ehe sie zubeißt«, sagt Cat ihm auf den Kopf zu.

»Jetzt bin ich also eine Schlange? Und seit wann sind die denn schön?« Er lacht leise.

»Ich weiß, was ich sehe«, wiederholt Cat.

Sie stapfen durch hohe Grasbüschel, bekommen nasse Schuhe im frischen Tau und scheuchen Insekten auf, die schläfrig davonschwirren. Der morgendliche Chor der Vögel wird von Sekunde zu Sekunde lauter und breitet sich über die Wiesen aus. Trotz allem spürt Cat, wie sie ruhiger wird. Es ist unmöglich, nicht ruhig zu sein, wenn die Welt so friedvoll wirkt.

»Ich liebe diese Tageszeit«, bemerkt Robin Durrant, atmet tief ein und langsam aus. Sogleich wird Cat wieder nervös.

»Wohin gehen wir?«, fragt sie erneut. Es ist kühler, als sie erwartet hat. Sie bekommt eine Gänsehaut und verschränkt fest die Arme vor der Brust.

»Es ist nicht mehr weit. An einer engen Flussbiegung steht eine prächtige alte Weide …«

»Ja, die kenne ich. Und?«

»Du kennst sie? Woher kennst du sie?«

»Darf man etwa nicht mit offenen Augen spazieren gehen? Selbst als Dienstbote?«, gibt Cat knapp zurück.

»Warum lehnst du dich so gegen deinen Status auf? Bei den Cannings hast du es doch leicht. Warum bist du mit deinem Los nicht zufrieden?« Robins Stimme klingt nach aufrichtiger Neugier. Cat wirft ihm einen argwöhnischen Blick zu.

»Ich habe gehört, Sie seien eine Zeit lang Dichter gewesen. Und Geistlicher, dann Politiker?«, erwidert sie, ohne auf seine Fragen einzugehen. Robin sieht sie stirnrunzelnd an, und Cat lächelt. »Wie Sie selbst sagten, Mr. Durrant: In einem so kleinen Ort spricht sich alles rasch herum.«

»Und worauf willst du hinaus?«

»Wären Sie damit zufrieden gewesen, wenn man Ihnen schon als Kind gesagt hätte: Du wirst kein Poet, kein Geistlicher oder Politiker. Du wirst Bankangestellter. Wären Sie damit zufrieden gewesen, dass man Ihnen nie erlaubt hätte, etwas anderes auszuprobieren? Wenn Sie nie hätten herausfinden dürfen, was Sie tun wollen, was Sie sein wollen?«

»Bankangestellter? Warum …«

»Nur so zum Beispiel!«, faucht Cat.

»Aber du gehörst zur Arbeiterklasse, Cat. Das ist nun einmal unabänderlich.«

»Ach?«, fährt sie hoch. »Und weshalb? Was macht mich automatisch zur Arbeiterin?«

»Nun … deine Herkunft, deine mangelnde Bildung, deine Geburt, Cat. Das wirst du doch gewiss einsehen?«

»Aha, da haben wir es. Meine Herkunft, meine Geburt. Irgendetwas in meinem Blut. Als Dienstbote wird man geboren, wie Mrs. Bell sagt. Stimmen Sie ihr zu?«, fragt sie. Robin sieht sie verwundert an und überlegt kurz, ehe er nickt.

»Ich denke schon, ja.«

Cat lacht freudlos auf. »Tja, da haben Sie Ihre Antwort.«

Nach zehn Minuten erreichen sie die Weide. Vom Dorf hinter ihnen ist nichts mehr zu sehen außer dem Kirchturm, der grau und zerbrechlich zum marmorierten Himmel zeigt. Der Boden fällt sanft zu einer kleinen, runden Senke ab, dem Flussufer entgegen, wo der alte Baum die reglosen Äste herabhängen lässt. Die biegsamen Zweige treiben verloren im Wasser und schneiden Furchen in die glatte Oberfläche.

»Jetzt müssen wir uns beeilen«, sagt Robin, lässt sich im nassen Gras auf ein Knie nieder und öffnet die Ledertasche. »Ich will fertig sein, ehe die Sonne aufgeht. Und es wäre gar nicht gut, wenn der Reverend ungeduldig werden und sich auf die Suche nach mir machen würde.« Über dem Fluss hängt zarter, blasser Nebel bis auf Schulterhöhe in der Luft, während sich der Himmel im Osten aufhellt.

»Was soll denn das werden? Was für ein Spielchen treiben Sie?«

»Kein Spiel, Cat Morley. Ich will dich nur fotografieren«, antwortet er und holt einige in Papier gewickelte Bündel aus der Tasche.

»Mich fotografieren? Mit der Kamera? Aber wozu, um alles in der Welt?«

»Ja, mit der Kamera. Ich habe keine Zeit, ein Porträt von dir zu zeichnen. Außerdem hätte eine Zeichnung nicht denselben Wert als Beweis. Aber die Kamera, die Kamera kann nicht lügen.« Er blickt zu ihr auf und lächelt, dann steht er auf und reicht ihr die Bündel.

»Was ist das?«

»Mach sie auf.«

Cat tut, wie ihr geheißen. Ein Bündel enthält ein Gewand aus zartem weißem Flor, Bahnen über Bahnen wie Wolken aus Vlies. Verwundert befühlt Cat den Stoff und hängt sich das Kleidungsstück über die Schultern, um das zweite Paket zu öffnen. Vor Schreck lässt sie es beinahe fallen. Darin ist Menschenhaar, das ihr üppig entgegenquillt. Lange, seidenglatte, weißblonde Strähnen rollen sich wie Satinbänder in ihren Händen.

»Ist das echtes Haar? Das verstehe ich nicht.«

»Zieh das Kleid an und setz die Perücke auf«, weist Robin Durrant sie an, und Ungeduld schleicht sich in seine Stimme. Er macht die Kamera bereit und schraubt den Deckel vor der Linse auf. »Aber zieh zuerst dein Kleid aus. Ich will nicht, dass es hervorschaut.« Cat überlegt kurz, dann wirft sie den Kopf in den Nacken und lacht. »Still!«, zischt Robin.

»Ein *Kostüm*? Sie wollen mich verkleiden, mich fotografieren und der Welt als Elementargeist verkaufen?« Wieder lacht sie ungläubig. Robin errötet zornig.

»Tu es einfach. Zieh die Sachen an!«, herrscht er sie an.

»Sie sind ein Schwindler! Alles erstunken und erlogen! Sie glauben ebenso wenig an Feen wie ich«, spottet Cat.

»Ich *bin* kein Schwindler!«, schreit Robin Durrant, der aufspringt und sich drohend vor Cat aufbaut. Wut lässt seine Brust schwellen und verfinstert sein Gesicht. Sein Protest hallt in den Nebel hinaus und wird sogleich davon verschluckt. Cat blickt furchtlos zu ihm auf.

»Endlich durchschaue ich Sie«, sagt sie ruhig.

Robin atmet tief durch. »Ich bin kein Schwindler. Elementarwesen gibt es wirklich. Mein Glaube ist aufrichtig – nein, in Wahrheit ist es *Wissen*, nicht Glaube. Intuition, nicht Doktrin. Sie sind wirklich. Es ist alles echt.«

»Warum müssen Sie dann ein Dienstmädchen verkleiden, um ein solches Wesen zu fotografieren?«

»Ich … ich weiß es nicht. Ich weiß nicht, warum ich versagt habe. Warum sie sich nicht mit der Kamera einfangen lassen wollen, wie andere Geschöpfe der geistigen Sphären es bereits getan haben.«

»Sie glauben wirklich daran? An Feen?« Robin nickt. Cat mustert ihn eindringlich und schüttelt dann den Kopf. »Erstaunlich.«

»Sie werden mir den Durchbruch bescheren. Diese *Enthüllung* wird mich berühmt machen, sie *muss* mich einfach berühmt machen«, verkündet er.

»Mir ist noch nie jemand begegnet, der tatsächlich an seine eigenen Lügen glaubte.«

»Das sind keine Lügen. Und was ist mit dem Pfarrer? Du sagst, sein Gott sei eine Lüge, und doch glaubt er an ihn.«

»Das stimmt«, gibt Cat zu. »Also schön, Sie sind ebenso irregeleitet wie der Pfarrer, falls Sie das glücklich macht.«

»Ach, Cat.« Robin lächelt. »Ich bin nicht irregeleitet. Die Welt, die blind ihren kleinlichen Angelegenheiten nachgeht, ohne sich der höheren Ordnung der Dinge bewusst zu sein, diese Welt ist es, die irrt. Und diese Aufnahme, die ich von dir machen werde, mag in gewisser Weise eine Fälschung sein, aber die dringendste Forderung der Theosophie ist, dass ihre Anhänger sie einem breiten Publikum nahebringen. Wir müssen uns nach Kräften bemühen, Menschen zu überzeugen und zu erleuchten, die ansonsten ihr Leben lang nichts von den großartigen Wahrheiten ahnen würden, welche unsere Eingeweihten erfahren haben. Und ich habe die Erfahrung gemacht, dass die Menschen sich an ihre Unwissenheit klammern, als brächte sie ihnen Trost und Sicherheit. Sie werden nicht zur Einsicht gelangen, wenn man sie nicht dazu zwingt. Und ich werde sie zur Einsicht bringen. Ich werde ihnen keine Möglichkeit mehr lassen, vor der Wahrheit zurückzuscheuen«, sagt er in ruhiger Entschlossenheit.

»Sie haben den Verstand verloren«, sagt Cat unumwunden.

»Nein«, erwidert er. »Ich habe ihn gefunden. Jetzt zieh die Sachen an. Sonst sage ich ihnen, was du treibst und wohin du gehst, und dann ist es damit aus und vorbei«, befiehlt er barsch. »Mach schon – schnell. Ich könnte dich mit Leichtigkeit ins Verderben stürzen. Und glaub ja nicht, dass ich davor zurückschrecken würde.«

Cat wird ganz still, ihr Blick hart. »Wie erhebend doch diese Theosophie ist, mit der Sie mich erleuchten wollen.« Ihre Stimme klingt bitter. Sie kehrt dem Theosophen den Rücken zu, legt das Kleid ab, das sie zur Arbeit trägt, und zieht das Gewand aus Flor über ihr Unterkleid. Es ist lang und weit geschnitten, aber so leicht, dass es sich eng an ihren Körper schmiegt, wenn sie sich bewegt. Sie beugt sich vornüber, wie sie es bei den Damen in London gesehen hat, und stülpt die Perücke über ihren Haaransatz. Kopfüber sieht sie eine Seejungfer keine zwei Fingerbreit vor ihrer Nase an der Unterseite eines blassen Lilienblattes sitzen – der Libellenkörper schimmert blau, und die Flügel glitzern in allen Regenbogenfarben, während sie sich zitternd zum Fliegen aufwärmen. So viele verborgene Dinge, so viel verborgene Schönheit, denkt sie. Solch zauberhafte Dinge gibt es wirklich, doch sind sie uns nie genug. Wir müssen immer noch weiter suchen. Die Perücke ist schwer und droht ihr vom Kopf zu rutschen. Nur die Haarnadeln, die Cat zufällig trägt, halten sie schließlich an Ort und Stelle. Sie kämmt die Perücke mit den Fingern zurecht und wendet sich dann Robin Durrant zu. Er starrt sie an.

»Und?«, fragt sie. Die langen Strähnen umrahmen weich ihr Gesicht. Sie spürt das ungewohnte Gewicht an ihrem Rücken. Es ist noch nicht lange her, dass ihr eigenes Haar lang war – wenngleich nicht ganz so lang wie die Perücke. Wie schnell sie sich daran gewöhnt hat, obwohl sie damals,

als man ihr den Kopf geschoren hat, das Gefühl hatte, in aller Öffentlichkeit nackt ausgezogen zu werden.

»Du siehst sehr hübsch aus, Cat«, sagt Robin leise. »Ja. Du eignest dich hervorragend.«

»Dann bringen wir diese Farce hinter uns«, entgegnet sie. Robin beobachtet sie noch einen Moment lang und lacht dann glucksend.

»Das wird nichts, wenn du nur mit verschränkten Armen herumstehst und finster dreinschaust, mein liebes Mädchen.«

»Ich bin nicht Ihr liebes Mädchen. Und wie soll ich denn stehen?«

»Gar nicht. Du sollst tanzen. Da drüben – am Ufer, wo der Nebel am dichtesten ist. Und zieh die Schuhe aus.«

»*Tanzen?*«

»Tanzen«, wiederholt Robin bestimmt.

Cat geht durch das Gras, kalt und nass klebt es an ihren nackten Fußsohlen. Der weiche Stoff des Gewandes streift leicht ihre Beine und lässt sie erzittern. Sie hat noch nie getanzt. Nicht richtig. Manchmal gab der Gentleman musikalische Abendgesellschaften, nicht groß genug, um sie als Ball zu bezeichnen, aber mit einem Quartett, das für zwanzig oder dreißig glamouröse Paare Walzer und Quicksteps spielte. Das Personal schlich sich dann immer zum Fuß der Treppe oder sogar bis an die Tür zum großen Salon, um zuzuhören, und sie fassten einander bei den Händen, äfften die Tanzschritte nach und lachten. Mehr Erfahrung im Tanzen hat sie nicht, und sie weiß, dass sie hier nichts damit anfangen kann. Ein Elementargeist würde nicht mit einem unsichtbaren Partner Walzer tanzen. Sie denkt daran, wie sie sich fühlte, als sie zum ersten Mal mit dem Fahrrad des Pfarrers zu Georges Kahn gefahren ist. An den Wind, der ihr kräftig übers Gesicht strich, an das Blut, das schneller in ihren Adern pulsierte, an das erregende Erlebnis, sich so schnell fortzubewegen. Sie denkt an Tess im Armenhaus, und an den Gentleman, der sie nicht gerettet hat. Cat holt zittrig Atem, und ihr ist heiß vor Zorn.

Sie breitet die Arme aus und springt, so hoch sie kann, biegt den Rücken durch und wirft den Kopf zurück. Sie landet schwer auf kurzen Grashalmen, die ihr in die Füße stechen. Nach einer kurzen Pause holt sie tief Luft, rennt los, nimmt Anlauf und springt noch einmal. Und obwohl sie sich zunächst albern dabei vorkommt und glaubt, die ganze Welt müsse über sie lachen, weil sie hier herumhüpft wie eine Närrin, vergisst sie all das bald. Ihr Herz pocht, sie gerät außer Atem, weil sie so rennt und springt, das vordere Knie anwinkelt, den Fuß nach hinten streckt, die Arme weit ausbreitet oder nach hinten reckt oder hoch über den Kopf. Sie stürmt und wirbelt und springt und findet eine Art Freiheit darin, den Anstand so in den Wind zu schlagen und zu spüren, wie ihre Muskeln brennen und die Luft ihr durch Mund und Nase rauscht. Sie zertrampelt sie alle unter ihren Füßen – Robin Durrant, den Gentleman, Mrs. Heddingly, Hester Canning. Sie tanzt, bis sie die Kraft verlässt, dann lehnt sie sich an den alten Baum, um sich auszuruhen. Robin Durrant und seine Kamera hat sie schon beinahe vergessen. Aber sie tanzt weiter, und dieselbe jubelnde Freude an der Bewegung erwacht erneut in ihr – eine Ahnung von Leben und Freiheit. Als sie schließlich innehält, schwirrt die Seejungfer neugierig um sie herum. Ihre Flügel summen, und der Körper blitzt blau auf, als die ersten Sonnenstrahlen sich über den Himmel strecken. Sie kommt wieder zu Atem, und ihr wird bewusst, dass sie gar nicht hustet. Nicht husten muss. Sie lächelt, bis sie aus den Augenwinkeln sieht, dass Robin Durrant aufsteht und langsam die Kappe auf die Kameralinse schraubt.

Cat wird bang ums Herz, sie lässt die Arme sinken, und die Libelle schießt davon und verschwindet im rasch anbrechenden Tag. Sie zieht sich die Perücke vom Kopf, fährt sich mit den Fingern durch das verschwitzte Haar und geht zu ihm hinüber.

»Das war ganz großartig. Du hast einfach umwerfend ausgesehen. Sehr schön, Cat«, sagt Robin zu ihr, und seine Stimme klingt völlig anders, beinahe respektvoll. Cat wendet den Blick ab und hält ihm die Perücke hin.

»Eine Lüge kann niemals schön sein«, erwidert sie kalt. »Kann ich jetzt gehen?«

»Ja«, sagt er milde. »Ja, wir sollten zurückgehen, ehe dich jemand vermisst.«

»Sie haben auch noch Wichtiges zu tun«, bemerkt Cat sarkastisch und weist mit einem Nicken auf die Kamera.

»Du darfst mit niemandem darüber sprechen, Cat. Kein Wort. Nicht einmal mit dem Mann, der dich selbst bei Gewitter nach draußen zieht. Ab jetzt müssen wir gegenseitig unsere Geheimnisse hüten«, sagt er in eigenartig kameradschaftlichem Tonfall. Cat wirft ihm einen angewiderten Blick zu und geht ein paar Schritte voraus, um ihn nicht sehen zu müssen. Ein seltsames, verzweifeltes Gefühl ballt sich in ihrer Magengrube zusammen. Auf einmal fühlt sie sich machtlos, ausgeliefert. Sie hat das Gefühl, dass sie von dem, was sie und Robin Durrant eben getan haben, nie wieder ganz frei sein wird.

8

Leah fuhr bis nach Newbury, um ein gemütliches Café mit kostenlosem Internet-Zugang zu finden. Der Himmel mit seinen tief hängenden Wolken wirkte schon den dritten Tag in Folge verdrießlich, und sie betrachtete stirnrunzelnd die Straße, während sie mit dem Wagen dahinkroch, an einer Ampel nach der anderen halten musste und grauen Matsch unter den Reifen knirschen hörte. Das Café, das sie schließlich entdeckte, gehörte zu einer Kette, die sie kannte. Drinnen holte sie sich eine große heiße Schokolade, machte es sich in einer Sofaecke gemütlich und schaltete ihren Laptop ein. Ihre Fingerspitzen waren gerötet und taub vor Kälte. Der Wind schleuderte Schneeregen an die Fensterscheiben, die mit nassen Kristallen verschmiert waren, und auf dem Boden glänzten wässrige Schuhabdrücke. Es stank nach nassen Mänteln und nassem Haar und der Ansammlung nasser Regenschirme neben der Tür. Leah sah ihren Posteingang durch und fand nichts Interessantes, bis sie zu den E-Mails vom Vortag kam. Da war eine Nachricht von Ryan. Ihr Herz machte einen übertriebenen Satz. Sie holte tief Luft – jeder Kontakt, der von ihm ausging, rief diese grässliche Reaktion in ihr hervor – und öffnete die E-Mail.

Was denn, kein Abschied? Sieht Dir gar nicht ähnlich – früher mochtest Du Abschiedsszenen immer besonders. Danke, dass Du das kleine Projekt angenommen hast, ich weiß es zu schätzen. Unser toter Kamerad hier sicher auch. Er ist ein bisschen aufs Abstellgleis geraten, seit Du weg bist, zurück in die Kühlkammer, um genau zu sein. Wir haben eine frische Ladung von der Baustelle einer neuen Wohnanlage reingekriegt – an Leichen herrscht hier wirklich kein Mangel, das kann ich Dir sagen. Na ja, unsereins muss ja auch irgendwie sein Taschengeld verdienen. Lass mich mal wissen, wie's so vorangeht. Ich komme in zwei Wochen zu Dads Sechzigstem nach Hause. Vielleicht können wir uns dann ja mal treffen, und Du zeigst mir, was Du herausgefunden hast? Es war schön, Dich hier drüben wiederzusehen. Ehrlich. Obwohl Du Dich von mir zum Abendessen hast einladen lassen und dann nicht zum Frühstück geblieben bist.

Melde Dich mal.

Ryan

Leah las die E-Mail zweimal und schob dann den Cursor zornig auf das Mülleimer-Icon. Ihr Finger hing leicht zitternd über der Maustaste. Nach ein paar Sekunden seufzte sie und bewegte den Cursor wieder weg, loggte sich stattdessen aus und suchte nach *Cold Ash Holt Feen Fotos*. Diverse Esoterik-Websites wurden angezeigt, und etwa auf halber Höhe der Ergebnisliste auch die Website von Cold Ash Holt. Sie öffnete sie, ignorierte Neuigkeiten der Kirche und die Werbung ortsansässiger Betriebe und klickte auf *Geschichte*. Zwei Absätze zeichneten die Geschichte des Ortes nach, von seinem mageren Eintrag im historischen Reichsgrundbuch bis hin zum Niedergang der Kanal-Schifffahrt und dem Zweiten Weltkrieg. Es gab Schwarz-Weiß-Fotos von der Kirche und längst verstorbenen Landarbeitern bei der Heuernte, die auf ihre Heugabeln gestützt in die Kamera schauten. Leah starrte mit dieser besonderen Faszination, die alte Fotos unbekannter Menschen stets auf sie ausübten, in die Gesichter: die Augen von Schatten verhüllt oder von der Auflösung verwischt – nur weiße Körnchen oder eine stahlgrau erscheinende Iris. Als die Bilder entstanden waren, hatten die Leute darauf nicht einmal ahnen können, dass sie achtzig Jahre später in einem Café sitzen und ihre Gesichter betrachten würde. Ihre Leben, ihre Gedanken waren für immer verloren. Ganz unten auf der Seite stand in einem eigenen Absatz:

Die vielleicht ungewöhnlichste Episode in der Geschichte von Cold Ash Holt drehte sich um eine Reihe von Fotografien, die angeblich Feen auf den Feuchtwiesen am Rand des Dorfes zeigten. Sie stammten von einem der führenden Spiritisten jener Zeit, Robin Durrant, der zu kurzzeitiger Berühmtheit gelangte, als die Aufnahmen 1911 veröffentlicht wurden. Sowohl in spiritistischen Kreisen als auch in der allgemeinen Presse galten sie weithin als echt. Später wurden sie jedoch als Fälschungen entlarvt, obwohl der damalige Pfarrer von Cold Ash Holt, Albert Canning, unbeirrt an die Echtheit der Fotografien glaubte. Gibt es also Feen auf unseren Wiesen? Schauen Sie doch selbst einmal nach!

Darunter waren zwei körnige Schwarz-Weiß-Fotos. Das erste zeigte eine große, ebene Wiese, bedeckt mit einem Teppich aus Sommergräsern und Disteln, mit hohen Bäumen, die im Hintergrund verschwammen. In der Mitte des Bildes stand ein einzelner Baum, anscheinend eine alte Trauerweide mit knorrigem, krummem Stamm und silberhellen Blättern. Der leicht ansteigende Boden ließ vermuten, dass sie an einem Bachlauf stand, dessen Wasser aber hinter dem hohen Gras verborgen blieb. Rechts von dem Baum war eine kleine, leicht verschwommene Gestalt zu erkennen. Sie war weiblich und offenbar im Sprung oder beim Tanzen aufgenommen worden: in einem wilden Satz, mitten in der Luft, Arme und Kopf selbstvergessen nach hinten geworfen. Ihr Haar – so hell, dass es beinahe weiß erschien – wehte lang und ungezähmt hinter ihr her. Das Gesicht war undeutlich, die Züge kaum zu erkennen – nur ganz leicht standen die zarte Nase und das Kinn hervor. Die Haut war sehr, sehr blass, die Augen offenbar geschlossen. Es war schwierig, die Größe richtig einzuschätzen, denn die Weide daneben hätte drei Meter groß sein können oder fünf, das Gras zwanzig Zentimeter oder einen Meter hoch. Das Foto hatte irgendetwas leicht Verstörendes. Der Himmel war konturlos weiß, von derselben Farbe wie das wallende, beinahe durchscheinende Kleid der Gestalt. Es schmiegte sich vorn an einen dünnen Körper, flach wie der eines Kindes, und doch wirkten die Haltung der knochigen Arme und Beine und das Größenverhältnis zwischen Kopf und Körper erwachsen. Das Foto hatte eine ausgeblichene Leuchtkraft, die nicht von dieser Welt zu stammen schien. Als wäre das Licht an jenem Tag sehr seltsam gewesen, oder die Luft ungewöhnlich dunstig. Es war ein unheimliches Bild, und Leah starrte darauf, bis ihr die Augen brannten. Die Gestalt wirkte auf sie eher wie ein Geist denn wie eine Fee.

Auf dem zweiten Foto war sie sogar noch schwerer zu erkennen. Die Weide beherrschte die Aufnahme, die diesmal aus größerer Nähe gemacht worden war. In ihrem Schatten war die Gestalt nur ein bleicher Fleck, der sich fest an den Stamm schmiegte. Die Arme reckten sich zu den Zweigen empor, der Kopf war seitlich nach unten geneigt, das Gesicht auch diesmal verborgen im Schatten und hinter Strähnen des langen Haars, das wie Spinnweben bis über ihre Taille fiel. Leah wünschte, sie könnte die Seite ausdrucken. Sie studierte die Fotografien lange, während ihre Nase immer näher an den Bildschirm heranrückte. Wenn man den Wunsch hatte, diesen Fotos zu glauben, dann konnte man das ohne Weiteres, und obwohl die Gestalt darauf androgyn wirkte und nur undeutlich zu erkennen war, vermittelte sie dennoch den Eindruck von Schönheit und Zartheit. Sie wusste von Mark Canning, dass der Mann, der diese Aufnahmen gemacht hatte – Robin Durrant –, damals im alten Pfarrhaus bei Marks Urgroßeltern zu Gast gewesen war. Ohne große Mühe bei der Recherche hatte sie mit Mark bereits einen direkten Nachfahren der Frau gefunden, die dem toten Soldaten diese Briefe geschrieben hatte. Doch Zugang zu ihrer DNA zu haben würde bei der Identifizierung des Soldaten nicht helfen. Leah wusste instinktiv, dass diese Briefe nicht an einen Familienangehörigen gerichtet waren. Hatte die Pfarrersfrau sie womöglich an diesen Robin Durrant geschrieben?

Draußen kam die Sonne hervor, so blendend grell, dass Leah auf dem Bildschirm kaum noch etwas erkannte. Sie blinzelte in dem plötzlichen Licht und wandte sich vom Fenster ab. Als Nächstes überflog sie ein paar der esoterischen Websites, wo dieselben Fotos und ihre Geschichte sich den besser bekannten Cottingley-Feen unterordneten, die in Arthur Conan Doyle einen berühmten Verfechter gehabt hatten. Auf einer Site fand sie eine kurze Biografie von Robin Durrant, in der er nicht als Spiritist, sondern als Theosoph bezeichnet wurde. Leah schrieb den Begriff, den sie nicht kannte, in ihr Notizbuch. Dann lehnte sie sich zurück, schaute mit zusammengekniffenen Augen aus dem Fenster und betrachtete die Leute, die draußen vorbeiliefen. Die Straße hatte im plötzlichen grellen Licht alle Farbe verloren und zeigte Menschen und Gebäude nur noch als scharf umrissene Silhouetten. Dieselbe Sonne würde zu einer anderen Jahreszeit alles weichzeichnen und die vielen

Farben hervorlocken. Jetzt war ihr Schein so scharf und erbarmungslos wie ein Messer. Leah sah auf die Uhr. Mark Canning hatte sie eingeladen, mittags das alte Pfarrhaus zu besichtigen. Sie hatte also noch eine Stunde Zeit. Im Swing Bridge Pub hatte er ihr erzählt, dass die Feenfotos seinen Eltern und Großeltern, die zutiefst rationale Menschen waren und mit so etwas nichts anfangen konnten, stets ein wenig peinlich gewesen waren. Dass ein ansonsten untadeliger Vorfahr, der Pfarrer Albert Canning, auf einen so offensichtlichen Betrug hereingefallen war, galt als höchst befremdlich und tragisch.

Leah dachte an Mark, wie sie ihn zuletzt gesehen hatte – in der Dunkelheit vor dem Pub, als sie sich recht steif voneinander verabschiedet hatten. Ein winziger Muskel in der grauen Haut unter seinem Auge hatte immer wieder gezuckt wie ein kleiner Schluckauf, selbst im trüben Licht der einzelnen Glühbirne über der Tür gut zu erkennen. Das war ein deutliches Anzeichen von Erschöpfung, und Leah hatte die Finger unter ihr eigenes Auge gedrückt, wie in mitempfundener Unruhe. Mark hatte diese seltsame Geste anscheinend nicht bemerkt. Sie hatte ihm keine weiteren persönlichen Fragen gestellt, abgesehen von jenen, die nötig waren, um sein Verwandtschaftsverhältnis zu Hester Canning aufzuklären. Natürlich hatte sie darauf gebrannt, mehr über ihn zu erfahren, aber er war in dieser Hinsicht so außergewöhnlich verschlossen, dass sie befürchtet hatte, sie könnte ihn damit vergraulen. Seine heftige Reaktion, als er sie für eine Journalistin gehalten hatte, die sich für ihn persönlich interessierte, hatte ihre Neugier natürlich erst recht angestachelt. Ihr Gewissen zwickte nur leicht, als sie sich jetzt wieder ihrem Laptop zuwandte und seinen Namen googelte. Relativ aktuelle Presseartikel wurden angezeigt. Die Story hatte zwar keine fetten Schlagzeilen gemacht, war aber wochenlang immer wieder aufgetaucht, mit zwei, drei Spalten auf Seite acht oder neun. Leah überflog ein paar dieser Artikel und biss sich vor gebannter Aufmerksamkeit auf die Unterlippe, während ihre Augen immer größer wurden. Sie erinnerte sich vage daran, dass sie auch in den Nachrichten einen kurzen Bericht über den Fall gesehen hatte. Aber das war irgendwann am frühen Morgen gewesen, als sie beim Frühstück teilnahmslos auf den Fernseher gestarrt hatte, ohne richtig zuzuhören. Kein Wunder, dass er nicht mit einer Journalistin sprechen wollte. Die Presse hatte ihm während des vergangenen halben Jahres ganz schön zugesetzt.

Um zwölf Uhr ging sie wieder den überwucherten Weg durch den Vorgarten auf das alte Pfarrhaus zu. Regentropfen am Türklopfer benetzten ihre Handfläche und ließen sie erschauern, sodass sie das Kinn unter ihrem Schal vergrub. Inmitten des winterlich toten Gartens erschienen die ersten kleinen Farbtupfer. Violette Hyazinthen oder blassgelbe Narzissen sprossen hier und da, und die mintgrünen Spitzen kleiner Tulpen schoben sich zwischen Klumpen faulenden, braunen Laubs hervor. Leah musste an »Der geheime Garten« denken, eines ihrer Lieblingsbücher, als sie noch klein gewesen war. Selbst wenn sich niemand um den Garten kümmerte, würde er sich trotz des angewehten toten Laubs, das an manchen Stellen knöchelhoch lag, bis zum Sommer in einen üppigen Dschungel verwandeln. Pflanzen brauchen viel weniger Hilfe, um zu gedeihen, als manche Gärtner vielleicht gern glauben, dachte Leah. Sie ließ den Blick über die Fassade neben der Tür gleiten. Der Holzrahmen des nächstgelegenen Schiebefensters war vollkommen durchgefault. Die Farbe bestand nur noch aus halb abgeplatzten Schuppen, der Kitt um die Scheiben fast völlig herausgebröckelt. Hier und da wuchsen aus dem feuchten Holz Rüschen aus schmierig aussehendem, orangerotem Pilz. Leah zuckte zusammen, als die Tür von innen entriegelt wurde.

Mark öffnete sie mit einem kräftigen Ruck, bei dem das Holz zu schaudern schien.

»Das verflixte Ding hat bei feuchtem Wetter schon immer geklemmt. Kommen Sie rein ins Trockene«, sagte er. Er hatte sich rasiert, fiel ihr auf, und sich das Haar gewaschen. Zwar wirkte er immer noch erschöpft, aber ruhiger als bei ihrer letzten Begegnung.

»Danke. Ich habe gerade den Garten bewundert«, entgegnete sie und deutete mit einem Lächeln an, dass das keinesfalls als Kritik gemeint war.

Mark verdrehte die Augen gen Himmel. »Ich weiß. Hier ist alles ziemlich verlottert, nicht nur der Garten. Mein Vater hat viel zu lange zugesehen, wie ihm alles über den Kopf gewachsen ist. Ich hätte ihm mehr helfen sollen, aber Sie wissen ja, wie das ist. Das Leben kommt einem ständig in die Quere. Jetzt steht das Haus seit einem halben Jahr leer. Seit Dad …« Er zögerte.

»Sie haben Ihren Vater verloren? Das tut mir sehr leid«, sagte Leah sanft.

»In gewisser Weise ja. Kommen Sie rein.« Leah trat in den Flur, der großzügig, aber düster war. Sie blickte nach oben – keine Glühbirne in der nackten Fassung, die von der Decke baumelte. Spinnen hatten einen Kegel aus staubigen Netzen um das Kabel gewoben. Die Luft war unglaublich still, als sei ein Bewohner nicht genug für dieses Haus, viel zu wenig, um es mit Leben zu erfüllen. Es roch nach feuchtem Putz und kalten, schmuddeligen Bodenfliesen, und die winterliche Kälte schien sich hier noch hartnäckiger zu halten als draußen im Regen. »Ich bitte Sie lieber nicht, Ihren Mantel abzulegen – Sie werden ihn brauchen«, bemerkte Mark trocken, als hätte er ihre Gedanken gelesen.

»Alte Häuser können richtig eisig werden.« Sie verzog mitfühlend das Gesicht.

»Vor allem dieses. Der Boiler hat den Geist aufgegeben. Der einzige warme Raum im ganzen Haus ist die Küche – ich habe es geschafft, den Ofen einzuheizen. Kaffee?«

»Ja, gern.«

Sie gingen einen Flur entlang in den hinteren Teil des Hauses, wo das Licht aus der Küche ihr warm entgegenschien. Leah spähte in unbezwingbarer Neugier durch halb geöffnete Türen und in Ecken und Winkel. Es sah aus, als wäre hier seit zwanzig oder gar dreißig Jahren nichts mehr verändert worden. Auf den Sofas und Sesseln im Wohnzimmer hatten viele Jahre des Gebrauchs tiefe Kuhlen in den platt gesessenen Polstern hinterlassen. Auf den wild durcheinandergewürfelten Möbeln – hauptsächlich dunkle Eiche, die Leah seit jeher als bedrückend empfand – lag eine dicke Staubschicht. Die abgegriffenen Auto- und Anglerzeitschriften in einem Zeitungsständer waren gut zehn Jahre alt. Die Schirme der Tisch- und Leselampen waren verblasst, ausgeblichen von der Sonne vergangener Sommer. Sie ging über Teppiche, die so fadenscheinig und abgewetzt waren, dass die ursprünglichen Muster und Farben nicht mehr zu erkennen waren, sondern nur noch das Geflecht von Kette und Schuss. Mark blickte über die Schulter zurück und ertappte sie bei ihrer Begutachtung.

»Ich hoffe, Sie sind nicht allzu entsetzt. Mein Vater ist von der altmodischen Sorte. Er hat nie eingesehen, warum man etwas ersetzen sollte, das noch brauchbar ist. Und in den letzten paar Monaten, die er hier gewohnt hat, hätte er gar nichts mehr renovieren können.«

»Ich bin überhaupt nicht entsetzt«, entgegnete Leah hastig. »Ich bin nur furchtbar neugierig auf dieses Haus. Ich habe die Briefe, die Ihre Urgroßmutter hier geschrieben hat, so oft gelesen …«

»Haben Sie sie dabei? Ich würde sie auch gern lesen«, sagte er und rückte ihr einen Stuhl am Küchentisch zurecht.

»Natürlich.« Leah kramte in ihrer Tasche.

»Hat keine Eile. Erst einen Kaffee.« Er füllte einen zerbeulten Metallkessel und stellte ihn auf die Kochplatte. Neben dem Ofen stand ein Kohleneimer, an dessen Rand schwarzer Staub glitzerte. Der beißende, rußige Kohlengeruch erfüllte den Raum, und die klebrige Arbeitsplatte war mit einer feinen Schicht Rußpartikel gesprenkelt. An der Wand gegenüber stand ein langes, durchhängendes, grünes Sofa mit einem unordentlichen Haufen Decken an einem Ende, und den Couchtisch davor teilten sich ein kleiner Fernseher und mehrere benutzte Becher. Die Einbauküche war ebenso altmodisch wie der Rest der Einrichtung – Arbeitsfläche aus Vinyl im Marmor-Dekor, Fronten in Buchenfurnier. Mark rüttelte an einer Schublade und biss dabei verärgert die Zähne zusammen. Nach einer Weile gab er es auf, schob die Hand bis zum Handgelenk durch den schmalen Spalt und zog mit zwei Fingern vorsichtig einen Kaffeelöffel heraus. »Jetzt verstehen Sie sicher, warum ich fand, dass ich mich hier gut verstecken könnte«, sagte er grimmig. Leah überlegte, ob sie ihn auf die Zeitungsartikel ansprechen sollte, die sie gelesen hatte. Sie warf einen verstohlenen Blick auf sein verhärmtes Gesicht und ließ es bleiben. Eine solche Anspannung stand in seinen grauen Augen – sie wusste, dass sie ihn sehr vorsichtig anfassen musste. Aber angeblich war ja alles vorbei, zumindest der Gerichtsprozess. Er war freigesprochen worden, und dennoch verhielt er sich, als wartete er immer noch auf irgendeine Art Urteil.

»Das muss früher einmal ein wunderschönes Haus gewesen sein. Ich meine, das ist es natürlich noch, also …« Sie geriet ins Stocken.

»Keine Sorge. Mir ist bewusst, dass es in einem erbärmlichen Zustand ist. Das Pfarrhaus war in kleinen Orten wie diesem früher oft das prächtigste Gebäude, abgesehen vom Herrenhaus, versteht sich. Damals, als der Pfarrer nach dem Grundherrn die zweitwichtigste Persönlichkeit war.«

»Wie ist das Haus in Ihrer Familie geblieben, als es dann nicht mehr das eigentliche Pfarrhaus war?«

»Ich weiß es nicht genau. Meine Urgroßeltern müssen es der Kirche wohl irgendwann abgekauft haben.« Er zuckte mit den Schultern.

»Haben Sie irgendwelche Kindheitserinnerungen an sie? An Hester Canning, meine ich?«

»Nein, tut mir leid, sie ist noch vor meiner Geburt gestorben. Aber an meinen Großvater Thomas kann ich mich erinnern – Hesters Sohn. Er ist allerdings auch gestorben, als ich noch klein war.«

»Dann haben Ihre Eltern dieses Haus also geerbt. Sind Sie hier aufgewachsen?«

»Nein, nein. Es ist an meinen Onkel und meine Tante gegangen. Mein Cousin und meine Cousine haben als Kinder hier gewohnt. Ich war manchmal zu Besuch da – ein paarmal in den Weihnachtsferien. Dad hat das Haus erst geerbt, als mein Onkel vor etwa zehn Jahren gestorben ist.«

»Keines von dessen Kindern?«

»Mein Cousin ist mit zweiundzwanzig bei einem Autounfall ums Leben gekommen. Seine Schwester hat sich mit der Familie zerstritten und ist nach Australien ausgewandert. Ich habe seit fünfzehn Jahren nichts mehr von ihr gehört.« Er stellte zwei Kaffeebecher auf die Arbeitsplatte und fing dabei ihren Blick auf. »Ich weiß, ich weiß. Meine Familie ist nicht gerade mit Glück und Harmonie gesegnet. Wie man derzeit auch an mir sieht«, fügte er leise hinzu, beinahe wie an sich selbst gewandt. »Was ist mit Ihnen? Häusliche Idylle oder endloses Drama?«, fragte er dann. Leah lächelte.

»Eher häusliche Idylle, jedenfalls meistens. Wir sind ziemlich bieder. Schmuckes Dörfchen, aber nicht zu weit von London entfernt, Einfamilienhaus mit Golden Retriever und so weiter. Meine Mutter ist im örtlichen Frauenverein, Dad spielt Rasenbowling. Ganz klassisch, wie man sich das eben so vorstellt.«

»Klingt nett. Normal und friedlich. Sehen Sie Ihre Eltern häufig?«

»Ja, schon. Aber sie wollen nie nach London raufkommen – ist ihnen zu laut. Ich muss immer nach Hause fahren, wenn ich sie sehen will.«

»Warum sind Sie nach London gezogen?«

»Warum zieht man nach London? Arbeit, Freunde, Kultur. Sind Sie nicht auch deswegen dorthin gezogen?«, fragte sie unbedachterweise. Er erstarrte, seine Miene verdüsterte sich.

»Angeblich wissen Sie doch nicht, wer ich bin, oder sonst irgendetwas über mich?«, fuhr er auf.

Leah hob beschwichtigend die Hand. »Ich habe Sie heute Morgen gegoogelt. Tut mir leid. Sie haben sich bei unserer ersten Unterhaltung so geheimnisvoll gegeben ...« Sie versuchte zu lächeln, doch Marks Gesicht war finster wie Gewitterwolken.

»Aus gutem Grund«, sagte er.

»Ich weiß. Ich meine ... ich verstehe Sie. Ich werde Sie nicht weiter danach fragen«, entgegnete sie.

Missmutig senkte er den Kopf und starrte eine Weile in seinen Kaffeebecher. Seine hervorstehenden, gerunzelten Brauen verwehrten ihr dabei den Blick in seine Augen. »Danke.«

»Hier sind die Briefe. Lesen Sie sie«, sagte Leah und reichte sie ihm hastig.

Mark überflog die Seiten. »Tja«, sagte er und ließ die Briefe auf die Küchentheke fallen. »Ich kann gut nachvollziehen, warum Sie sich so dafür interessieren. Sie klingen sehr dramatisch, nicht? Irgendetwas hat sie anscheinend völlig fertiggemacht. Ich meine, sie schreibt ja, dass sie ›in ständiger Angst‹ lebte und alles so ›seltsam und düster‹ war …«

»Ich weiß. Aber das sagt Ihnen alles nichts, oder? Keine alten Familiengeschichten oder -geheimnisse oder sonst eine Ahnung, worauf sie sich beziehen könnte? Oder an wen sie diese Briefe geschrieben hat?«

»Also ehrlich, Leah – das war fast sechzig Jahre vor meiner Geburt! Ich habe die Frau nie kennengelernt. Der einzige Familienskandal, von dem ich weiß, ist diese Feengeschichte. Das war nicht mal ein großer Skandal – irgendein Kerl hat es geschafft, ein paar Leute davon zu überzeugen, dass es Feen wirklich gibt. Und die sind irgendwann auch zur Vernunft gekommen«, fasste er knapp zusammen.

»Wenn die Briefe doch nur datiert wären. Oder wir die Umschläge mit dem Poststempel drauf hätten. Wenn dieser Theosoph in dem Jahr oft im Pfarrhaus war, wäre es durchaus möglich, dass sie an ihn geschrieben hat. Er könnte unser toter Soldat sein – Robin Durrant. Ich muss mehr über ihn herausfinden. Zum Beispiel, was ein Theosoph überhaupt ist.«

»Ich habe das Wort auch noch nie gehört. Offenbar irgendeine seltsame religiöse oder spiritistische Strömung. Zu der Zeit haben eine Menge Leute an die seltsamsten Dinge geglaubt. An Gott zum Beispiel.« Er grinste.

»Darüber sollten Sie keine Witze machen. Sie wären erstaunt, wie empfindlich einige Menschen darauf reagieren können.«

»Ach, das weiß ich. Ganz schöne Doppelmoral, finde ich. Jeder kann vor meiner Haustür erscheinen und mir etwas über meine Fehler und Sünden erzählen, je nachdem, wie seine spezielle Gottheit die definiert. Aber wenn ich aufstehe und sage, dass es keinen Gott gibt, regen die Leute sich fürchterlich auf.«

»Sie sprechen wohl aus Erfahrung?«

»Meine Schwägerin. Nur eine der vielen Facetten dieser ganzen verflixten Geschichte.«

»Hatten Sie nicht gesagt, dass Sie nicht darüber reden wollen?«

»Will ich auch nicht«, erwiderte er mit einem kurzen, erregten Schulterzucken. Er wandte den Blick ab und schaute aus dem Küchenfenster, dabei studierte Leah gründlich sein Gesicht. Lange, gerade Nase, kräftiges Haar mit ein wenig Grau darin. Er wirkte hager, beinahe ein wenig ausgehungert. Sein leicht gekrümmter Rücken ließ ihn müde und erschöpft aussehen, und unter seinem verblassten Pulli zeichneten sich die kantigen Knochen ab. Sein Blick floh allzu leicht ins Leere, glitt an ihr vorbei ins Nichts, als jage er hilflos Gedanken nach, die sich immer wieder selbstständig machten. Plötzlich erkannte Leah, wie zerbrechlich er war – dass das Leben ihn viel zu straff und dünn gespannt hatte. Sie erkannte die Erschöpfung, die sich in jeder seiner Bewegungen ausdrückte – an die erinnerte sie sich nur zu gut aus den langen Tagen der Krise, nachdem sie Ryan verlassen hatte. Es lag ihr auf der Zunge zu sagen: *Ich weiß, wie Sie sich fühlen.* Mark holte tief Luft und stieß sie mit einem scharfen Seufzen durch die Nase wieder aus. »Haben Sie Hunger? Möchten Sie mit mir zu Mittag essen?«

»Ja, gern. Danke.«

Mit Marks Erlaubnis ging Leah im Haus auf Erkundungstour, während er Eier in einer Schüssel verquirlte und

Pilze für ein Omelette schnippelte. In gespannter Vorfreude stieg sie die breite Treppe hinauf – eine kindische Aufregung, die sie dazu trieb, über sich selbst zu lachen, während sich ihr Atem beschleunigte. Ausgedorrte Dielenbretter quietschten unter ihren Füßen. So feucht, wie es im Erdgeschoss war, so trocken war die Luft hier oben, und ein drohendes Niesen kribbelte in ihrer Nase. Leah schaute in das größte Schlafzimmer, das noch bis vor Kurzem das Zimmer von Marks Vater gewesen war. Die riesigen, einst roten Rosen auf den Vorhängen hatten eine rostrote Farbe angenommen wie getrocknetes Blut. Kleiderschrank, Frisiertisch und Kommode waren sämtlich zu klein für den großen Raum. Auf dem Bett mit dem wuchtigen Mahagoni-Kopfteil häuften sich staubige Daunendecken und Kopfkissen, die vom Schweiß zu vieler schlafender Köpfe orangegelb verfärbt waren. Der Geruch in diesem Raum war zugleich vertraut und abstoßend, irgendwie tröstlich, wie ein ungewaschener Lieblingspulli, den man so lange getragen hat, dass er Form und Geruch des Körpers genau wiedergibt. Ein Radiowecker ließ »00:00« in roten LED-Ziffern aufblinken und gab jedes Mal, wenn die Anzeige aufleuchtete, ein leises elektrisches Summen von sich. Leah sah einen altmodischen automatischen Teekocher, mindestens dreißig Jahre alt, einen verstaubten Hosenbügler und eine Ansammlung von Drahtkleiderbügeln an einem Haken hinter der Tür. Sie starrte in jede Ecke dieses traurigen, vernachlässigten Zimmers und fand es deprimierend und aufregend zugleich. Ja, sie schnüffelte herum, aber sie spionierte eine Welt aus, die so still und so veraltet war, dass sie keinen Bezug zu dem ihr vertrauten Leben hatte.

Eine Tür führte ins angrenzende Bad. In der Wanne leitete eine bläulich graue Kalkspur immer neue Tropfen vom Wasserhahn zum Abfluss. Eine zerzauste Zahnbürste stand in einem angeschlagenen gelben Becher, dessen verblasster Aufdruck nicht mehr richtig zu erkennen war, daneben ein Rasierer mit einem Pelzbesatz aus getrockneten Schaumresten und ein paar Stoppeln. Um den Fuß von Waschbecken und Toilette war der Teppich dunkel vermodert, und am unteren Rand des Spitzenvorhangs wuchs ein wenig Moos, wo das Fenster nicht richtig schloss und sich auf dem Fensterbrett eine kleine Regenpfütze gebildet hatte. Leah schob das Fenster einen Spalt auf und spähte hinaus auf den Garten hinterm Haus, in dem der Winter das kniehohe Gras geknickt und hellbraun gefärbt hatte. Ganz links konnte sie gerade noch die hohe Mauer eines Hofs erkennen und eine scheinbar planlose Ansammmlung von Nebengebäuden. Eines davon hatte ein großes Loch im Dach. Auf den Firstziegeln eines anderen kauerten zwei fette Tauben dicht zusammengedrängt, das Gefieder gegen den Regen gesträubt.

Leah setzte ihre Besichtigung fort. Auf leisen Sohlen, als könnte sie jemanden stören, wanderte sie von Raum zu Raum, doch in den anderen Zimmern schien seit Jahren niemand mehr gewohnt zu haben. Sie waren wahllos mit Möbeln und Gerümpel vollgestellt – in einem Schlafzimmer standen drei altmodische Toilettenstühle und eine Schaufensterpuppe, in anderen wellige Kartons voller Bücher und Zeitschriften, Decken und Spielzeug oder Küchengeräten. Die Zimmer unter dem Dach dienten offenbar schon seit Jahrzehnten nur noch als Lagerräume. In allen dreien fand sie schiefe Stapel von Kisten und Truhen. Leah wand sich zwischen ihnen zu einem der Dachfenster hindurch und schaute hinaus. Auf dem Fensterbrett stand eine verstaubte Obstkiste voller Bilder in Rahmen, die zum Großteil ihr Glas verloren hatten. Sie fegte ein paar mumifizierte Fliegen beiseite und sah die Bilder durch: verblasste Aquarelle, ein kleiner Druck von Charles I., ein weiterer von Kätzchen, die mit einem Wollknäuel spielten. Der Sinnspruch einer Stickerei war so verblasst, dass sie ihn kaum mehr lesen konnte. Zwischen den Blumen in der Ecke darunter machte eine kleine Tigerkatze einen Buckel. Unter einer vergilbten Fotografie des Hauses war säuberlich aufgedruckt: *Cold Ash Holt, Pfarrhaus, 1928.* Dieses Foto zog Leah aus dem Stapel und nahm es mit hinunter, um es Mark zu zeigen.

Die Räume im Erdgeschoss waren besser möbliert und ausgestattet, aber alles strahlte eine Atmosphäre jahrelanger Vernachlässigung aus, die Leah ein wenig traurig machte. Sie ließ ein nostalgisches Gefühl in ihr entstehen, als vermisste sie die unbekannten Menschen, die hier einmal gelebt hatten, ebenso sehr wie das Haus selbst sie zu vermissen schien. Eine Tür, die offenbar in einen Keller führte, war abgeschlossen, und nachdem Leah probeweise am Knauf gerüttelt hatte, gab sie enttäuscht auf. Sie kehrte in die Küche zurück, wo Mark inzwischen ein Radio eingeschaltet hatte, aus dem die blecherne Stimme eines Nachrichtensprechers drang. Er stand mit dem Rücken zu ihr am Ofen und beschäftigte sich sanft, beinahe meditativ, mit der Zubereitung des Omelettes. Leah setzte sich wieder auf ihren Küchenstuhl, und er wandte den Kopf, als sie mit dem Knie leicht an den Tisch stieß.

»Sie kennen nicht zufällig jemanden aus der Immobilienredaktion? Ich sollte das Haus wohl verkaufen. Eine Zeit lang habe ich gehofft, Dad könnte wieder nach Hause kommen, aber das wird er nicht. Je eher wir uns damit abfinden, desto besser«, sagte er gedankenverloren, als hätte sie die ganze Zeit über hinter ihm gesessen.

»Die Immobilienredaktion? Wie gesagt, ich arbeite nicht für eine Zeitung. Ich bin freie Journalistin«, erinnerte Leah ihn vorsichtig. Seine rasch wechselnden Stimmungen schienen über ihn hinwegzuhuschen wie Wolken an einem windigen Tag, und er war ihnen ausgeliefert. Selbst jetzt, da er ihr den Rücken zuwandte, war ihm die Anspannung anzusehen. Leah, um Worte verlegen, ordnete Hester Cannings Briefe und legte das alte Foto des Hauses daneben.

»Was fehlt Ihrem Vater denn? Ist er krank?«, fragte sie, ehe sie sich besinnen konnte. Mark warf ihr wieder so einen Blick zu, als versuchte er, in ihrem Gesicht zu lesen, sie genau einzuschätzen. Nur einen Herzschlag später wurde sein Blick weicher, und sein Gesicht sank wieder in die müden Falten, die ihr allmählich vertraut wurden.

»Er ist in einem Pflegeheim. Für Senioren.« Leah musterte ihn, versuchte sein Alter abzuschätzen und daraus zu schließen, wie alt sein Vater sein mochte. Mark fing ihren forschenden Blick auf. »Er ist siebzig, falls Sie sich das gerade fragen. Aber er leidet an präseniler Demenz.«

»Oh. Das tut mir sehr leid.«

»Es ist erbärmlich. Erbärmlich und grässlich, dass das einem so guten, freundlichen Mann passiert. Es ist absolut unfair. Aber so ist das Leben wohl. Als ich ihn zuletzt besucht habe, hat er mich nicht einmal erkannt«, erzählte Mark mit monotoner Stimme, während er die Bratpfanne zum Frühstückstresen trug und das Omelette auf zwei Teller verteilte.

»Danke«, murmelte Leah.

»Keine Ursache.« Er setzte sich ihr gegenüber und schaufelte sich das Omelette in den Mund, als sei sie gar nicht anwesend. Mit leer in die Ferne gerichtetem Blick kaute er mechanisch vor sich hin. Leah griff zur Gabel und begann, langsam zu essen. Er hatte das Omelette auf einer Seite anbrennen lassen, und die Pilze waren nicht durchgebraten. Hart und klumpig steckten sie in den gestockten Eiern. Höflich stocherte sie darin herum und unterdrückte ein Lächeln, während sie zusah, wie Mark unablässig auf seinen rohen

Pilzen herumkaute. Schließlich kehrte seine Aufmerksamkeit ins Hier und Jetzt zurück, und zu ihr. »Das schmeckt scheußlich«, sagte er, und Leah grinste schief und nickte. »Kommen Sie, gehen wir in den Pub.«

Nach einer etwas besseren Mahlzeit mit Sandwiches und Bier unternahmen sie einen Spaziergang durch die Flussauen. Der Himmel war aufgeklart und zartblau, dicke weiße Wolken rollten über ihren Köpfen dahin. Sie nahmen einen Pfad, der an einem Seeufer entlang vom Kanal wegführte. Der Boden schmatzte feucht unter ihren Stiefeln und federte, als schwimme er auf einer Flüssigkeit.

»Diese Seen waren vermutlich noch nicht da, als Hester die Briefe geschrieben hat und die Feenfotos entstanden«, erklärte Mark. Er marschierte neben ihr her, die Hände in den Jackentaschen.

»Warum?«

»Das sind zum Großteil geflutete Kiesgruben. In der Gegend wird heute noch Kies abgebaut. War früher ein großes Geschäft hier.« Er schniefte. In der kalten Brise lief ihnen beiden die Nase. Seine Wangen waren vom Wind gerötet, seine Augen glänzten, und er wirkte gleich ein wenig lebendiger.

»Früher war die Landschaft wohl auch offener – weniger Wege und Felder und mehr freies Land und Feuchtwiesen?«, fragte sie.

Mark zuckte mit den Schultern. »Ja, das nehme ich an. Hier ist wieder der Fluss. Er fließt an einigen Stellen mit dem Kanal zusammen und zweigt dann wieder ab – den ganzen Weg von Newbury nach Reading. Manchmal sind Fluss und Kanal ein einziges Gewässer, dann wieder zwei getrennte. Und überall gibt es diese kleinen Nebenarme und Zuflüsse und Seen.«

»Es ist wohl nicht sehr wahrscheinlich, dass der Baum von dem Foto noch da ist …?«

»Eher unwahrscheinlich, würde ich sagen. Er sieht schon auf den Fotos alt aus, und die sind vor hundert Jahren entstanden. Na ja, wenn er nicht gefällt wurde, weil er bei irgendetwas im Weg stand, wird er irgendwann von allein umgestürzt sein.« Mark blieb stehen und betrachtete noch einmal die Fotografien. Im Studierzimmer seines Vaters hatten sie ein Original der Abhandlung gefunden, die sein Urgroßvater, Albert Canning, über die Fotos und die Umstände ihrer Entstehung verfasst hatte. Sie enthielt die beiden Fotos, die Leah im Internet gesehen hatte, und ein paar weitere, auf denen die dünne Gestalt noch undeutlicher war. »Also, solche Reihen hoher Bäume findet man hier überall am Kanal und an den Flussarmen.« Er blickte zu ihr auf und zuckte mit einer Schulter. »Wir können nicht wissen, ob es wirklich diese Bäume sind, aber die da drüben sehen sehr ähnlich aus, und vor diesem Flussabschnitt ist eine Senke, genau wie auf dem Foto. Wir können wirklich nur Vermutungen anstellen«, sagte er, gab Leah das Blatt zurück und betrachtete die Landschaft.

Leah studierte das Bild genau und schaute dann wieder hoch. Mark hatte recht – die Landschaft hier ähnelte der auf dem Bild mehr als an den anderen Stellen, die sie schon gesehen hatten. Die Sonne wirkte nach so vielen verregneten Tagen übernatürlich hell, und Leah beschirmte die Augen mit dem Blatt. Der Bach vor ihnen eilte klar und zielstrebig durch die abgegraste Wiese. Auf dem Grund lagen braune und orangerote Kieselsteinchen, graue und weiße Steinsplitter und längliche Klümpchen grüner Algen, die sich in der Strömung leicht bewegten. Das kurze Gras war mit Schaf- und Kaninchenkötteln übersät, die nächste Hecke von Gängen und Löchern durchsetzt. Plötzlich war Frühling, als hätte Leah nur Sonnenschein gebraucht, um ihn wiederzu-erkennen: Löwenzahn mit fetten gelben Mähnen, winzige weiße Gänseblümchen, mit denen sie Kindheitserinnerun-gen verband, kleine violette Blumen mit haarigen Blättern, deren Namen sie nicht kannte. Sie ging in die Hocke, hob einen Zweig vom Boden auf, warf ihn in den Bach und sah zu, wie er davongetragen wurde. Am anderen Ufer ergriff ein aufgeschreckter Fasan mit ulkigen, hektischen Schritten die Flucht. Leah schaute ihm nach und atmete tief durch. Die Brise war feucht und kühl und roch nach mineralreicher Erde und weichem Regenwasser. Doch die Sonne auf ihrem Kopf hatte schon Kraft – sie spendete wunderbare, wohlige Wärme, die Leah seit dem letzten September nicht mehr gespürt hatte. Sie versuchte sich die leuchtende Szenerie, die vor ihr lag, im unheimlichen Licht dieses Fotos vorzustel-len. Hatte der Fotograf irgendeine Art Filter benutzt? Die Aufnahme erschien ihr nicht direkt neblig, aber da war ein fremdartiges, bleiches Leuchten, das alle Umrisse ein wenig weicher zeichnete, gerade undeutlich genug, um Zweifeln die Tür zu öffnen. Zweifeln, oder auch Glauben. Leah sog noch einmal genüsslich die frische Luft ein, so viel ihre Lun-ge fassen konnte.

»Ah! Es ist herrlich, endlich blauen Himmel zu sehen, nicht?«, rief sie aus, richtete sich wieder auf und wischte sich die Hände an den Jeans ab. Sie wandte sich Mark zu und be-merkte, dass er sie mit einem eigenartig intensiven Blick aus großen Augen beobachtete. »Was ist los?«

»Nichts«, entgegnete er. Er schüttelte den Kopf, und schon war der seltsame Ausdruck wieder dem bekümmerten, fins-teren Blick gewichen. »Ich bin als Kind oft hierhergekom-men und habe mit meinem Cousin und meiner Cousine ge-spielt. Im Sommer sind wir schwimmen gegangen – nicht hier, sondern ein Stück weiter. Da macht der Fluss eine große Kurve, und das Wasser fließt viel langsamer. Es war eiskalt.« Er schauderte bei der Erinnerung. »Eiskalt, immer. Ich musste natürlich trotzdem rein. Konnte doch nicht als Einziger draußen bleiben.« Leah schob die Hände in die hinteren Hosentaschen, drehte sich einmal um die eigene Achse und musterte die Umgebung. »Was willst du jetzt tun?«, fragte Mark. Er klang aufrichtig interessiert, aber gleichzeitig ein wenig schicksalsergeben, als stünde er ganz und gar zu ihrer Verfügung. Sie blickte zu ihm hinüber, nur ganz kurz irritiert durch die plötzliche vertraute Anrede, kniff im hellen Sonnenschein die Augen zusammen und begriff, dass er selbst offensichtlich nichts zu tun hatte. Dann war es wohl kein Wunder, dass er seinen Stimmungen und Erinnerungen so hilflos ausgeliefert war.

»Ich weiß nicht«, gestand sie. Immerhin, musste sie sich eingestehen, hatten diese Feenfotos womöglich gar nichts mit dem Kummer zu tun, von dem Hester Canning geschrieben hatte. »Gehen wir noch ein Stückchen weiter – es regnet nicht, das sollten wir ausnutzen. Und dann würde ich mir gern die Bücher im Arbeitszimmer näher anschauen, wenn du nichts dagegen hast? Vielleicht finde ich dort etwas über Theosophie oder diesen Robin Durrant.«

»Klar.« Mark nickte. »Der Weg führt weiter bis zur Ecke dieser Wiese da.« Er wandte sich in die angegebene Richtung. Die Säume seiner Jeans waren dunkel und vollgesogen mit Wasser von dem hohen, nassen Gras. Als er den matschigen Pfad erreichte, blieb er stehen, sah zu, wie sie auf ihn zu stapfte und wartete, bis sie bei ihm war, ehe er weiterging wie ein schweigsamer Fremdenführer.

Später wandte Leah sich wieder dem Studierzimmer im alten Pfarrhaus zu und nahm sich die Bücherregale vor. Sie fand alte Werke über Theosophie mit gesprungenen, ver blassten Rücken und rissigen Einbänden, ein dünnes Buch über Feen-Fotografie und ansonsten kaum etwas, das mit der Geschichte in Zusammenhang stand: lange Reihen von *Reader's Digest*-Ausgaben, eine gewaltige Enzyklopädie, tonnenweise alte Romane, vor allem historische Liebesromane, auf deren Cover unweigerlich eine Heldin mit schwellendem Busen im tief ausgeschnittenen Mieder abgebildet war. Leah kramte und blätterte und hatte irgendwie das Gefühl voranzukommen, obwohl das wahrscheinlich gar nicht stimmte. Sie widerstand dem Drang, auch in die Schubladen des Schreibtischs von Marks Vater zu schauen, einem Ungetüm mit lederbezogener Tischplatte, das auf der Galerie eines Zwischengeschosses im Schatten kauerte wie eine schlafende Bestie. Die Unterlagen auf dem Tisch stupste sie allerdings mit den Fingerspitzen auseinander – Kontoauszüge und Stromrechnungen, abgerissene Kalenderblätter von vor zwei Jahren und Listen, deren einzelne Punkte nicht nur durchgestrichen, sondern so gründlich überkritzelt worden waren, dass sie kein einziges Wort mehr lesen konnte.

Als die Sonne unterging, brachte Mark ihr eine Tasse Tee. Er schaltete im Vorbeigehen das Licht an, und sie fuhr leicht zusammen. Sie hatte gar nicht bemerkt, dass Düsternis sich bereits wie Wasser in den Ecken des Raumes angesammelt hatte.

»Danke«, sagte sie, als er die Tasse vorsichtig auf einen Stapel alter Zeitungen stellte, neben dem sie in einem Clubsessel saß. An den Armlehnen war das Leder durchgewetzt, und sie hatte beim Lesen geistesabwesend an der freigelegten Polsterung herumgespielt und Krümel aus der Füllung gezupft. Sie lagen auf ihren Knien und auf dem Boden um ihre Füße. »O Gott, Entschuldigung! Ich habe gar nicht gemerkt, was ich da tue!«, rief sie aus und fegte sich hastig die Beweisstücke von der Hose. Mark lächelte flüchtig.

»Mach dir keine Gedanken. Wirklich nicht.« Er ließ den Blick durch den Raum gleiten, über die staubigen Volants der Vorhänge und die vollgestopften Bücherregale hinweg. »Manchmal sieht man erst durch die Augen eines Unbeteiligten, was man schon die ganze Zeit vor der Nase hat«, sagte er halb zu sich selbst. »Das ganze Haus ist so heruntergekommen wie dieser verdammte Sessel. Alles muss weg. Mitsamt dem Haus.«

»Aber es gehört seit Generationen deiner Familie ...«, wandte Leah sanft ein. »Manche Dinge sind es wert, dass man sie behält, meinst du nicht?«

»Ich glaube nicht, dass ich hier je glücklich sein könnte. Und ich bin der Einzige, der noch da ist. Na ja – da wären noch meine Nichten, mein Neffe und meine Schwägerin. Aber ich bezweifle, dass sie in dieses Haus einziehen würde. Sie würde ihre Kinder niemals hierherbringen. Jedenfalls nicht, solange ich noch lebe«, erklärte er finster. Ein wenig bedrückt schnippte Leah die letzten Polsterkrümel von ihrer Jeans.

»Aber dein Vater lebt doch noch. Und das ist sein Haus. Könntest du es denn überhaupt verkaufen, wenn du dich dafür entscheiden würdest?«

»Ja. Ich habe als gesetzlicher Betreuer alle Vollmachten.«

»Oh«, sagte Leah nur. Sie nippte an ihrem Tee und streckte die untergeschlagenen Beine aus. Sie hatte zu lange im Schneidersitz gesessen, und nun schoss ein grässliches Kribbeln und Brennen durch ihre Unterschenkel und Füße wie tausend beißende Ameisen. Unwillkürlich stampfte sie wie ein Kind mit den Füßen auf den Boden, um die Blutzirkulation anzukurbeln.

Mark blickte auf und sah sie belustigt an. »Steh auf und hüpf ein bisschen auf und ab«, wies er sie an. »Das ist das Einzige, was hilft.« Mit verzerrtem Gesicht erhob Leah sich und hopste in Strümpfen mit geschlossenen Füßen über den fadenscheinigen Teppich der Bibliothek. Die Dielen wackelten, und die trüben Glühbirnen über ihr summten leise. Als sie aufhörte, musste sie über ihre eigene Albernheit grinsen, und Mark lächelte bemüht, als sei sein Gesicht es nicht gewöhnt, diesen Ausdruck anzunehmen. »Besser?«, fragte er, und sie nickte. »Was willst du jetzt machen?«, fragte er zum zweiten Mal an diesem Tag. Leah sah ihm vorsichtig abschätzend in die Augen.

»Dürfte ich deinen Vater kennenlernen?«

Das Pflegeheim war ein klares, modernes Gebäude aus braunem Klinker, bewachsen mit wildem Wein und von einer gepflegten Gartenanlage umgeben. Die Fenster waren blitzsauber, die Autos in ordentlichen Reihen geparkt. Zwei Tage waren vergangen, seit Leah Mark gebeten hatte, seinen Vater besuchen zu dürfen. Er parkte seinen Wagen – einen schlammbespritzten Renault – auf dem makellos sauberen, geteerten Platz, und der Ausdruck grimmiger Beklommenheit auf seinem Gesicht machte Leah nervös. Mark stellte den Motor ab, und sie saßen einen Moment lang schweigend nebeneinander und lauschten dem Ticken heißen Metalls.

»Und, hast du inzwischen mehr herausgefunden? Über Theosophie und diesen Durrell?«, fragte Mark schließlich, als seien sie nur hierhergefahren, um ein wenig zu plaudern.

»Durrant. Nein. Ich nehme an, er war eine ziemliche Eintagsfliege, denn in keinem der Bücher und Traktate nach neunzehnhundertelf ist er auch nur erwähnt. Das war das Jahr, in dem er die Fotos in Cold Ash Holt gemacht hat. Im Internet konnte ich auch nichts über ihn finden. Wenn er als Schwindler entlarvt wurde, ist er wahrscheinlich still und leise in der Versenkung verschwunden. Jedenfalls ist es, als hätte er sich nach diesem Sommer in Luft aufgelöst«, erklärte sie. »Vielleicht ist er auch in den Krieg gezogen, aber der begann ja erst drei Jahre später, und außerdem wäre das für einen Theosophen sehr ungewöhnlich gewesen. Nach allem, was ich gelesen habe, hätte er ziemlich sicher den Dienst an der Waffe verweigert. Den Theosophen war alles Leben heilig. Aber vielleicht hat er sich nach 1911 auch von der Theosophie abgewandt. *Darüber* kannst du mir allerdings Löcher in den Bauch fragen. Ich bin jetzt praktisch Expertin. Östliche Weisheitslehre trifft auf westlichen Spiritismus, es geht um die vielen Ebenen der geistigen Welt und um spirituelles Bewusstsein. Reinkarnation, Askese, Karma, Hellsichtigkeit … Frag mich alles, was du willst.« Sie zählte ihre Liste an den Fingern mit und lächelte ihn an. Marks Hände umklammerten immer noch das Lenkrad, und er sah sie mit verkniffenem, bedrücktem Gesicht von der Seite an.

»Bereit, da reinzugehen?«, fragte er. Leahs Lächeln erlosch.

»Und du?«, entgegnete sie. Mark nickte und öffnete seinen Sicherheitsgurt.

»Du solltest nur nicht zu viel erwarten, okay?«, warnte er.

Am Empfang wurden sie von einer freundlichen jungen Krankenschwester mit weichem rotem Haar begrüßt, die ihre Namen aufschrieb und ihnen Besucherausweise gab, die sie sich an die Kleidung hefteten. Das Innere des Gebäudes war hell und überheizt, und Leah zupfte am kurzen Rollkragen ihres Pullis, den sie auf einmal als drückend eng empfand.

»Sie kommen genau richtig. Wir haben heute wirklich einen *guten* Tag«, zwitscherte die Schwester und reichte ihnen die Besucherliste zur Unterschrift. Leah fragte sich, ob sie sich auf den Tag im Allgemeinen bezog oder auf Marks Vater im Besonderen.

»Gut. Das ist gut«, sagte Mark. Als er sich weiterhin nicht rührte, wies die Schwester auf den Flur links vom Empfang.

»Zimmer elf, wissen Sie noch?«, fragte sie. »Sie können sich im Aufenthaltsraum einen Tee oder Kaffee machen, wenn Sie möchten.«

»Danke«, sagte Leah und wandte sich dem Flur zu. Einen Herzschlag später folgte Mark, ohne aber ganz zu ihr aufzuschließen, sodass Leah zwei Schritte vor ihm herging und mit wachsender Sorge die Zimmernummern abzählte. Der Geruch in diesem Gang war stark und durchdringend: der leicht fettige, miefige Dunst von Menschen und getragener Kleidung, irgendein widerlich künstlicher Lufterfrischer, und unter all dem ein Übelkeit erregender Hauch von Ammoniak und scharfem Chlorreiniger. Leah atmete vorsichtig und ganz flach, wie sie es auch getan hatte, als sie mit Ryan vor den toten Soldaten getreten war.

In seinem kleinen Zimmer saß Geoffrey Canning in einem Sessel am Fenster mit Blick auf den vorderen Teil des Gartens und die Auffahrt, über die Leah und Mark zuvor gekommen waren. Der grüne synthetische Teppichboden fühlte sich hart unter ihren Sohlen an. Die Möbel sahen nagelneu aus – helles Buchenfurnier, nicht eben solide –, die Stühle waren mit derbem, pflegeleichtem Stoff gepolstert. Der Vorhang bestand aus senkrechten Lamellen, die so gedreht waren, dass sie das Licht ungehindert hereinließen. Geoffrey selbst war ein kräftig aussehender Mann. Obwohl er saß, erkannte Leah an der Länge von Rücken und Beinen, dass er recht groß war. Nichts an ihm wirkte vom Alter gebeugt. Er sah gesund und stark aus, als werde er aufstehen und sie mit einem herzhaften Händedruck begrüßen, sobald sie nach Marks zögerndem Klopfen eintraten. Doch das tat er nicht. Er hielt das Gesicht zum Fenster gewandt, und Leah sah nur das dichte, silbrige Haar, das glatt am Kopf anlag.

»Dad?«, fragte Mark und zögerte unsicher an der offenen Tür. Leah drängte sich hinter ihm hinein und bemühte sich zu lächeln. Geoffrey schaute kurz zu ihnen herüber, doch sein Gesicht blieb ausdruckslos. Mark biss die Zähne zusammen, und Leah sah, wie sich jeder Muskel in seinem Körper vor Anspannung versteifte. Sie stupste ihn sacht mit dem Ellbogen an, woraufhin er ihr einen Blick zuwarf und dann auf seinen Vater zuging.

»Dad? Wie geht es dir? Ich bin's – Mark.« Er beugte sich vor Geoffreys Sessel und tätschelte eine breite, runzlige Hand, die die Armlehne umklammert hielt. Geoffrey gab eine Art leises Räuspern von sich.

»Da bist du ja! Wo bist du denn abgeblieben? Du warst über eine Stunde weg«, sagte Marks Vater ruhig.

»Äh … tut mir leid, Dad. Ich musste kurz etwas erledigen.«

»So, so. Na, schon gut. Ich habe denen ja gesagt, dass du sicher bald wieder da bist«, erklärte Geoffrey zufrieden. »Hol dir einen Stuhl, mein Junge, steh nicht da herum. Deine Mutter kommt gleich mit dem Tee.« Leah bemerkte, dass diese Bemerkung Mark sichtlich traf. Sie drückte kurz seinen Arm, um ihm Mut zu machen, und holte dann zwei Stühle mit hartem Kunststoffsitz, die sie an die Schule erinnerten, von der anderen Seite des Bettes. Ihre Schuhsohlen luden sich an dem Teppich statisch auf, und als sie die Stühle berührte, bekam sie einen leichten Schlag.

»Danke«, murmelte Mark. Geoffrey starrte wieder aus dem Fenster und nickte vor sich hin, als stimmte er irgendeiner Bemerkung zu. Wieder musste Mark seinen Vater an der Hand berühren, um ihn auf sich aufmerksam zu machen. »Dad? Das ist Leah Hickson, eine Freundin von mir«, stellte er sie vor. Leah lächelte und murmelte »Hallo«, doch Geoffrey sah sie nicht an. Es fühlte sich so seltsam und unangenehm an, auf diese Weise abgewiesen zu werden, obwohl sie wusste, dass er nichts dafür konnte. Er hatte die gleichen grauen Augen wie sein Sohn, und sein Blick glitt von einer Seite des Gartens zur anderen hin und her, ohne zu blinzeln, als suchte er nach etwas. Er hatte die gleichen ausgeprägten Wangenknochen wie Mark, die gleichen, etwas hageren Züge, die gerade Nase. Mark war von kleinerer Statur und nicht so kräftig wie sein Vater, doch die Ähnlichkeit war nicht zu übersehen.

»Du siehst ihm so ähnlich!«, bemerkte sie leise an Mark gewandt, der traurig nickte.

»Nein, keineswegs! Ich komme ganz nach meiner Mutter. Das haben alle gesagt, schon immer. Das sind *Giddons*-Hände!«, erklärte Geoffrey so unvermittelt, dass Leah und Mark zusammenfuhren. Er hob die Hände mit gespreizten Fingern vor Leahs Gesicht, hob sie so lange hoch, bis die Muskeln in seinen Armen zu protestieren begannen und ein leichtes Zittern sich von den Schultern bis hin zu den Fingerspitzen ausbreitete.

»So ist es, Dad«, sagte Mark und führte die Hände des alten Mannes sacht auf dessen Schoß zurück. Geoffrey wirkte niedergeschlagen und verwirrt, als könne er sich nicht erinnern, weshalb er sie überhaupt erhoben hatte.

»Ich verstehe nicht, warum Sie mich ständig so nennen«, brummte er kläglich. Mark warf Leah einen trostlosen Blick zu.

»Soll ich uns einen Tee holen?«, fragte sie betont munter, und als niemand antwortete, stand sie auf und schlüpfte hinaus. Im Aufenthaltsraum am Ende des Flurs füllte sie drei Becher mit heißem Wasser aus einem dampfenden Kessel, ließ in jeden einen Teebeutel fallen und stellte sie mit einem kleinen blechernen Milchkännchen auf ein Tablett.

»Sind Sie vom Club?«, fragte eine alte Dame, die so lautlos hinter ihr erschienen war, dass Leah zusammenschrak. Sie war sehr klein, zart wie ein Vogel und so schmal, dass es in Leahs Augen an ein Wunder grenzte, dass sie ohne fremde Hilfe überhaupt stehen konnte. Dünne, weiße Strähnen standen von ihrer runzligen Kopfhaut ab wie der Flaum einer Pusteblume.

»Nein, bin ich nicht.« Leah lächelte unbehaglich. Die Frau machte ein langes Gesicht, als sei das eine schreckliche Enttäuschung.

»Na, wann kommen die denn? Mir hat man gesagt, am Dienstag, das hat man mir gesagt, ja. Wenn sie nicht bald kommen, wird es zu spät sein …«, klagte sie ängstlich mit zitternder Stimme.

»Es tut mir leid … äh … Ich weiß nicht, wann sie kommen«, antwortete Leah. »Aber sicher bald.« Die alte Dame sagte nichts mehr, blieb aber vor ihr stehen und blickte so erwartungsvoll zu ihr auf, dass Leah verlegen das Tablett anhob und davonging, wobei sie sich auf grässliche, undefinierbare Weise schuldig fühlte. Dieser Ort war wie ein Kreuzungspunkt, ein Übergang zu unzähligen anderen Welten, überlegte sie. Ein Ort, an dem Zeit und Bedeutung sich von Person zu Person veränderten und die Welten, in denen diese Menschen lebten – wirkliche, vergangene oder eingebildete – einander überschnitten.

In Zimmer elf angekommen, rührte Leah die Teebeutel herum, drückte sie dann aus und nahm sie aus den Bechern. Während sie damit beschäftigt war, fragte Mark seinen Vater nach dessen Gesundheit und wie er hier behandelt wurde. Er erhielt nur wenige Antworten, die meisten davon völlig zusammenhanglos.

»Ich habe mir Ihr wunderbares Haus angesehen, Mr. Canning. Das alte Pfarrhaus«, sagte Leah, als sie zwei Becher vor die Männer hinstellte. »Ich liebe alte Gebäude. Es muss herrlich sein, in einem Haus mit so viel Geschichte zu wohnen.«

»Meine Großeltern haben es von der Kirche gekauft, wissen Sie? Nach dem Krieg. Er war ein Geistlicher«, erklärte Geoffrey so klar und selbstverständlich, als hätten sie sich schon den ganzen Vormittag lang darüber unterhalten.

»So ist es. Reverend Albert Canning«, sagte Leah ermunternd, doch Geoffrey räusperte sich wieder und tastete am Henkel seines Bechers herum, als passte sein Finger nicht hindurch, was natürlich nicht stimmte.

»Pass ja auf, dass die Kinder nicht in der Nähe des Brunnens spielen«, sagte er und hob mahnend den Zeigefinger.

»Ja, natürlich«, antwortete Leah vorsichtig. Geoffrey nickte befriedigt. »Erinnern Sie sich an Ihre Großeltern, Mr. Canning? Ich hatte gehofft, Sie könnten mir etwas über sie erzählen. Vor allem über Ihre Großmutter – Hester Canning? Ich habe ein paar Briefe von ihr gefunden …«

»Ich bin nicht taub, wissen Sie?« Geoffrey klang leicht beleidigt. Leah biss sich innerlich auf die Zunge. Sie hatte unwillkürlich lauter gesprochen in der Hoffnung, zu ihm durchzudringen.

»Verzeihung«, sagte sie und warf Mark einen hilflosen Blick zu, der resigniert mit den Achseln zuckte. Leah wartete eine Weile, doch Geoffrey hatte sich wieder seiner gründlichen Überwachung des Gartens zugewandt.

»Spielt nie in der Nähe des Brunnens. Darin hat der Geist eines kleinen Jungen gehaust, wisst ihr? Ein toter kleiner Junge«, murmelte der alte Mann, dessen Stimme immer dünner und brüchiger klang.

»Was für ein Junge denn, Mr. Canning?«, fragte Leah und bemühte sich, einen Zusammenhang zwischen seinen vereinzelten Bemerkungen herzustellen.

»Wer sind Sie, Miss?«, fragte Geoffrey und richtete den Blick wieder so erschreckend schnell und plötzlich auf sie.

»Ich … ich bin Leah …«, stammelte sie, doch Geoffrey wandte sich seinem Sohn zu und stupste dessen Knie verschwörerisch mit der Hand an.

»Blondinen haben schon was, hm?«, bemerkte er mit schelmischem Grinsen.

»Das habe ich auch gehört«, stimmte Mark zu und sah Leah mit hochgezogener Augenbraue an. Sie holte tief Luft und wusste nicht mehr weiter. Geoffreys Gedanken hüpften und flatterten offenbar herum wie nervöse Spatzen, die sich binnen eines Augenblicks in der Luft zerstreuten.

Der Himmel draußen zog sich zu – dicke graue Wolken, wie angeschwollen vor nicht vergossenem Regen. Das Licht im Zimmer wurde fahl, es sog sämtliche Farbe aus ihren Gesichtern und den hellen, funktionalen Möbeln. Mark sprang auf und schaltete hastig das Licht an, als könnte er die Düsternis nicht ertragen.

»Mr. Canning? Können Sie mir etwas von Ihren Großeltern erzählen? Irgendetwas?«

»Du vergeudest deine Zeit«, sagte Mark tonlos und kehrte zu seinem Stuhl zurück. Er schlug ein Bein über und rieb mit dem Daumennagel am Saum seiner Jeans.

»Oder etwas von einem Skandal in der Familie? Etwas, das vor Ihrer Geburt passiert ist?«, drängte sie.

»Leah …«, protestierte Mark matt.

Geoffrey Canning wandte sich ihr zu und sah sie mit einem freundlichen, verständnislosen Gesichtsausdruck und leicht besorgtem Blick an, als wüsste er, dass er irgendetwas Wichtiges vergessen hatte. Leah lächelte ihm beruhigend zu und drückte seine Hand.

»John Profumo. Das war damals *der* Skandal, kann ich Ihnen sagen! Ja. Reizendes Mädchen – die war ein Knaller!«, erzählte er ihnen. Geoffrey nickte, um seine Worte zu unterstreichen. Mark schüttelte ungläubig den Kopf.

»Ausgerechnet daran kann er sich erinnern! Aber er hatte schon immer eine große Schwäche für Christine Keeler.«

»Es ist wohl wirklich nicht sehr wahrscheinlich, dass er sich an irgendwelchen Familienklatsch erinnern kann, den er als Kind gehört hat«, gestand Leah ein wenig enttäuscht.

»Die Erinnerungen sind da, nur …« Mark drehte eine Hand zwischen ihnen in der Luft hin und her. »Er kommt nicht dran. Sie sind völlig durcheinander. Die Bahnen zwischen Erinnerungen und Gedanken funktionieren nicht mehr so, wie sie sollten. Da gibt es keine Verbindung …«

»Vielleicht weiß er überhaupt nichts von den Feenfotos. Das war schließlich kein Riesenskandal. Wahrscheinlich war die Sache schon ein paar Jahre später vergessen …« Leah seufzte.

»Feenfotos? Das war nicht der Skandal! O nein. Es gab *große* Geheimnisse, Sachen, über die wir nicht reden durften. Wenn ich doch danach gefragt habe, hieß es immer nur ›Feenfotos‹, aber das war nicht das Geheimnis. Ich habe gehört, wie sie darüber geredet haben. Das war nicht der große Skandal bei uns zu Hause, o nein«, erzählte Geoffrey und schüttelte nachdrücklich den Kopf. Leahs Herz begann zu pochen, sie packte seine Hand fester, und er lächelte erfreut.

»Was war denn das große Geheimnis, Mr. Canning?«, fragte sie gespannt. Geoffrey beugte sich zu ihr herüber und genoss das Drama sichtlich.

»*Mord!*«, flüsterte er und riss dabei die Augen weit auf wie ein Kind. »Jawohl, *Mord!*«

Leah lief ein Schauer über den Rücken. Etwas an der Art, wie Geoffrey Cannings Augen aufleuchteten und er das Wort flüsterte, wirkte so, als ahmte er es genauso nach, wie er es einst gehört hatte. Auf einmal war sie sicher, dass dies eine echte Erinnerung war. Dieses Verbrechen war tatsächlich geschehen, und das war es, was Hester Canning so verfolgt hatte. *Mord!*

9

»Die sind einfach großartig. Phänomenal. Wahrhaftig, was für *wunderbare* Bilder«, haucht Albert und beugt sich tief über den Tisch, das Gesicht ganz dicht über den Fotografien, als wolle er sie nicht besudeln, indem er sie berührt. Robin Durrant strahlt triumphierend über das ganze Gesicht. Er bringt anscheinend kein Wort heraus und legt dem Pfarrer stattdessen eine Hand auf die Schulter. Albert hebt seinerseits eine Hand, legt sie auf die des Theosophen und umklammert fest dessen Finger. Aus irgendeinem Grund lenkt die innige Leidenschaft dieser Berührung Hester von den Bildern ab, und sie rückt näher an ihren Mann heran und legt ihm sacht eine Hand auf die andere Schulter. Da stehen sie also, Hester und Robin, zu beiden Seiten des Pfarrers. Der sitzt an seinem Schreibtisch, und vor ihm ausgebreitet liegen die Aufnahmen, die Robin just an diesem Morgen gemacht hat. Sie riechen noch ein wenig nach den Chemikalien, in denen sie entwickelt wurden. Nach ein paar Augenblicken entzieht Robin Albert sanft seine Finger, doch der Pfarrer ergreift stattdessen nicht etwa Hesters Hand. Am liebsten hätte sie ihn gezwickt oder sich schwer auf ihn gestützt, um sich bemerkbar zu machen.

Also streckt sie die freie Hand aus und hebt einen der Abzüge auf. »Vorsichtig, Hetty«, sagt Albert mahnend. »Fingerabdrücke und dergleichen können Fotografien leicht beschädigen.«

»Ich werde sie nicht beschädigen, mein Lieber«, entgegnet Hester. Sie untersucht die Fotografie so genau, wie ihre Augen es nur erlauben. Die seltsame, androgyne Gestalt, in fließendes Weiß gehüllt und mit dem üppigen Haar, das hinter ihr durch die Luft wallt. Auf den meisten Aufnahmen ist sie nur ein verschwommener Fleck, an dem man unmöglich irgendwelche Züge ausmachen kann, und jegliche Form verliert sich in dem Stoff, der sie umspielt. Doch auf zwei oder drei Bildern ist deutlich eine menschenähnliche Gestalt zu erkennen, die zarten Glieder im Sprung ausgestreckt. »Und, sieht sie so aus wie die Feen, die du gesehen hast, Bertie? Die du mir beschrieben hast?«

»Ja«, sagt Albert, doch er klingt nicht ganz sicher. »Allerdings scheint mir diese hier mehr Form angenommen zu haben, und sie ist größer.«

»Aber natürlich«, wirft Robin rasch ein. »Deinen Beschreibungen nach, Albert, nehme ich an, dass du etwas geringere Geschöpfe gesehen hast als dieses hier – vielleicht Elementarwesen, die mit irgendeiner Wildblume oder sonst einem Kraut auf dieser Wiese verbunden sind. Ich habe genau solche Wesen selbst schon in den Auen hier gesehen, und sie sind tatsächlich kleiner und von weniger ausgebildeter Gestalt. Dieses hier halte ich für den Hüter der alten Trauerweide.«

»Eine Dryade?«, fragt Albert.

»So hätte man sie im Altertum bezeichnet, ja. Wie der Baum, den es hegt und nährt, so ist auch dieses Elementarwesen größer und höher entwickelt. Ich habe mich bemüht, mit ihm in Dialog zu treten, doch es war mir gegenüber misstrauisch. Das war möglicherweise nur klug von ihm, obgleich ich mein Allerbestes getan habe, nur Schwingungen der Liebe und des Willkommens auszusenden.«

»Vielleicht war das unhöflich«, sagt Hester, ehe sie sich bremsen kann. Robin wirft ihr einen Blick zu. »Nun ja, ich meine, wenn es schon seit vielen Jahren mit diesem Baum auf der Wiese lebt, hätten Sie als der Besucher es vielleicht nicht in seinem eigenen Zuhause willkommen heißen sollen«, erklärt sie. Robin lächelt nachsichtig.

»Also, Hetty, du bist wirklich schwer von Begriff. Robin bezieht sich doch nur auf seine emotionalen Schwingungen im Allgemeinen. Da gibt es keine gesellschaftliche Etikette zu wahren«, sagt Albert.

»Nun, ich …«, entgegnet Hester ein wenig erschrocken. »Ich wollte damit gewiss nicht andeuten …«

»Nicht doch, Mrs. Canning, ist schon gut. Ich verstehe, was Sie damit meinten. Natürlich muss man sehr achtsam und rücksichtsvoll mit Wesen umgehen, die so rein und feinsinnig sind wie dieses«, erklärt Robin wohlwollend.

»Sieh nur – sieh dir dieses Bild an. Das Gesicht ist beinahe zu erkennen. Und bezaubernd – ganz bezaubernd …« Albert hält dem Theosophen eine bestimmte Fotografie hin. Dieser nimmt sie und betrachtet sie genau, mit gedankenverloren wirkendem Blick.

»Bezaubernd, in der Tat«, murmelt er.

»Robin – wir müssen diese Aufnahmen sofort veröffentlichen! Die ganze Welt muss sie sehen! Ich werde selbst mit den Zeitungen telefonieren – gibt es eine bestimmte Zeitung, der du sie zuerst geben möchtest? Kann man weitere Abzüge davon herstellen?«

»Natürlich, natürlich. Wir machen alles so, wie du sagst, Albert«, beruhigt Robin den vor Erregung zitternden Pfarrer.

»Nun, meine Herren, ich überlasse Sie jetzt Ihrem … bedeutenden Werk. Amy muss die Kinder inzwischen fertig angekleidet haben, und wir haben ihnen versprochen, einen Ausflug nach Thatcham zu machen und Süßigkeiten zu kaufen«, verkündet Hester fröhlich. Doch falls sie gehofft hatte, mit ihrem Aufbruch etwas Aufmerksamkeit zu erregen, so wird sie enttäuscht.

»Ich weiß nicht recht, was ich davon halten soll«, gesteht Hester ihrer Schwester, während sie langsam den Broadway, die Hauptstraße von Thatcham, entlangspazieren, die Sonnenschirme leicht an die Schultern gelehnt. Die Sonne ist drückend, beinahe wie ein spürbares Gewicht. Ellie und John trödeln hinter ihnen und streiten um eine Tüte Lakritzstangen. Der Ort ist still und träge. Aus der Schmiede dringt das Klirren des Hammers auf Metall langsam und unregelmäßig auf die Straße heraus, als sei selbst Jack Morton, der doch so an Hitze gewöhnt ist, der Arm heute schwer. Wer in Thatcham überhaupt draußen unterwegs ist, geht langsam, die Gesichtszüge in der grellen Sonne verkniffen. Dicke Fliegen summen mit entnervender Beharrlichkeit um die Köpfe.

»Kommt, Kinder. Wir gehen zum Fluss hinunter und beobachten die Enten«, ruft Amelia über die Schulter. Ihre Stimme klingt scharf vor Ungeduld. »Du meinst diese Fotografien? Es wundert mich nicht, dass du deine Zweifel daran hast. Ich muss sie natürlich erst selbst gesehen haben, bevor ich mir ein Urteil erlaube, aber ...« Sie zuckt mit den Schultern.

»Aber? Du vermutest, sie könnten ... nicht echt sein?«

»Wie könnten sie echt sein? Entschuldige, Hetty, aber das geht zu weit. *Feen*. Also wirklich! Und du sagst, er war ganz allein, als er die Aufnahmen gemacht und entwickelt hat?«

»O ja. Albert geht nicht mehr mit ihm hinaus in die Auen, und die Kühlkammer darf niemand betreten. Seine

Dunkelkammer, meine ich.« Hester macht vorsichtig einen großen Schritt über den gestromten Metzgershund hinweg, der mitten auf dem Gehsteig ermattet auf der Seite liegt. Er zuckt nur mit einem Augenlid, als ihr Rock ihn leicht streift.

»Na bitte, da haben wir es doch! Er hatte reichlich Gelegenheit, die Bilder zu manipulieren. Es ist mir ein Rätsel, wie er damit irgendjemanden überzeugen will, wenn sie so im Verborgenen entstanden sind«, verkündet Amelia.

»Nun ja, sie wirken durchaus … Also, man meint eine echte Person – nein, eine Gestalt darauf zu erkennen. Die ist nur so verschwommen, dass man schwer einschätzen kann, ob es sich dabei um eine Fee handelt oder nur um eine gewöhnliche Frau«, erklärt Hester zögerlich. »Aber eine Person – eigentlich unmöglich. Wer könnte das sein? Es wäre doch niemand bereit, an einem solchen Betrug mitzuwirken. Niemand im Dorf hat so langes, helles Haar oder würde sich vor Sonnenaufgang in den Auen aufhalten. Nein. Es muss irgendeine andere Erklärung geben … Vielleicht sind die Bilder ja doch echt. Albert zweifelt jedenfalls nicht daran.«

»Ja. Es ist nicht zu übersehen, dass Albert ganz … gefangen ist von alledem.«

»O ja. Er ist völlig überzeugt von allem, was Robin sagt«, stimmt Hester zu und versucht gar nicht erst, den Kummer aus ihrer Stimme zu verbannen.

»Bemerkenswert, dass die beiden sich nach so kurzer Zeit schon so nahestehen.«

»Allerdings, sehr nahe. Manchmal … manchmal ertappe ich Mr. Durrant dabei, dass er mich mit einem ganz seltsamen Gesichtsausdruck beobachtet, und ich frage mich …«

»Was denn, Hetty?«

»Ich frage mich, ob er Dinge über mich weiß, die er besser nicht wissen sollte.«

»Du meinst, Albert hat es womöglich an Diskretion mangeln lassen? Was euer … eheliches Verhältnis angeht?«

»So wie ich mich dir anvertraue, hat Albert sich womöglich Robin anvertraut«, antwortet Hester unsicher.

Amelia runzelt die Brauen und überlegt einen Moment lang. »Dieser kleine Vortrag von gestern Abend, über die Ekstase der Undinen … War das vielleicht eine Anspielung auf …?«

»Du weißt mit Sicherheit besser als ich, worauf er sich bezogen haben könnte«, erwidert Hester kläglich.

»Ich dachte, er wollte damit nur ein wenig Aufregung provozieren! Dieser Schuft!« Amelias leise Stimme klingt zutiefst empört. »Nun, das bestätigt nur den Verdacht, den ich von Anfang an gehegt habe, meine Liebe.«

»Welchen Verdacht denn?«

»Dass Mr. Durrant nicht so ist, wie es den Anschein hat. Sei bitte vorsichtig, meine Liebe. Lass dich nicht von ihm übervorteilen, und versuche, dich von dieser ganzen Feengeschichte zu distanzieren.«

»Wie soll ich mich davon distanzieren, wenn mein Mann sich so sehr dafür engagiert?«, fragt Hester. Amelia schweigt und wirkt ein paar Minuten lang tief in Gedanken versunken.

»Ich verstehe durchaus, wie schwierig diese Situation für dich ist. Es ist sicher das Beste, außerhalb des Pfarrhauses Schweigen zu wahren. Du kannst versuchen, gesunde Skepsis in Albert zu wecken, falls das überhaupt möglich ist, und hoffen, dass die ganze Begeisterung sich rasch wieder legt. Eine Auswirkung dieser außergewöhnlich heißen Witterung, mehr nicht«, sagt sie schließlich.

»Skepsis? Albert verfasst in diesem Moment eine Abhandlung über die Aufnahmen! Die beiden wollen damit an die Presse gehen und die Fotografien veröffentlichen … Das bedeutet doch gewiss, dass Mr. Durrant die Wahrheit sagt?

Dass er niemanden täuschen will? Ansonsten würde er es doch kaum riskieren, sich in dieser Form der Öffentlichkeit zu stellen?«

»Aber was hat er denn schon zu verlieren, Hetty? Er ist ein Unbekannter, der bekannt werden will, während Albert einen guten Ruf genießt und sich eine bedeutende Rolle und großes Ansehen in Kirche und Gesellschaft erworben hat. Er verleiht diesem Projekt den Anstrich der Seriosität, und wenn es dann einen Skandal geben sollte …« Amelias Gesicht ist ernst.

»Dann hätte Albert sehr viel mehr zu verlieren als Mr. Durrant?«

»So ist es, meine Liebe.«

»Aber was kann ich nur tun?«, ruft Hester aus, und vor Angst treten ihr Tränen in die Augen. Amelia ergreift die Hände ihrer Schwester und drückt sie.

»Jetzt schau nicht so ängstlich drein! Wahrscheinlich verläuft das alles ohnehin im Sande. Und vielleicht hat es sogar sein Gutes, wenn diese Fotografien veröffentlicht werden. Falls sie genug Aufmerksamkeit erregen, wird Mr. Durrant damit höchstwahrscheinlich auf Vortragsreise gehen oder so etwas. Vielleicht verlässt er das Pfarrhaus dann schon recht bald.«

»Ach, meinst du?«, fragt Hester hoffnungsvoll.

»Du kannst nur das Beste hoffen – und abwarten, was geschieht«, antwortet Amelia und lächelt ihre Schwester an, doch ihr Blick bleibt tiefernst.

Am Fluss planschen die Kinder aus Thatcham im grünlichen Wasser. Kreischend vor Vergnügen springen sie von der Brücke und paddeln von einem Ufer zum anderen, wo das Gras bereits in den Matsch getrampelt ist. Ellie und John beobachten sie voll neidischer Wut, denn sie wissen, dass sie ihre Mutter nicht einmal zu fragen brauchen, ob sie mitmachen könnten. Sie starren die anderen Kinder an, kauen missmutig auf ihren Lakritzstangen herum und fahren sich mit geschwärzten Zungen über grau verfärbte Lippen. Hier am Fluss ist es kühler, denn die hohen Kastanien spenden Schatten, und das Wasser erfrischt die Luft. Die beiden Schwestern spazieren sehr langsam dahin und lassen sich schließlich auf einer Bank nieder. Es sind keine Enten zum Füttern da, weil die Dorfkinder einen solchen Lärm machen.

»Ich wünschte wirklich, du müsstest nicht schon morgen in die Stadt zurückkehren, Amy«, sagt Hester leise.

»Ich auch, Liebste. Aber wir müssen zurück. Ich habe mit meinem Mann viel zu besprechen.«

»Was wirst du ihm sagen?«

»Genau das, was ich dir gesagt habe. Dass ich ihn nicht mehr lieben kann, wenn er so weitermacht. Vielleicht wird ihn das nicht berühren.« Sie zuckt traurig mit den Schultern. »Vielleicht doch. Aber was kann ich sonst tun?«

»Ja, was kann eine Frau tun?«, bestätigt Hester. Sie denkt an Cat und lächelt. »Mein Dienstmädchen Cat würde uns dafür schelten, dass wir uns so einfach in unser Schicksal ergeben. Immerhin war sie im Gefängnis, um das Wahlrecht für uns zu erstreiten.«

»Das war also der Grund dafür? Wie lächerlich. Diese dummen Vandalinnen richten mehr Schaden an, als sie Gutes bewirken.«

»Allerdings«, murmelt Hester. »Hast du denn für mich noch irgendeinen Rat? Was das … Ehebett betrifft?«, fragt sie, und obwohl sie sich um einen unbeschwerten Tonfall bemüht, kommen die Worte mit einem Zittern über ihre Lippen, das so schwach klingt, als könne sie jeden Moment daran zerbrechen. Amelia drückt erneut ihre Hände.

»Nur dies: Wenn du nah bei ihm liegst und sanft darum bittest, von ihm umarmt zu werden, hast du das Deine getan. Dann liegt es allein an Albert, nicht mehr an dir. Ich kann dir also nicht helfen, weil du nicht das Problem bist«, erklärt sie.

»Ja. Das befürchte ich inzwischen auch.«

»Nun wird Mr. Durrant wohl zu neuen Ufern aufbrechen«, sagt Hester zu Albert in der plötzlichen Dunkelheit des Schlafzimmers, nachdem die Lampen gelöscht wurden. Sie liegt auf dem kühlen Laken, die Decke hat sie zur Seite geschlagen, und durch das offene Fenster, das ein wenig frischere Luft hereinlassen soll, hallt das ferne Gebell eines Hundes vom Dorf herüber. Sie dreht sich auf die Seite, wendet sich Albert zu, wie sie es im Bett immer tut, und betrachtet sein Profil im blassen Schimmer des Sternenhimmels. Seine Augen sind offen und glänzen ein wenig. Er antwortet ihr eine ganze Weile nicht, und als er dann spricht, klingt seine Stimme gepresst vor Pein.

»Ich hoffe nicht. Zumindest vorerst. Er will mit den Fotografien nach London fahren, zum Hauptsitz der Gesellschaft. Aber danach ... Ich bete darum, dass er zu uns zurückkehren wird. Zu den Elementarwesen unserer Auen.«

»Du wünschst dir, dass er wiederkommt?«, fragt Hester, obwohl sie die Antwort bereits kennt.

»Ja, natürlich. Er bringt mir so vieles bei ... Ich habe das Gefühl, dass sich in den Wochen, seit er zu mir kam, mein Geist geöffnet hat. Die ganze Welt sieht jetzt anders aus.«

»Ja, er hatte wirklich viel zu ... lehren«, sagt sie.

»Ich weiß nicht, was ich tun würde, wenn er nicht zurückkäme. Ich weiß nicht, wie ... wie ich weiterleben sollte«, flüstert Albert gedankenverloren, als spräche er mit sich selbst.

»Nicht doch, Bertie – Hausgäste kommen und gehen, aber du hast ja immer noch mich«, erwidert sie energisch und hebt die Hand, um ihm beruhigend den Arm zu streicheln. »Nicht wahr?«

»Ja, natürlich, Hetty«, antwortet Albert, doch es klingt kein bisschen getröstet.

»Er kann schließlich nicht für immer bei uns wohnen bleiben. Das könnten wir uns auch gar nicht leisten«, sagt sie ein wenig spitz.

»Aber begreifst du es denn nicht, Hetty? Er hat *recht*. Alles, was er uns seit seiner Ankunft gesagt hat – und ich habe sehr wohl bemerkt, dass du einiges davon mit großer Skepsis aufgenommen hast … Nein, leugne es nicht. Ich kenne dich zu gut, liebe Hetty. Alles, was er gesagt hat, ist *wahr*. Und jetzt kann er es der ganzen Welt beweisen. Verstehst du denn gar nicht, wie wichtig das ist, Hester? Wie bedeutend das ist, was sich in diesem Sommer hier ereignet hat?«

»Doch«, flüstert Hester und ist den Tränen nahe, weil sie im Herzen nicht so fühlt. Sie kann all das nicht als wahr empfinden und die Überzeugung ihres Mannes nicht teilen. Die Fotografien zeigen ihr eine hübsche Gestalt, eine zarte Figur, eine barfüßige Tänzerin auf einer Feuchtwiese. Sosehr sie sich auch bemüht, sie kann darin keine Fee erkennen. Und sie will Robin Durrant nicht mehr hier haben. Sie will Albert zurückhaben – er soll wieder ihr gehören, wenn schon nicht körperlich, so doch wenigstens im Geiste. Sie beobachtet ihn, solange sie kann, aber während ihr langsam die Lider schwer werden, bleiben seine Augen weit geöffnet und schimmern im himmlischen Licht.

Zum ersten Mal, seit sie das Fahrradfahren gemeistert hat, geht Cat zu Fuß nach Thatcham. Nach vielen Tagen ohne George brennt sie so sehr darauf, ihn zu sehen, dass es sich beinahe anfühlt wie Angst – ihre Fingerspitzen kribbeln, und ihre Gedanken schwirren in ihrem Kopf herum wie gefangene Insekten. Die Nacht ist malvenfarben und indigoblau, die Landschaft noch recht gut zu erkennen und von lärmendem Leben erfüllt – ein Rascheln und Huschen in den Binsen, das Surren und Schwirren von Grillenflügeln, die heiseren Rufe aufgeschreckter Wasservögel. Cat ist schwindelig vor Müdigkeit. Sie hat jetzt einen Tag, eine Nacht und einen zweiten Tag lang nicht geschlafen, wenig gegessen und sich in Gedanken so viel und so intensiv mit Tess und George und Robin Durrant beschäftigt, dass sie vor ihrem geistigen Auge verschwimmen und ineinander übergehen. Seit ihrem Tanz auf der Wiese könnte eine Woche vergangen sein, oder auch ein Jahr, oder zehn Jahre. Die Zeit verhält sich sehr seltsam. Erst vor wenigen Stunden hat Mrs. Bell sie dabei ertappt, wie sie mit beiden Armen bis zu den Ellbogen in Seifenlauge vor dem Waschzuber kniete und ein Unterhemd ins längst kalt gewordene Wasser hielt. Als sie die Hände herauszog, war die Haut aufgequollen und schrumpelig. Ihre Schritte auf dem Pfad klingen wie das Ticken einer Uhr oder eines Metronoms. Einer folgt dem anderen, links und rechts und wieder links, und so findet sie ihren Weg.

Sein Kahn ist am gewohnten Platz vertäut, und in der Kabine brennt Licht. Cat bleibt daneben stehen, verwirrt, glücklich und erleichtert. Sie balanciert langsam und vorsichtig über die Planke, weil sie sich ihres eigenen Körpers, ihres Gleichgewichts nicht sicher ist. Die überschäumende Kraft, die sie beim Tanzen gespürt hat, ist verschwunden. Als George sie hört und aus der Kabine klettert, fällt sie in seine Arme.

»Cat! Was ist passiert? Geht es dir nicht gut?« Er hat noch mehr Sonne abbekommen. Sein Gesicht ist braun gebrannt bis auf die feinen, hellen Fältchen um die Augen, die er tagsüber oft zusammenkneift.

»Nein, nein, ich bin nicht krank. Nur müde. Ich habe lange nicht geschlafen«, sagt sie und lächelt wie trunken zu ihm auf. Er sieht ihr forschend ins Gesicht und streicht mit den Händen über ihren Körper, als wollte er sich vergewissern, dass sie heil und ganz ist. Dann kämmt er mit den Fingern ein paar kurze Strähnen aus ihrem Gesicht und küsst sie auf den Mund.

»Setz dich, Black Cat. Du siehst völlig erschöpft aus, Mädchen.« Er lächelt. »Schau – ich habe unterwegs etwas zu trinken gekauft. Möchtest du was?«

»Ingwerlimonade?«

»Ja, aber ich habe auch Bier, wenn dir das lieber wäre.«

»Nein, ich mag die Limonade«, sagt sie.

»Was ist denn passiert, während ich weg war?«

»Wie kommst du darauf, dass etwas passiert sei?«

»Ich sehe es in deinen Augen, Cat. Schlechte Neuigkeiten?« George nimmt zwei Becher von ihren Haken und schenkt ein.

»Nur schlechte Neuigkeiten. Ich bin ein einziger wandelnder Wermutstropfen«, sagt sie, und er wartet auf eine Erklärung. »Meine liebste Freundin Tess wurde zusammen mit mir verhaftet und eingesperrt – nicht nur mit mir, sondern meinetwegen, um die Wahrheit zu sagen. Jetzt steckt sie im Armenhaus, sie kann sonst nirgendwo hin. Sie ist fast noch ein Kind! Keine achtzehn Jahre alt. Und ich wollte sie heute besuchen, weil das der einzige Besuchstag im Monat ist, aber die Pfarrersfrau hat es mir nicht erlaubt. Und ich bin an allem schuld! Und der Gentleman … er hätte Tess das ersparen können. Er hätte sie nur einfach wieder einstellen brauchen. Er weiß doch, dass sie eigentlich nie Scherereien gemacht hat. Nicht so wie ich. Oder sie hierherschicken, das hätte er tun sollen! Sie an meiner Stelle hierherschicken, jawohl. Ich hätte das Armenhaus vielleicht verdient, aber sie doch nicht. Sie gewiss nicht.« Die Worte überschlagen sich förmlich, und ehe sie weiß, wie ihr geschieht, laufen ihr Tränen über die Wangen und schnüren ihr die Kehle zu.

»Na, na, nicht doch! Es hilft ihr auch nicht, wenn du dir deshalb die Augen ausweinst«, sagt George sanft. Er umfasst ihr Gesicht mit seinen rauen Händen und fängt die Tränen mit den Daumen auf.

»Aber ich muss ihr helfen, unbedingt. Vielleicht habe ich gerade genau das Richtige gesagt … ja, vielleicht ist es das!«, ruft sie mit weit aufgerissenen Augen aus.

»Cat, Liebling, du redest ziemlich unverständliches Zeug.«

»Sie sollte hierherkommen und meine Anstellung übernehmen. Ich finde es sowieso grässlich, ich halte es gar nicht mehr aus. Nur Lügen und … und Gefangenschaft! Aber Tess lehnt sich nicht gegen alles Mögliche auf, so wie ich. Sie wäre denen ein gutes Dienstmädchen, und dankbar, wie die Leute es von ihr erwarten. Sie müssen sie einstellen!«

»Und wohin dann mit dir? Sie werden euch kaum beide behalten, möchte ich wetten«, sagt George. Er runzelt leicht die Stirn und fängt Cats wild gestikulierende Hände ab.

»Ich gehe fort. Ist mir gleich. Ich gehe einfach … egal, wohin«, sagt sie. Dann verstummt sie und denkt ruhiger über ihre eigenen Worte nach. »Ich kann nicht für immer dort bleiben. Ich kann nicht so sein wie Sophie Bell. Das wird mich irgendwann um den Verstand bringen.«

»Vielleicht habe ich darauf eine Antwort«, sagt George leise. Er lässt ihre Hände los und geht durch die Kabine zu dem schmalen Bett, unter dem sein Seesack verstaut ist. Er zieht ihn heraus und kramt darin herum. »Ich hatte dich anders fragen wollen, und vielleicht nicht gleich heute Abend. Aber trotzdem …«

»Ich finde bestimmt eine andere Arbeit irgendwo. Nicht als Dienstmädchen. Vielleicht könnte ich Maschineschreiben lernen oder irgendwo in einer Fabrik arbeiten …«

»Das ist nur eine andere Art von Knechtschaft. Cat, hör mir zu.« Er kniet sich vor sie hin, sodass ihrer beider Augen auf einer Höhe sind. »Ich habe die Lösung, sage ich dir.« Cat runzelt die Brauen und bemüht sich, ihren Blick und ihre Gedanken auf ihn zu konzentrieren. In seiner Handfläche blinkt etwas Silbriges. »Dieser Ring hat meiner Großmutter gehört. Ich habe meine Familie besucht, als ich unterwegs war. Sie haben ihn für mich aufbewahrt für den Fall, dass ich ihn einmal brauchen sollte. Und der Fall ist jetzt eingetreten.«

»Du willst ihn verkaufen? Aber das Geld würde nie reichen, um …« Cat betrachtet kopfschüttelnd den schmalen, hellen Ring.

»Nein, ich will ihn nicht verkaufen, du Dummkopf. Ich will ihn dir anstecken und dich heiraten!« Cat starrt ihn an. »Ich möchte dich heiraten, Cat. Ich liebe dich von ganzem Herzen. Ich will dich immer bei mir haben. Und du kannst deine Anstellung aufgeben, wenn du das möchtest. Wir können uns in Hungerford eine Wohnung nehmen, bis ich genug Geld für das Boot gespart habe. Du suchst dir eine andere Arbeit, wenn du willst, oder ich sorge für dich, wie es sich für einen Ehemann gehört.« Cats anhaltendes Schweigen lässt George schließlich verstummen. Er sieht ihr tief in die Augen. »Willst du mir denn gar nicht antworten?«, fragt er ängstlich. Cat fährt mit den Fingern durch sein Haar und über seine kräftigen Arme. Sie küsst seinen Hals, seine Augen, sein ganzes Gesicht und schlingt dann die Arme um ihn. Er ist lebendiger und wirklicher als alles andere in ihrer Welt, und obwohl sie binnen Sekunden einschläft, fragt sie sich im letzten wachen Augenblick, wie sie ihm ihre Zurückweisung erklären soll.

Cat wacht auf, als der Himmel sich silbrig verfärbt. Eine Weile bleibt sie still liegen und fragt sich, warum ihr Rücken schmerzt und ihre Füße so kalt sind und wo sie überhaupt ist. Sie genießt das himmlische Gefühl, sich einmal richtig ausgeruht zu haben. Ihr Magen fühlt sich heiß an und knurrt. Dann hebt sie den Kopf und sieht George. Auf dem schmalen Bett ist nicht genug Platz, als dass zwei Leute nebeneinanderliegen könnten. Er hat die ganze Nacht lang auf dem Rücken gelegen, und Cat auf ihm wie auf einer Matratze. Er schnarcht leise und regt sich leicht, als sie sich bewegt, und ein Stich heftiger Liebe zu ihm erschreckt sie. Das Gefühl weicht schon bald nackter Panik. Der Morgen graut, und sie hat die ganze Nacht in seinen Armen verschlafen. In nicht einmal einer Stunde muss sie gewaschen und ordentlich gekleidet damit beginnen, Frühstück zu machen. Aber sie ist meilenweit vom Haus entfernt und hat in ihrer Kleidung geschlafen, die völlig zerknittert ist und muffig riecht. Nicht einmal das Fahrrad des Pfarrers ist hier, mit dem sie schneller zurück sein könnte. So leise wie möglich lässt sie sich vom Bett gleiten, doch George schlägt die Augen auf.

»Wo gehst du hin?«

»Es ist schon Tag!«, faucht sie ihn an, und Angst lässt ihre Stimme barsch werden. »Nicht zu fassen, dass ich so lange geschlafen habe. Ich muss sofort zurück! Sonst merken sie etwas … Und ich sehe aus wie eine Landstreicherin!«

»Mach dich nicht verrückt. Die Sonne ist noch nicht aufgegangen, du hast Zeit.« George setzt sich auf und verdreht die Schultern, um seine verkrampften Muskeln zu lockern. »Eines kann ich dir sagen, für so eine halbe Portion bist du nach einer Weile ganz schön schwer.« Er grinst sie an.

»Warum hast du mich nur so lange schlafen lassen?«

»Du hast Schlaf gebraucht. Ich wollte dich ja wecken, als es immer später wurde, aber du hast so friedlich ausgesehen.

Also wollte ich nur kurz die Augen zumachen, und da bin ich wohl selbst eingeschlafen.«

Cat kämmt sich das Haar mit den Fingern und versucht vergeblich, Rock und Bluse zu glätten. Sie zieht ihre Schuhe an und wendet sich der Leiter zu. George erwischt ihre Hand und hält sie fest.

»Warte! Warte doch einen Moment, Cat. Du hast mir noch keine Antwort gegeben.«

»Dafür ist jetzt keine Zeit, George«, sagt Cat und versucht, sich loszureißen und davonzulaufen.

»Ja oder nein – beides ganz kurze Wörter, die sind schnell ausgesprochen«, entgegnet er, und seine Stimme klingt jetzt ein wenig zurückhaltend, vorsichtig. »Ich wäre immer gut zu dir, Cat Morley«, fügt er hinzu, als sie zögert und seinem Blick ausweicht.

»Das weiß ich. Aber ich kann dich nicht heiraten, George.«

»Warum nicht?«, fragt er mit bestürzter Miene. Cat schlingt die Arme fest um sich selbst, denn auf einmal ist ihr kalt und übel. »Warum nicht? Liebst du einen anderen?«, fragt er drängend. Er klingt zornig und ängstlich zugleich.

»Nein!«

»Bin ich nicht gut genug für dich?«

»Du wärst gut genug für jede Frau, George, daran gibt es keinen Zweifel«, antwortet sie traurig.

»Warum willst du mich dann nicht heiraten?«

»Weil du mich besitzen würdest! Ich will niemandem gehören, George! Weder dir noch sonst jemandem … schlimm genug, dass ich Sklavin des Pfarrers und seiner Frau bin. Diese eine Form der Sklaverei würde ich nicht gegen eine andere eintauschen.«

»Ich spreche von einer Ehe, nicht von Sklaverei …«

»Aber das ist ein und dasselbe! Wenn du nur ein paar der Geschichten gehört hättest, die Frauen in London berichten – was ihnen die Ehe gebracht hat, wie sie behandelt wurden. Wenn ich dich heirate, hättest du das Recht, mich zu schlagen! Mir mein Geld wegzunehmen, meine Kinder, alles, was ich besitze, was, bei Gott, ohnehin nicht viel ist … Es wäre dein gutes Recht, dir an meinem Körper Lust zu verschaffen, ob ich das will oder nicht! Mich einzusperren und nie wieder ans Tageslicht zu lassen. Du hättest das Recht …« Ihr geht der Atem aus, sie muss husten und bemerkt, dass ihre Hände zittern, solche Angst machen ihr die eigenen Worte.

»Ich würde so etwas nie tun, nichts von alledem! Glaubst du das etwa von mir?«, fragt er betroffen.

»Nein! Ich glaube nicht, dass du so etwas tun würdest, George. Ich spreche nur vom *Stand* der Ehe und warum ich nicht bereit bin, in diesen Stand zu treten. Weder mit dir noch mit sonst irgendeinem Mann!«, ruft sie aus. »*Niemand* wird mich besitzen!«

Ihren Worten folgt nur Stille von draußen. George wendet sich von ihr ab, setzt sich wieder aufs Bett und sieht sie nicht an. Cat schluckt, ihre Kehle ist ausgedörrt und schmerzt. Sie zögert noch kurz, dann klettert sie aus der Kabine und macht sich auf den Weg zurück nach Cold Ash Holt.

AUS DEM TAGEBUCH DES REVEREND ALBERT CANNING

Dienstag, 18. Juli 1911

Heute ist Robin nach London abgereist. Er hat ein Telegramm vorausgeschickt und um eine Besprechung mit den höchsten Rängen der Theosophischen Gesellschaft angesucht. Zwar erhielt er vor seiner Abreise keine Antwort, doch ich bin sicher, dass die Beweise, die er hier endlich bekommen konnte, auf größte Begeisterung stoßen werden. Dann kann man sogleich mit den Überlegungen und Planungen beginnen, wie sie am besten zu nutzen sind, um die Bildung und Aufklärung der Menschen zu fördern. Das Wissen, dass solche Dinge so nahe sind, ist, als wandelte man im Schatten Gottes. Es ist eine ständige Ablenkung, und welch glorreiche Ablenkung! Ich kann kaum mehr an etwas anderes denken. Ich sehne mich danach, wieder im Morgengrauen mit Robin durch die Auen zu streifen und von diesem machtvollen Gefühl der <u>Richtigkeit</u> erfasst zu werden, das mich in solchen Augenblicken überkommt. Ja, ich sehne mich dorthin. Danach erscheint mir die menschliche Rasse im hellen Tageslicht ausgesprochen armselig und unwürdig. Ich stelle fest, dass meine Gemeindemitglieder mich beinahe anwidern mit ihren Krankheiten, ihrer Pietätlosigkeit,

ihrer Besessenheit von materiellen Dingen und ihrer Lüsternheit.
Sie zur Erkenntnis der Wahrheit zu bringen wäre eine wahrhaft
gewaltige Aufgabe, und zu meiner Schande muss ich gestehen,
dass ein selbstsüchtiger Teil von mir es lieber gar nicht versuchen,
sondern diese fantastische Entdeckung als unser Geheimnis hüten
würde, das ich allein mit Robin teile. Doch das ist nicht der Weg
der Theosophie, und ich muss mich bemühen, derartige Gedanken
zu unterdrücken.

In letzter Zeit kann ich nicht mehr schlafen. Ich liege wach, bis die
Vögel zu singen beginnen, gefesselt von Gedanken an die Wunder
dieser Welt und wie kurz davor ich stehe, mit ihnen in Verbin-
dung treten zu können. Denn Wissen ist der erste Schritt zur
Erleuchtung, und von der Warte der Erleuchtung aus enthüllt sich
der Weg zu klarerer innerer Sicht und einem höheren Bewusst-
sein. Ich glaube, ich kann deshalb nicht schlafen, weil mein in-
neres Auge erwacht. Wenn ich dann irgendwann doch einschlafe,
in der ersten Stunde nach dem Morgengrauen, werde ich von
Träumen gequält, sehr verstörenden Träumen. Meine menschli-
chen Zweifel und Ängste stellen sich wieder ein, um mich zu ver-
höhnen und meine Entschlossenheit auf die Probe zu stellen. In
solchen Träumen sehe ich oft Robin Durrants Gesicht, als riefe er
nach mir, um mich zu führen. Selbst nach dem Erwachen bleibt
mir sein Gesicht vor Augen. Er ist stets in meinen Gedanken, und
ich fühle seinen wohlwollenden, liebevollen Einfluss in allem,
was ich tue. Die Tage werden mir sehr lang sein und sehr leer, so-
lange er fort ist. Ich wünschte, er hätte mich gebeten, ihn zu be-
gleiten, damit ich an seiner Seite bleiben und ihm in dieser Zeit
gewaltiger Veränderungen beistehen kann.

Die Aura seliger Harmonie und reichen Wissens, die der Theosoph
ausstrahlt, vermag ich nicht hinreichend zu erklären. Er ist ein
beispielhafter Mann. So soll ein Mensch sein! Seine Geduld und
Belesenheit, seine Art, allen Dingen mit Leidenschaft und Ratio
zugleich zu begegnen. Er verkörpert das Ideal eines unbefleckten

menschlichen Geistes. Womit sonst könnte ich dieses Gefühl von Vollkommenheit, Friede und Freude erklären, das ich in seiner Gesellschaft empfinde? Hester versteht das nicht. Wenn sie von ihm spricht, wird sie verdrießlich, gelegentlich sogar albern. Ich sollte sie deswegen nicht tadeln, da sie _die Wahrheit_ nicht kennt und sich von solch esoterischen Dingen kaum einen Begriff machen kann. Frauen waren eben schon immer weniger gottesfürchtig als Männer, weniger lernbegierig, weniger dazu in der Lage, sich ganz dem ernsthaften Denken hinzugeben. Weisheit und Gelehrsamkeit liegen nicht in ihrer Natur, und diesen Mangel darf man ihnen nicht vorwerfen. Zwar werden der Lehre gemäß innerhalb der Theosophischen Gesellschaft keine solchen Unterschiede zwischen den Geschlechtern gemacht, doch ich behaupte nicht, mit jedem einzelnen ihrer Grundsätze übereinzustimmen.

Während Robin fort ist, werde ich wieder selbst hinaus auf jene Wiesen gehen und _die geistige Stille zurückgewinnen_, die mir damals erlaubte, die Elementare zu sehen. Das werde ich tun. Ich darf nicht versagen. Denn wenn mir das nicht gelingt, bin ich nicht besser als die Kartenspieler im Pub oder die Unzuchtsünder in den dunklen Gassen. Ich werde ihre Angriffe auf den menschlichen Anstand bekämpfen, ebenso wie alles, was in mir selbst unrein ist, die materialistischen, weltlichen Triebe, die es mir unmöglich gemacht haben, jenes Wunder noch einmal zu sehen. Wie Charles Leadbeater selbst sagt: Die Elementare empfinden die Nähe eines gewöhnlichen Menschen, als blase sie ein Wirbelsturm an – ein Wirbelsturm, der zuvor über eine Jauchegrube geweht ist. Ich werde kein solch gewöhnlicher Mensch mehr sein. Wenn mir das gelingt, wird Robin wahrhaftig einen Grund haben, zurückzukehren. Einen richtigen _Gefährten_, einen verständigen Gehilfen und Schüler in seiner Lehre. Er muss einfach zurückkehren.

1911

Nach dem Aufwachen kommt Hester ein paar Minuten lang einfach nicht darauf, was anders ist als sonst. Sie hört, wie Cat unten leise die Fensterläden öffnet und Holz sanft gegen Holz stößt, wenn die Läden sich zusammenfalten und in der Täfelung verschwinden. Die Luft ist stickig und zu warm. Ihre Haut juckt ein wenig und fühlt sich heiß und feucht an, wo das klamme Laken sie berührt. Ihre Gedanken kommen ihr benommen und verlangsamt vor. Dann wird es ihr klar – sie ist nicht allein. Zum allerersten Mal ist sie vor Albert aufgewacht, und er liegt noch neben ihr im Bett. Er schläft auf dem Rücken mit erschlafftem Kiefer und ganz leicht gerunzelter Stirn. Seine leisen Atemzüge erfüllen ihren Morgen, der sonst still gewesen wäre. Sechs Tage sind vergangen, seit Robin Durrant nach London gereist ist, und sie haben noch immer keine Nachricht von ihm. Während Albert sich deshalb ungeduldig zu sorgen scheint, ist Hester froh, ja, so glücklich wie seit Wochen nicht mehr. Sie rollt sich vorsichtig zur Seite und bleibt ihm zugewandt liegen. Die Vorhänge sind noch geschlossen, und durch den dicken Stoff dringt nur ein satter, ockerfarbener Schimmer. Albert hat während der Nacht die Bettdecke von sich geschoben und liegt mit weit ausgebreiteten Armen und Beinen da, beinahe, als habe jemand ihn achtlos dort abgelegt. Hester lächelt zärtlich, als er etwas Unverständliches murmelt und leicht den Kopf bewegt.

Albert schläft stets in einem langen, weiten Hemd aus ungebleichtem Leinen und einer ebensolchen Hose. Der Stoff ist von einer unruhigen Nacht zerknittert, verrutscht und hier und da zusammengeknäuelt, was sich gewiss unangenehm anfühlen würde, wenn Albert wach wäre. Hester streckt den Arm aus und legt ihn leicht auf seinen Bauch, doch dann fährt sie überrascht zurück. Da ist etwas Hartes unter dem hellen Leinen in seinem Schritt, das sie noch nie an ihm gespürt hat. Albert murmelt wieder etwas, leiser diesmal. Hester starrt seinen schlafenden Körper an, doch sosehr sie sich den Kopf zerbricht, sie kommt nicht darauf, was für ein Ding eine solche Form haben und sich so anfühlen könnte – merkwürdig und beinahe unnatürlich, als gehörte es gar nicht zum Rest dieses entspannt auf dem Rücken schlafenden Körpers. Mit pochendem Herzen nestelt Hester sehr vorsichtig an den Knöpfen von Alberts Hose herum. Der Stoff ist derb, und sie muss beide Hände zu Hilfe nehmen, obwohl sie sich dabei vor ängstlicher Konzentration auf die Unterlippe beißt und ständig fürchtet, er könnte etwas spüren und aufwachen. Doch er schläft weiter. Und da ist etwas. Ein gebogenes Stück harten Fleisches wächst aus seinem Schritt hervor und liegt in dem Flaum auf seinem Bauch. Die seidenweiche Haut bedeckt ein Gebilde mit Furchen und Blutgefäßen, das eine dunkle, rosig-braune Farbe hat, und da ist ein leicht moschusartiger Geruch, den sie noch nie zuvor an Albert bemerkt hat.

Im ersten Moment ist Hester erschrocken, dann findet sie den Anblick abstoßend und geradezu furchterregend. Sie denkt, dass diese Missbildung, diese Abnormität vielleicht der Grund dafür sein könnte, dass ihr Mann sie nie im Arm halten oder ganz nah bei ihr liegen will. Sie ist erstarrt, auf einen Ellbogen gestützt, und ängstliche Fragen prasseln lähmend auf sie ein. Doch je länger sie darüber nachdenkt, desto mehr von den Dingen, die Amelia ihr geschrieben hat, fügen sich zusammen, und allmählich begreift sie, dass dieser … Zustand erforderlich ist, damit ihre Körper sich vereinigen können. Und jetzt sieht sie das zum ersten Mal mit eigenen Augen. Vorsichtig, ohne Alberts schlafendes Gesicht ganz aus dem Blick zu verlieren, berührt sie dieses Ding. Leicht streifen ihre Fingerspitzen die Haut. Es fühlt sich fiebrig heiß an, glatt wie Satin und sehr seltsam. Albert wimmert leise und biegt den Rücken ein wenig durch, als winde er sich in einem Albtraum. Hester überlegt, ob sie ihn wecken soll, ist aber dann doch zu fasziniert von dieser neuartigen Erkundung seiner Anatomie. Sie krümmt die Finger darum und drückt es vorsichtig, prüft, wie hart es ist, und versucht festzustellen, woran das liegen könnte. Albert seufzt und bewegt sich leicht unter ihrer Liebkosung. Das Ding in ihrer Hand scheint noch härter zu werden, und einen Moment lang glaubt sie, seinen Herzschlag darin zu spüren. Hester streicht mit der Hand empor bis zur Spitze, die sich anfühlt wie feinstes Sämischleder, und lächelt vor Überraschung und Freude darüber, dass sie endlich etwas Neues über ihren Mann gelernt hat. Sollte er sich bisher dieses seltsamen Organs geschämt haben? Nun, da sie es gesehen hat, wird er deshalb gewiss nicht mehr verlegen sein. Ein warmes Kribbeln setzt zwischen ihren Oberschenkeln ein und breitet sich bis in ihre Magengrube aus, und sie beugt sich spontan über ihren Mann und küsst ihn auf den Mund.

Albert erwacht mit einem scharfen Luftschnappen und einem Ausdruck völliger Verwirrung in den Augen, als hätte er erwartet, jemand ganz anderen zu sehen. Da ihre Hand noch immer seinen Schaft umfängt, spürt Hester ganz genau den Augenblick, in dem das Organ zu erschlaffen und zu schrumpfen beginnt. Albert weicht erschrocken zurück, springt aus dem Bett und versucht hektisch, seine Hose zuzuknöpfen.

»*Hester!* Was *tust* du denn da?«, ruft er aus. Seine Stimme klingt atemlos und leicht erstickt vor Angst oder Empörung.

»Nichts, mein Liebster – es ist wirklich alles in Ordnung. Ich habe mich sehr gefreut, zur Abwechslung einmal neben dir aufzuwachen. Ich wollte dich nur berühren, und da habe ich gesehen, was …« Sie deutet vage auf seinen Unterkörper, und das Lächeln fällt ihr von den Lippen, als sie den zutiefst zornigen Ausdruck sieht, der sich über sein Gesicht breitet.

»Schweig!«, herrscht er sie an, schließt den letzten Hosenknopf und fährt mit verzweifelter Hast in seinen Morgenrock. Er knotet den Gürtel so energisch zu, dass er Mühe haben wird, ihn wieder zu öffnen. »Du darfst mich niemals so berühren, wenn ich schlafe! Und auch sonst nicht!«

»Aber Bertie, ich habe nur …«

»Nein. Wir werden kein weiteres Wort darüber verlieren. Wir werden vergessen, dass dies je …«

»Ich will es aber nicht vergessen! Albert, das ist doch nichts, weshalb du dich schämen müsstest oder was dir peinlich sein müsste, mein Liebster. Es ist vollkommen natürlich«, sagt sie und hofft trotz einer nagenden Unsicherheit, dass es sich tatsächlich so verhält. »Und ich bin deine *Frau,* wir sind verheiratet. Zwischen uns sollte es keine Geheimnisse geben, nur gegenseitiges Verständnis und …« Sie verstummt. Albert tritt ans Fenster und reißt die Vorhänge auf, wie um die Welt hereinzubitten, weil er nicht mit seiner eigenen Frau allein sein will. Dann lässt er die Arme schlaff herabhängen und krümmt nur immer wieder die Finger.

»Es war äußerst anstößig und unanständig von dir, mich so zu berühren!«, sagt er, und seine Stimme ist geprägt von einer Emotion, die sie nicht genau bestimmen kann.

»Bertie, bitte …«

»Wir werden nicht mehr darüber sprechen«, erklärt er.

»Aber ich *will* darüber sprechen! Wir müssen uns über diese Dinge unterhalten, Albert, oder ewig im Dunkeln tappen!«, ruft sie verzweifelt aus.

»Was soll das heißen, im Dunkeln? Du bist diejenige, die dieses Haus durch solch schamloses Tun in Dunkelheit stürzen wird!«

»*Schamlos?* Ist es etwa verwerflich, wenn eine Frau ihren Ehemann berührt – den Mann, mit dem Gott sie vereint hat? Ist es verwerflich, dass ich mir wünsche, als Mann und Frau mit dir zu leben, und nicht wie Bruder und Schwester? Du bist ein Mann Gottes, Albert. Das weiß ich, und ich respektiere es. Aber du bist kein Mönch! Was wäre denn der Sinn einer Ehe, wenn nicht der, dass wir beieinanderliegen dürfen, einander berühren und eine *Familie* werden, Albert?« Ihre Stimme bebt, so aufgewühlt ist sie.

Albert steht eine Weile nur da und starrt sie an. Sein Kiefer malmt, die Muskeln an den Gelenken treten hervor. »Du verstehst das nicht. Wie könntest du auch?«, sagt er schließlich mit harter, leiser Stimme.

»Nein, ich verstehe es nicht. Ich verstehe es wirklich nicht, und auch dich verstehe ich immer weniger, Bertie, und was ich getan habe, dass du mich so behandelst. Bitte erkläre es mir doch!«

»Ich … ich war immer gut zu dir, nicht wahr? Ein guter Ehemann?«

»Ja, aber …«

»Dann bitte, Hetty, hör endlich auf, mich ständig derart zu *bedrängen!* Ist diese Fleischlichkeit denn alles, was du von mir willst? Bist du so verzweifelt darauf aus, dass du bereit bist, sie mir heimlich zu stehlen, während ich schlafe? Wie die abscheulichste, liederlichste Metze?«

»Wie kannst du so etwas zu mir sagen? Wie kannst du das Wort ›liederlich‹ gebrauchen, wenn ich mehr als ein Jahr nach unserer Hochzeit noch *Jungfrau* bin?«, stößt sie mühsam hervor, denn heftiges Schluchzen schnürt ihr die Kehle zu.

Alberts Gesicht ist bleich und glänzt vor Schweiß. Er sieht kränklich aus. »Ich … ich entschuldige mich dafür«, sagt er schließlich leise. Seine Augen sind weit aufgerissen, der Blick wirr. Er schluckt und schaut auf die weinende Hester herab wie auf ein wildes, unbekanntes Tier. Dann wendet er sich ab und geht langsam zu seinem Ankleidezimmer. Hester reißt die Hand hoch und bekommt seinen Morgenmantel zu fassen.

»Albert, warte! Bitte geh nicht, bleib hier und sprich mit mir!«, fleht sie.

»Nicht doch, Hetty«, murmelt Albert abwesend. Sein Gesicht wirkt dabei angespannt und gedankenverloren zugleich. »Ich muss mich fertig machen.« Er betritt sein Ankleidezimmer und schließt die Tür hinter sich.

Hester lässt sich zurück aufs Bett sinken und schlägt sich die Hand vor den Mund. Dabei erhascht sie einen Hauch seines moschusartigen Geruchs, der noch an ihrer Haut haftet. Sie kann nicht mehr aufhören zu weinen, obwohl sie es versucht. Sie zittert in ihrem warmen Schlafzimmer und bleibt sitzen, bis diese Symptome nachlassen. An ihre Stelle treten Verwirrung, Zweifel und tiefe Niedergeschlagenheit, und eine neue, höchst unwillkommene Erkenntnis: Erst in dem Moment, als Albert die Augen aufschlug und *sie* sah, ließ seine Erregung nach. Hester rückt an die Bettkante und lässt die Beine baumeln. Sie sollte aufstehen und sich fürs Frühstück ankleiden, doch all das erscheint ihr so zwecklos. Vollkommen unnütz, so wie sie selbst.

Cat hört das Gejohle, ehe sie den bedauernswerten Gegenstand dieses höhnischen Gelächters sieht. Sie ist zu Fuß nach Thatcham gegangen, hat für Hester Briefe und ein Päckchen aufgegeben, und jetzt will sie noch frisches Fleisch vom Metzger holen. Das muss sie nun öfter tun als je zuvor, denn das Wetter ist unverändert heiß und schwül, und sie können nicht verhindern, dass das Fleisch im Pfarrhaus im Nu verdirbt. Wenn sie es nach nur einem Tag im Brunnen wieder heraufholen, ist es bereits silbrig grün und mit einem schmierigen Film überzogen, der an den Fingern kleben bleibt und so stechend säuerlich stinkt, dass es einem den Magen umdreht. Als Cat ein paar Minuten zuvor auf dem Weg hierher an Georges Kahn vorbeikam, machte ihr Herz einen Satz, und ihre Kehle war ganz trocken. Doch die Kabinentür war fest geschlossen, und von George war nichts zu hören oder zu sehen. Mit einem Kribbeln in der Magengegend – den leichten Schmetterlingsflügeln der aufsteigenden Panik – ist sie weitergegangen. Sie fragt sich, was dieses Gefühl wohl zu bedeuten hat. Am anderen Ende der Hauptstraße, wo eine breitere freie Fläche zwischen den flankierenden Ladenzeilen eine Art Platz bildet, steht eine rundliche Frau auf einem wackeligen Holzpodest. Ihre Haube ist der starken Sonne nicht gewachsen, und ihr gerötetes Gesicht glänzt. Doch es sind die Farben, die Cats Blick auf sich ziehen und ihr den Atem stocken lassen: ein Banner in Weiß, Grün und Purpurrot hängt zu einer Girlande drapiert hinter der Frau. Sie trägt eine passende Schärpe und Bänder, die schlapp in der unbewegten Luft hängen. *Erhebt Euch! Auf, zieht in den Kampf!* steht auf dem Banner, von Hand in purpurroten Buchstaben gemalt, die sich kühn von dem weißen Stoff abheben. Auf einem kleineren Plakat, das neben der Frau aufgestellt ist, steht *WSPU Newbury*. Cat fährt sich mit der Zunge über die trockenen Lippen und geht, erfüllt von einer eigenartigen Sehnsucht – beinahe wie damals, als ihre Mutter starb, wenn auch nicht so stark –, auf die Menschenmenge zu.

Es sind hauptsächlich Männer, die den Lärm veranstalten, obwohl auch einige Frauen dabei sind – sie lachen, tauschen laut Bemerkungen, schießen durch gesenkte Wimpern schockierte Blicke ab. Die Leute ganz vorn vor dem Podium, die vielleicht die Rede hören wollten, haben gar keine Chance. Die Frau ringt vor Anstrengung, sich trotz des allgemeinen Lärms verständlich zu machen, bereits nach Luft.

»Wie Mrs. Pankhurst selbst erklärt hat … wie Mrs. Pankhurst selbst erklärt hat, ist das Wahlrecht zuallererst ein Symbol! Erstens ein Symbol, zweitens ein Schutz, und drittens ein Instrument! Schwestern! Kameradinnen! Eure Lebensumstände werden sich niemals verbessern, solange die Regierung dieses Landes euch allen keinerlei Rechenschaft schuldig ist!«, ruft sie in eine neue Woge von Pfiffen und Beschimpfungen hinein. Die Rednerin, eine gedrungene Frau mit braunen Locken und einem breiten, sanftmütigen Gesicht, lässt den Blick hilflos über die feindselige Menge schweifen. »Das Wahlrecht ist das Instrument, durch welches wir in Bildung, Recht und Arbeitsbedingungen gerechtere Verhältnisse schaffen können! In allen drei Bereichen herrscht ein gewaltiges Ungleichgewicht – zugunsten des männlichen Geschlechts!«, sagt sie, und ihre Worte gehen beinahe im Gejohle der Leute unter. »Es heißt, Männer und Frauen lebten in zwei verschiedenen Daseinsbereichen: Heim und Herd für Frauen, Arbeit und Regierungsgeschäfte für Männer. Diese Lebensbereiche seien von Gott so vorgesehen und müssten weiterhin getrennt bleiben. Es heißt, die Welt der Politik sei zu schmutzig und zu rau für Frauen. Nun, wenn das Heim von der Reinheit und der sanften Hand einer Frau profitiert, dann gilt das doch gewiss auch für die Gesellschaft und das öffentliche Leben. Wenn dieses so schmutzig und rau ist, lasst es uns reinigen und zivilisieren!«, ruft sie mutig.

»Ruhe!«, sagt Cat. Das Wort scheint direkt von ihren Lippen zu springen, ohne ihr vorher durch den Kopf gegangen zu sein.

»Ja, halt endlich den Mund!«, ruft ein Mann neben ihr, schaut auf sie herab und grinst zustimmend.

»Nein, ihr alle! Seid still! Lasst sie sprechen! Besitzt ihr denn kein bisschen Anstand?«, ruft Cat.

»Herrgott, noch so eine«, brummt der Mann einem Bekannten zu, weicht einen Schritt von Cat zurück und beäugt sie kalt.

»Lasst sie sprechen!«, ruft Cat noch einmal, lauter jetzt. Einige weitere Leute drehen sich nach ihr um. Die Rednerin fährt tapfer fort, doch Cat kann sie nicht mehr hören. Sie hat ein Summen in den Ohren, das nichts mit dem Geschiebe und Gedränge der vielen Menschen oder der anschwellenden Flut ihrer Stimmen zu tun hat. Der Gestank von Schweiß und erhitzter Haut ist überall. Die Luft schmeckt verbraucht, beschmutzt – vermengter Atem, heiße Dämpfe und üble Laune. Der Mann neben ihr und sein Freund haken sich unter, stimmen laut die Parodie irgendeines Music-Hall-Schlagers an und schunkeln wild dazu.

»Setzt mich auf einer Insel ohne Mädchen aus, setzt mich zu den Bestien im Löwenhaus, setzt mich ins Gefängnis, bis ich beinahe verrecke, nur bitte, bitte nicht zu 'ner verdammten Suffragette!«, grölen sie und krümmen sich dann vor Lachen über ihr launiges Liedchen. Als Cat das Wort *Gefängnis* hört, wallt schwarze Wut in ihr empor, bitter wie Galle.

»Haltet den Mund! Seid still, ihr erbärmlichen Hurensöhne!«, faucht sie die Männer an.

»He, pass auf, wie du redest, Schlampe. Sonst bekommst du Ärger«, sagt der erste Mann ungerührt und mit schmalen Lippen. Er hält ihr den dicken, schmutzigen Zeigefinger direkt vors Gesicht, und Cat schlägt ihn mit der Hand beiseite. In diesem Moment sorgt ein schriller Schrei vom Podium ganz kurz für Stille. Die Rednerin blickt entsetzt auf ihren weißen Rock hinab, der jetzt mit rotem Saft befleckt ist. Jemand aus der Menge hat sie mit fauligen Tomaten beworfen, und an dem feinen Musselin kleben schwarze Samen, rote Hautfetzen und Fruchtfleisch.

»Guter Wurf!«, brüllt ein Mann und erntet Gelächter.

»Also wirklich, ich …« Die Rednerin ist ins Stocken geraten. »Ich habe das Recht, hierherzukommen und zu euch zu sprechen, also spreche ich!« Sie hat sich ein wenig gefasst, doch ihre Stimme klingt nicht halb so mutig wie ihre Worte.

Cat drängt sich durch die Wand aus Menschen, und als sie auf das Podium klettert, fliegen weitere Geschosse. Eier landen mit schmatzendem Knirschen, und eines trifft Cat am Arm, als sie sich aufrichtet. Keuchend wirft sie der Fremden neben sich einen Blick zu. Das Gesicht der Frau wirkt verkniffen und erschrocken, und ihr Blick huscht nervös zwischen Cat und ihrem Publikum hin und her. Cat greift nach ihrer Hand, wendet sich der Menschenmenge zu und bietet der Verachtung die Stirn.

»Schämt euch! Ihr alle solltet euch schämen! Wir haben keine Angst vor euch! Ihr dürft nicht erwarten, dass wir weggehen, nur weil ihr Beschimpfungen brüllt! Wir sind keine kleinen Kinder!«, schreit sie. Dann duckt sie sich, als noch mehr faules Obst geflogen kommt und eine leere, klebrige braune Bierflasche. »Das also ist eure Antwort, wenn eine Frau für ihre Überzeugungen eintritt? Attackiert sie! Tut ihr weh! Zweifellos springt ihr mit euren Frauen und Töchtern genauso um, denn nur so können Männer ihre unrechtmäßige Herrschaft über die Frauen aufrechterhalten!« Ihre Stimme wird immer lauter und klingt heiser vor Wut. Die Rednerin hängt verblüfft an ihrer Hand.

»Unsere Frauen sind zu vernünftig, um in aller Öffentlichkeit herumzuschreien über Dinge, von denen sie nichts verstehen!«, ruft ein Mann zu ihr herauf.

»Wie könnten sie auch etwas davon verstehen? Wie sollen sie etwas über Politik, Bildung und ihre Rechte lernen, wenn sie all ihre Zeit im Haus verbringen und ihren Verstand bei Hausarbeit und Kindererziehung vergeuden?«, fährt Cat hoch.

»Wer sollte das denn sonst machen? Ihre Männer etwa?« Großes Gelächter.

»Nun hören Sie …«, versucht die Rednerin einzuwerfen, aber Cat drückt fest ihre Hand.

»Und warum nicht, zum Teufel?«, brüllt sie. Das ist der Tropfen, der das Fass zum Überlaufen bringt. Es hagelt Wurfgeschosse und Beleidigungen, und Cat versteht in dem vielstimmigen Chor von Beschimpfungen ihr eigenes Wort nicht mehr. Sie weiß trotzdem, dass sie weiterschreit, denn ihre Kehle tut weh, und die Rednerin versucht sich loszureißen, doch Cat gibt ihre Hand nicht frei. Irgendwo hinter dem Höllenlärm hört sie Polizeipfeifen schrillen, und dann klatscht eine tote Ratte an ihre Beine. Die Augen des Tieres sind stumpf, die Zunge ein vertrockneter Kringel zwischen gebleckten Zähnen. Die Fliegen lassen sich beinahe augenblicklich wieder auf dem braunen, mit Schmutz verklebten Fell nieder. Der Kadaver stinkt ekelhaft süßlich und so stark nach Verwesung, dass Cat einen Moment lang die Luft anhalten muss und die Zähne fest zusammenbeißt, um den Gestank nicht einzuatmen.

»Grundgütiger.« Die Rednerin zittert, alles Blut weicht ihr aus dem Gesicht. Ihre Augen rollen im Kopf zurück, und sie setzt sich schwer aufs Hinterteil, die Beine wenig elegant gespreizt. Lacher dringen aus der Menge herauf, und Cat knirscht vor Wut mit den Zähnen. Sie tritt die Ratte beiseite, bückt sich, hebt so viel Gemüse und geplatzte Eier auf, wie sie kann, und schleudert sie in die Menge zurück, zusammen mit einem Schwall zorniger Beschimpfungen. Mit der Bierflasche zielt sie auf den Kopf eines Mannes, der dasteht und Tränen lacht, sodass er sich hastig ducken muss. Die Flasche zerspringt hinter ihm auf der Straße, und er zuckt zusammen, als ein Splitter seine Wange trifft und eine winzige Schnittwunde hinterlässt.

»Dir soll das Lachen noch vergehen, du Dreckskerl!«, brüllt Cat ihn an. Sie macht weiter, solange sie kann, Beleidigungen und Wurfgeschosse fliegen zwischen ihr und der johlenden Menge hin und her, bis sie von schweren Händen gepackt und weggeschleppt wird, obwohl sie sich windet wie eine Schlange.

Cats Oberarme tun weh, und sie befühlt sie vorsichtig. Als sie ihre Ärmel aufkrempelt, findet sie darunter Blutergüsse in der Form von Fingerspuren. Ihre Haut ist damit übersät wie von Pestmalen. Die Arrestzelle in der Polizeiwache ist kühl, die Wände sind aus dicken Ziegeln gemauert und mit cremeweißer Farbe bedeckt, die hier und da Krater und Risse hat. Doch Cat kann dieser Pause von der unerträglichen Hitze nichts abgewinnen. Sie kann sich nicht einmal darum sorgen, dass sie ihre Stellung im Pfarrhaus verlieren könnte, dass sie alles aufs Spiel gesetzt hat, indem sie derart die Beherrschung verloren hat. Sie kann nichts tun als auf dem harten Holzstuhl sitzen und zu dem winzigen Fenster mit der schmutzigen Glasscheibe hinter einem starken Drahtgeflecht hinaufschauen und ihre Gedanken fortschicken, weit fort, um nicht in Panik zu geraten. Sie muss irgendwo anders sein, ganz gleich, wo, nur nicht in einer Zelle eingesperrt. Bittere Galle brennt in ihrer Kehle, kalter Schweiß rinnt zwischen ihren Brüsten hinab über den Bauch und sickert in den Bund ihres Rocks. Wenn sie aufmerksam bliebe, wenn sie ihr Eingeschlossensein zur Kenntnis nähme, könnte sie den Verstand verlieren. Sie würde innerlich ausbrennen wie ein Streichholz, in einem einzigen Augenblick schierer Angst, und dann wären nur noch verkohlte Reste von ihr übrig. Konzentriert runzelt sie die Stirn und gibt sich alle Mühe, in ihrem Geist an einem anderen Ort zu sein. An jedem Ort, nur nicht hier …

Sie ist in dem Haus, in dem sie aufgewachsen ist, und sie tragen ihre Mutter die Treppe hinunter zu dem wartenden Leichenwagen. Cat hat zunächst niemandem gesagt, dass ihre Mutter gestorben ist. Sie wusste nicht, was sie danach tun sollte – sie wollte einfach nicht, dass ein neues Leben ohne ihre Mutter begann. Die hatte ihr gesagt, dass jemand kommen und sie abholen würde, wenn die Zeit gekommen war. Cat hatte sich gewunden und versucht, sich abzuwenden, doch ihre Mutter war beharrlich geblieben, obwohl ihre Augen fiebrig glänzten, das Weiß darin ganz grau geworden war und die Pupillen in dem dunklen Zimmer riesig weit.

»Nein, du musst mir zuhören. Das ist wichtig. Wenn meine Zeit gekommen ist, wird jemand dich abholen. Du musst mit der Frau gehen und tun, was man dir sagt. Verstehst du das? Ich habe alles vorbereitet. Das ist das Beste, was ich für dich tun kann. Dort werden sie sich um dich kümmern. Der Herr des Hauses …« Ihre Stimme, kaum mehr als ein Flüstern, verstummte, und sie kämpfte gegen einen heftigen Hustenanfall an. Cat wünschte sich so sehr, dass es ihr gelänge, ihn abzuwenden. Sie konnte die Qualen nicht ertragen, die diese Anfälle ihrer Mutter bereiteten. »Es ist ein gutes Haus. Der Gentleman, dem es …«, versuchte sie es erneut, doch diesmal unterlag sie dem Anfall, und danach war sie zu erschöpft, um weiterzusprechen. Deshalb wartete Cat, als ihre Mutter gestorben war. Sie wartete und fragte sich, was als Nächstes geschehen würde, obwohl ihr das eigentlich gleichgültig war. Am nächsten Morgen hatte eine Nachbarin vorbeigeschaut und sie ganz allein gefunden, und nachdem die Leute ihre Mutter hinausgetragen hatten, erschien tatsächlich eine fremde Frau in der Tür. Sie trug einen eng geknöpften schwarzen Mantel, und das starre Gesicht unter dem stahlgrauen Haar sah aus, als hätte es im ganzen Leben noch nie gelächelt.

»Du musst jetzt mit mir kommen, junge Dame. Verstehst du das?«, fragte sie. Cat nickte stumm. »Das hat deine Mutter, möge sie in Frieden ruhen, für dich arrangiert. Geh jetzt und pack deine Sachen. Um den Rest werden sich andere kümmern. Nun geh schon«, sagte die Frau. Cat wollte nicht. Sie wollte mit ihrer Mutter gehen, selbst wenn die in einer Kiste weggeschlossen war, und obwohl ihr Körper so leer und still und ganz falsch war. Cat wollte nicht mit dieser Frau gehen, deren Gesicht so scharf war wie ein Beil und die einen schmalen, tadelnden Mund und Spinnenhände hatte. Mrs. Heddingly. Aber ihre Mutter hatte es ihr gesagt, also ging sie mit …

Als einige Zeit später die Zellentür geöffnet wird – Cat kann nicht einmal raten, wie viel später –, unterbricht sie ihren Tagtraum nicht. Erst als der Wachtmeister an ihrer Schulter rüttelt, so vorsichtig, als könnte sie explodieren, blinzelt sie. Sie wendet den Kopf und hört ihn sprechen.

»Nun machen Sie schon, ich hab nicht den ganzen Tag Zeit. Oder wollen Sie vielleicht lieber hier drin bleiben?« Die Tür hinter ihm steht offen, und Cat springt augenblicklich auf und schießt wortlos hinaus. Blindlings prallt sie gegen George.

»Cat! Ganz ruhig, Mädchen! Dir fehlt doch nichts? Bist du verletzt?«, fragt er und hält sie mühelos fest, obwohl sie schnurstracks an seinem starken Arm vorbei hinaus in den Sonnenschein gelaufen wäre, ohne ihn zu sehen.

»George! Die haben mich eingesperrt!«, keucht sie.

»Pst, pst, ja, ich weiß. Aber jetzt bist du wieder frei. Beruhige dich, Cat. Sieh mal, wo du bist.« Cat schaut sich irritiert um. Sie ist im Hauptraum der Polizeiwache, und hinter George in der offenen Tür schimmert die Straße im grellen Sonnenlicht.

»Sie lassen mich gehen?«, fragt sie den Wachtmeister, der sie aus der Zelle geholt hat.

»Diesmal ja. Aber machen Sie bloß keine Scherereien mehr, verstanden? Ich habe Gerüchte über Sie gehört, Miss Morley. Auf weitere solcher Szenen in der Öffentlichkeit können wir gut verzichten, verstanden?«

»Aber ... die wollten sie nicht sprechen lassen. Es war ihr gutes Recht, eine Rede zu halten! Und sie haben alles Mögliche geworfen – sogar eine tote Ratte, Herrgott noch mal! Auf zwei wehrlose Frauen!«, ruft sie aus. »Werden Sie denn den Mann einsperren, der die geworfen hat, hm?«

»Wenn ich wüsste, wer das war, ja, dann würde ich ihn einsperren. Aber Sie machen mir kaum den Eindruck, eine wehrlose Frau zu sein, muss ich sagen. Zum Glück hat Mrs. Hever sich für Sie eingesetzt und uns berichtet, dass Sie nur versucht haben, sie vor dem ... Unmut der Leute zu beschützen. Und George Hobson hier hat für Sie gebürgt. Also können Sie gehen.« Er kratzt mit einer Hand gedankenverloren an seinem Schnurrbart. Schweiß glänzt auf seinem Gesicht und bildet dunkle Flecken an seinem steifen Hemdkragen. »Diese Hitze«, brummt er. »Allmählich glaube ich, die macht die Leute noch ganz verrückt. Na, dann also fort mit Ihnen, und ich will Sie nie mehr bei so etwas sehen. Sonst kämen Sie vielleicht nicht wieder so leicht davon.« Er weist den beiden die Tür. George schiebt Cat hinaus, ehe sie noch etwas sagen kann.

Ein paar Minuten lang gehen sie schweigend nebeneinander her. Die Hauptstraße ist inzwischen beinahe menschenleer, die Sonne sinkt dick und honigfarben zum westlichen Horizont hinab. Am Südende der Straße ist von dem Unrat, mit dem die WSPU-Rednerin beworfen wurde, nur ein wenig verstreuter Müll übrig geblieben. Cat kann ihren eigenen Schweiß riechen, durchdringend und widerlich. Sie stinkt nach der Angst, die sie in dieser Zelle gepackt hat, nicht wegen der Hitze. George geht mit gesenktem Blick und steifen Schultern neben ihr her. Cat späht zu ihm auf und versucht, in seiner Miene zu lesen.

»Du hast für mich gebürgt? Was bedeutet das? Was hast du ihm gesagt?«, fragt sie zaudernd.

George zuckt mit den Schultern, schiebt eine Hand in die Tasche und zieht sie dann wieder heraus. »Ich habe ihm gesagt, dass du mein Mädchen bist«, antwortet er barsch, »und ich dafür sorgen werde, dass du dich aus allem Ärger heraushältst.«

Das entlockt Cat trotz allem ein Lächeln. »Ach, tatsächlich?« Sie stupst ihn spielerisch mit dem Ellbogen an. »Das möchte ich sehen.«

Doch George erwidert ihr Lächeln nicht. Sein Blick ist bekümmert.

»Bitte, Cat. Ich kann es mir nicht leisten, dich noch mal da herauszuholen«, sagt er, dann fährt er leicht zusammen und presst die Lippen fest aufeinander.

»Du kannst es dir nicht *leisten*? Was meinst du damit?«

»Nichts. Vergiss, dass ich das gesagt habe.«

»George – musstest du diesem Mann etwas bezahlen, damit er mich gehen lässt?«, flüstert sie. George tritt nach einem Steinchen auf der Straße, das in die Böschung kullert.

»Vielleicht hätte er dich sowieso laufen lassen. Später, oder morgen. Vielleicht aber auch nicht.«

»Wie viel?«

»Mach dir deswegen keine Gedanken.«

»Wie viel, George? Sag es mir«, fordert sie.

»Ich werde es dir nicht sagen. Genug jetzt«, sagt er nur. Cat bleibt stehen, senkt beschämt den Kopf, und Tränen lassen den Anblick ihrer staubigen Schuhe verschwimmen.

»Aber ... dein Boot, George! Das hättest du nicht tun sollen!«, stößt sie erstickt hervor.

»Ich musste es tun, Cat. Du warst eingesperrt! Ich wusste doch ... ich wusste, wie sich das für dich anfühlt. Ich war nicht sicher, ob du das länger aushalten kannst ... und ich konnte den Gedanken daran nicht ertragen.«

»Aber du hättest es trotzdem nicht tun sollen! Ich kann dir das Geld nicht geben! Wir bekommen das Geld nicht zurück!«

»Das hole ich schon wieder raus. Dauert es eben ein bisschen länger«, entgegnet er grimmig. »Vielleicht verkaufe ich diesen Ring, wie du gesagt hast. Wenn du ihn schon nicht haben willst. Der bringt wirklich nicht viel, aber es wäre wohl ein Anfang.«

»George«, flüstert sie und wendet sich ihm zu. Sie schlingt die Arme um seine Taille, ohne sich darum zu scheren, wer sie sehen könnte. Sie schmiegt das Gesicht an seine Brust und spürt durch das Hemd seine Kraft und Masse, seinen ruhigen, festen Herzschlag. »Ich will nicht deine Frau werden, aber ich *bin* dein Mädchen. Genau, wie du gesagt hast. Wenn du mich noch willst.« Die Worte klingen gedämpft und traurig an seiner Brust.

George packt sie bei den Schultern und schüttelt sie

sacht. »Natürlich will ich dich noch! Ich werde dich immer wollen. Jemand wie du ist mir im Leben noch nicht begegnet. Aber wir *müssen* heiraten, Cat! Ich will dich zur Frau haben. Und es ist eine Sünde, wenn …«

»Sünde? Daran glaube ich nicht.«

»Tja, ich schon. Und Gott ebenfalls. Heirate mich, Cat!«, sagt er und umfasst ihr Gesicht mit beiden Händen, sodass sie ihn ansehen muss. Doch er sieht die Weigerung in ihren Augen stehen, das erkennt sie deutlich, also braucht sie ihm nicht zu antworten. Sie gibt nicht nach.

»Ich werde das Geld auftreiben und es dir zurückzahlen, George – doch, das werde ich!«, beharrt sie, als er den Kopf schüttelt. »Ich bekomme es schon irgendwie. Und ich gehöre zu dir, ob du mich haben willst oder nicht«, fügt sie hinzu. Dann stellt sie erschrocken fest, dass die flatternde Panik in ihrem Inneren von dem Gedanken herrührt, dass er Nein sagen könnte.

Hester hört Mrs. Bells laute, scharfe Stimme über die Kellertreppe bis herauf dringen, und das sagt ihr, dass Cat endlich wieder im Pfarrhaus angekommen ist. Fünf Stunden sind vergangen, seit sie nach Thatcham geschickt wurde, zur Post und zum Fleischer. Hester wappnet sich und steigt die Treppe hinunter, wo sie nun jedes Wort der Tirade verstehen kann.

»… und dann kommst du ohne das Rindfleisch zurück? Was soll ich denn heute Abend auf den Tisch bringen ohne Rindfleisch? Sag mir das, du nichtsnutziges Gör!«

»Ich habe doch gesagt, es tut mir leid. Ich bin aufgehalten worden! Ich konnte nichts daran ändern, und dann hatte der Metzger schon geschlossen.«

»Von einer Entschuldigung werden wir fünf aber nicht satt, oder? Du bist eine Schlampe und zu nichts zu gebrauchen, Cat Morley, und ich sage dir noch etwas …«

»Mrs. Bell, das genügt jetzt«, sagt Hester, so ruhig sie kann. Die Haushälterin beißt sich buchstäblich auf die Zunge. Ihre Nasenflügel blähen sich, und sie schürzt mit giftiger Miene die Lippen, sodass sich ihre Kinne aufeinandertürmen. Hester spürt, wie sie sich unter dem Blick dieser glitzernden Augen unwillkürlich windet. Im Gegensatz zur glühenden Mrs. Bell wirkt Cat bleich und erschöpft, ihre Kleidung ist staubig und zerknittert, das Haar verfilzt. »Cat, kommst du bitte mit?«, sagt Hester, dreht sich um und geht wieder hinauf. Einen Moment lang glaubt sie, das Mädchen folge ihr nicht, doch als sie sich umblickt, ist Cat da – sie setzt die Füße nur so vorsichtig auf, dass ihre Schritte nicht zu hören sind. Eher wie ein Gespenst denn wie ein Mensch.

Hester geht voran in ihren Salon und dreht sich dann um, die Hände vor sich gefaltet. Während der vergangenen drei Stunden des glühend heißen Nachmittags hat sie diesen Tadel immer wieder Wort für Wort geübt, denn sie musste noch nie einen aussprechen – keinen ernsthaften jedenfalls. Doch jetzt, da es so weit ist, erscheint ihr eine schwere Rüge plötzlich ganz unangemessen. Cat schwankt leicht hin und her, ihr Gesicht ist vollkommen ausdruckslos. Hester bemerkt blutige Ränder an mehreren Fingernägeln, die offenbar bis hinab zum Nagelbett abgebrochen sind, und ein gräulich violetter Bluterguss zeichnet sich an Cats Schlüsselbein ab, das durch den offenen Kragen ihrer Bluse hervorlugt. An dieser Bluse fehlen zwei Knöpfe.

»Gütiger Himmel, Kind! Was ist dir denn zugestoßen?«, ruft sie aus, ihr Zorn weicht rasch echter Besorgnis. »Hat dich jemand überfallen?«

Cat blinzelt und atmet tief und langsam durch. Hester glaubt, hinter diesen dunklen Augen schnelle Gedanken aufblitzen zu sehen, als lege das Mädchen sich seine Antwort sehr gründlich zurecht.

»In gewisser Weise, Madam. Ich bitte vielmals um Verzeihung, dass ich viel zu spät zurückgekommen bin, und ohne das Fleisch fürs Abendessen …«

»Mach dir deswegen keine Gedanken. Mrs. Bell fällt gewiss etwas ein. Sag mir nur – was ist geschehen?«

»Da war eine Frau im Ort … Sie hat eine Rede gehalten. Mrs. Hever, so hieß sie. Aber die Leute waren furchtbar grob zu ihr und wollten sie nicht sprechen lassen. Sie haben sie beschimpft und sie mit vergammelten Lebensmitteln beworfen, und … und sogar mit einem toten Tier, Madam, und davon ist sie in Ohnmacht gefallen. Ich habe ihr beigestanden.«

»Du hast ihr beigestanden? Wie meinst du das?«

»Ich … ich habe mich neben sie gestellt und den Leuten gesagt, dass sie Mrs. Hever erlauben sollen, ihre Rede zu halten. Aber das haben sie nicht, Madam. Die Polizei kam, und ich musste auf der Wache warten, bis … Mrs. Hever kam und sich für mich eingesetzt hat. Dann haben sie gesagt, ich dürfe gehen. Aber ich hätte nicht eher von dort wegkommen können, Madam, sonst wäre ich längst hier gewesen«, erklärt Cat, und sie klingt ganz aufrichtig. Zum ersten Mal seit ihrer Ankunft sieht Hester einen deutlichen, unmissverständlichen Ausdruck auf Cats Gesicht – Angst. Irgendetwas bereitet dem Mädchen großen Kummer.

»Ich verstehe. Dann sag mir bitte, worüber diese Frau eigentlich gesprochen hat? Oder zumindest sprechen wollte?«

»Das war … sie war … von der WSPU Newbury. Sie hat eine Rede über das Wahlrecht gehalten«, antwortet Cat widerstrebend.

»Ich verstehe, Cat«, sagt Hester seufzend, »aber das geht einfach nicht. All das liegt hinter dir, und da muss es auch bleiben. Nein, nein – ich glaube ja, dass es sehr anständig von dir war, dieser Mrs. Hever zu Hilfe zu kommen, und es hört sich so an, als hätten sich die lieben Leute von Thatcham alles andere als anständig verhalten. Mein Mann und ich waren durchaus bereit, ein Dienstmädchen mit einer schwierigen Vergangenheit einzustellen, aber ich weiß nicht, ob wir eines mit einer schwierigen Gegenwart behalten könnten. Verstehst du mich? Hier bist du unser Hausmädchen, und als solches *kannst* du nicht zugleich eine Suffragette sein. Cat? Darauf muss ich bestehen. Schlag dir das aus dem Kopf. Es geht nicht an, dass …«

»Ich kann meine Ansichten nicht einfach ändern, Madam«, erwidert Cat mit leiser, halb erstickter Stimme. »Ich darf mich vielleicht nicht mehr öffentlich engagieren, aber niemand kann mir vorschreiben, was ich zu denken habe!«

»Nun, also! Denken kannst du in der Tat, was du willst, obgleich es mir geradezu unnatürlich vorkommt …«

»Es ist nicht unnatürlich, dass Frauen das Recht haben wollen, über ihr Leben und ihr Schicksal selbst zu bestimmen … es ist nicht unnatürlich, dass sie ihre Situation zu verbessern suchen und die Zukunft ihrer Töchter …«

»Es mag ja sein, dass sie all das erreichen wollen. Aber dieses militante Vorgehen … dieses unweibliche Gebaren beweist doch nur, dass das zarte Geschlecht weder zum Regieren noch für die Politik geeignet ist. Es stünde allen Frauen besser an, eine gute Ehe zu schließen und ihre Männer im Kampf darum zu unterstützen, die Lebensbedingungen in diesem Land für alle zu verbessern. Wir sind die Engel am Herd, Cat, keine Krieger im Felde. Gott hat es so eingerichtet, und so sollte es immer sein. Ich bin mir sicher: Indem sie ihren Mann bessert, einen beruhigenden Einfluss ausübt und sein männliches Feuer mit ein wenig weiblicher Sanftmut mildert, würde eine Frau viel mehr erreichen als dadurch, dass sie Fensterscheiben einwirft und sich wie ein Gossenjunge prügelt.« Hester holt tief Luft, wirft Cat einen Blick zu und stellt fest, dass sich auf dem Gesicht der jungen

Frau so etwas wie Mitleid abzeichnet, vielleicht sogar Verachtung. Doch sie löscht diesen Ausdruck rasch aus und kehrt zu dem gewohnten, undurchdringlich starren Blick zurück. »Nun, also, geh und wasch dich. Ich sehe wohl, wie erschöpft du bist. Ich würde dir gern erlauben, dich heute Abend auszuruhen, aber wir erwarten Mr. Durrant zum Abendessen, daher fürchte ich, dass wir dich brauchen werden. Nimm dir jetzt eine halbe Stunde Zeit, um dich zu säubern und ein wenig zu erholen. Und von dieser Sache will ich nichts mehr hören, und auch in Zukunft niemals wieder. Es ist ein Glück, dass mein Mann den ganzen Nachmittag lang mit seinen Pflichten in der Gemeinde beschäftigt war und somit von alledem nichts erfahren hat.«

»Robin – Mr. Durrant kommt also zurück, schon heute Abend?«, fragt Cat. Hester wirft ihr einen scharfen Blick zu, und dieser neutrale Ausdruck ist zwar immer noch da, doch es steht auch noch etwas in den Augen ihres Dienstmädchens, das sie nicht deuten kann.

»So ist es«, sagt sie, und es gelingt ihr nicht, ihr Unbehagen darüber ganz zu verbergen. Es macht ihre Stimme schriller und presst die Worte unangenehm zusammen, sodass ihre Antwort ein wenig knapper klingt, als sie beabsichtigt hat.

»Sie freuen sich sicher sehr«, sagt Cat. Ein anderer Ausdruck huscht ganz kurz über ihr Gesicht – die Brauen heben sich ein wenig, und ein Mundwinkel zuckt –, der ihrer Bemerkung einen deutlich ironischen Beigeschmack verleiht.

Hester errötet leicht und weiß nicht recht, was sie darauf erwidern soll. »Natürlich«, sagt sie schließlich.

Als Cat den Raum verlassen hat, tritt Hester ans Fenster. Zumindest, denkt sie, hat sie diese kleine Krise ruhig und vernünftig bewältigt, und nun kann alles wieder seinen harmonischen Gang gehen. Ein reibungslos funktionierender

Haushalt und die Sorge dafür, dass die Dienstboten ihrer Arbeit frohgemut und umsichtig nachgehen, gehören zu den wichtigsten Aufgaben einer Ehefrau. Niemals sollte man zulassen, dass der Ehemann halb erledigte Hausarbeit und halb getrocknete Wäsche zu sehen bekommt oder mit anhören muss, wie die Dienstboten sich streiten oder getadelt werden. Sie ist froh, dass Albert den ganzen Tag außer Haus war und sie die Angelegenheit rasch und geschickt klären konnte, ohne dabei von Sophie Bells scharfem, zudringlichem Blick durchbohrt zu werden. Hester schaut in den verdorrten Garten hinaus, wo die Blütenblätter ihrer purpurnen Rosen wie große wächserne Tränen auf den Rasen fallen.

Es nützt nichts. Auch mit diesen klugen Prinzipien gelingt es ihr nicht, sich einzureden, sie sei tatsächlich froh darüber, dass Albert schon den ganzen Nachmittag außer Haus ist. Seit sie ihn mit ihrer unerwünschten Liebkosung geweckt hat, seit sie diesen einen Teil seiner Anatomie zu sehen bekam, der ihr bis dahin ein solches Rätsel gewesen war, verbringt er mehr Zeit außerhalb des Hauses als darin. Außerdem hat er seine frühmorgendlichen Spaziergänge wieder aufgenommen. Er steht inzwischen so früh auf, dass sie erst heute Morgen im Dunkeln aufgewacht ist und feststellen musste, dass ihr Mann tatsächlich schon verschwunden war. Sie hat keine Ahnung, wohin er geht, denn er spricht nicht mehr mit ihr über seinen Tag. Sie beobachtet, wie eine Amsel eine Schnecke auf den Steinplatten des Gartenpfads zerschmettert. Das scharfe *Knack, Knack, Knack* fährt wie Haarrisse durch ihre Gedanken und zersplittert sie, bis sie gar keinen Sinn mehr ergeben. Irgendetwas ist ganz furchtbar schiefgegangen, es treibt einen Keil zwischen sie und Albert, aber sie kann nicht erkennen, was genau es ist oder wie sie die Dinge wieder ins Lot bringen könnte.

Cat sieht Robin Durrant bewusst nicht an, während sie das Abendessen serviert. Der Pfarrer sprüht geradezu vor Lebhaftigkeit. Er hat einen Sonnenbrand auf Nase und Wangen, was ihm einen Ausdruck ständiger Aufregung verleiht. Er stellt Fragen über Fragen – mit wem der Theosoph gesprochen hat, was diejenigen gesagt haben, welches der nächste Schritt zu dem großen Ziel sein soll, den Massen Wahrheit und Erkenntnis zu bringen, und ob Robin so gut sein würde, die Abhandlung über ihre Entdeckungen zu lesen, an der er gerade arbeitet. Robins Antworten wirken im Vergleich zu den drängenden Fragen des Pfarrers ein wenig gedämpft, und Cat muss all ihre Willenskraft aufbieten, ihn nicht zu mustern, nicht in seinem Gesicht nach der Wahrheit zu forschen, die in seinen Worten natürlich nicht zu finden ist. Sie weiß, wo sie ihn antreffen wird, und als sie später auf den Hof hinaustritt, wartet er schon in der hintersten Ecke auf sie. Er raucht und geht mit gebeugten Schultern auf und ab.

»Und? Haben die Ihre Lüge geschluckt?«, fragt Cat mit einem freudlosen Lächeln. Robin wirft ihr einen strengen Blick zu, klappt seine Zigarettenschachtel auf und bietet sie ihr an. Cat steckt sich eine Zigarette zwischen die Lippen, und er zündet sie an, wobei er das Streichholz in der hohlen Hand gegen die frische Brise schützt, die himmlisch kühl über den Hof streicht.

»Es klingt abscheulich, wenn du es so hinstellst«, sagt er geistesabwesend. Er tritt von einem Fuß auf den anderen, als könnte es jeden Moment nötig sein, dass er davonläuft, oder kämpft.

»Ist es das etwa nicht?«

»Nein! Ich habe nur eine Abbildung der Wahrheit fabriziert. Einen *greifbaren* Beweis, für jene, denen es schwerfällt, die weniger greifbaren zu akzeptieren …«

»Fabriziert. Alles, was es über diese erbärmliche Angelegenheit zu sagen gibt, steckt in diesem einen Wort. Und das wissen Sie auch«, sagt Cat ungerührt. Sie zieht an der Zigarette und atmet blauen Rauch in den Luftzug aus. Robin lacht kurz auf.

»Weißt du was, es ist beinahe eine Erleichterung, dich darüber reden zu hören. Du verwirfst die Bilder so entschieden, nachdem ich tagelang nur Ausflüchte und Zaudern und Unsicherheit zu hören bekommen habe«, bemerkt er.

»Sie haben sie also nicht geschluckt?«

»Ein paar schon, aber nicht alle. Einige wollten, konnten aber nicht so recht. Andere hatten starke Zweifel, hielten es aber nicht für ausgeschlossen …« Er schüttelt den Kopf. »Es ist nicht so gelaufen, wie ich gehofft hatte, nein. Ich glaube, dazu braucht es noch mehr.«

»Mehr?«, fragt Cat, auf der Stelle misstrauisch.

»Ich brauche dich vielleicht noch einmal, Cat. Einige Mitglieder der Gesellschaft haben angedeutet, dass das Bild des Elementargeists möglicherweise auf den Film gemalt wurde, vor der Entwicklung der Bilder. Allerdings bin ich gewiss kein Künstler, das habe ich ihnen zu erklären versucht. Vielleicht nehmen sie an, ich hätte einen Komplizen. Möglich, dass sie jemanden herschicken werden, der die Entstehung weiterer Bilder überwacht. Falls es mir gelingen sollte, dem Elementarwesen erneut zu begegnen und es zu fotografieren …«, sagt er und lässt eine Anspielung in der Luft hängen.

»Das dürfte interessant werden. Ich kann mir nicht vorstellen, wie Sie mich mitsamt meiner Perücke und dem Chiffonkleid erklären wollen.«

»Nein, nein. Bei der Aufnahme selbst kann natürlich niemand dabei sein. Aber das lässt sich leicht erklären. Ein Fremder würde das empfindliche Gleichgewicht stören, weshalb der Naturgeist sich gar nicht zeigen würde. Aber der

Fachmann, den sie herschicken, könnte mich in die Dunkelkammer begleiten … ja. Gut möglich, dass ich dich noch einmal brauche, Cat.«

»Warum kämpft ihr so hart darum?«

»Wovon sprichst du?«

»Ihr Männer. Warum setzt ihr alles daran, dass euer Name in die Geschichte eingeht? Dass irgendeine Spur von euch zurückbleibt, wenn ihr irgendwann nicht mehr seid?«

»Glaubst du, dass es mir darum geht?«

»Etwa nicht? Sie haben es mit Poesie versucht, mit Politik … und jetzt versuchen Sie es mit der Theosophie, und Sie sind zu allem bereit, was Sie zum Erfolg führen könnte. Warum nicht einfach leben und es dabei bewenden lassen? Sie werden sterben und in Vergessenheit geraten, so wie wir alle«, sagt sie und zuckt mit einer Schulter. Durch die gesenkten Wimpern blickt sie zu ihm auf. Robin blinzelt, offenbar verblüfft über ihre Worte.

»Ich will aber nicht vergessen werden. Ich …« Er hebt hilflos die Hände. »Ist das also der Unterschied zwischen Männern und Frauen? Ist das der Grund dafür, dass Männer sich hervortun, sich selbst übertreffen, während Frauen einfach nur existieren? Dass es die Namen von Männern sind, die auf ewig in die Geschichte eingehen?«

»Aber ihr seid doch die Angeschmierten. Ihr Männer. Frauen *sind* nämlich unsterblich. Wir hinterlassen unsere Spuren in unseren Kindern und Enkelkindern, während ihr Männer darauf aus seid, als Erste einen Berg zu bezwingen.«

»Ach? Und stecken in diesen Kindern nicht auch die Spuren ihrer Väter?«

»Ja, wenn der Mann sich die Mühe macht, sie ihnen aufzuprägen. Wenn er nicht zu sehr damit beschäftigt ist, als Erster einen Berg zu bezwingen. Oder Feen zu entdecken. Vielleicht wäre das ein geeigneterer Weg zur Unsterblichkeit, als ein Hausmädchen zu verkleiden und die Welt zu belügen?«

»Mich häuslich niederlassen, heiraten und ein paar Bälger zeugen? Ich denke nicht daran. Aber ich werde unsterblich sein, Cat. Ich werde mir einen Namen machen, und zwar einen Namen, den man nie vergessen wird. Wenn die Welt sich wandelt und die Heldentaten meiner Brüder irgendwann ganz gewöhnlich erscheinen, wird man sich daran noch erinnern.«

»Sie tun das alles aus Rivalität unter Geschwistern?«, fragt Cat ungläubig. »Wie erbärmlich.«

»Wer bist du, dass du dir ein Urteil über mich erlaubst, Cat Morley? Wahrscheinlich wird sich niemand daran erinnern, wer du warst, aber mit mir hast du die Chance, Teil von etwas wahrhaft Weltbewegendem zu sein«, erwidert Robin, der immer noch rastlos auf und ab geht – ein paar Schritte in die eine Richtung, dann wieder in die andere.

»Tja.« Cat zieht noch einmal kräftig an ihrer Zigarette und überlegt. Sie legt den Kopf in den Nacken, bläst den Rauch aus und beobachtet die Wolken, die vom Wind getrieben über den Himmel ziehen. Es ist noch nicht völlig dunkel, und hier und da schimmern hellblaue Lücken zwischen den blauvioletten Schwaden hervor. »Darüber wollte ich mit Ihnen sprechen«, sagt sie.

Robin bleibt stehen und mustert sie mit steinerner Miene. »Was soll das heißen?«

»Wie ich das sehe, diene ich Ihnen als Modell. Und ich bin die einzige Person, die Sie als Modell gebrauchen können.«

»Und?«

»Und soweit ich weiß, ist es üblich, dass ein Modell – ob es nun für Künstler oder Fotografen arbeitet – dafür eine Vergütung bekommt«, fährt sie fort und begegnet furchtlos seinem Blick.

»Ich bezahle dich mit meinem Schweigen über deinen sündhaften Lebenswandel«, erwidert er. Sein Lächeln ist verzerrt und kalt.

»Nun, ich glaube, dass mein Schweigen jetzt ebenso kostbar ist wie Ihres. Vielleicht sogar noch kostbarer. Sehen Sie, ich habe die Möglichkeit, von hier fortzugehen. Einen Heiratsantrag. Sollte ich die wahre Entstehung Ihrer Fotografien enthüllen wollen, könnten Sie mich dafür kaum bestrafen, aber *Sie* würde es teuer zu stehen kommen.«

»Einen Heiratsantrag? Und wo ist dein Ring?«, faucht Robin mit finsterer Miene.

»Bei seiner Mutter, wird gerade hergebracht«, lügt sie rasch.

»Tss, tss, welch erbärmlich schlecht vorbereiteter Heiratsantrag«, sagt Robin. Er wirbelt auf dem Absatz herum, schiebt die Hände in die Taschen und wirft den Kopf zurück. So bleibt er einige Augenblicke lang stehen, während Cat wartet. Ihr Herz pocht schmerzhaft gegen ihre Rippen, und sie bietet all ihre Willenskraft auf, um nach außen hin ruhig und entschlossen zu wirken.

Schließlich dreht Robin Durrant sich wieder zu ihr um, so plötzlich, dass sie zusammenfährt. Sein Kopf ruckt nach vorne wie der eines Raubvogels.

»Also schön. Ich sehe ein, dass du mich in diesem Fall in der Hand hast. Was meinst du, wie hoch ist denn so der übliche Lohn für ein Fotomodell?«, fragt er mit zornig gepresster Stimme.

»Für ein Modell, das bis in alle Ewigkeit den Mund halten muss? Zwanzig Pfund.«

»*Zwanzig*? Du bist wohl nicht ganz bei Verstand!«, schreit Robin los, um dann rasch die Stimme zu einem wütenden Flüstern zu senken. »Wenn ich es mir leisten könnte, einem dahergelaufenen Dienstmädchen so viel Geld nachzuwerfen, würde ich gewiss nicht hier draußen bei den verdammten Cannings hausen, das kann ich dir sagen!«

»Schweigen für den Rest meines Lebens – das ist eine sehr lange Zeit. Ich bin der Dreh- und Angelpunkt der Karriere, die Sie sich da aufbauen wollen, ich bin der Schlüssel zu Ihrem unsterblichen Ruhm.«

»Das ist Erpressung, Cat – wie kannst du so dreist sein, mir zu drohen?«

»Sie haben mich zuerst erpresst, schon vergessen? Selber schuld, wenn Sie dachten, ich würde mir das einfach so gefallen lassen, ohne mich zu wehren.«

»Zehn Pfund, und keinen Shilling mehr. Das ist mein Ernst, Cat. Übertreib es nicht«, sagt er und baut sich so dicht vor ihr auf, dass sie abermals den Kopf in den Nacken legen muss, um ihn anzusehen. Beinahe kann sie seinen Herzschlag hören, der vor Empörung dröhnen muss.

»Im Voraus. Bald. Bevor wir weitere Aufnahmen machen.«

»Die erste Hälfte bekommst du morgen, wenn ich auf der Bank war. Die andere Hälfte, wenn wir die nächsten Fotografien machen.«

»Wann wird das sein?«

»Das kann ich dir nicht sagen. Wenn ich denen meinen Vorschlag unterbreite, werden sie noch ein bisschen zaudern und schwanken und Zeit brauchen, um den richtigen Experten zu finden und hierherzuschicken. Zwei Wochen, vielleicht drei.«

»Einverstanden.« Cat sieht ihm fest in die Augen. »Ich freue mich auch auf die Nachzahlung für bereits geleistete Arbeit.« Dann wendet sie sich ab, doch Robins Hand schießt vor, schnell wie eine Schlange, und packt sie am Arm.

»Wenn du mit deinem Kerl durchbrennst, ehe ich weitere Aufnahmen gemacht habe – ich warne dich, Cat Morley, ich werde dich finden, und dann wirst du dafür bezahlen«, sagt er mit einer so ruhigen Gewissheit, dass es Cat eiskalt überläuft. Sie hält den Atem an, um ihr Zittern zu unterdrücken, und zuckt nicht mit der Wimper, obwohl sich seine Fingernägel in ihre Haut graben. Nach einem kurzen, stummen Kampf reißt sie sich los und funkelt ihn an.

»Seien Sie ja vorsichtig, Herr Theosoph. Sonst könnte das Karma *Sie* bezahlen lassen.« Sie ringt darum, ihre Stimme ruhig zu halten, obwohl sie ihm am liebsten ins Gesicht kreischen würde. Ihre Beine fühlen sich schwach und wackelig an. Als sie sich abwendet, um ins Haus zu gehen, sieht sie Hester im Fenster an der Treppe. Sie schaut in den Hof hinaus und hat sie gesehen – sie beobachtet die Szene im Hof mit dem Gesicht ganz nah an der Scheibe, sodass sich das Licht hinter ihr nicht darin spiegelt. Sich zu unterhalten ist kein Verbrechen, und eine Zigarette zu rauchen auch nicht. Dennoch überläuft Cat wieder dieses Zittern, sie tut, als hätte sie Hester nicht gesehen, und eilt mit gesenktem Kopf durch die Hintertür nach drinnen. Noch einmal kommt die Brise angeweht, hebt ihr schwarzes Haar an, streicht mit neugierigen Fingern über ihren Kopf, forscht, fragt und lässt sie nicht unbemerkt davonkommen.

Am nächsten Abend weiß Cat genau, wo George zu finden ist. Er hat eine Wette abzuschließen, obwohl er am nächsten Morgen schon früh nach Westen ablegen muss – eine Ladung Kies nach Bedwyn, wo neue Häuser gebaut werden. Ein paar zarte Regentropfen treffen auf ihr Gesicht, während sie kräftig in die Pedale tritt. Das Fahrrad rumpelt klappernd den Treidelpfad entlang und gerät hin und wieder auf losen Steinchen ins Rutschen. Cat starrt mit zusammengekniffenen Augen in die Dunkelheit. Die schwere Wolkendecke lässt weder Mond noch Sterne scheinen, und sie kann den Weg kaum erkennen. So wird sie der Brücke erst gewahr, als sie schon fast darauf ist – plötzlich ragt der gedrungene dunkle Umriss vor ihr auf, und dahinter leuchten schwach die Straßenlaternen von Thatcham. Cat bremst heftig und kommt rutschend zum Stehen. Sie steigt ab und versteckt das Fahrrad sorgfältig im Gebüsch am Fuß der Brücke, wo es niemand entdecken wird, wenn er nicht gerade direkt darüber stolpert. Dann rennt sie den restlichen Weg zum Ploughman.

Der Türsteher und der Wirt kennen sie inzwischen, und statt ihr den Weg zu versperren, nicken sie ihr zu und brummeln »Guten Abend«. Ein paar Leute in dem Pub drehen sich nach ihr um und gaffen die junge Frau mit dem kurz geschorenen Haar an, die nie ein Korsett trägt und angeblich ihrem Liebhaber, ihrem Dienstherrn, ihrem Vater die Kehle aufgeschlitzt, eine Kirche in London in Brand gesteckt, einen Laden, eine Bank, den Postzug überfallen und ansonsten so schreckliche Dinge getan haben soll, dass die Pfarrersfrau gar nicht wagt, davon zu sprechen. Cats Bluse ist feucht und klebt an ihrem Rücken. Sie verschnauft kurz und geht dann direkt durch zum Hinterzimmer. In dem beengenden Raum mit dem typischen Gestank und dem tosenden Gebrüll drängeln Menschen von allen Seiten, und sie hat augenblicklich den durchdringenden Geruch von Alkohol und schwitzenden Leibern in der Nase. Dieser Raum ist ihr inzwischen vertraut, beinahe lieb geworden – so weit weg von den dezenten Geräuschen und Gerüchen im Pfarrhaus, vom Seifenduft frischer Wäsche, dem Geruch säuerlicher Milch in der Küche, dem heißen, staubigen Mief der Teppiche im Hausflur, wo die große Standuhr das Verstreichen von Lebenszeit mit ihrem langsam schwingenden Pendel misst.

Heute Abend wird nicht geboxt – es findet ein anderer Kampf statt. Hinter dem fluchenden, brüllenden Publikum ist schrilles Kreischen und Gackern zu hören, hässlich und erzürnt. Cat beugt sich ein wenig vor, auf Hüfthöhe der Männer, und kann zwischen den dicht gedrängten Körpern hindurch die Hähne sehen. Ihr Gefieder ist gesträubt, die Kämme leuchtend rot, und von den Spornen an ihren Beinen fliegen Blutstropfen in alle Richtungen. Voll kaltem Hass glänzen ihre Augen über den aufgerissenen Schnäbeln. Sie tanzen und trippeln und recken die Hälse, treten und hacken aufeinander ein. Auf der anderen Seite des Rings sieht Cat George, der mit ernster Miene den Kampf verfolgt. Sie schiebt sich zu ihm durch und berührt ihn zur Begrüßung am Arm.

»Warum kämpfen sie?«, fragt sie neugierig.

»Warum bellen Hunde? Sie tun es eben. Ein Hahn duldet keinen anderen Hahn in seiner Nähe.« George zuckt mit den Schultern. »Komm her zu mir.« Er schlingt die Arme um ihre Taille und drückt sie fest an sich. »Such du aus.«

»Was denn?«

»Du sagst, welcher Gockel gewinnen wird, und ich setze einen Penny auf ihn«, erklärt George. »Ich kann mich nicht entscheiden.« Durch die Hitze in dem engen Raum hat sein Hemd ein paar dunkle Flecken auf der Brust bekommen. Cat legt die Hand auf den Stoff und fühlt die feuchte Wärme seiner Haut. George drängt sich ihrer Hand entgegen und sieht sie voller Verlangen an. Cat lächelt ihn kurz an und wendet sich dann wieder dem Ring zu, um die Hähne beim Kampf zu beobachten. Ihre bronze- und goldfarbenen Federn beben und flattern, und sie haben lange, schwarze Klauen an den schuppigen Beinen. Cat hat noch nie zwei Tiere gesehen, die einander so entschlossen zu töten versuchten. Von der bedächtigen, fließenden Anmut, mit der George kämpft, ist in diesem Kampf nichts zu sehen – nur der Drang, zu verletzen und zu töten.

»Der da«, sagt sie schließlich und deutet auf den etwas kleineren Vogel mit den grünlich schwarzen Flügeln.

»Bist du sicher? Sieht eher so aus, als wäre er unterlegen.«

»Aber schau mal, wie rasend ihn das macht«, erklärt Cat. George ruft einem dicken Mann etwas zu, der sich das Hemd ausgezogen hat und schwitzend und schwankend in seiner fleckigen Weste auf einem Stuhl steht. Die Münze wird hinübergereicht, die Wette mit einem blauen Zettelchen quittiert. »Jetzt sieh ihm genau zu«, sagt Cat, den Blick auf den verletzten, blutenden Vogel geheftet.

Eine Zeit lang schlägt sich der kleinere Hahn gar nicht gut. Er wird von wiederholten Attacken seines Gegners zurückgedrängt und kreischt vor Empörung, wenn Sporne ihm die Haut aufreißen und die Schnabelspitze Löcher in sein kleines Gesicht hackt. Doch weder weicht der irre Ausdruck aus seinen Augen, noch flieht er oder gibt auf. »Er ist ein Kämpfer. Er erlaubt sich nicht, zu verlieren, und wenn er dafür umkommt«, murmelt Cat. Ihre Worte gehen im Lärm unter. Mit einer letzten Kraftanstrengung springt der kleinere Vogel plötzlich hoch in die Luft und zielt mit den Klauen auf den Kopf seines Gegners. Ein Sporn durchbohrt dessen rechtes Auge, der andere fetzt dem unglückseligen Hahn ein großes Stück Haut und Fleisch aus dem Schädel. Das Blut läuft ihm in das unverletzte Auge und macht ihn blind. Der lädierte Hahn duckt sich, schüttelt hilflos und geschlagen den Kopf. Er wird rasch von seinem kleineren Gegner totgehackt. Der Sieger bleibt mit hängenden Flügeln und vor Erschöpfung hervorstehender Zunge stehen.

Cat ist wie gebannt. Sie hätte nicht gedacht, dass Gewalt sie noch schockieren könnte. George versteht ihre plötzliche Stille falsch und blickt besorgt drein.

»Für den war es besser so, den toten Hahn, meine ich. Mit

nur einem Auge wäre er zu nichts mehr nütze gewesen. Wenn er überlebt hätte, hätte Turner ihm nachher den Hals umgedreht«, erklärt er. »Vielleicht hätte er auch gar nicht überleben wollen mit dem Wissen, dass er einem kleineren Vogel unterlegen war«, fügt er hinzu.

Cat schüttelt den Kopf. »Alle Geschöpfe wollen leben«, sagt sie. Stirnrunzelnd sammelt George bei dem dicken Mann seinen Gewinn ein und gibt Cat die Hälfte davon.

»Das kann ich nicht annehmen – es war dein Penny.«

»Aber du hast den Hahn ausgesucht. Ich hätte ganz sicher auf den stärkeren Vogel gesetzt und verloren.«

»Behalte das Geld. Was soll ich damit anfangen? Ich kann mich nicht freikaufen. Behalte es und leg es für dein Boot zurück – zieh es von meinen Schulden ab«, beharrt sie und drückt die Münzen wieder in Georges breite Hand. Er sieht sie verwundert an. »Und hier«, sagt sie, »hier ist noch mehr.« Cat zieht ihren Geldbeutel aus der Tasche und hält ihn George strahlend hin.

»Was ist das?«

»Ich habe Geld für dich – aber ich weiß nicht, wie viel du dem Wachtmeister bezahlt hast. Etwas kann ich dir jetzt gleich geben, und später bekomme ich noch mehr. Und frag lieber nicht, woher ich es habe.«

»Was denn für Geld? Wie viel, und wo hast du es her?«, fragt George dennoch und führt sie aus dem Gedränge an den Rand des Raums, wo es etwas weniger laut ist.

»Geld für dein Boot. Ich habe fünf Pfund hier, und ich bekomme noch einmal so viel, wahrscheinlich binnen eines Monats.« Sie wiegt den Geldbeutel in der offenen Hand. George schließt die Finger darum und schiebt ihre Hand hastig zwischen die Falten ihres Rocks.

»*Wie viel?* Und dann bringst du alles mit hierher, damit es dir aus der Tasche gestohlen wird?«

»Wie ich sehe, hat es niemand gestohlen. Es ist alles da, und alles für dich.«

»Das ist viel mehr, als ich für dich hinterlegt habe. Ich nehme es nicht an.« Er reckt stur das Kinn.

»Doch, das wirst du. Und wenn es mehr ist als das, was du für meine Freiheit bezahlt hast, dann kannst du den Rest behalten und für dein Boot zurücklegen. Unser Boot. Unsere Zukunft, und unsere Freiheit«, erklärt sie ernst. George sieht sie durchdringend und nachdenklich an.

»Dann … willst du mich also heiraten?«

Cat wendet den Blick ab und nestelt eine Weile stumm an den Kordeln ihres Geldbeutels. »Nein, George. Ich bleibe bei dem, was ich gesagt habe. Aber ich gehe mit dir fort, wenn du mich mitkommen lässt. Wird es reichen? Wenn ich die nächsten fünf Pfund habe – reicht das dann, um uns eine Wohnung zu nehmen, das Ausflugsboot zu kaufen und damit ganz neu anzufangen?«, fragt sie hoffnungsvoll.

»Das wäre mehr als genug. Aber …«

»Nein, kein Aber! Sag, dass ich mitkommen kann! Sag mir, dass ich dieses Leben verlassen kann, das ich hasse, und dass du mir ein anderes geben wirst.«

»Als meine *Frau*, Cat, hättest du all das und noch mehr«, fleht er. Cat drückt ihm den Geldbeutel in die Hand und öffnet den Mund, um etwas zu erwidern, doch dazu kommt sie nicht mehr.

Schrille Pfiffe zerreißen die Luft, und die Tür zum Hauptraum wird unter lautem Krachen und Kreischen splitternden Holzes aufgerissen. Polizisten stürmen herein, blasen in ihre Trillerpfeifen und leuchten mit starken Lampen die Spieler an, die ihren Gewinn einsammeln, und die Verlierer, die ihre Wettscheine zerreißen. Sie verteilen sich fächerförmig, um möglichst viele von ihnen einzufangen. Wie Käfer huschen sie in ihren dunklen Uniformen und Helmen herum. Sofort versucht jeder der Anwesenden, sich möglichst weit von den blutenden Vögeln zu entfernen und seinen Wettschein loszuwerden oder damit zu entkommen, um ihn später einzulösen. Eine Woge von Menschen rauscht zur Hintertür, die hastig geöffnet wird, und die Menge reißt Cat von den Füßen und schwemmt sie mit sich fort wie ein Stück Treibholz.

»He!«, brüllt George und hechtet ihr hinterher.

»Stehen bleiben! Alle sofort stehen bleiben!«, brüllt einer der Polizisten. Mit geprellten und schmerzenden Rippen kämpft Cat darum, die Füße wieder auf den Boden zu bekommen. Plötzlich ist die Luft lieblich und klar, und sie erkennt, dass sie geradewegs zur Tür hinausgetragen wurde. Sie sieht sich um, kann aber inmitten all der zappelnden Leiber keine Spur von George entdecken. Weitere Pfeifen schrillen, und schwere, schnelle Schritte in Polizeistiefeln dringen an ihre Ohren.

Die Polizisten sind von vorn in das Gebäude eingedrungen und haben dahinter ein Netz aufgespannt, um die flüchtenden Glücksspieler einzufangen. Cat kämpft sich bis an den Rand des Handgemenges durch und weicht einem Polizisten nach dem anderen aus. Plötzlich wird sie von hinten umgerannt – ein fliehender Mann hat sich den Hut so tief ins Gesicht gezogen, um nicht erkannt zu werden, dass er Cat übersehen hat und sie zu Boden stößt. Ihr wird die Luft aus der Lunge gepresst, und sie bleibt eine Sekunde lang atemlos liegen. Dann erhebt sich eine Stimme über die Trillerpfeifen und das Ächzen und Stöhnen niedergerungener Männer, eine laute Stimme, die irgendwie fehl am Platze wirkt. Cat blickt auf und sieht Albert Canning durch die Dunkelheit näher kommen, mit einer Glut in den Augen, die ihm den Weg zu leuchten scheint. Er tritt in den Lichtschein, der aus der offenen Tür des Pubs fällt, und auf seinem Gesicht spiegelt sich so wenig klarer Verstand, dafür aber umso mehr glühende Überzeugung, dass Cat ein Schauer über den Rücken läuft. Obwohl sie den Pfarrer verachtet und ihn in den vielen Wochen, die sie schon unter einem Dach mit ihm lebt, nur selten überhaupt zur Kenntnis genommen hat, fürchtet sie sich plötzlich vor ihm. Sein Lächeln wirkt krank, beinahe geistesgestört.

»Bereuet! Werdet euch eurer Fehler gewahr! Eurer schweren Sünden! Kehret um von diesem törichten und gefahrvollen Weg, der ins Verderben führt, in euren Untergang und den Untergang all dessen, was rein und wahr und gut ist auf dieser Welt!«, schreit der Pfarrer mit schriller, aufgeregter Stimme. Aus seinem Gesicht leuchtet ein so glühender Eifer, dass selbst die elektrischen Lampen des Hinterzimmers davon überstrahlt werden. Cat rutscht das Herz in die Magengrube, und ihr Bauch kribbelt vor Angst. Sie hustet, ringt nach Luft, zuckt zurück, als gestiefelte Füße an ihr vorbeidonnern, dicht neben ihrem Kopf, ihren Händen und Beinen. Er darf sie auf keinen Fall sehen. Sie versucht aufzustehen – zu früh, eine Woge des Schwindels drückt sie wieder auf den staubigen Boden nieder. Der Pfarrer geht langsam weiter, mit kleinen Schritten wie ein Kind. Er hält ein vergoldetes Kreuz in die Höhe, das mindestens dreißig Zentimeter groß sein muss und ebenso glitzert wie seine Augen. Das Kreuz schwenkend, schiebt er sich langsam auf zwei Polizisten zu, die gerade einen Mann zu Boden ringen. Der wehrt sich nach Leibeskräften.

»Lasst mich los, ihr Schweine! Ich habe doch nur ein Bier getrunken!«, schreit der Mann heiser.

»Was macht dann dieser Wettschein in deiner Tasche, Keith Berringer? Und wie kommt es, dass du volle zwei Wochenlöhne in der Tasche hast?«, fragt einer der Polizisten.

»Die hast du wohl für schlechte Zeiten zurückgelegt, was?«,

fügt er hinzu, und sein Kollege lacht. Kräftiger Regen setzt ein und verwandelt den Staub in Matsch.

»Bereue, mein Sohn! Wirf deine Verderbtheit ab wie eine alte Haut! Du sollst neu geboren werden in Jesu Liebe und Gottesfurcht!«, fleht der Pfarrer und bleibt in ratsamem Abstand zu dem kämpfenden Mann stehen.

»Herrgott! Ihr hättet nicht auch noch die Kirche mitbringen müssen! Habe ich denn nicht schon genug Ärger?«, beklagt Keith Berringer sich verbittert.

»Tja, das war nicht unsere Idee«, brummt einer der Polizisten verächtlich, während Albert strahlend und keuchend vor den drei Männern steht. Obwohl Cat immer noch hustet, stemmt sie sich auf die Knie. Sie weiß, dass es klüger wäre, das Gesicht abzuwenden, doch sie kann den Blick nicht von dem Pfarrer losreißen. Sollte er nach unten blicken, nur ein wenig nach rechts, dann würde er sie sehen. Ihr Puls pocht in den Schläfen. Sie hockt auf allen vieren da wie ein Tier, ihre Finger versinken im vom Regen aufgeweichten Straßenstaub. Er klebt an ihren Kleidern. Sie beißt die Zähne zusammen, kann aber einen weiteren Hustenanfall nicht unterdrücken. Die Krämpfe in ihrer Brust sind qualvoll, und sie lässt den Kopf bis fast auf den Boden sinken. Eine Sekunde lang weicht der Lärm um sie zurück – das Trillern der Pfeifen, Schreie und trampelnde Schritte, knallende Türen, die dröhnende Stimme des Pfarrers und das Gelächter der Polizisten. Alles verliert sich hinter einem rauschenden, dumpfen Pochen in ihren Ohren. Schatten schieben sich vor ihre Augen, in denen kleine Lichtpunkte tanzen. Nicht ohnmächtig werden!, befiehlt sie sich. Sie darf auf keinen Fall verhaftet, ja nicht einmal entdeckt werden. Niemand soll sie hilflos im Matsch liegen sehen.

Allmählich dringt wieder etwas Luft in ihre Lunge, das Atmen fällt ihr leichter, ihr Kopf wird klar, und sie hört wieder lebhaft und deutlich, was um sie herum geschieht. Sie rappelt sich auf und blickt nach rechts. Der Pfarrer ist auf der Suche nach einem neuen Zielobjekt. Die Polizisten machen sich mit Keith Berringer davon, der anscheinend lieber mit ihnen geht, als sich noch länger Predigten anzuhören.

»Der Weg zur Gerechtigkeit heißt Reinheit und Keuschheit, heißt Reinlichkeit und Ehrlichkeit«, erklärt der Pfarrer den Gestalten, die nach allen Seiten fliehen, und fuchtelt dabei mit seinem Kreuz nach ihnen, als könnte er sie heilen, indem er sie nur einen Blick darauf werfen lässt. Lauf, schnell, feuert Cat sich selbst an. Doch es ist zu spät. In dem Moment, als sie sich erhoben hat, ist sie in sein Blickfeld geraten, und er fährt zu ihr herum und stürzt auf sie zu. »Du da! Junge Frau! Du hast hier nichts verloren! Frauen sind zu Sanftheit und Demut geschaffen, als Gefäße der Ehre Gottes und der Unterwerfung unter sein Gesetz ...« Seine Stimme erlahmt. Ihre Blicke begegnen sich. Eine Sekunde lang hofft sie noch, dass er sie nicht erkennen wird. Viele Männer würden ihre eigenen Dienstboten nicht erkennen, wenn sie ihnen ohne Uniform begegneten, außerhalb des Hauses, und schon gar nicht im Dunkeln und mit Matsch beschmiert. Doch er runzelt die Stirn, versucht sie einzuordnen, und in der Sekunde, ehe Cat die Flucht ergreift, sieht sie ihm an, dass er sie erkannt hat. Seine Augen weiten sich in ungläubigem Schock.

10

Hester wacht in der Nacht kurz auf, streckt die Hand aus und findet Alberts Seite des Bettes leer. Sie meint, es müsse gegen Morgen sein, und schläft wieder ein, niedergedrückt von einem Schleier vager Hoffnungslosigkeit. Sie fühlt sich apathisch, als hätte es wenig Sinn, überhaupt aufzuwachen. Doch als der Morgen kommt und aufdringliche Sonnen-strahlen zwischen den Vorhängen hindurchstechen, um sie erneut zu wecken, sieht sie, dass Alberts Kissen völlig glatt ist, das Laken auf seiner Seite des Bettes noch vollkommen straff gespannt. Er war noch auf, in eine Unterhaltung mit Robin Durrant vertieft, als sie am Abend ins Bett ging. Nun sieht es so aus, als hätte er, wenn überhaupt, dann jedenfalls nicht in seinem Bett geschlafen. Hester kleidet sich so or-dentlich an, wie sie kann, ohne Cat zu rufen. Sie ist uner-klärlich beunruhigt, seit sie gesehen hat, wie Cat und Robin Durrant sich miteinander auf dem Hof unterhielten. Er wirkte so erregt und ging rastlos auf und ab. Wie dicht er vor Cat gestanden, wie wild er gestikuliert hatte, all das erschien Hester zu vertraut. Als kennten die beiden einander gut, als bestünde da irgendeine Beziehung, von der sie nichts weiß. Amelia hat Robin als schön bezeichnet – vielleicht findet Cat das ja auch.

Sie steckt sich das Haar hoch, betupft die Wangen mit

ein wenig Puder und geht im Morgenkleid hinunter. Albert sitzt im Salon, die Hände auf den Knien, und starrt geradeaus. Seine Hosensäume sind von Staub und Schmutz verkrustet, ebenso die Schuhe. Von Robin Durrant ist nichts zu sehen.

»Albert! Fehlt dir etwas? Wo warst du denn?«, fragt sie, tritt dicht zu ihm und nimmt eine seiner schlaffen Hände. Langsam blickt er zu ihr auf, wie ein sehr alter Mann, und blinzelt ein-, zweimal, ehe er sie offenbar erkennt.

»Hetty! Ich habe auf dich gewartet. Bitte verzeih, ich war zu aufgewühlt, um zu Bett zu gehen. Ich hielt es für das Beste, dich vorerst nicht zu stören …«, murmelt er.

»Mich stören? Warum? Was, um alles in der Welt, ist denn geschehen?« Hester hält seine Hand ganz fest. Es gefällt ihr nicht, dass sein Blick wie aus großer Ferne auf sie fällt und seine Stimme so schwer klingt, vollgesogen mit Erschöpfung und Verwirrung.

»Ich fürchte, wir bergen eine Ausgestoßene in unserer Mitte … einen Schandfleck, ein Element der Fäulnis und Verderbtheit, das die Reinheit unseres Hauses besudelt«, sagt Albert und verzieht dabei das Gesicht, als hinterließen seine eigenen Worte einen üblen Geschmack.

»Ein Element der Fäulnis? Albert, ich bitte dich, du redest Unsinn!«

»Das Dienstmädchen. Die Dunkelhaarige. Wir müssen uns ihrer auf der Stelle entledigen«, erklärt er entschiedener.

»Cat? Aber warum denn? Was ist mit ihr geschehen?«, fragt Hester ängstlich. *Verderbtheit.* Sie denkt daran, wobei Amelia ihren Ehemann ertappt hat, und an die ungebührliche Vertrautheit, die sie selbst zwischen Cat und Robin beobachtet hat. Ihre Kehle wird schlagartig trocken. »Ist es Mr. Durrant?«

»Was? Wie meinst du das? Mit Robin hat das nichts zu

tun! Ist er wieder da? Ist er schon aus den Auen zurück?«
Albert erhebt sich halb von seinem Stuhl, um sich gleich darauf matt zurücksinken zu lassen.

»Ich weiß es nicht, Albert. Wo hast du überhaupt geschlafen?«

»Nein, nein, ich konnte nicht schlafen. Ich kann nicht schlafen. Ich muss über zu vieles nachdenken. Das Mädchen muss von hier verschwinden, so bald wie möglich. Kein Wunder! Kein Wunder, dass es mir nicht gelungen ist! Besudelt! Von Verkommenheit … Verkommenheit beschmutzt alles, womit sie in Berührung kommt …« Albert reißt abrupt die Hände hoch, und tiefe Verzweiflung zeichnet sich auf seinen Zügen ab.

»Verkommenheit? Was meinst du mit Verkommenheit?« Hester kann seinen Gedanken kaum folgen, sie geht neben ihm in die Hocke und versucht, in seinem Gesicht zu lesen. Doch es ist ihr verschlossen, und Gedanken, die sie nicht deuten kann, wirbeln hinter seinen glasigen Augen herum. Urplötzlich schießen ihr heiße, brennende Tränen in die Augen. »Bertie, *bitte*. Erkläre es mir doch«, fleht sie. Albert blickt auf sie herab und lächelt traurig.

»Natürlich verstehst du das nicht. Du, die du alles bist, was eine Ehefrau sein sollte«, sagt er. Hester erwidert sein Lächeln, denn sie ist froh, dass zumindest der Streit nach ihrer unerwünschten Liebkosung vergessen scheint. »Vergangene Nacht bin ich mit der Polizei zu einer berüchtigten Spielhölle in Thatcham gegangen. Ich wollte die Männer dort dazu bringen, ihren Lebenswandel zu ändern und diesen gottlosen Zeitvertreib aufzugeben … Ich habe versucht, ihnen zu erklären, wie sehr sie sich selbst damit schaden, uns allen … der ganzen Menschheit!«

»Aber was hat das denn mit Cat zu tun?«

»Mit Cat? Wer ist Cat?«

»Das *Dienstmädchen*, Bertie. Du hast gesagt, wir müssten das Dienstmädchen entlassen …«

»Ja! Unbedingt und sofort! Sie war dort, Hetty – sie ist mit den anderen Ratten geflohen, als die Polizei ihr Nest gestürmt und sie aus ihrem Loch getrieben hat. Ich habe sie gesehen! Ich habe sie sogleich erkannt!«

»Das muss ein Irrtum sein, Bertie. Was, um Himmels willen, hätte Cat in Thatcham zu suchen, und obendrein beim Glücksspiel? Sie kann es gar nicht gewesen sein – sie lag oben in ihrem Bett, da bin ich mir sicher!«

»Nein, nein, bist du nicht. Ich habe sie *gesehen*, Hester. Eine Lügnerin und Glücksspielerin, und zweifellos eine wollüstige Dirne obendrein …«

»Aber du *musst* dich irren«, beharrt Hester.

»Ich will sie aus dem Haus haben. Sie wird uns alle ins Verderben stürzen.«

»Nein, Albert! In dieser Sache musst du auf mich hören – bitte. Du irrst dich. Sie ist ein gutes Mädchen! Sie arbeitet hart.«

»So weit ist es also schon gekommen, dass meine eigene Frau an meinem Wort zweifelt«, erwidert Albert kalt. »Lass sie kommen und frage sie. Frage sie, und dann werden wir ja sehen, wie tief die Wurzeln ihrer Verlogenheit reichen!«

Hester findet Cat im Schlafzimmer, wo sie gerade das Bett frisch bezieht. Die schmutzigen Laken liegen auf einem Haufen an der Tür. Hester steigt darüber hinweg und stellt fest, dass ihre Füße plötzlich bleischwer sind und ihre Zunge hölzern im Mund liegt. Sie lächelt schwach, als Cat aufblickt, und bemerkt die dunklen Schatten unter ihren Augen. Ihre Schuhe wurden offenbar gründlich gebürstet, sehen aber immer noch schmutzig aus.

»Verzeihung, Madam. Ich brauche nur noch einen Augenblick, aber ich kann das auch später fertig machen, wenn Ihnen das lieber wäre?«, fragt Cat leise.

»Nein, nein, Cat. Ist schon gut. Ich wollte eigentlich mit dir sprechen«, sagt Hester widerstrebend. Cat breitet energisch die Arme aus, und ein sauberes Bettlaken bläht sich in der Luft und sinkt langsam und hervorragend gezielt genau in die richtige Position aufs Bett. Sie zupft noch ein paarmal daran, dann richtet sie sich auf und wendet sich Hester zu. Ihr Ausdruck gelassener Resignation sagt Hester, was sie wissen will, noch ehe sie ihre Frage gestellt hat. »Es ist also wahr? Du warst gestern Nacht in Thatcham? Beim Glücksspiel? Mein Mann sagt, er hätte dich dort gesehen ...« Sie verstummt und wird sich überrascht gewahr, wie ihre Nerven flattern und dass sie noch immer gehofft, ja darum gebetet hat, das Ganze möge ein Irrtum sein.

»Er hat mich dort gesehen, das stimmt. Aber ich habe nicht gewettet, Madam«, sagt Cat und sieht Hester geradeheraus und unerschrocken an mit diesem dunklen, beunruhigend starren Blick.

»Ach, Cat! Wie konntest du nur? Wie ... wie bist du überhaupt dorthin gekommen?«

»Ich habe mir das Fahrrad des Reverend ausgeliehen. Das habe ich schon oft getan«, antwortet Cat und reckt trotzig das Kinn, als forderte sie Hester geradezu heraus, sie dafür zu tadeln. Hester starrt sie eine Weile fassungslos an, bis Cat fortfährt: »Ich nehme an, ich bin entlassen?«, fragt sie, und obwohl sie immer noch trotzig wirkt, zittert ihre Stimme ganz leicht.

»Ich weiß es nicht, ich weiß es wirklich nicht. Wenn der Reverend herausfindet, dass du sein Fahrrad genommen hast ... Und das hast du schon oft getan?«, haucht Hester. »Aber wozu? Wann schläfst du?«

»Ich schlafe sehr schlecht, Madam. Seit ich im Gefängnis

war, kann ich nicht mehr richtig schlafen. Und Sie haben mir nie gesagt, dass ich nicht aus dem Haus dürfte, wenn der Tag um ist. Das hat mir niemand verboten! Ich wollte doch nur ein wenig vom Leben außerhalb dieser vier Wände kosten. Ist das ein Verbrechen?«

»Nein, das ist kein Verbrechen, Cat! Aber es schickt sich nicht! Diese Wirtschaften in Thatcham, und dann zu nächtlicher Stunde, ohne Begleitung … Ein Pub ist kein Ort für eine junge Frau, ganz allein! Dir hätte alles Mögliche zustoßen können! Die Leute hätten das Allerschlimmste von dir denken können! So etwas gehört sich einfach nicht, Cat! Ich habe es dir nie ausdrücklich verboten, weil ich gar nicht auf den Gedanken gekommen wäre, dass man dir das sagen müsste! Und du weißt ganz genau, dass ich damit recht habe!«, ruft Hester aus. Sie kann nicht verhindern, dass ihre Stimme immer lauter wird.

»Ich war nicht immer ohne Begleitung dort«, murmelt Cat.

»Ach, und wer hat dich begleitet? Nicht Sophie Bell, so viel steht fest …« Hester gerät ins Straucheln, als ihr klar wird, was Cat damit meint. »Du meinst, du hast einen Liebsten?«, fragt sie. Cat antwortet nicht, doch ein warmer Funken schimmert in ihren Augen auf. »Ich verstehe«, sagt Hester leise. War es das, was sie draußen auf dem Hof beobachtet hat? Einen kleinen Streit zwischen Liebenden? Sie schaut aus dem Fenster auf den verwischten grünen Streifen ferner Bäume. Die Vögel singen, wie sie es immer tun. Die Luft ist klar und trocken, doch auf einmal fühlt sich das Haus weit entfernt an, abgelegen. Oder vielleicht ist sie es, Hester, die weit weg ist. Ohne Verbindung zu den Dingen, die sie zu kennen glaubt. »Aber …« Schwach sucht sie nach irgendeiner harmlosen Antwort auf all das. »Aber du warst nicht dort, um zu wetten? Gestern Nacht?«

»Nein, Madam. Ich war nicht dort, um zu wetten.« Schweigen senkt sich über den Raum, und der Staub, den wirbelnde Betttücher hochgeweht haben, lässt sich langsam, ein funkelndes Stäubchen nach dem anderen, auf den polierten Oberflächen der Möbel nieder. Hester faltet die Hände vor sich und blickt eine Weile darauf hinab. Sie kann Cat atmen hören, schnell, flach und leise wie ein in die Ecke getriebenes Tier, bereit zum verzweifelten Kampf. »Soll ich also meine Sachen packen?«, fragt Cat schließlich. Hester schüttelt den Kopf.

»Ich muss mit meinem Mann darüber sprechen. Ich glaube, dass du im Grunde ein guter Mensch bist, Cat. Das glaube ich wirklich. Wenn du hierbleiben willst, musst du mir versprechen, dass diese Ausflüge in den Ort aufhören werden. Vielleicht könntest du mit deinem … Bekannten am Sonntagnachmittag spazieren gehen, wenn du freihast. Aber du darfst nicht mehr in die Wirtschaften im Ort gehen, und du darfst dich nicht nachts aus dem Haus schleichen. Kann ich meinem Mann dein Wort darauf geben?«, fragt Hester mit zitternder Stimme. Der harte Ausdruck in Cats Augen wird ein wenig weicher, und ihre Lippen pressen sich zu einem schmalen, unglücklichen Strich zusammen, doch letztlich klingt ihre Antwort entschlossen.

»Nein, Madam. Das kann ich Ihnen nicht versprechen.«

Hester hält am oberen Treppenabsatz kurz inne, ehe sie wieder zu Albert hinuntergeht. Sie stützt sich mit einer Hand am Geländer ab und sieht, dass diese Hand zittert. Auf einmal ist in ihrem Leben nichts mehr so einfach, wie es ihr einst erschienen war, ist diese Welt zu einem Ort geworden, an dem sie so vieles nicht mehr begreift. Und sie weiß, dass sie hell empört sein sollte über Cats Eingeständnis, doch aus irgendeinem Grund ist sie das nicht. Sie ist schockiert und besorgt und … doch wohl nicht *neidisch*? Konnte der Kloß in ihrer Kehle von ihrer Sehnsucht danach rühren, sich in Alberts Arme zu stürzen? Nein, sie ist nicht empört. Sie hat Angst. Schluckend steigt sie die erste Stufe hinab und erkennt, dass sie aus einem bestimmten Grund innegehalten hat. Sie brauchte Zeit, sich Argumente einfallen zu lassen, eine Möglichkeit, wie sie Albert davon überzeugen kann, Cat zu behalten. Denn auf einmal ist die Vorstellung, dass ihr Dienstmädchen fortgehen könnte, dass sich eine weitere vertraute Sache in ihrem Leben verändert, sie ein weiteres Mal versagt hat, einfach mehr, als sie ertragen kann.

Doch nichts, was sie sagt, vermag ihren Mann umzustimmen. Trotz Cats Weigerung verspricht sie ihm, dass das Mädchen nie wieder nachts aus dem Haus gehen wird. Sie lügt und behauptet, sie hätte Cats Wort darauf. Das Fahrrad erwähnt sie mit keinem Wort, und ebenso wenig Cats Verehrer. Sie schwört ihm, dass Cat sich an keinerlei Glücksspiel beteiligt hat, weder in der vorigen Nacht noch sonst irgendwann, dass sie nur ein wenig Freiheit von den Fesseln ihrer Stellung genießen und ihre neue Umgebung erkunden wollte. Damit müsse man bei einem so jungen Menschen rechnen, der obendrein in seinem kurzen Leben schon so viel Schlimmes durchgemacht habe. Sie führt sogar an, dass sie es sich nicht leisten könnten, Cat zu entlassen, da ein weniger schwieriges Mädchen einen höheren Lohn verlangen würde. Doch der Pfarrer bleibt ebenso beharrlich wie Cat. Er scheint ihr kaum zuzuhören, sondern sitzt mit undurchdringlicher Miene da, die Hände schlaff im Schoß, während sie redet und redet und dasselbe Argument in drei verschiedenen Varianten ausführt. Als sie fertig ist und flehentlich seine Hand ergreift, tätschelt er nur geistesabwesend die ihre.

»Du bist eine gute und mildtätige Seele, Hester. Aber sie

muss gehen. Auf der Stelle. Sie ist eine *Verderbnis* in diesem Haus, und das zu einer Zeit, da es von allerhöchster Bedeutung ist, dass es hier *keinerlei Makel* gibt. Keine Unreinheit. Verstehst du? Verstehst du, Hester? *Alles* hängt davon ab!«, verkündet er mit einem so seltsamen Leuchten in den Augen, dass eine Woge der Verzweiflung über Hester zusammenschlägt.

»Albert, ich bitte dich. So hör doch auf mich. Es gibt keine Verderbnis in unserem Haus! Diese Theosophie hat deinen Geist verwirrt, mein Liebling. Habe ich nicht immer einen guten Haushalt geführt? Sollte ich dann nicht am besten wissen, welche Dienstboten wir beschäftigen sollten und wie solche Dinge zu regeln sind? Ich muss darauf bestehen, dass diese Angelegenheit mir überlassen bleibt!«

»Hester, du bist blind. Du begreifst gar nicht, worum es geht«, erklärt Albert unerbittlich.

»Ich bin nicht … verwandelt, meinst du wohl. Ich bin nicht völlig von den Lehren eines Robin Durrant beherrscht!«, stößt sie in heiserem Flüsterton hervor.

»Und genau aus diesem Grund musst du tun, was ich sage, Hetty«, sagt Albert sanft und tätschelt wieder ihre Hand, als sei sie irgendein dummes Kind, dessen Verunsicherung zwar bedauerlich, aber nur natürlich ist. Dann erhebt er sich, geht in sein Studierzimmer und schließt die Tür hinter sich. Kein einziges ihrer Worte scheint zu ihm durchgedrungen zu sein. In der täuschenden Stille des Hauses tickt die Standuhr wie ein staubiger Herzschlag, und unter Cats leichten Schritten knarren die Dielen, während sie das Bett macht, in dem Hester liegen wird.

Hester sitzt noch auf der vordersten Kante eines Stuhls im Salon, als Robin Durrant zurückkehrt. Sie dreht sich um, als sie seine beschwingten Schritte hört, sieht ihn zielstrebig zur

Tür gehen, durch die er einfach eintritt, als sei er hier zu Hause und nicht nur zu Gast. Dann hört sie, wie er seine Kamera ablegt, um Mantel und Hut aufzuhängen, vollkommen unbekümmert. Bei jedem seiner elastischen Schritte hüpfen ein paar Locken auf seiner Stirn wie bei einem kleinen Jungen, und er summt ganz leise vor sich hin, irgendeine Melodie, die aus ihm hervorsprudelt, als könnte er sie nicht zurückhalten.

»Albert!«, ruft er im Flur. Er bricht über das Haus herein, denkt Hester, wie eine Flutwelle, wie ein Sturm. Sein Kopf und seine Schultern erscheinen in der Tür, und mit Gras verschmierte Finger hinterlassen Abdrücke auf dem cremefarbenen Türrahmen. »Hester! Sie sitzen ja so still hier drin.« Er lächelt herzlich.

»Sollte man denn nicht still in seinem eigenen Heim sitzen dürfen?«, erwidert sie, ohne ihn anzusehen.

»Ist alles in Ordnung? Haben Sie Kummer?« Robin betritt den Raum und bleibt in der Nähe der Tür stehen, die Hände hinter dem Rücken verschränkt. Auf einmal gibt er sich wesentlich förmlicher.

»Ich habe keinen Kummer«, sagt sie, doch zu ihrem Entsetzen bricht bei diesen Worten ihre Stimme. Ihre Tränen vor Robin Durrant unbedingt verbergen zu wollen macht es nur noch schwerer, sie zurückzuhalten.

»Hester! Sie armes Ding ... erzählen Sie mir bitte, was geschehen ist«, sagt Robin. Er streckt die Hände aus und geht einen Schritt auf sie zu, als wollte er sie umarmen, doch Hester springt hastig von ihrem Stuhl auf.

»Rühren Sie mich nicht an!«, ruft sie aus. »Sie sind an allem schuld!« Ihr Herz rast, und ihre Hände zittern, doch nun sind die Worte heraus, und sie kann sie nicht zurückholen.

»Dann müssen Sie mir auf der Stelle sagen, wodurch ich Sie verärgert habe, damit ich mich entschuldigen und darauf achten kann, dass das nie wieder vorkommt«, entgegnet Robin vorsichtig. Er spricht sanft, ohne Eile. Seine Worte sind so glatt wie alles an ihm.

»Mein Mann hat unser Dienstmädchen Cat gestern Nacht vor einem Wirtshaus gesehen. Anscheinend hat sie sich des Öfteren nachts mit einem Verehrer getroffen, und jetzt sagt Albert, dass sie gehen muss, und er will kein Wort zu ihrer Verteidigung gelten lassen. Derartige Vorstellungen von Reinheit hat er jetzt«, sie wirft dem Theosophen einen zornigen Blick zu, »dass er darüber schon beinahe den … jegliches Augenmaß verloren hat. Er ist keinerlei Argument mehr zugänglich.« Während Hester spricht, blickt sie ganz kurz auf und ist entsetzt über Robins Gesichtsausdruck. In ihm spiegeln sich ein paar Sekunden lang abwechselnd Schreck, Ärger und Bestürzung, ehe es Robin gelingt, seine Züge wieder zu beherrschen. Hester stockt der Atem. »Wussten Sie etwa davon, Mr. Durrant?«

»Ich … nein, natürlich nicht«, antwortet er wenig überzeugend. Hester starrt ihn an, und ihre Augen weiten sich. »Das heißt, ich habe ein-, zweimal gesehen, wie sie abends das Haus verließ. Um spazieren zu gehen, habe ich angenommen.«

»Ich verstehe. Aber es ist Ihnen nicht in den Sinn gekommen, diese Beobachtung Albert oder mir gegenüber zu erwähnen?«

»Ich bitte um Verzeihung, Mrs. Canning. Ich dachte nicht, dass es böse Folgen haben könnte«, erwidert Robin glatt, und jegliches Gefühl ist aus Gesicht und Stimme verschwunden, sorgsam verborgen hinter einer neutralen Maske.

»Nun, es hat böse Folgen, Mr. Durrant. Und ich frage mich, ob Sie wirklich nicht mehr darüber wussten. Ich frage mich beispielsweise auch, ob Sie nicht eine Ahnung haben, wer Cats Verehrer sein könnte?«, fährt Hester leise fort, denn ihre Stimme bebt vor Nervosität. Robin Durrant beobachtet sie, und ein neuer Ausdruck tritt auf sein Gesicht – leichte Überraschung, beinahe Belustigung. Dann Begreifen. Hester senkt den Blick auf ihre Hände, denn seine Augen schauen sie auf einmal allzu vertraulich an und scheinen sie zu verspotten.

»Hester, wie kommt es, dass Ihre Meinung von mir sich in letzter Zeit so stark verändert hat, dass Sie mir sogar Lügen unterstellen?«, fragt er mit einem Hauch sanfter Drohung in der Stimme.

Hester spielt mit ihrem Taschentuch, zupft daran herum und dreht es in ihren Händen. »Ich habe gesehen, wie Sie sich mehrmals mit Cat unterhalten haben. Abends«, stammelt sie.

»Was ist denn schon dabei? Sie wollen doch gewiss nicht andeuten, *ich* sei der geheimnisvolle Liebhaber? Ein paar höfliche Worte zwischen Hausgast und Dienstmädchen bei einer abendlichen Zigarette, und Sie schließen daraus gleich auf eine Affäre?«

»Ich habe etwas anderes gesehen. Das war nicht … höflich«, flüstert Hester. Robin Durrant geht mit langsamen, bedächtigen Schritten auf sie zu, und Hester kämpft gegen den Drang an zurückzuweichen.

»Sie haben sich getäuscht, das versichere ich Ihnen. Da ist nichts, aber auch gar nichts, zwischen mir und Ihrem Dienstmädchen«, sagt er und bleibt so dicht vor ihr stehen, dass sie seine Körperwärme spüren kann und der Hauch seines Atems sie streift. Sie wendet das Gesicht ab und erträgt das Schweigen mit rasendem Herzen so lange, bis sie glaubt, schreien zu müssen. »Aber wenn Sie möchten, dass ich bei Ihrem Mann ein gutes Wort für das Mädchen einlege, bin ich natürlich gern dazu bereit. Vielleicht kann ich ihn überreden, sie bleiben zu lassen, wenn das Ihr Wunsch ist?«, raunt Robin. Er ist jetzt so nahe, dass sie hören kann, wie jeder seiner Atemzüge sacht durch seine geöffneten Lippen in seinen Mund strömt, über die Zähne, die Zunge hinweg. Wieder steigen ihr Tränen in die Augen und laufen dann unfein über ihre Wangen. Ohne zu zögern streckt der Theosoph die Finger aus und wischt sie weg. Hester steht da wie angewurzelt, zu schockiert, um sich zu rühren.

»Ich verstehe nicht, welche Macht Sie über meinen Mann besitzen«, sagt sie, und ihre Stimme klingt so erstickt, dass sie ihr selbst ganz fremd vorkommt.

»Nicht? Nein, wie denn auch. Unbefleckt, wie Sie sind. *Virgo intacta*, eine Lilie weißer als weiß, so gütig und rein und unschuldig«, sagt er, und seine Lippen verziehen sich zu einem Ausdruck grausamer Belustigung. Hester bleibt vor blankem Entsetzen der Mund offen stehen.

»Woher wissen Sie …?«, flüstert sie unwillkürlich.

»Albert hat es mir erzählt. Er hat es erwähnt, als er mir von seiner Reinheit vorgeschwärmt hat. Und er kann wohl kaum mit seiner eigenen Jungfräulichkeit prahlen, ohne damit gleichzeitig bekannt zu geben, dass Sie noch ebenso unberührt sind, nicht wahr?«, fragt Robin mit wölfischem Grinsen.

Hester schließt mit flammenden Wangen die Augen. In der Dunkelheit hinter ihren Lidern scheint sich der Raum zu drehen, so wie auch ihre Gedanken herumwirbeln.

»Sie sollten dieses Haus verlassen. Weggehen und nie wiederkommen!«, sagt sie.

»Hester, Hester. Sie und ich brauchen einander keinen Kummer zu bereiten«, erwidert Robin gelassen. »Wir *dürfen* einander keinen Kummer bereiten«, fügt er hinzu, sodass aus der Feststellung ein Befehl wird, eine Warnung. Die Hand, die ihre Tränen aufgefangen hat, hält inne, streicht zart über ihre Wange, an ihrem Kiefer entlang, vom Kinn bis zum

Hals, weiter zum Schlüsselbein, bis die Berührung sie zu lähmen scheint und sie weder protestieren noch sich abwenden kann. »Liebe Hetty. Ich spreche mit Albert. Ich werde ihn schon überzeugen. Sie können Ihr Mädchen behalten. Ein Geschenk von mir an Sie, als Wiedergutmachung – was immer ich getan haben mag, das Sie so gegen mich aufgebracht hat«, sagt er, und seine Augen glitzern wild. Seine Hand ruht noch einen Augenblick länger auf ihrer Haut. Seine Finger sind warm und feucht von ihren eigenen salzigen Tränen. Sie scheinen sie zu verbrennen, nur diese leichte Berührung hält sie gefangen wie eine eiserne Fessel, sodass sie sich nicht von der Stelle rühren kann. Dann ist er fort, er geht über den Flur und klopft leise an die Tür des Studierzimmers. Endlich befreit, schnappt Hester nach Luft und flieht mit blinden, unsicheren Schritten aus dem Raum.

Mrs. Bell öffnet sämtliche Körbe, wenn Mrs. Lynchcombe die Wäsche zurückbringt, nimmt jedes Stück einzeln heraus und hakt es auf der Liste ab. Dabei kneift sie die Augen zusammen, weil sie ihre eigene eng gedrängte Schrift offenbar nur mühsam entziffern kann.

»Das sollten sechs Kopfkissenbezüge sein – habe ich sechs gezählt?« Solche und ähnliche Kommentare brummt sie dabei vor sich hin. Cat hat diesen Prozess schon viele Male beobachtet und weiß, dass sie diese Bemerkungen ruhig ignorieren kann. Mrs. Bell scheint zwar eine recht enge und freundschaftliche Beziehung zu der Waschfrau zu pflegen, ist aber offenbar dennoch davon überzeugt, dass die Frau eines Tages zur Diebin werden und den Haushalt um eine Serviette oder ein Nachtgewand bringen wird. Sie hätte keine Ruhe, wenn sie den Inhalt der Körbe nicht jedes Mal persönlich überprüfen würde. Sie bläst die Wangen auf, wischt sich die schweißfeuchte Stirn, stemmt die Hände auf die gewaltigen Hüften und mustert eine Bluse mit Spitzenkragen, die gebügelt und säuberlich gefaltet vor ihr liegt. Ist das die Bluse, die sie zum Waschen gegeben haben? Oder wurde sie etwa gegen ein anderes Stück minderer Qualität vertauscht?

»Ihr Misstrauen muss Sie völlig erschöpfen«, bemerkt Cat.

»Wie bitte? Nuschele nicht so hinter meinem Rücken herum«, brummt Mrs. Bell.

»Ich habe nur angemerkt, wie löblich ich Ihre Gründlichkeit finde.« Cat lächelt. Mrs. Bell lacht bellend auf.

»Ha! Nie im Leben hast du das gesagt!« Sie wendet sich wieder ihrer Inspektion der Wäschekörbe zu. Cat zuckt mit den Schultern. Sie bricht gerade das Salz, das als großer, harter Block geliefert wird. Der Holzgriff des runden Pickels, den sie dazu benutzt, ist so glatt, dass sich ihre Hand verkrampft, weil sie ihn so fest umklammern muss. Die Muskeln in ihrem Unterarm brennen. Immer wieder sticht sie auf den Block ein, in genau dem richtigen Winkel, damit kleine, brauchbare Bröckchen abspringen – keine großen Stücke, die noch einmal zerbrochen werden müssten, und keine kleinen Krümel, die sie dann nur mühsam von der Arbeitsplatte abkratzen könnte. Die Stücke von der richtigen Größe werden in irdene Töpfchen gesteckt und luftdicht darin aufbewahrt, bis man sie braucht. Bei Bedarf werden sie von Hand gemahlen und in das silberne Salzfässchen gefüllt. Das energische Zustechen, die kontrollierte Brutalität dieser Aufgabe hat etwas Befriedigendes. Aber man muss präzise arbeiten – Stöße mit der richtigen Kraft und Geschwindigkeit, immer und immer wieder. Cats Kopf wird dabei klarer, und ein wenig von der seltsamen, kalten Wut, die sie schon den ganzen Vormittag erfüllt, löst sich auf. Das ist wahrhaftig eine merkwürdige Wut, hart und beinahe betäubend. Cat weiß kaum, gegen wen sie sich eigentlich richtet. Ist sie wütend auf den Pfarrer, weil er sie gesehen hat? Auf den Theosophen, weil er den Pfarrer zu seinem Kreuzzug angestachelt hat? Auf Hester, die ihr verbieten will, das Haus je wieder zu verlassen? Auf George, weil er darauf besteht, dass sie ihn heiratet? Oder ist sie nur wütend, weil ihr Geheimnis entdeckt wurde? Denn jetzt hat sie kein Geheimnis mehr: Das Einzige auf der Welt, das ihr allein gehörte, ist ihr genommen. Sie sticht zu, zerstößt den Block, ihre Muskeln schmerzen, und sie wird ruhiger. Cat schlüpft aus den Schuhen und presst die brennenden Füße gegen die kühlen Bodenfliesen.

»Wahrscheinlich gehe ich bald weg von hier. Vielleicht schon heute Nacht«, sagt sie schließlich, und es klingt kein bisschen bekümmert.

»Wovon redest du?«, fragt Sophie Bell, die ihre Inspektion beendet hat und auf einen Stuhl sinkt. Mit dem Arm schiebt sie einen Haufen Erbsen beiseite, die noch gepult werden müssen, damit sie den schweren Busen und die fleckigen Arme auf der Tischplatte ablegen kann.

»Ich glaube, ich bin so gut wie entlassen. Die Herrin legt gerade beim Pfarrer ein gutes Wort für mich ein, aber ich bezweifle, dass er auf sie hören wird«, erklärt Cat. Die Haushälterin gafft sie mit offenem Mund an.

»Aber warum denn, um Himmels willen? Was hast du wieder angestellt, du kleines Luder?«

»Ich gehe nachts aus. Ich schlafe nicht. Ich gehe nach Thatcham und anderswo hin. Und dabei hat er mich jetzt erwischt. Also bin ich entlassen.« Sie zuckt mit den Schultern, als sei die Zukunft nicht plötzlich ein gestaltloses Ding, ungeformt, bedrohlich und leer. Entlassene Dienstboten bekommen kein Empfehlungsschreiben. Sie wird keine Anstellung mehr finden, denn dies war ihre letzte Chance.

»Cat Morley … Cat Morley …« Mrs. Bell spricht ihren Namen aus wie einen Fluch, den man in größter Fassungslosigkeit, in höchster Not ausstößt. Ihre schmalen Augen sind weiter aufgerissen, als Cat es je zuvor gesehen hat. »Wie konntest du so dumm sein? Wo du doch so klug bist?«, fragt sie. Das ist so weit entfernt von der höhnischen Verachtung, die Cat erwartet hat, dass sie zunächst nicht weiß, was sie darauf antworten soll.

»Ich … ich liebe einen Mann«, sagt sie schließlich und hält inne, weil der Pickel im Salz feststeckt. Sie hat zu fest zugestoßen, ihn zu tief hineingetrieben. Mrs. Bell schüttelt den Kopf.

»Einen Mann? Wozu sind die schon gut? Hier hattest du doch alles!« Stumm kämpft Cat mit dem Salzpickel. Fliegen kreisen in der stickigen Küche, und Mrs. Bell scheint es ausnahmsweise einmal die Sprache verschlagen zu haben.

»Was alles? Wirklich? Was habe ich hier schon außer Tag für Tag dasselbe, als sei ich gar kein Mensch, sondern eine Maschine? Und dann muss ich mir sagen lassen, das sei meine Bestimmung und ich solle mich damit glücklich schätzen, während andere Leute den lieben langen Tag herumliegen oder Blumen pressen können!«, ruft sie aus, und ihre Stimme zittert verräterisch.

»Was alles? Ein Bett! In einem sauberen, warmen Haus. Drei Mahlzeiten am Tag und deinen Lohn! Herrschaften, die dich nicht schlagen, sondern sogar dein freches Mundwerk dulden, wenn es wieder einmal mit dir durchgeht! Das alles!«, erwidert Mrs. Bell. »Ist das nicht genug für dich, wenn Tausende andere sich nur wünschen können, sie hätten es so gut wie du?«

»Nein«, erwidert Cat ernst. »Das ist nicht genug. Ich kann es nicht aushalten. Ich kann nicht.« Sie wartet wachsam ab, doch die Haushälterin schaut nur starr geradeaus und dann hinab auf ihre rissigen, ruinierten Hände, ohne ein Wort zu sagen. Cat holt tief Luft. »Falls ich heute Abend nicht mehr hier sein sollte, wollte ich Ihnen noch sagen, dass mir das mit Ihrem kleinen Jungen sehr leidtut. Dass Sie ihn verloren haben, meine ich. Und Ihren Mann. Es tut mir leid, wenn ich Sie manchmal dafür verachtet habe, dass Sie eine gute Hausangestellte sind. Sie sind genau so, wie Sie sein sollten. Ich bin diejenige, die nicht dazu taugt und hier nichts verloren hat, wie Sie mir von Anfang an gesagt haben.«

»Spiel mir nicht die Zerknirschte, Mädchen. Das passt nicht zu dir«, erwidert Sophie Bell, doch die gewohnte Schärfe in ihrer Stimme fehlt, die Peitsche knallt nicht, sondern schleppt sich matt wie Sophies Blick durch den Raum, nur noch ein loser Faden an einem Saum.

Eine knappe Viertelstunde später kommt Robin wieder aus Alberts Arbeitszimmer. Hester hört von ihrem Zimmer aus, wie sich die Tür öffnet und dann mit einem dumpfen, resoluten Laut wieder schließt. Während der Theosoph bei Albert war, drangen die Stimmen der Männer gedämpft zu ihr herauf. Hauptsächlich Robins, soweit sie hören konnte, und ein paar zögerliche, kaum vernehmbare Worte von Albert, immer wieder unterbrochen von spannungsgeladenen Pausen. Sogar durch den Fußboden hindurch konnte sie seine Verunsicherung spüren. Und doch – als sie die Schritte des Theosophen erst im Wohnzimmer und dann unten im Flur am Fuß der Treppe hört, weiß sie, dass er seinen Willen durchgesetzt hat. Denn was immer Robin wünscht, ist jetzt auch Alberts Wille. Hester sitzt an ihrem Toilettentisch, und ihre Hand mit der Puderquaste verharrt vor ihrer Wange. Sie wollte gerade den Schaden beheben, den ihre Tränen angerichtet haben, begegnete aber im Spiegel ihrem eigenen Blick und musste innehalten. Ihre Augen sind geschwollen, die Wangen darunter so hohl wie noch nie. Ihr Haar hängt kraftlos herab und ist im trüben Licht, das zum Fenster hereinfällt, völlig ohne Glanz. Ich bin wahrhaft ein fades Geschöpf, denkt sie. Kein Wunder, dass Albert seine Feen vorzieht – und seinen schönen Theosophen. Die Puderquaste zittert leicht, und feiner, heller Staub rieselt auf die Mahagoniplatte des Toilettentischs hinab.

Robins Schritte auf der Treppe lassen ihren Herzschlag stolpern. Sein Gang ist so unverkennbar – er gibt sich nicht die geringste Mühe, dezent aufzutreten, leise zu sein. Er trampelt herum wie ein gedankenloses Kind … aber nein. Hester kann ihn nicht mehr als kindlich betrachten, ganz gleich, wie zerzaust sein Haar auch sein mag, wie schelmisch sein Grinsen. Respektvoll klopft er an die Tür. Sie antwortet nicht.

»Hester? Mrs. Canning?«, ruft er. Sie hört das höhnische Vergnügen, mit dem er zwischen diesen beiden Anreden hin und her wechselt, als könnte er ganz nach Lust und Laune wählen, welche er gebraucht, ohne sich darum zu scheren, was angemessen ist und was nicht. »Hetty? Ich habe gute Neuigkeiten«, sagt er. Obwohl das Blut in ihren Ohren rauscht, antwortet sie ihm noch immer nicht. Im Spiegel sieht sie ihre verkniffenen Lippen einen grimmigen Strich bilden, der sie noch unansehnlicher macht. Eine längere Pause entsteht, dann sagt er: »Albert ist einverstanden, Cat zu behalten. Na, heitert Sie das ein wenig auf? Er hat zwar einige Bedingungen gestellt, die ihr nicht gefallen werden, aber ich habe mein Bestes getan. Zumindest wird sie nicht mittellos auf die Straße gesetzt. Hester? Wollen Sie mir denn nicht danken?«, fragt er. *Nein!*, schreit sie stumm, denn auf einmal ist sie sicher, dass er das einzig und allein getan hat, weil es seinen eigenen Interessen dient. »Na schön. Vielleicht schlafen Sie ja. Vielleicht schmollen Sie auch. Jedenfalls sehen wir uns zum Abendessen, *Mrs. Canning*, und dank meiner Intervention wird ein Dienstmädchen da sein, das es uns serviert.«

Seine Schritte bewegen sich gemächlich davon und die Treppe hinunter, und Hester beginnt wieder freier zu atmen. Sie versucht, Erleichterung darüber zu empfinden, dass Cat nicht gehen muss. Doch selbst das beunruhigt sie, weil er dafür gesorgt hat und behauptet, es für sie getan zu haben. Ihr Kopf tut weh, als läge ein eisernes Band fest um ihren Schädel. Langsam steht sie auf und legt sich aufs Bett. Eigentlich wollte sie nachdenken, planen, doch ihr Geist ist gleichzeitig leer und übervoll, und sie kann ihren Gedanken nicht mehr folgen. Weder ihre eigene Lebenserfahrung noch ihre Erziehung haben irgendeine Antwort auf die Frage, wie sie sich in dieser absurden Situation verhalten sollte. Schlafen kann sie auch nicht. Also liegt sie nur da und blickt voll Grauen dem Abendessen entgegen.

Vor dem Essen, in einer entscheidenden Phase der Zubereitung, wird Mrs. Bell unter Protest nach oben zitiert, weil der Pfarrer und seine Frau sie zu sprechen wünschen.

»Pass ja auf die Pasteten auf, Cat – nur noch fünf Minuten, bis die Kruste schön braun ist, länger nicht«, sagt sie, ehe sie aus der Küche watschelt. Cat starrt unablässig auf die Tür, durch welche die dicke Haushälterin verschwunden ist, und versucht zu erraten, was das bedeuten könnte. Das ganze Haus steht unter Anspannung wie eine zu straff gespannte Feder. Vielleicht liegt es nur an der Hitze, vielleicht aber auch nicht. Cat passt auf die Pasteten auf, schrubbt die Karotten in einem Eimer Wasser und holt Sahne für das Dessert aus dem Brunnen. Als sie wieder in die Küche kommt, ist auch Mrs. Bell zurück. Sie weicht Cats Blick aus und faucht: »Das geht dich nichts an!«, als Cat fragt, weshalb sie nach oben gerufen wurde.

Erst eine Weile später richtet sie wieder das Wort an Cat. »Du sollst das Essen auf die Anrichte stellen, wenn du es hinaufbringst. Serviere nicht am Tisch – sie werden sich selbst auftun. Der Pfarrer will dich nicht in seiner Nähe haben«, sagt sie, und ihre Stimme klingt schwer vor Missbilligung, als sie diese Anordnung wiedergibt.

»Was glaubt er denn – dass ich ihn mit irgendetwas anstecken könnte?«, fragt Cat ungläubig.

»Woher soll ich wissen, was der Mann denkt? Tu einfach, was er sagt, und sei froh, dass du noch hier bist!«, erwidert Mrs. Bell.

Also serviert Cat das Abendessen mit einem Gefühl zornigen Argwohns, von dem ihre Hände ganz ungeschickt werden. Sie funkelt die drei am Tisch an, jedes Mal, wenn sie einen weiteren Gang auf der Anrichte abstellt, doch nur Robin Durrant begegnet ihrem Blick, und er lächelt und dankt ihr mit demonstrativer Gelassenheit. Hester starrt beinahe verzweifelt auf einen Punkt genau in der Mitte des weißen Tischtuchs, und der Pfarrer blickt mit geradezu entrücktem Gleichmut um sich, der völlig fehl am Platze wirkt, als bestünde keinerlei Verbindung zwischen ihm und seiner Umgebung. Als alles abgeräumt ist, raucht Cat draußen ihre Zigarette – dicht an der Mauer unter dem Dachvorsprung, weil die ersten dicken Regentropfen fallen. Als sie in die Küche zurückkehrt, steht Mrs. Bell mit den Händen in den Schürzentaschen und einem Ausdruck auf dem Gesicht vor ihr, den Cat noch nie gesehen hat. Abrupt bleibt sie stehen. Irgendetwas an diesem Gesichtsausdruck sagt ihr, dass sie davonlaufen sollte, doch sie ignoriert die Warnung.

»Was ist?«, fragt sie argwöhnisch. Mrs. Bell keucht, ihre Nasenflügel blähen sich und sind ganz weiß. Sie sieht beinahe aus, als hätte sie Angst.

»Ich soll dich auf dein Zimmer begleiten. Und mich vergewissern, dass du auch reingehst«, sagt sie schließlich abgehackt.

»Aha, Sie sind jetzt also meine Wärterin? Die spielen uns gegeneinander aus.« Mit resigniertem Blick schaut Cat sie an.

»Das gefällt mir vielleicht nicht, aber so lauten meine Anweisungen. Ich soll dafür sorgen, dass du abends ins Bett gehst und nicht in irgendwelche *Lasterhöhlen* ...«

»Die Worte des Herrn Pfarrer?«

»So ist es.«

»Und ich nehme an, es wird niemandem mehr genügen, wenn ich mein Wort darauf gebe?«

»Daran bist du selbst schuld, Cat«, entgegnet Mrs. Bell.

»Also schön. Gehen wir nach oben.«

Cat geht zornig vor der Haushälterin her und wartet schon mit trotzig verschränkten Armen vor ihrem Zimmer, bis Mrs. Bell keuchend die beiden Treppen bewältigt hat.

»Nun, hier bin ich. Wollen Sie mich auch noch zudecken?«, fragt Cat.

»Ich soll dich zu deinem Zimmer begleiten und warten, bis du bettfertig bist.« Cat tritt über die Schwelle, geht zum Bett und setzt sich darauf.

»Reicht das? Oder muss ich mich vor Ihnen ausziehen und unter die Decke schlüpfen?«

»Mir gefällt das auch nicht, Cat. Aber du hast dir das ganz allein zuzuschreiben«, erwidert Mrs. Bell. Sie streckt die Hand aus, ergreift den Türknauf und zieht an der Tür.

»Warten Sie! Ich mache die Tür nie ganz zu ... das ertrage ich nicht. Bitte lassen Sie sie einen Spalt offen«, sagt Cat. Mrs. Bell zögert, ihre Miene wirkt noch ernster, und ein bekümmertes Stirnrunzeln gräbt tiefe Furchen zwischen ihre Brauen. Ihre freie Hand nestelt an etwas in ihrer Schürzentasche herum. Dann greift sie wieder nach dem Türknauf, die andere Hand kommt aus der Schürze zum Vorschein,

und Cat sieht etwas Metallenes darin schimmern, eine auf-
blitzende Warnung, auf die sie aber nicht mehr reagieren
kann.

»Es tut mir leid, Mädchen«, brummt Mrs. Bell. Und dann
ist die Tür ganz zu, und ein unverkennbares Klicken dringt
aus dem Schloss.

Cat ist sofort auf den Beinen und springt zur Tür.

»Nein, nein, *nein!*«, schreit sie und dreht und rüttelt an
dem Türknauf, der protestierend quietscht, aber nicht nach-
gibt. Hinter der Tür entschwinden Mrs. Bells schwere
Schritte den Flur entlang, so rasch sie können. Cat krümmt
sich unter einem plötzlichen, heftigen Krampf, es dreht ihr
den Magen um, und ein dünner Faden aus bitterem Schleim
tropft von ihrem Mund auf den Boden. Als der Krampf
nachlässt, blickt sie auf, und die Wände rücken immer enger
um sie zusammen, ihr Herz fühlt sich an, als würde es jeden
Moment platzen, und schwarze Schatten der Panik breiten
sich in ihrem Kopf aus. Unter ihren Füßen scheint der Boden zu schwanken und zu wogen wie auf hoher See. Sie reißt
die Arme hoch, um nicht das Gleichgewicht zu verlieren,
und das Summen in ihren Ohren wird so laut, dass sie ihre
eigene Stimme nicht hören kann, als sie Sophie anfleht zu-
rückzukommen. Sie wirft sich gegen die Tür, kratzt mit den
Fingern am Holz und achtet nicht auf die Splitter, die sich
unter ihre Nägel bohren. Sie hämmert mit den Fäusten dagegen, so heftig, dass sie jeden Schlag bis in die Knochen
spürt. Aber die Tür gibt nicht nach.

Ein Stockwerk tiefer liegt Hester schlaflos und allein in
ihrem Bett. Albert hat sich nach dem Essen in sein Studierzimmer zurückgezogen und noch keine Anstalten gemacht,
es wieder zu verlassen. Also liegt Hester da und hört zu, wie
Cat schreit, wie sie schluchzt und flucht und bettelt, bis es

kaum mehr auszuhalten ist. Das Mädchen ruft lange nach Sophie, dann wird es still, und Hester stellt sich vor, dass Cat ein wenig verschnaufen muss.

»*Mrs. Canning! Mrs. Canning! Bitte lassen Sie mich raus! Ich kann nicht eingesperrt sein! Ich halte das nicht aus!*« Cats heisere Stimme dringt deutlich durch die Decke. Hester wird eiskalt. Sie hält den Atem an und betet darum, nichts mehr hören zu müssen. »*Bitte ... ich laufe nicht davon! Bestimmt nicht! Bitte lassen Sie mich raus!*« Es hört einfach nicht auf. Hester schließt die Augen und birgt den Kopf unter dem Kissen, doch sie kann die Verzweiflung des Mädchens nicht vollständig ausblenden. Ihr bleibt nichts anderes übrig, als sie mit anzuhören, und während die Nacht verstreicht, findet sie darin ein Echo der Gefühle tief in ihrem eigenen Herzen.

2011

Leah stürmte zurück zu ihrem Wagen, stieg ein und knallte die Tür zu. In der plötzlichen Stille atmete sie auf, und der Wind klatschte ein paar feuchte gelbe Blüten von einem Strauch an die Scheibe. Ihr Schal saß zu fest um den Hals, und die Luft im Auto war stickig und abgestanden. In Leah kochte eine zornige Gereiztheit hoch. Sie kramte in ihrer Handtasche nach dem Handy und wählte Marks Nummer.

»Ja?«, bellte er in den Hörer, und in diesem einen Wort lagen wie gewohnt Argwohn und kaum verhohlene Feindseligkeit.

»Ich bin's«, erwiderte sie ebenso knapp.

»Oh, hallo. Wie bist du vorangekommen?«

»Ich bin jetzt in der Bibliothek – na ja, auf dem Parkplatz, um genau zu sein. Offenbar muss man einen Termin ausmachen, um die Mikrofiche-Geräte benutzen zu können. Die Lokalzeitungen von 1911 sind nämlich noch nicht digitalisiert und die Lesegeräte schon für den ganzen Tag reserviert. Der früheste Termin, den ich bekommen konnte, ist morgen. Ist das zu fassen?«

»Immer mit der Ruhe, Leah – das ist doch gar nicht so lange. Du bist hier nicht mehr in London«, sagte Mark, und es klang belustigt.

»Ich weiß. Es ist nur furchtbar frustrierend, wegen so etwas nicht weiterzukommen. Vielleicht sollte ich gleich nach London rauffahren und es im nationalen Pressearchiv versuchen?«

»Warum denn so eilig? Der Soldat ist morgen noch genauso tot wie heute. Bist du immer so ungeduldig?«, fragte er ein wenig zu hastig.

»Ja! Kann sein. Jedenfalls wenn es um eine Story geht.« Sie schwieg einen Moment und fragte dann: »Und wie bist du mit den Schulen vorangekommen?«

»Da haben wir tatsächlich Glück. Ich hatte schon die meisten Schulen in der Gegend durchtelefoniert und rein gar nichts erreicht – einige gibt es überhaupt erst seit den Fünfziger- oder Sechzigerjahren. Aber der Rektor der allerletzten Grundschule auf meiner Liste war wundersamerweise nicht zu beschäftigt, um mit mir zu sprechen, und obendrein ein begeisterter Lokalhistoriker. Ich habe ihm erzählt, was Hester in ihren Briefen geschrieben hat, und er hielt es für ziemlich unwahrscheinlich, dass eine Pfarrersfrau damals in Vollzeit als Lehrerin gearbeitet hätte – das schickte sich wohl grundsätzlich nicht für eine verheiratete Frau. Seiner Meinung nach dürfte sie eher ein paar Stunden in der Woche ehrenamtlich unterrichtet haben – vielleicht in der Sonntagsschule, oder Kochen und so was in der Art. Er hat mir geraten, dass wir uns mal die Bluecoat School näher anschauen.«

»Die Bluecoat School? Wo ist die?«

»In Thatcham. In dem Gebäude ist heute zwar keine Schule mehr, aber es ist noch unter diesem Namen bekannt. Übrigens stehe ich gerade direkt davor«, sagte Mark.

»Du bist da? Ohne mich? Wo genau?«, fragte Leah und ließ den Motor an.

»Jetzt mal hübsch langsam – das Haus läuft uns ja nicht

weg. Fahr auf der A4 durch Thatcham durch, dann siehst du mich schon.«

Während Leah fuhr, brach die Sonne immer wieder durch größer werdende Wolkenlücken, und die gleißenden Lichtsplitter blendeten sie schmerzhaft. Ungeduldig wartete sie an roten Ampeln und trommelte mit den Fingern aufs Lenkrad. Sie hatte schon fast das andere Ende des Ortes erreicht, als sie endlich Mark entdeckte, der in seinem Regenmantel mit hochgezogenen Schultern dastand. Er zog eine Hand aus der Tasche und winkte ihr zu, und sie scherte so abrupt zur Seite aus, dass der Fahrer hinter ihr laut hupte. Sie winkte eine vage Entschuldigung, als er an ihr vorbeisauste, und ließ dann das Fenster herunter.

»Beinahe wäre ich an dir vorbeigefahren! Das ist die Hauptstraße – bist du sicher, dass wir hier richtig sind?«

»Ja, bin ich. Aber du solltest hier wohl lieber nicht stehen bleiben – fahr ein Stück die nächste Querstraße entlang, da findest du reichlich Parkplätze«, sagte Mark, nachdem ein Lastwagen sich vorbeigedrängelt und nur knapp Leahs hintere Stoßstange verfehlt hatte.

»Ist gut, warte kurz.« Sie reihte sich wieder in den Verkehr ein, kassierte dabei erneut zornige Gesten und Gehupe und folgte Marks Wegbeschreibung.

Auf dem Weg zurück zu ihm musterte sie das Gebäude, das einmal die Bluecoat School gewesen war. Jetzt, da sie es in Ruhe betrachten konnte, hob es sich sehr augenfällig von der umgebenden Architektur ab. Ein winziges, uraltes Bauwerk mit ockerfarben verputzten Wänden und einem steilen Giebeldach, dessen Form sich im Vordach über dem Eingang wiederholte. Die Fenster hatten steinerne Mittelpfosten und waren mit Brettern vernagelt, Scheiben gab es keine mehr. Eine Seitentür war kaum höher als einen Meter fünfzig, und die alten Mauern bargen mehrere leere Nischen.

»Aber – das muss doch eine Kirche sein, oder?«, fragte Leah, als sie neben Mark stehen blieb.

»Stimmt. Eine sehr alte sogar – ziemlich sicher das älteste Bauwerk in Thatcham, wahrscheinlich sogar eines der ältesten in ganz Berkshire. In der ursprünglichen St.-Thomas-Kirche war viele Jahre lang eine Hilfsschule untergebracht, zum Schluss war sie ein Antiquitätenladen. Inzwischen gehört sie der Stadt, die haben sie erst mal in Ordnung gebracht, und jetzt überlegen sie, was sie damit anstellen sollen«, erklärte er. Leah warf ihm lächelnd einen Blick zu.

»Du kennst dich anscheinend bestens aus.«

»Dieser Rektor hat mir die entsprechende Website genannt«, gestand Mark.

»Und er meint, hier hätte sie wahrscheinlich unterrichtet?«

»Das ist seiner Meinung nach zumindest der beste Kandidat, ja. Die Bluecoat School diente sozusagen als zusätzliches Klassenzimmer der damaligen Armenschule, und das ist die Einrichtung, die ehrenamtliche Hilfslehrerinnen wie die Pfarrersfrau am dringendsten gebraucht hätte.«

»Aber was ist mit dem eigentlichen Schulgebäude? Hätte sie nicht ebenso gut dort unterrichten können?«

»Ja. Aber dieses hier hat einen entscheidenden Vorteil.«

»Nämlich?«

»Es steht noch. Die anderen Schulgebäude hat man zwischen den Weltkriegen abgerissen, um Wohnungen zu bauen.«

»Mist.«

»Allerdings. Zumindest besteht die Chance, dass sie dieses Gebäude gemeint hat – dass sie hier die Beweise versteckt hat, was immer sie damals gefunden haben mag.« Er zuckte mit den Schultern.

»Kann sein. Können wir reingehen?«

»Ist abgeschlossen«, antwortete Mark kopfschüttelnd. »Der Hausmeister müsste aber jeden Moment kommen – er hat sich bereit erklärt, uns herumzuführen. Ich habe ihm erzählt, dass wir für ein Buch über Englands älteste Kirchen recherchieren, also benimm dich ja wie eine Gelehrte.«

»Warum hast du das behauptet? Du hättest ihm doch auch einfach die Wahrheit sagen können.«

»Ich fand, das hört sich irgendwie besser an. Und ich wollte ihm nicht erzählen, dass wir vielleicht gern irgendwelche Bodendielen aufstemmen und darunterschauen würden. Außerdem … so macht es mehr Spaß.« Mark grinste.

»Du hast in letzter Zeit wirklich sehr zurückgezogen gelebt, was?«, erwiderte Leah trocken. »Den Boden aufzustemmen könnte schwierig werden. Wir müssen eine Möglichkeit finden, nach irgendwelchen losen Brettern zu suchen. Wie wäre es zum Beispiel, wenn ich ihn bitte, mir draußen etwas zu zeigen, und du bleibst drin und siehst dir den Boden genauer an?«, schlug sie vor.

»Hervorragend! Zwei Agenten in geheimer Mission«, sagte Mark.

»Kann es sein, dass deine Fantasie gerade mit dir durchgeht?«

»Gut möglich. Das da müsste der Hausmeister sein. Denk daran, du bist Wissenschaftlerin und eine Expertin für alte Kirchen.«

»Verstanden.«

Ein dünner Mann in einer dunkelblauen Regenjacke kam eilig um die Ecke gebogen. Er hielt sich so krumm, als würde er in einer permanenten Entschuldigung katzbuckeln. Die Hand, die er ihnen entgegenstreckte, wirkte wie eine weiße Flagge. Der Hausmeister hieß Kevin Knoll, war bei näherer Betrachtung jünger, als Leah erwartet hatte, und blinzelte in der Frühlingssonne wie ein Maulwurf. Seine hellbraunen Augen schwammen hinter sehr dicken Brillengläsern. Sein Mund war klein, die Nase spitz, das ganze Gesicht und der Körper vermittelten den Eindruck, er sei von irgendeiner furchtbaren Angst gepackt. Doch er lächelte recht freundlich, als sie einander begrüßten.

»Also, Sie brennen sicher schon darauf reinzugehen. Es ist mir eine Freude, Menschen kennenzulernen, denen noch etwas an solchen Gemäuern liegt«, sagte er und ließ den Blick hastig zwischen ihnen hin- und herhuschen. »Kirchen wie diese haben für mich etwas so durch und durch Englisches. Unsere Geschichte ist so sehr damit verbunden.«

»Oh, da … gebe ich Ihnen vollkommen recht«, sagte Leah, die Kevin Knoll zum Eingang gefolgt war und ungeduldig von einem Fuß auf den anderen trat, während er an seinem Schlüsselbund herumfummelte. »Sie wissen sicher viel über die Geschichte dieses Gebäudes? Seine Nutzung im Lauf der Jahrhunderte?«, fragte sie. Ein Schlüssel klapperte dumpf im Schloss, und die Tür schwang auf.

»Hereinspaziert. Ja, ich weiß so ziemlich alles, was man darüber wissen kann. Natürlich bin ich kein Architekturhistoriker, so wie Sie«, fügte er bescheiden hinzu. Leah warf Mark einen Seitenblick zu, und er zwinkerte.

»Unsere, äh, bisherigen Nachforschungen haben ergeben, dass dieses Gebäude vor etwa hundert Jahren als Unterrichtsraum einer Schule benutzt wurde – ist das richtig?«

»Ja, das stimmt. Die Armenschule der Gemeinde. Nachdem die geschlossen wurde, hat es noch einer weiteren Schule als Klassenzimmer gedient – für den Hauswirtschaftsunterricht, glaube ich.«

»Sie haben wohl keine näheren Informationen darüber, was damals zu Zeiten der Armenschule sonst noch hier unterrichtet wurde? Und von wem?«

»Ich fürchte, nein«, sagte Kevin, und er sah tatsächlich so aus, als fürchte er sich ein wenig, weil er die Antwort nicht wusste. »Das tut mir sehr leid. Ich weiß auch nicht, wo man nachschauen könnte, um das herauszufinden. Ich bezweifle, dass noch irgendwelche Aufzeichnungen darüber existieren, sofern es die überhaupt je gegeben hat. Ich muss zugeben, dass ich angenommen habe, Sie würden sich eher für das Bauwerk *selbst* interessieren?«

»O ja, natürlich. Aber es macht sich immer gut, wenn man die Geschichte mit solchen farbigen Details auflockert«, erklärte Mark und räusperte sich. »Das macht ein Buch gleich viel zugänglicher für die Leser.«

Sie betraten die Kirche, die aus einem einzigen Raum bestand, und blieben in der Mitte stehen. Blässliches Tageslicht fiel durch ein gotisches Bogenfenster in der Ostwand herein und wurde von den weiß getünchten Wänden reflektiert. Die strahlende Helligkeit war überraschend. Leah hatte trübes Halbdunkel erwartet, uralte Schatten. Die Fenster zur Straße waren vernagelt, ebenso die kleine Seitentür, und dennoch fühlte sich der Raum offen und lebendig an. Die Brise, die ihnen nach drinnen gefolgt war, huschte über den Boden und ließ ein paar Wollmäuse um ihre Füße tanzen.

»Ich stelle mir dieses Fenster gern in seiner ganzen alten Pracht vor, voll wunderschönem Buntglas ...«, sagte Kevin und sah sie erwartungsvoll an.

»O ja – so ein Fenster wäre gewiss ... ein prachtvolles Kunstwerk gewesen, vor der Reformation«, stimmte Mark hastig zu. Hier und da waren leere Nischen in den Wänden, doch weiter gab es nichts zu sehen. Keine Gedenktafeln oder Gräber. »Und, äh ... soweit mir bekannt ist, wird das Gebäude jetzt von der Stadt genutzt. Gibt es irgendwelche Pläne, es zu erweitern?«, hangelte er sich mühsam voran. Doch Leah hörte nicht mehr zu. Sie starrte zutiefst enttäuscht auf den

Fußboden, ging dann weiter bis ganz nach hinten, drehte sich zu dem leeren Raum um und stand nun in weißes Licht gehüllt. Hatte Hester Canning auch hier gestanden? *Ich weiß, was unter dem Boden zu meinen Füßen liegt ...* Leah schaute wieder nach unten. *Da bleibt es also, unter den Dielen.* Doch dies war nicht der Boden, auf dem Hester Canning gewandelt war. Unter diesem Boden konnte sie unmöglich etwas versteckt haben. Leah holte tief Luft, Frustration machte sich in ihr breit. Der Boden bestand aus frischen Eichendielen. Vollkommen eben, glatt und fest, und unverkennbar neu.

»Wann wurde der Boden erneuert?«, fragte sie und unterbrach damit Kevin, der Mark gerade die Pläne für die zukünftige Nutzung erläuterte.

»Oh ... erst kürzlich. Letztes Jahr. Das gehörte zu den Dingen, die wir als Allererstes in Ordnung bringen mussten, Denkmalschutz hin oder her. Die alten Dielenbretter waren sehr schön, aber völlig von Nassfäule und Holzwurm zerstört. Sie waren lose und verzogen. Als die Arbeiter sie herausgestemmt haben, sind sie um die Nägel herum einfach zerfallen, hat man mir erzählt. Wir konnten sie nicht einmal mehr für etwas anderes gebrauchen. Sie waren völlig ruiniert«, erzählte Kevin ihr. Mark hatte den Blick derweil auf den Boden geheftet und folgte stirnrunzelnd einer Fuge mit der Schuhspitze.

»Haben sie irgendetwas darunter gefunden?«, fragte Leah. Kevin sah sie verständnislos an. »Na ja, wissen Sie – in so alten Bauwerken macht man oft ... archäologische Entdeckungen, indem man nur etwas so Simples tut wie den Boden abzutragen. Manchmal haben die Handwerker beim Bau etwas zurückgelassen, das einen Einblick in die Zeit der Erbauung ermöglicht ... so etwas in der Art ...«

»Ja, ich verstehe – abergläubische Opfergaben vielleicht?«, fragte Kevin. »Kinderschuhe findet man recht häufig, nicht?«

»Vermutlich. Also, haben Sie hier etwas gefunden?«

»Ich fürchte, nein. Nun ja, nicht, dass ich gehört hätte. Ich war natürlich nicht jeden Tag anwesend, während das gemacht wurde, aber die Bauarbeiter hätten sicher erwähnt, wenn sie irgendetwas gefunden hätten …« Kevin bemerkte ihre niedergeschlagene Miene und lächelte nervös. »Es tut mir wirklich leid, dass ich Sie enttäuschen muss.«

»Ach nein … solche Zufallsfunde sind nur mein besonderes Steckenpferd«, entgegnete Leah hölzern.

»Würden Sie gern ein paar Fotos machen? Für Ihr Buch?«, fragte Kevin.

»Das wäre großartig, danke«, sagte Mark.

Bald darauf traten sie wieder hinaus ins kalte Tageslicht. Kevin Knoll schloss die Kirche ab und verabschiedete sich. Leah und Mark gingen langsam zu der Seitenstraße, in der sie ihre Autos abgestellt hatten. Leah hatte das kribbelnde Gefühl gehabt, dass sie endlich vorankam, dass sie der Geschichte hinter den Briefen des toten Soldaten schon fast auf der Spur war, und die Vorstellung, jetzt wieder den Schwung zu verlieren, war beinahe unerträglich. Solange sie den Ball am Rollen halten konnte, hatte sie ein Ziel. Wenn er liegen blieb, wurde all die vage Ungewissheit, der Schwebezustand ihres ganzen Lebens wieder allzu offenkundig. Dann überkam sie ein niederdrückendes Gefühl der Sinnlosigkeit, und die Nadel ihres inneren Kompasses pendelte wie trunken hin und her. Wenn Hester Canning in einen solchen Zustand geraten war – wenn ihr Leben an einem bestimmten Problem hängen geblieben war wie an einem Dorn, von dem sie es nie mehr hatte losreißen können –, dann war es vielleicht Schicksal, dass gerade Leah es für sie lösen und damit zugleich ihr eigenes blockiertes Leben befreien könnte. Und sie wollte Ryan einen vollständigen Bericht übergeben können, wenn sie ihn das nächste Mal sah. Sie wollte Erfolg haben und dem Toten einen Namen geben.

Als hätte Mark ihre Gedanken gelesen, bemerkte er: »Schade. Ich dachte, wir hätten endlich eine heiße Spur. Hast du eigentlich eine Deadline für diese Nachforschungen?«

»Nicht direkt – je schneller, desto besser. Meine Kontaktperson bei der Kriegsgräberfürsorge ist in etwa zehn Tagen wieder in Großbritannien. Wir haben ausgemacht, dass wir uns dann treffen und ich ihm übergebe, was immer ich bis dahin herausgefunden habe.« Leah hielt den Blick nach vorn gerichtet, während sie sprach, und bemühte sich so sehr darum, nichts preiszugeben, dass sie verlegen wurde und plötzlich das Gefühl hatte, ihre geheimsten Gedanken stünden ihr groß und breit ins Gesicht geschrieben. Zu ihrer Bestürzung spürte sie, wie ihr die Hitze in die Wangen stieg, während Mark sie nachdenklich ansah.

»Deine Kontaktperson?«, wiederholte er und ließ die Frage zwischen ihnen in der Luft hängen.

Leah schniefte. Von der kalten Brise und dem grellen Licht lief ihr die Nase, und ihre Augen tränten. Sie überlegte kurz, das Thema zu wechseln oder auch gar nichts zu sagen. Aber irgendwie erschien ihr beides unpassend. »Mein Ex. Er hat sich vor ein paar Wochen bei mir gemeldet, nachdem ich eine Ewigkeit nichts von ihm gehört hatte. Er arbeitet gerade in Belgien, in der Nähe von Ypres, und da wurde der Leichnam gefunden – der tote Soldat. Als er auf Hesters Briefe gestoßen ist, hat er mich ins Boot geholt, damit ich der Sache nachgehe.«

»Dein Ex. Ein Ex, oder *der* Ex?«

»Oh, definitiv *der* Ex. Meine Freundinnen sind stinksauer auf mich, weil ich tatsächlich rübergeflogen bin. Aber es ist die Story, die mich interessiert. Ehrlich. Ich war so blockiert, seit … na ja, seit einer ganzen Weile. Wieder etwas zu haben, woran ich arbeiten kann, ist genau das, was ich gebraucht habe«, erklärte Leah aufrichtig.

Sie blieben eine Weile schweigend in der Nähe ihrer geparkten Autos stehen. Mark runzelte nachdenklich die Stirn.

»Angeblich soll der Prozess ja der gleiche sein, wie wenn man trauert. Die Trennung von einem langjährigen Partner, meine ich. Man macht wohl dieselben Phasen durch: erst Schock, Nichtwahrhabenwollen, dann Wut, Depression, am Ende schließlich Akzeptanz …«

»Wirklich? Ich weiß nicht. Wenn jemand gestorben ist, kann er schließlich nicht ein halbes Jahr später wieder in deinem Leben auftauchen und dich aus dieser geordneten Bahn werfen.« Sie schüttelte den Kopf.

»Das stimmt. Es ist wohl besser, man sieht den Expartner nicht wieder, ehe man diesen Prozess durchgemacht hat und am anderen Ende wieder herausgekommen ist«, merkte er vorsichtig an.

»Jetzt klingst du wie Sam. Meine beste Freundin«, entgegnete Leah. Sie starrte ein paar Sekunden lang die Straße entlang und beobachtete mit zusammengekniffenen Augen die Autos, die sich ungeduldig vorbeischoben. »Aber so ist wohl das Leben.« Sie zuckte resigniert mit den Schultern.

»Entschuldigung. Das geht mich gar nichts an.« Mark wandte den Blick ab und zog den Autoschlüssel aus der Jackentasche.

»Ist schon gut«, sagte Leah. Nun wechselte sie doch das Thema. »Mark, noch mal zu dem, was dein Vater gesagt hat – glaubst du, es hat im Pfarrhaus tatsächlich einen Mord gegeben?«

Er zog die Augenbrauen hoch. In der Sonne wirkten seine grauen Augen sehr hell, so glänzend und hart wie polierter Granit. »Ich habe jedenfalls nie etwas davon gehört.«

»Aber er hat doch gesagt, dass es ein großes Familienge-heimnis war.«

»Er erzählt inzwischen viele schräge Geschichten.«

»Ja, aber was, wenn es doch stimmt? Das wäre schlimm genug gewesen, um Hester zu diesen Briefen zu veranlassen, oder? Sie erwähnt doch immer wieder Schuld und ein Ver-brechen und dass ihr Schweigen sie zur Komplizin macht, richtig? Und dass sie irgendetwas in der Bibliothek gefun-den hätte?«

»Schlimm genug wäre es auf jeden Fall gewesen. Aber es kann genauso gut sein, dass Dad sich an irgendeine alte Fol-ge von *Inspector Morse* erinnert hat …«

»Das glaube ich nicht. Er wirkte auf mich irgendwie sehr überzeugt. Aufgeregt wie ein Kind, das Erwachsene heim-lich bei einem Gespräch belauscht hat.«

»Und, was glaubst du, wer ermordet wurde?«

»Ich habe keine Ahnung. Aber ich werde es herausfinden.«

»Wollen wir noch ein Stück spazieren gehen? Mir ist nach frischer Luft«, schlug er vor.

Sie gingen in südlicher Richtung den Broadway entlang, über den Bahnübergang am Bahnhof und hinunter auf den alten Treidelpfad neben dem Kanal, wo das trübe grüne Wasser lautlos an ihnen vorbeiglitt. Auf dem Pfad waren Radfahrer und Jogger, Spaziergänger mit Hund und junge Mütter unterwegs. In stillschweigender Übereinkunft wand-ten sie sich gen Osten, in Richtung Cold Ash Holt. Die Sonne bleichte den aquarellzarten Himmel und tränkte die Landschaft mit einer plötzlichen Wärme, die schwere Feuchtigkeit aufsteigen ließ. Leah zog ihren Pullover aus und knotete ihn sich um die Taille, doch Mark nahm ihn ihr ab und warf ihn sich über die Schulter.

»So ruinierst du ihn. Die Ärmel leiern aus«, erklärte er ge-dankenverloren.

»Tut mir leid«, entgegnete Leah belustigt. In der Nähe des Ortes waren ein paar Kanalboote vertäut, doch die ließen sie bald hinter sich und spazierten wie zwischen Mauern aus hoher Vegetation dahin: Bäume am Nordufer und Wiesen voll dürrer brauner Halme, so hoch wie ihre Schultern, im Süden. Gelbe Blütenkätzchen wanden sich in der Brise, und jeder einzelne Zweig endete in einer wächsern glänzenden Knospe. Die Rosskastanien blühten schon beinahe – wie hohe Kerzen ragten die frischen grünen Stängel auf, an denen die weißen Blütenblätter noch zusammengerollt zauderten. Der leichte Wind strich in westlicher Richtung über das Wasser, sodass Leah das Gefühl hatte, sie bewegten sich schneller, als sie tatsächlich gingen.

Nach etwa anderthalb Kilometern bogen sie auf einen Feldweg nach Süden ein, in der Nähe des Dorfes, wo der Fluss in ordentliche Verbindungskanäle zwischen den Baggerseen abgezweigt worden war. Sie beobachteten die Wasservögel und kniffen die Augen gegen die Sonnenstrahlen zusammen, die von der Oberfläche gespiegelt wurde. Hier war außer ihnen weit und breit niemand zu sehen, kein Lärm zu hören.

»Es ist seltsam, sich vorzustellen, wie sehr sich das alles verändert hat, seit deine Urgroßmutter hier lebte. Damals gab es noch keinen dieser Seen. Die A4 war einfach nur die London Road, auf der noch praktisch alles von Pferden gezogen wurde«, bemerkte Leah. Sie fühlte sich dieser Frau so nahe, wenn sie ihre Briefe las, konnte beinahe ihre Stimme hören. Dann blickte sie sich um und fand sich um einhundert Jahre in eine andere Welt zurückversetzt. »Und die Bluecoat School voller Kinder, voller Leben. Heute bietet sie irgendwie einen traurigen Anblick, findest du nicht? Wie sie da steht und der ganze Verkehr an ihr vorbeirauscht.«

»Tja, genau das will die Stadt ja ändern. Es gibt jetzt eine

Stiftung, die Geld sammelt, um sie zu einer Art Gemeindehaus auszubauen«, erzählte Mark ein wenig abwesend. Er hatte einen langen Grashalm gepflückt und zupfte die vertrockneten Samen vom vergangenen Jahr mit dem Daumennagel ab. Hoch über ihren Köpfen kreisten zwei Bussarde, deren ferne Rufe ganz kurz vom Wind zu ihnen herabgetragen und dann davongeweht wurden.

»Gibt es eigentlich Fotos von Hester? Oder von Albert? Im Haus, meine ich?«, fragte Leah plötzlich.

»Das glaube ich nicht. Tut mir leid. Ich erinnere mich daran, dass ich als Kind mal welche gesehen habe, aber sie sind mir seit Jahren nicht mehr untergekommen. Gut möglich, dass Dad sie weggeworfen hat. Als die Demenz einsetzte, hat er ein paar seltsame Dinge getan. Aber wir können nachschauen, wenn du möchtest?«, bot er ihr an. Leah nickte. Die Story nahm in ihrem Kopf bereits Gestalt an, obwohl noch mehr Lücken offen waren, als sie bereits geschlossen hatte. Sie sah einen langen Artikel vor sich, mit Fotos und Auszügen aus den Briefen, in dem alles offen auf den Tisch kam, alles aufgeklärt wurde. Obwohl Leah diesen Gedanken nicht bewusst so formulierte, hatte sie das Gefühl, dass sie das für Hester Canning tat – ein Gefallen, den sie einer längst verstorbenen Fremden erwies.

»Wie hat sie denn angefangen? Seine Demenz?«, fragte sie sanft.

Mark ließ sich mit der Antwort ein wenig Zeit, als wollte er sich genau erinnern. »Ganz allmählich. Etwa um die Zeit, als ich an die Uni gegangen bin, nehme ich an. Jedenfalls erinnere ich mich, dass er das letzte Mal so war, wie ich ihn kannte. Und meine Mum hat noch gelebt – sie waren so stolz, die beiden. Niemand hätte je gedacht, dass ich auch nur den Schulabschluss schaffe.« Er grinste schief.

»Warum, warst du so ein Rabauke?«

»Nein, ich war lammfromm. Aber ich bin Legastheniker, und die Schule, auf der ich war, hat nicht an Legasthenie geglaubt.«

»Oh, verstehe. Sehr fortschrittlich.«

»Allerdings. Aber Zahlen – mit Zahlen komme ich klar. Also habe ich mich auf Mathematik gestürzt und dann Finanzwirtschaft studiert. Alles ist besser gelaufen, als sich irgendwer hätte vorstellen können, und sie haben sich so für mich gefreut. Als ich meinen Abschluss gemacht habe, fing es damit an, dass Dad einzelne Wörter nicht finden konnte. Er hat einen Satz nur halb zu Ende gesprochen und ist dann hängen geblieben, weil er nach dem nächsten Wort gesucht hat. Und das waren keine besonders schwierigen Wörter – ›Auto‹ oder ›dann‹ oder ›Februar‹. Ganz normale Wörter, die ihm einfach entglitten sind. Während der ersten paar Jahre haben wir alle darüber gelacht«, erzählte er niedergeschlagen. Leah wusste nicht, was sie sagen sollte.

»Zumindest«, versuchte sie es dann zögerlich, »macht das Pflegeheim einen netten Eindruck. Da hört man ja wahre Horrorgeschichten über manche Heime … Immerhin hast du ihn in einer sauberen, freundlichen Einrichtung untergebracht, wo er gut versorgt wird«, wagte sie sich weiter vor.

»Manchmal glaube ich, es wäre besser, er wäre gestorben«, erwiderte Mark düster.

»Sag so etwas nicht.« Leah runzelte die Stirn. »Du weißt ja nicht, was er denkt – gut möglich, dass er die meiste Zeit über ganz zufrieden ist.«

»Glaubst du das wirklich?«, fragte er mit einem verzweifelten Unterton in der Stimme. Sie blieben stehen und wandten sich einander zu.

»Ja, das glaube ich. Es wäre natürlich falsch, das als Segen zu bezeichnen, aber Demenzkranke sind sich ihres Leidens die meiste Zeit über gar nicht bewusst«, erklärte sie sanft.

»Das als Segen zu bezeichnen wäre allerdings falsch«, gab Mark traurig zurück. »Ich bin nur … Jedes Mal, wenn ich Dad besuche, gerate ich in so eine Spirale grässlicher Gedanken. Warum er? Warum so jung? Womit hat er das verdient?«

»Ich finde, so kann man das nicht betrachten. Außer, man glaubt an Karma. Und das tue ich nicht«, fügte Leah nachdrücklich hinzu. Mark nickte langsam und mit so betrübter Miene, dass Leah vor plötzlichem Mitgefühl das Herz wehtat. Sie berührte kurz seine Hand und strich mit dem Daumen über seine Fingerknöchel. »Komm. Machen wir uns auf die Suche nach Fotos.«

Sie spazierten zu ihren Autos in Thatcham zurück und fuhren zum alten Pfarrhaus, wo sie sich erst einmal Kaffee kochten. Dann begannen sie, das Haus nach Familienfotos zu durchsuchen. Leah dachte zuerst an die Kisten auf den Dachböden, doch nach einer erfolglosen Stunde hatte sie nur einen winzigen Bruchteil davon durchgeschaut, und Nase und Augen trieften. Sie gab es auf und ging nach unten. Ihre Jeans waren voller Staub, ihre Hände schmuddelig. In der Bibliothek durchwühlten sie ungeniert die vielen Schubladen des gewaltigen Schreibtischs, aber auch das ohne Erfolg.

»Hier ist etwas«, sagte Mark und stieg die wackelige Leiter herunter. Die lehnte oben an einer Reling, die sich um den ganzen Raum herumzog und Zugang zu den höchsten Regalen bot.

»Was hast du gefunden?«

»Nichts Aufregendes – das ist Thomas, mein Großvater, als junger Mann.« Mark reichte ihr das staubige Foto in einem zerfallenden Lederrahmen, und Leah griff begierig danach.

»Das ist also Hesters Sohn. Der Junge, von dem sie in den Briefen erzählt«, sagte sie, wischte den Staub vom Glas des

Rahmens und betrachtete das Bild genau: Ein robust wirkendes, längliches Gesicht mit mittelbraunem Haar, streng aus der Stirn gekämmt, tief liegenden braunen Augen und der Spur eines Lächelns. Seine Haut war vollkommen glatt, ohne jede Falte. »Ein gut aussehender Mann«, bemerkte sie. »Glaubst du, dass er Hester ähnlich sah?«

»Ich habe leider keine Ahnung. Ich kann mich ehrlich nicht daran erinnern, wie meine Urgroßeltern auf den Fotos aussahen«, erklärte Mark achselzuckend.

»Aber das ist immerhin etwas. Dürfte ich das Bild einscannen? Ich würde es gern in den Artikel aufnehmen, vor allem, weil sie Thomas in beiden Briefen erwähnt.«

»Natürlich, gern.«

Als der Himmel draußen sich verfinsterte, gaben sie in stillschweigender Übereinkunft die Suche auf und machten es sich in zwei Sesseln gemütlich, um zu lesen. Leah ging das Traktat des Pfarrers ein zweites Mal durch. Die Wortwahl war blumig, die Lobpreisung enthusiastisch, um es vorsichtig auszudrücken. Die Verzückung des Pfarrers über diese Elementare, wie er sie bezeichnete, strahlte ihr von jeder Seite entgegen, ebenso wie seine glühende Bewunderung für Robin Durrant, den »bedeutenden und hoch gelehrten Theosophen«, der diese Wesen der Welt enthüllt hatte. Er schrieb, als sei ihm eine Schar strahlender Engel erschienen statt einer Handvoll undeutlicher Fotografien von einem Mädchen in einem weißen Kleid. Leah betrachtete den angeblichen Elementargeist noch einmal ganz genau und versuchte, in dem körnigen, unscharfen Gesicht irgendwelche Züge zu erkennen. Je länger sie darauf starrte, desto sicherer meinte sie, auf einem davon einen dünnen, schwarzen Strich am Rand der Stirn dieser Gestalt zu erkennen.

»Das ist eine Perücke!«, verkündete sie und blickte auf, um Mark zu zeigen, was sie entdeckt hatte. Er schlief tief und fest. Sein Kopf war seitlich an die Lehne des Ohrensessels gesunken, der Mund fest geschlossen, die Brauen streng herabgezogen. Leah betrachtete ihn eine Weile und bemerkte ein wenig Grau an den Schläfen und in den Bartstoppeln an seinem Kiefer, die ausgemergelt wirkenden Schatten unter seinen Wangenknochen, eine leichte Kinnspalte. Er hatte die knochigen Knie angezogen und die Arme darum geschlungen wie ein Kind in einem Versteck. Seine Strümpfe hatten Löcher an den Zehen. Sein Atem ging langsam und tief und so gleichmäßig wie Leahs eigener Herzschlag. Es war irgendwie zutiefst beruhigend und sehr befriedigend, ihn beim Schlafen zu betrachten. Leah lächelte in sich hinein, schrieb eine kurze Nachricht und hinterließ sie auf der Armlehne seines Sessels. *Bin zum Abendessen wieder da – keine Omelettes bitte, herzlichen Dank.* Dann stand sie rasch auf und verließ das Haus.

Der Abend war frisch und klar, und nach Sonnenuntergang färbte sich der Himmel zart türkisblau, mit einem winzigen, hoch stehenden silbrigen Mond. Trotz der Kälte war die Luft weich und von einem grünen Duft erfüllt, der langsam aus den grauen und braunen Gerüchen des Winters aufstieg. Leah ging zu Fuß zum alten Pfarrhaus, nachdem sie sich auf einer Landkarte angesehen hatte, welchen Feldweg sie vom Treidelpfad aus einschlagen musste. Ihre Stiefel waren vom Tau durchnässt, und der Strahl ihrer Taschenlampe wanderte vor ihr her über den Boden. Das Haus, das allein an der Landstraße am Dorfausgang stand, war aus der Ferne gut zu erkennen, weil drinnen Licht brannte. Sie hielt inne, ein wenig atemlos nach dem zügigen Spaziergang. Hatte Hester Canning es je so gesehen? Oder Robin Durrant? Wahrscheinlich nicht. Vermutlich war es damals nicht üblich gewesen, nach Anbruch der Dunkelheit über die Wiesen zu streifen, jedenfalls nicht für die Ehefrau eines Pfarrers oder dessen Hausgast. Dennoch blieb Leah eine Weile stehen und betrachtete die Szenerie, und es fiel ihr nicht schwer, sich in alte Zeiten zurückzuversetzen: Wenn die Haustür aufginge, wäre das Haus drinnen warm und voller Leben, sauber und freundlich. Vielleicht spielte jemand Klavier, Stimmen drangen aus dem Wohnzimmer, Lachen schwebte wie ein fröhliches Gespenst die Treppe von der Küche herauf. Leah riss sich aus diesem Traum. So war Hester Canning das Haus zuletzt nicht erschienen. Sie hatte von seinen Schatten und Geheimnissen berichtet. Sie hatte über dieses Haus geschrieben, als sei es ihr Gefängnis, als fürchtete sie sich davor – vor etwas darin. Leah erschauerte und legte das letzte Stück Weges so rasch zurück, wie sie im Dunkeln sicher gehen konnte.

Mark öffnete die Tür mit der notwendigen Gewalt, und ein Schwall Küchendüfte umwehte ihn.

»Ich muss endlich eine Glühbirne in diese Fassung schrauben«, begrüßte er sie.

»Irgendetwas riecht hier sehr lecker. Jedenfalls nicht nach verbranntem Omelette«, bemerkte Leah.

»Ich verrate dir ein Geheimnis – in Wahrheit bin ich ein verdammt guter Koch. Ich habe mich da nur … nicht richtig bemüht.«

»Das habe ich mir beinahe gedacht.« Leah lächelte.

»Also, ich muss zugeben, dass deine Selbsteinladung zum Abendessen mich nach diesem Debakel ein bisschen überrascht hat.«

»Entschuldige. Das war wirklich unhöflich von mir. Aber dafür habe ich Wein mitgebracht.« Sie gingen in die Küche. Die Kochplatten waren vom Ofen entfernt, in der Ecke surrte ein Heizlüfter, und der Raum war warm und beinahe gemütlich. Mark hatte ein paar Kerzen angezündet und in der Küche verteilt.

»Die sorgen für Wärme und ein bisschen Atmosphäre«, erklärte er ein wenig verlegen. »Bloß gut, dass ich so eingeheizt habe – du siehst halb erfroren aus.«

»Ich bin zu Fuß hergekommen«, sagte Leah und legte mehrere Schichten Kleidung ab.

»Tatsächlich? Warum?«

»Mir war einfach danach. Der direkte Weg ist viel kürzer, fast Luftlinie. Außerdem wollte ich auch was von dem Wein trinken dürfen«, erklärte sie.

Mark nahm die Flasche und betrachtete das Etikett. »O nein – du bist offensichtlich kein Weinkenner, oder? Das ist ein ziemlich billiger Tropfen.«

»Ich kenne mich schon ein bisschen mit Wein aus. Und das hier ist gar kein so übler billiger Tropfen.«

»Der Korkenzieher ist in der obersten Schublade – falls du die aufkriegst.« Er trat wieder an den Herd, während Leah den Wein aufmachte. Sein Haar war frisch gewaschen und noch feucht, und sein Gesicht wirkte ein bisschen weniger verhärmt, nicht mehr ganz so hart.

»Und, wie war dein Nickerchen?«, fragte sie.

»Angenehm. Zu lang. Ich bin mit einem furchtbar steifen Hals und völlig tauben Beinen aufgewacht. Du hättest mich wecken sollen.«

»Niemals. Du hast viel zu niedlich ausgesehen, wie du dich da in dem Sessel zusammengerollt hattest. Wie eine Haselmaus.«

»Na, großartig. Dabei bin ich in Wahrheit so verdammt männlich«, entgegnete Mark ein wenig kläglich, und Leah lachte. »Wie magst du dein Steak?«

Die Flasche Wein, die Leah mitgebracht hatte, war bald geleert, und Mark tauchte in das Kabuff unter der Treppe ab, um Nachschub zu holen. Sie aßen und unterhielten sich bis spät in die Nacht über ihr Leben, über Hester Canning und die Feenfotos und Marks Familiengeschichte. Leah erwähnte vorsichtshalber weder seinen Bruder noch seinen Vater, solange er nicht von sich aus über sie sprach, und von Ryan sagte sie kein Wort. Vielleicht bildete sie sich das ein, aber sie glaubte, Ryan regelrecht im Raum spüren zu können, so bemüht wichen sie und Mark jedem Gespräch über ihn aus. Marks Neugier kam ihr vor wie etwas Greifbares, Sichtbares, das sich tastend durch die Küche bewegte. Und sein Blick war so scharf und wach, dass sie das Gefühl hatte, er dringe bis in ihre Gedanken vor. Wenn sie Mark zu lange in die Augen sah, meinte sie, Geheimnisse preiszugeben, ohne ein Wort zu sagen.

»Das war köstlich. Jegliche Erinnerung an das Omelette ist aus meiner Erinnerung getilgt.«

»Da bin ich aber froh«, sagte Mark und schenkte ihr Wein nach. Leah trank einen Schluck und spürte, wie der Alkohol sie wärmte und träge machte.

»Und, was hast du als Nächstes vor? Wenn du hier … fertig bist?«, fragte Leah, als das Schweigen zwischen ihnen unbehaglich wurde.

»Wenn ich damit fertig bin, mich hier zu verkriechen und meine Wunden zu lecken, meinst du?« Er zog eine Braue in die Höhe.

»Verkriechen hast du gesagt, nicht ich.«

»Ich weiß es wirklich nicht. Auf Jobsuche gehen, denke ich. Wenn Gras über die Sache gewachsen ist.«

»Es *ist* schon Gras darüber gewachsen. Nicht für dich, ich weiß, aber ich hatte ehrlich keine Ahnung, wer du bist, als du mir deinen Namen genannt hast. Ich fand es nur aufregend, dass ich einen Canning gefunden habe.«

»Ja, aber ich habe den Eindruck, dass du in letzter Zeit selbst nicht allzu viel mitbekommen hast. Vom Tagesgeschehen, meine ich. Nimm es mir nicht übel«, bat Mark und hob entschuldigend eine Hand. Leah warf ihm einen Blick zu und ärgerte sich über sich selbst, weil sie offenbar so leicht zu durchschauen war.

»Wie, um alles in der Welt, bist du darauf gekommen?«

»Weil es mir genauso geht.« Er zuckte mit den Schultern. »Aber vielleicht hast du recht. Die Geschichte ist sicher schon Schnee von gestern. Es fühlt sich eben nur für mich nicht so an. Aber ich werde das Haus verkaufen. Das habe ich immerhin schon mal beschlossen.«

»Schade«, sagte Leah traurig, im selben Moment ein wenig befremdet von diesem spontanen Gefühl.

»Würdest du mir davon erzählen? Von deiner Kriegsverletzung – warum du manchmal so ein furchtbar trauriges Gesicht machst?«

»Mache ich das?«, fragte sie beiläufig und ließ den Blick durch den Raum schweifen.

»Das weißt du doch. Komm schon, Leah.« Er neigte den Kopf zur Seite und versuchte, ihren Blick einzufangen.

Leah zuckte seufzend mit den Schultern. »Da gibt es eigentlich nicht viel zu erzählen. Ich habe mich letztes Jahr von meinem Freund getrennt. Angeknackstes Herz, noch nicht ganz drüber hinweg, bla, bla, bla …«

»Hat er dich betrogen?«

»Ich will wirklich nicht darüber reden«, erwiderte sie schärfer, als sie beabsichtigt hatte. Aus irgendeinem Grund fand sie es unerträglich, mit Mark über Ryan zu sprechen. Es weckte in ihr den Drang, aufzuspringen und wegzulaufen oder die Hände vors Gesicht zu schlagen. Aber weshalb sollte sie sich eigentlich schämen? Warum sollte *sie* diejenige sein, die sich am liebsten irgendwo im Dunkeln einrollen würde, wo niemand sie je wieder sehen oder berühren konnte? Weil ich nichts gemerkt habe. Weil ich eine gottverdammte Idiotin bin, antwortete sie sich selbst. Weil ich ihn immer noch liebe.

»Tja, siehst du? So einfach ist das nicht. Heutzutage soll ja alles dadurch besser werden, dass man es sich von der Seele redet«, murmelte Mark und beobachtete sie aufmerksam.

Leah sah ihn stirnrunzelnd an und überlegte sich ihre Antwort gut. »Ich habe mit Gott und der Welt darüber gesprochen, gleich nachdem es passiert war. Und ja, er hat mit jemand anderem geschlafen, aber es war viel, viel schlimmer, als sich diese paar einfachen Worte anhören. Noch vor einer Weile konnte ich gar nicht aufhören, darüber zu reden, als könnte ich dadurch irgendetwas an der Situation ändern. Aber inzwischen glaube ich, dass es nicht mehr viel darüber zu sagen gibt. Und wenn ich doch darüber rede, dann macht es mich so verdammt wütend.« Mark sagte nichts. Ihrer beider Hände lagen auf dem Tisch, die Fingerspitzen nur wenige Zentimeter voneinander entfernt. »Und was ist mit dir? Hast du dir die Sache mit deinem Bruder von der Seele geredet?« Sobald die Worte heraus waren, bereute Leah sie auch schon, denn Mark fuhr zurück, als hätte sie ihn geschlagen. »Es tut mir leid«, stieß sie hastig hervor. »So hätte ich das nicht sagen sollen. Das ist eine völlig andere Geschichte, ich weiß.«

»Woher willst du das denn wissen?«, fragte er – traurig, nicht wütend. »Wie könnte irgendjemand etwas darüber wissen? Ich hatte keine Vorstellung davon, bis ich es selbst durchgemacht habe.«

»Du hast recht. Ich weiß gar nichts«, sagte Leah zerknirscht. Verlegen griff sie nach ihrem Weinglas.

»Ich habe mit niemandem darüber gesprochen. Mit wem denn auch? Mit Dad vielleicht?«

»Mit einem guten Freund?«

»Die waren plötzlich verschwunden, fast alle. Die Sache war einfach … zu gewaltig«, antwortete er und schenkte ihnen Wein nach. »Sie sind damit nicht klargekommen.« In der Pause nach diesen Worten tanzten die Kerzenflammen wieder einmal in einem Luftzug, der sich in die Küche schlich, wie zu einem Lied, das nur sie hören konnten.

»Du kannst mir davon erzählen. Wenn du möchtest«, sagte Leah.

»Aber du weißt doch schon alles, oder?«, erwiderte Mark ein wenig schroff.

»Ich weiß, was in den Zeitungen stand. Aber das ist nicht die ganze Wahrheit. Ich weiß nicht, wie es wirklich war.«

»Und, willst du das wissen?«

»Wenn du es mir erzählen möchtest«, sagte sie. Mark wandte den Blick ab und starrte auf das schwarze Fenster, in dem matt sein eigenes Spiegelbild stand. Leah sah, dass der kleine Muskel unter seinem Auge zu zucken begann und sein Kiefer sich verkrampfte. Spontan streckte sie die Hand aus und drückte seinen Arm. Der fühlte sich unter zwei Schichten Kleidung hart und fest an, reine Anspannung.

»Du musst natürlich nicht.«

»Ich weiß. Aber noch schlechter kann ich mich gar nicht fühlen, und vielleicht tut es mir sogar gut … Ich weiß nicht, wie viel du aus der Presse mitbekommen hast, also erzähle ich am besten von Anfang an: Mein älterer Bruder James war mein Held, als wir noch Kinder waren. Er war der klassische große Bruder im besten Sinne. Er hat mir beim Bau meiner Modellflugzeuge geholfen, mir gezeigt, wie man einen Kricket-Ball wirft und wie ich mit meinem Luftgewehr tatsächlich etwas treffen konnte. Und wie man Mädchen aufreißt – das allerdings ziemlich schlecht, muss ich sagen. Ich glaube, der Altersunterschied war groß genug, sodass es zwischen uns keine Rivalitäten gab. Wir haben uns selten gestritten. Er war fünf Jahre älter als ich. Jedenfalls hatte ich ihn sehr lieb. Wir standen uns immer sehr nahe, auch als wir erwachsen und längst von zu Hause ausgezogen waren. Ich mochte auch seine Frau Karen sehr – sie haben vor fünfzehn Jahren geheiratet. Davor war James ein richtiger Frauenheld und nicht immer anständig, könnte man wohl sagen. Das war keine böse Absicht. Er schien Frauen einfach magisch anzuziehen, und es fiel ihm schwer, ihnen zu widerstehen. Er hatte eine Freundin nach der anderen, und manchmal überschnitten sich diese Beziehungen auch. Aber Karen war anders. Sie hat ihn von Anfang an durchschaut und ihm klargemacht, dass sie so etwas nicht dulden würde. Sie ist katholisch, deshalb haben sie recht bald geheiratet, und ich sage ganz ehrlich, dass er noch nie so glücklich war wie mit ihr. Beruflich lief es toll – er war Anwalt und hat sehr gut verdient. In der Kanzlei gab es Überlegungen, ihn zum Partner zu machen. Die Kinder entwickelten sich prächtig, alles war in bester Ordnung. Eine Bilderbuchfamilie. Ich war jedes Jahr zu Weihnachten bei ihnen – unsere Eltern auch. James hat es genossen, den Hausherrn zu geben und uns mit seiner Gastfreundschaft zu verwöhnen. Dann wurde er krank. Er hatte Gleichgewichtsstörungen – mal mehr, mal weniger schlimm. Er war launisch und zog sich immer öfter zurück. Das war ein sicheres Zeichen dafür, dass etwas nicht stimmte, denn James war immer ein fröhlicher Mensch gewesen. Warum auch nicht? Er hatte alles, was man sich im Leben wünschen kann.« Mark hielt inne und drehte sein Glas vor sich auf dem Tisch herum, ganz langsam gegen den Uhrzeigersinn. Der Fuß vibrierte auf der Tischplatte und jagte Leah einen Schauer über den Rücken. »Er bekam unerklärliche Schmerzen, steife Gelenke. Es fiel ihm schwer, Sachen festzuhalten. Er wurde immer ungeschickter, stolperte ständig, verschluckte sich dauernd beim Essen und manchmal sogar, wenn er gar nichts aß. Einfach so … an seinem eigenen Speichel. Dann bekam er Sprechstörungen und ist endlich zum Arzt gegangen, nachdem er es so lange wie möglich hinausgezögert hatte – typisch Mann. Ein Mann, der sich noch nie einen einzigen Tag krankgemeldet hatte. Sie haben alle möglichen Untersuchungen gemacht, und wir haben erwartet, dass dabei etwas herauskommen würde wie eine Mittelohrentzündung, Durchblutungsstörungen oder schlimmstenfalls irgendein fieses, hartnäckiges Virus. Aber es war ALS – Amyotrophe Lateralsklerose. Die Diagnose hat ihn umgehauen, uns alle. Lebenserwartung drei bis fünf Jahre. Neun Monate nach der Diagnose saß James im Rollstuhl. Ein Mann, der vier Jahre in Folge das Turnier seines Tennisclubs gewonnen hatte, Vater von drei Kindern, das älteste nicht mal zwölf.« Mark blickte zu Leah auf. Sie hatte ebenfalls aufgehört, an ihrem Weinglas herumzuspielen, und lauschte ihm in stummer Betroffenheit. Sie konnte nichts sagen, nichts für ihn tun. Sie kam sich vor wie eine Gefangene an diesem Tisch, der Unausweichlichkeit seiner Geschichte ausgeliefert.

»Und er wusste … er *wusste*, wie er enden würde: inkontinent, nicht in der Lage zu sprechen, selbstständig zu essen oder sonst irgendetwas zu tun außer langsam zu sterben. Er ist vor unser aller Augen dahingeschwunden. Jedes Mal, wenn ich ihn besucht habe …« Mark schüttelte den Kopf und schluckte krampfhaft. »Ich wusste, worum er uns bitten würde. Eines Nachmittags hat er Karen und mich zu sich gerufen und die Kinder rausgeschickt. Und er hat uns beiden, den Menschen, die ihn am meisten geliebt haben, gesagt, dass er sterben wollte. Karen ist ausgerastet. Sie hat ihn als Feigling beschimpft und behauptet, er wolle ja gar nicht kämpfen, er würde einfach aufgeben. Sie hat ihm vorgeworfen, dass er sie und die Kinder im Stich lasse. Himmel, sie hat so schreckliche Dinge gesagt! Ich dachte, sie sei einfach … verrückt vor Trauer. Ich dachte, sie würde es sich anders überlegen. Denn ich war von Anfang an bereit, ihm zu helfen. Ich wollte ihn nicht verlieren – ich hätte alles getan, um ihn bei uns zu behalten. Aber wir *würden* ihn verlieren – er wusste das, und ich wusste es auch. Ich hätte alles getan, um ihm noch mehr Leiden zu ersparen. Ich war mir sicher, dass Karen das irgendwann akzeptieren würde, aber das hat sie nicht. Sie hat eisern an ihrer Überzeugung festgehalten. Selbstmord war für sie absolut inakzeptabel, und Mord natürlich erst recht. Das hat sie mir vorgehalten, als ich noch einmal versucht habe, sie zu überzeugen. Sie hat mich als Mörder bezeichnet. So ging das ein halbes Jahr lang, und obwohl wir kaum noch darüber gesprochen haben, war es die ganze Zeit über präsent. Jedes Mal, wenn ich zu Besuch war. Jedes Mal, wenn ich Karen begegnet bin, hat sie mich mit diesem Blick angesehen – diesem grässlichen, zornigen, tadelnden Blick. Wie eine Mahnung, dass ich ja nicht wagen solle, es zu erwähnen. Eine Warnung. Und jedes Mal, wenn ich mit James allein war, hat er mich angefleht, ihm zu helfen. Inzwischen schaffte er es nicht einmal mehr allein in seinen Rollstuhl oder ins Bett. Viermal am Tag kam ein Pflegedienst ins Haus. Sein schlimmster Albtraum war Wirklichkeit geworden.« Mark hielt inne und legte sich ganz kurz die Hand auf den Mund, als wollte er verhindern, dass die nächsten Worte herausdrangen. »Ich habe für ihn Briefe geschrieben, in denen stand, dass das sein ausdrücklicher Wunsch sei und ich nur auf seine Bitte hin handelte. Er hat sie unterschrieben, so gut es ging. Eines Morgens hat er sich besonders herzlich von den Kindern verabschiedet, und während Karen sie zur Schule gefahren hat, habe ich ihm Schlaftabletten gegeben. So viele, wie er schlucken konnte.

Ich habe sie übers Internet gekauft. Weiß Gott, was da alles drin war. Aber sie haben gewirkt. Er … ist gestorben. Er ist gestorben.«

»Mark, es tut mir so leid …«

»Oh, aber es geht noch weiter. Karen reagierte … na ja, wie nicht anders zu erwarten. Schlimmer sogar. Sie hat die Briefe zerrissen, als ich sie ihr gezeigt habe. Dumm von mir – ich hätte sie vorher kopieren sollen. Sie hat sie vernichtet und sofort die Polizei angerufen, um denen einen Mord zu melden. Ich begreife einfach nicht, warum sie das getan hat! Ich verstehe bis heute nicht, wie sie die Realität so vollständig verleugnen konnte. Sie muss doch im Grunde ihres Herzens gewusst haben, dass James es so wollte. Dass es das Beste und Mitfühlendste war, was man nur für ihn tun konnte. Dann wurde sein Testament eröffnet, und es stellte sich heraus, dass er mir eine Menge Geld hinterlassen hatte – damit ich Dads Pflegeheim noch eine Weile bezahlen kann, ohne das Haus verkaufen zu müssen. Als die Presse Wind davon bekommen hat, haben sie mich in Stücke gerissen.«

»Aber der Prozess war in null Komma nichts vorbei. Es war offensichtlich, dass du aus Mitgefühl gehandelt hast. Der Richter hat sogar noch erklärt, der Fall hätte nie vor Gericht kommen dürfen …«

»Sag das mal Karen und den Kindern. Und den Journalisten mit ihren verdammten Schlagzeilen über ›Kain und Abel‹. Karen hat den Kindern die abscheulichsten Dinge über mich erzählt, Leah. Ich weiß nicht, ob ich sie je wiedersehen werde. Ob sie mir jemals verzeihen werden.«

»Aber wussten sie denn, dass er sterben würde? War ihnen das klar?«

»Ich weiß es nicht. Ich habe nie mit ihnen darüber gesprochen. Karen hat immer gesagt, das sei ihre Sache. Ich weiß nicht, was sie ihnen erzählt hat. Ich weiß es einfach nicht.«

»Aber wenn sie erst älter sind und sich selbst darüber informieren können, wie krank ihr Vater wirklich war, dann werden sie dich sicher wiedersehen wollen«, versuchte sie ihn zu trösten.

»Tja, das bleibt abzuwarten. Jetzt gibt es erst einmal nur Dad und mich. Er ist die einzige Familie, die ich noch habe. Oder vielmehr der Einzige aus meiner Familie, der noch mit mir spricht. Manchmal.«

»Wie furchtbar. Ach, Mark, ich weiß einfach nicht, was ich sagen soll«, erklärte Leah hilflos.

»Da gibt es nichts zu sagen. Aber jetzt weißt du alles, und ich würde zu gern behaupten, dass ich mich besser fühle, nachdem ich es dir erzählt habe. Tue ich aber nicht.« Er holte tief Luft und stieß sie als langes, bebendes Seufzen wieder aus.

»Es ist viel zu früh, du kannst nicht erwarten, dass es dir jetzt schon besser geht«, entgegnete sie vorsichtig. »Du hast deinen Bruder verloren, und durch den ganzen Mist, der danach passiert ist, hattest du noch gar keine Chance, um ihn zu trauern.«

»Na ja, jetzt habe ich dafür reichlich Zeit, oder? Meine Firma hat mich natürlich gefeuert. So viel zum Thema ›unschuldig, bis die Schuld bewiesen ist‹. Die haben behauptet, meine Leistung habe sich schon seit einiger Zeit stetig verschlechtert, und das hätte nichts mit dem bevorstehenden Prozess zu tun. Schwachsinn.«

»Wir könnten sie verklagen«, sagte Leah. *Wir.* Wie unerwartet ihr das Wort über die Lippen geschlüpft war. Ein Kribbeln durchzuckte ihren Magen, doch Mark schien gar nichts zu bemerken.

»Wozu? Ich will nichts davon zurückhaben. Nichts von

diesem alten Leben. Wie kann überhaupt irgendwer zu dem zurückkehren, wie es vorher war, wenn einem alles um die Ohren geflogen ist? Man muss eben ganz neu anfangen. Also, warum nicht an einem neuen Ort, mit einem neuen Job?« Mark trank einen Schluck von seinem Wein.

»Ja, man muss wirklich neu anfangen«, stimmte Leah ihm zu. Die Falten waren fast aus seinem Gesicht verschwunden, vom Kerzenschein weichgezeichnet und verwischt. Sie griff über den Tisch hinweg nach seinen Händen, um sie kurz zu drücken und ihm durch die Berührung ein wenig Kraft zu schenken. Doch Mark packte ihre Finger und ließ sie nicht wieder los. Leah begegnete seinem Blick, und die mitfühlende Betroffenheit über seinen Schmerz verwandelte sich in ein Gefühl von Angst.

»Bleib heute Nacht hier«, sagte er. Leah öffnete den Mund, doch sie brachte kein Wort heraus, denn das Herz schlug ihr bis zum Hals und schnürte ihr die Kehle zu. Das Schweigen zog sich in die Länge, und Mark ließ ihre Hände los. »Es gibt reichlich Gästezimmer«, sagte er verlegen.

Leah atmete tief durch. »Ich gehe lieber zum Pub zurück. Ist ja wirklich nicht weit«, erwiderte sie.

Marks Mund verzog sich zu einem angedeuteten Lächeln. »Natürlich«, sagte er.

Am nächsten Morgen stand Leah früh auf und trank ihren ersten Kaffee am Fenster ihres Zimmers. Die Scheiben waren leicht beschlagen von ihrem eigenen Atem in der Nacht, und der Tag draußen wurde nur zaghaft hell. Von dem vielen Wein am Abend zuvor war ihr Kopf schwer und sehr empfindlich, und sie brachte keinen klaren Gedanken über Mark und ihre lange Unterhaltung zustande. Von unten war betriebsamer Lärm zu hören, in der Küche klapperten Töpfe und Besteck. Der Duft von gebratenem Speck stieg die

Treppe herauf und kroch unter ihrer Tür hindurch, und ihr Magen knurrte, doch sie hatte keine Zeit zum Frühstücken.

Sobald die Bibliothek um halb zehn öffnete, war Leah da. Man zeigte ihr das Mikrofiche-Archiv und erklärte ihr das Lesegerät, und bald arbeitete sie sich mit erwartungsvoll klopfendem Herzen durch einhundert Jahre alte Ausgaben der Lokalzeitungen. Sie ließ sich von ihrer Intuition leiten und begann mit dem Jahr, in dem Robin Durrants später entlarvte Fotografien entstanden waren. Aufgrund der Andeutungen in Hesters Briefen fing sie mit den Sommermonaten an. Sie hatte den August 1911 noch nicht halb durchgesehen, als ihr der Atem stockte und sie sich unwillkürlich die Hand vor den Mund schlug. Da war sie, ganz unvermittelt: Die Story erstreckte sich über ein paar Wochen bis in den Herbst. Sie las einmal, ein zweites Mal, versuchte, die wichtigsten Fakten in ihrem Notizbuch festzuhalten, doch sie konnte nur wild und fahrig kritzeln, und ihre Handschrift war selbst für sie nur schwer leserlich. Schließlich gab sie es auf, zückte ihr Handy, ignorierte den finsteren Blick und das tadelnde Zungenschnalzen der Frau am benachbarten Lesegerät und wählte Marks Nummer.

»Leah? Hast du etwas gefunden?«, meldete er sich, und in seiner abgehackten Sprechweise erkannte sie etwas von derselben Zwiespältigkeit, die sie selbst am Morgen verspürt hatte.

»Ich habe *alles* gefunden, Mark. Es ist alles hier! Und Fotos ... wunderbare Bilder von Hester und Albert, und von dem Theosophen ... Alles!«

»Du meinst, es ist tatsächlich etwas Schlimmes passiert? Wann?«

»In *diesem Sommer* – dem Sommer, den Hester in ihren Briefen erwähnt. Sommer 1911«, berichtete Leah mit vor Aufregung erstickter Stimme. »Und ich glaube ... ich glaube, ich weiß, warum unser Soldat gerade diese beiden Briefe von Hester aufbewahrt hat.«

»Leah – nun sag schon, was passiert ist! Hat es tatsächlich einen Mord gegeben?«

»O ja, allerdings. Einen grausigen und brutalen Mord sogar.«

11

Liebste Amelia,
wie sehr ich mir wünsche, Du wärest noch hier, um mir zu helfen
und Kraft zu geben. Dieses Haus ist kein angenehmes Heim
mehr. Ich weiß nicht recht, wo ich beginnen soll. Albert. Albert ist
nicht mehr er selbst. Er ist mir fremd geworden, distanziert und
so gefesselt von seinem Verlangen, diese leidigen Elementare noch
einmal zu sehen, dass in seinem Herzen und Verstand kein Platz
mehr für mich ist, und auch nicht für die Gemeinde, seine
Pflichten oder sonst irgendetwas. Er isst kaum, will keinerlei
Fleisch mehr anrühren, und ich habe ihn seit Tagen nicht mehr
schlafen sehen. Inzwischen treibt er sich oft vor den Gasthäusern
und Wirtschaften in der Umgebung herum und hält den
Vorübergehenden Predigten über ihre zahlreichen Sünden. Ach,
Amy! Ich finde das alles äußerst verstörend. Und ich kann diese
besorgniserregenden Veränderungen nur auf eine einzige Ursache
zurückführen – Mr. Robin Durrant. Der nun seit so vielen
Wochen schon bei uns wohnt, jedoch nicht das Geringste zu
unserem Haushalt beiträgt. Als ich das Bertie gegenüber
erwähnte, schien er es beinahe komisch zu finden. Mich komisch
zu finden. Er spricht von Mr. Durrant als »unserem geschätzten
Gast«, und glaube mir – höher könnte er den Mann gar nicht

mehr schätzen. Was immer Mr. Durrant vorschlägt, Albert ist
damit einverstanden. So einfach ist das. Es kommt mir beinahe so
vor, als hätte mein lieber Mann keinen eigenen Verstand mehr!
Cat, unser Dienstmädchen, ist ebenfalls ganz aufgelöst. Albert
hat sie in einem Pub in Thatcham gesehen und wollte sie wegen
dieses Vergehens entlassen. Ich habe protestiert und mich für sie
eingesetzt, weil ich sie mittlerweile wirklich gern habe und sehr
schätze. Doch erst als Robin Durrant ein gutes Wort für sie
einlegte, durfte sie bleiben. Albert besteht allerdings darauf, dass
sie nachts in ihrem Zimmer eingeschlossen wird, was auch
geschieht. Aber seit ihrem Gefängnisaufenthalt in London erträgt
sie es offenbar einfach nicht, eingesperrt zu sein, und jedes Mal,
wenn sich die Tür schließt, gerät sie völlig außer sich. Ich halte
diese Maßnahme für grausam und überflüssig, aber Albert besteht
darauf, und in diesem Fall hält Mr. Durrant es nicht für nötig,
ihm zu widersprechen. Vielleicht findet er es unterhaltsam, sie
vor Leid schreien und weinen zu hören. Ach, ich weiß! Ich weiß,
dass ich abscheuliche Dinge über ihn schreibe, aber ich muss auf
einmal feststellen: Ich traue ihm nicht, ich kann ihn nicht leiden,
und ich will ihn nicht mehr im Haus haben!
Cat hat einen Liebsten im Ort. Deshalb hat sie sich abends oft
davongeschlichen – um sich mit ihm zu treffen. Als sie das zugab,
dachte ich zuerst, es sei Robin Durrant. Ich habe die beiden
zusammen gesehen, draußen auf dem Hof. Sie unterhielten sich
sehr vertraut miteinander. Doch er behauptet, nichts davon zu
wissen, und eigentlich kann ich mir auch kaum vorstellen, dass
Cat sich zu ihm hingezogen fühlt. Vielleicht empfinde ich deshalb
solches Mitgefühl für sie, denn wenn sie diesen Mann so sehr
liebt, wie ich Bertie liebe, dann ist es umso grausamer und
unmenschlicher von uns, sie gegen ihren Willen von ihm
fernzuhalten. Ich habe ihr vorgeschlagen, ihm einen kurzen
Brief zu schreiben und ihm zu erklären, weshalb sie ihm vorerst
fernbleiben muss, doch sie sagte mir, dass er nicht lesen könne.

Welch armer, einfacher Mensch er sein muss. Ich habe natürlich dafür gesorgt, dass Albert nichts davon erfährt. Ich fürchte, in seinem gegenwärtigen Geisteszustand würde er die beiden schnurstracks vor den Altar schleifen und sie verheiraten, selbst wenn sie noch keine Zärtlichkeiten ausgetauscht hätten, die über einen Kuss hinausgingen. Es bricht mir beinahe das Herz, wenn ich bedenke, dass auch ich daran mitwirke, sie voneinander fernzuhalten. Denn so fühle ich mich selbst – getrennt von Albert, von ihm abgeschnitten. Ich vermisse ihn, Amy!

Die Einzelheiten will ich nicht zu Papier bringen, doch vor etwa einer Woche, als Albert das letzte Mal nachts in unserem Bett schlief, ist etwas vorgefallen, das mir deutlich gemacht hat, wie genau das, was wir als Mann und Frau im Ehebett teilen sollten, geschehen müsste. Ich <u>verstehe</u> endlich, was Dich nach all der Zeit gewiss erleichtern wird. Doch kaum hatte ich diese Entdeckung gemacht, fand ich mich meinem Mann noch ferner als je zuvor. Er ist entsetzt vor mir zurückgewichen, Amelia. Vor meiner Berührung, dort. Wie, um alles in der Welt, soll es nun weitergehen? Ich bin mir sicher – obgleich ich Dir nicht erklären kann, warum –, dass jedwede Verbesserung unseres ehelichen Verhältnisses nicht möglich ist, solange Robin Durrant in unser beider Leben und unter unserem Dach verbleibt. Wenn er bei uns ist, so scheint es mir, als sei Albert eben nicht hier. Oder bin ich es, die dann nicht wirklich da ist? Kannst Du mir überhaupt noch folgen?

Nun, vielleicht hast Du in der Zeitung von unseren Elementaren gelesen? Soweit ich weiß, drucken auch einige der landesweit vertriebenen Zeitungen diese Geschichte jetzt ab, nachdem die Veröffentlichung in unserer Lokalzeitung eine solche Flutwelle von Zuschriften ausgelöst hat. Offenbar teilen eine Menge Leute unser beider Reaktion auf die Fotografien, Amy. Mr. Durrant hat bisher keine offizielle Rückendeckung von der Theosophischen Gesellschaft erhalten, was ihn sehr verärgert. Er hat darum gebeten, einen Experten herzuschicken, der die Entwicklung einer weiteren Aufnahme überwachen soll, um die Echtheit der Bilder zu beweisen. Woher ich all das weiß? Weil ich neuerdings an Türen lausche, liebe Schwester. Ja, in meinem eigenen Haus! Alberts Traktat stößt nicht auf solches Interesse. Er hat noch keine Buchhandlung gefunden, die bereit wäre, einige Exemplare vorzuhalten, und stattdessen eine Annonce in die Zeitung gesetzt. Nun versendet er zwei oder drei pro Tag auf postalische Bestellung, für zwei Pence pro Stück.

Ich wünsche mir von ganzem Herzen, Du wärest hier, und doch bin ich froh, dass Du nicht bei uns bist – denn die augenblickliche Atmosphäre in diesem Haus wünsche ich niemandem, geschweige denn einem Menschen, der mir so lieb ist wie Du. Und wie ist es Dir ergangen? Vor allem mit Archie, der Dir solchen Kummer bereitet hat? Ich hoffe sehr, dass es Euch gelungen ist, zu einem einvernehmlichen Verhältnis zurückzufinden, und dass Dein Heim ein glücklicheres ist als das meine. Ich wünschte, ich hätte irgendeinen Rat für Dich, doch ich bin so furchtbar unwissend. Ich kann mir auch nicht vorstellen, was Du mir unter diesen ungewöhnlichen und äußerst unangenehmen Umständen wohl raten könntest. Aber falls Du irgendeinen Rat für mich hast, bitte, liebste Schwester, schreibe mir nur recht bald. Ich weiß nicht mehr, was ich tun und was ich lassen soll und wie lange ich all das noch ertragen kann.

Von Herzen,
Hester

1911

Als sich der Schlüssel im Schloss herumdreht, beginnt es in Cats Ohren so laut zu dröhnen, dass sie fürchtet, ihr Kopf könnte platzen. Es spielt keine Rolle, dass Mrs. Bell Angst und Widerwillen ins Gesicht geschrieben stehen, als sie es tut. Es spielt keine Rolle, dass der Mond dennoch hinter dem Fenster aufgeht und das Glas in silbrigem Licht erstrahlt. Es spielt auch keine Rolle, dass man sie am Morgen wieder herauslassen wird. Nichts spielt eine Rolle außer der Tatsache, dass sie wieder eine Gefangene ist, machtlos und der Freiheit beraubt, nach ihrem eigenen Willen zu kommen und zu gehen. Sie ist wie der Kanarienvogel des Gentleman, der ihn mit zur Seite geneigtem Kopf ansah und nicht singen wollte. Schweigen war seine letzte Waffe, das Letzte, worüber er selbst bestimmen konnte. Für Cat ist es ihre Stimme. Voller Angst und rasender Wut schreit sie die Tür an, bis ihre Kehle schmerzt, sie brüllt gegen das Wummern in ihrem Kopf an. Sie wird keinen Augenblick Ruhe finden, und das restliche Haus auch nicht. Sie hämmert mit den Fäusten gegen das Holz, stampft mit den Füßen auf die Dielen, flucht und schimpft und schluchzt. Sie glaubt, sie sei laut, zu laut, als dass irgendjemand sie überhören könnte. Doch als sie schließlich ermattet auf den Boden niedersinkt, hört sie Sophie Bell leise schnarchen, zwei Türen weiter den Flur entlang.

Also setzt sie sich, als sie zu erschöpft ist, um weiterzu-kämpfen. Sie lehnt sich mit dem Rücken an die Tür, und die rauen Bodendielen reißen die Haut an der Rückseite ihrer Oberschenkel auf. Ihre Kehle brennt, ihr Kopf ist von engen Bändern aus Spannung und Schmerz umschlossen. Sie versucht, an George zu denken, daran, wie sie sich fühlt, wenn sie bei ihm ist. An das Leben, das er ihr einzuhauchen scheint, an ihre Seele, die er geduldig aus dem harten Kern in ihrem Inneren hervorlockt durch sein Lächeln, dadurch, wie er sich anfühlt, wie er schmeckt. Sie versucht, an ihre Mutter zu denken, wie sie vor der Schwindsucht war, oder an Tess an jenem Nachmittag, als sie sich zu ihrer ersten Versammlung davonschlichen – ihre Freude, die ihr Gesicht so prachtvoll strahlen ließ wie einen Regenbogen. Doch die Gedanken wollen nicht bleiben und sie trösten. George entgleitet in den Schatten, eine bloße Silhouette wie eine ferne Erinnerung. Ihr bleibt nur sein Umriss, als hätte er stets die blendende Sonne im Rücken. Krankheit und Tod holen ihre Mutter, und erst das Gefängnis und nun das Armenhaus holen Tess. Cat sitzt wieder in ihrer Zelle mit den kalten, klammen Wänden, dem Gestank von Pisse und Kacke aus dem Eimer in der Ecke und den Läusen, die über ihre Kopfhaut kriechen und sie vor Juckreiz verrückt machen. Sie waren in ihrem Bettzeug – im Matratzendrell und in den Säumen und Nähten der dünnen Decken. Cat hat nicht daran gedacht, sie zu überprüfen, denn sie war noch nie zuvor irgendwo gewesen, wo Läuse so zahlreich auf der Lauer lagen – wachsgraue Punkte, die über Unachtsame herfielen. Die Mauern waren feucht, und dicker Schimmel kroch daran empor und färbte den Mörtel schwarz.

Die Mädchen aus der Arbeiterklasse wurden nicht so sanft behandelt wie ihre Kameradinnen aus der Mittel- und Oberschicht. Keine Privilegien, keine kleinen Annehmlichkeiten. Sie durften keine Briefe schreiben oder ihre eigene Kleidung tragen. Nur einmal am Tag gestattete man ihnen, ihre Zellen für eine Stunde zu verlassen, um sich auf einem engen, gepflasterten Hof ein wenig zu bewegen. Cat und Tess gingen immer zusammen, dicht aneinandergedrängt und mit verschlungenen Händen. Cat versuchte, Tess zum Lachen zu bringen, indem sie ihr ein wenig Klatsch erzählte, wilde Geschichten über die Wärterinnen und die anderen Gefangenen erfand und ihr die ungeheuren Mengen an Kuchen schilderte, die sie nach ihrer Entlassung essen würden. Eine der Wärterinnen fürchteten die Frauen ganz besonders. Sie war ganz dünn und drahtig, nur Sehnen und Knochen, ohne die geringste Andeutung von Kurven an Hüften oder Büste, die sie vielleicht ein wenig weicher hätten erscheinen lassen. Sie hatte dunkles Haar, das sie streng zurückgesteckt trug, kalte blaue Augen, graue, dünne Lippen, die sich an den Mundwinkeln zu einem Ausdruck verzogen, der nichts mit Fröhlichkeit zu tun hatte, und eine scharfe, spitze Nase. Nach dieser hatte Cat ihr den Spitznamen »die Krähe« gegeben, und in den langen, einsamen Stunden der Einzelhaft dichtete sie Spottverse auf die Frau, die sie dann beim Hofgang Tess vorsang. Tess lachte nicht, brachte aber meist ein Lächeln zustande. Ihre Augen waren immer verweint, gerötet und verquollen.

Die Wärterinnen schlugen sie für die geringste Aufsässigkeit – deren man sich schuldig machte, indem man zu langsam ging oder zu schnell, indem man zu viel hustete oder schimpfte, fluchte, pfiff, sang oder Widerworte gab. Am zweiten Vormittag ihrer dreimonatigen Haftstrafe hatte Cat, die noch nie im Leben geschlagen worden war, bereits eine aufgesprungene Lippe und einen wackelnden Zahn dahinter. Rasch wurde die Parole ausgegeben, dass sie mit einem Streik gegen diese Behandlung protestieren müssten. Das war schließlich ihre Art – als Suffragetten. Von Rechts wegen hätte man sie als politische Gefangene einstufen müssen, nicht als gewöhnliche Kriminelle. Ihnen hätten bessere Unterbringung, besseres Essen, bessere Behandlung und die entsprechenden Privilegien zugestanden. All das hatte die WSPU ihnen erklärt, ehe sie verurteilt worden waren. Cat war das bekannt, als sie durch das mächtige steinerne Tor von Holloway geführt wurde, das mit seinen Zinnen an ein Märchenschloss erinnerte – allerdings ohne einen Prinzen oder ein glückliches Ende. Sie sollten all diese Dinge fordern, und sie mussten das Essen verweigern, bis man sie ihnen zugestand oder ihre Freilassung angeordnet wurde. Der beengte Raum machte Cat nichts aus. Zumindest nicht zu Anfang. Als sie die erste Nacht hinter der abgeschlossenen Tür verbrachte, fand sie das nicht weiter schlimm. Da wusste sie ja noch nicht, was das bedeutete. Sie hatte die Grenzen ihrer neuen Welt noch nicht ausgelotet, noch nicht erkannt, wie eng sie waren und welches Leid sie bringen konnten.

Der erste Tag ohne Essen war himmlisch. Das Brot war immer altbacken und hart, die Suppe kaum mehr als das Kochwasser, in dem die Wärterinnen sich ihr Gemüse gekocht hatten – dünn und übelriechend. Cat war das gute Essen in der Broughton Street gewöhnt und davor die Küche ihrer Mutter. Dieses Zeug konnte sie kaum anrühren, ohne würgen zu müssen. Ohne Essen fühlte ihr Magen sich bald heiß an und rumorte protestierend, doch es fiel ihr leicht, nicht darauf zu achten. Was sie nicht aß, ließ man in ihrer Zelle vergammeln. Die Wärterinnen schlugen sie wegen ihrer Auflehnung. Die Krähe verdrehte ihr den Arm auf den Rücken und zerrte sie an den Haaren herum. Cat ertrug das alles, denn sie konnten sie nicht zwingen zu essen. Sie konnten nicht gewinnen. So ging das fünf Tage lang, und am sechsten

Tag konnte sie nicht mehr von ihrem Lager aufstehen. Auch in den Zellen um sie herum war es ganz still, weil alle Suffragetten zusammen in diesem Trakt untergebracht waren, und Cat blieb ruhig liegen und lauschte dem Schweigen. Das war ein geselliges Schweigen, erfüllt von ihrer geteilten Schwäche – körperlich kraftlos, geistig jedoch stark und entschlossen. Doch diese Stille hielt nur bis zum sechsten Abend an. Dann wurde sie von neuen Geräuschen verdrängt.

Ein Rollwagen quietschte. Vielfache, zielstrebige Schritte. Schlüssel klapperten, und noch etwas Metallisches. Als Cat die neuartigen Geräusche hörte, hob sie den Kopf von ihrer gammeligen Matratze. Sie dachte daran, aufzustehen und die Wange an das winzige Gitter in der Tür zu pressen, um vielleicht erspähen zu können, was da kam. Ein ungutes Gefühl verursachte ihr eine Gänsehaut, sie hätte nicht sagen können, warum. Dann kamen neue Geräusche hinzu, und sie wusste, dass ihr Instinkt sie nicht getrogen hatte. Sie hörte schrille Schreckensschreie, ein Handgemenge. Dumpf knallte ein Möbelstück an eine Wand, wieder schepperte Metall, die Wärterinnen fluchten, und da waren auch Männerstimmen. Zwei Männer, die brummten wie durch zusammengebissene Zähne. Die Schreie steigerten sich zu panischem Kreischen, das plötzlich erstickt wurde. Ein Husten und Würgen begann, grausige Laute wie die eines Tieres, die Cat noch nie von einem Menschen gehört hatte. Und als die Verursacher dieser Laute jene erste Zelle verließen, blieb drinnen Stille zurück. Eine schreckliche, bleierne Stille. Als die Räder des Rollwagens sich Cats Zellentür näherten, hämmerte ihr Herz, als wollte es ihren Brustkorb sprengen.

Sie war die Nächste. Drei Wärterinnen mit zerzaustem Haar und Kratzern an Armen und Wangen. Gesichter grimmig wie der Tod. Die Krähe war eine von ihnen. Die beiden Männer, die Cat gehört hatte, trugen weiße Kittel wie Ärzte.

Die Kittel waren mit irgendetwas bespritzt und verschmiert – gelblich-weiße Flecken mit roten Sprenkeln. Mit diesen fünfen kam ein Gestank nach Schweiß und Angst herein. Langsam setzte Cat sich auf. Ihr Kopf drehte sich vor heftigem Schwindel, sodass sie kaum denken, sich kaum bewegen konnte. »Wenn du uns Scherereien machst, wird es für dich nur schlimmer. Verstanden?«, sagte die Krähe zu ihr. Diese Frau hatte vor ein paar Tagen kalt gelächelt, als sie Cat mit dem Handrücken so fest geschlagen hatte, dass Cats Lippe aufgeplatzt war. »Weg von mir«, sagte Cat. Sie versuchte, aufzustehen, doch ihre Beine waren weich wie Butter. Sie hielt sich an der Matratze fest und bemühte sich noch einmal, sich hochzustemmen. »Das ist zu Ihrem eigenen Besten, junge Frau«, sagte einer der Männer. »Halten wir sie lieber auf dem Bett fest«, sagte eine Wärterin. Cat schrie auf, sie brüllte: »*Nein!*« Doch schon hatten sie sie gepackt. Zwei Frauen drückten sie bei den Armen nieder, einer der Männer hielt ihren Kopf fest. Mit aller Kraft – und das war nicht mehr viel – bäumte sie sich auf und versuchte, sich den Händen zu entwinden, die ihre Haut quetschten. Ihre Gelenke knackten hässlich. Der zweite Mann füllte über dem Rollwagen einen Metallbecher und reichte ihn der Krähe. Die stellte ihr Knie auf Cats Brust, der erste Mann hob ihren Kopf an, und der Becher wurde ihr an die Lippen gepresst. Cat roch ekelhaft süßen Haferbrei mit Milch und biss die Zähne zusammen, so fest sie konnte. Die Wärterin drückte den Becher noch energischer zwischen ihre Lippen und stieß ihn kratzend an ihren Zähnen hin und her, bis der metallene Rand ihr das Zahnfleisch aufschlitzte und Cat Blut schmeckte. Doch sie gab nicht nach. Ein klein wenig Haferbrei fand den Weg in ihren Mund, und sobald die Frau sich aufrichtete und das Knie von ihrer Brust nahm, spuckte Cat den halben Löffel Haferbrei nach ihr. Hellrote Fäden durchzogen die milchige Pampe. »Herrgott! Was bist du doch für eine verdammte Idiotin«, sagte die Krähe zu ihr.

Cat schnappte keuchend nach Luft. Sie spannte jeden Muskel an, verfluchte ihre Peiniger mit jeder unflätigen Beschimpfung, die sie je aus dem Mund einer Straßendirne gehört hatte. Der Mann bei ihrem Kopf sah den Mann neben dem Rollwagen an. Die beiden nickten sich zu. Ihr Kopf wurde losgelassen, doch dann übernahm die Krähe, sie packte Cats Schädel und grub die Daumen mit grausamer Kraft in die Druckpunkte an Cats Schläfen. Sie schrie. Als sie die Augen öffnete, waren die Männer über ihr. Einer hielt einen dünnen Gummischlauch in der Hand, der zweite befestigte gerade einen Trichter am anderen Ende. Cat begriff nicht, was sie vorhatten. Sie biss wieder fest die Zähne zusammen und glaubte, es dadurch vereiteln zu können. Doch der durchsichtige Schlauch wurde ihr in die Nase geschoben. Er rutschte in ein Nasenloch, zuerst nur unangenehm, ein Fremdkörper, und dann quälend schmerzhaft. Wie ein Messer, das hinter ihr Auge fuhr. Sie schrie, riss endlich weit den Mund auf, ergab sich nun doch, aber die Männer blieben bei ihrer Methode. Der Schlauch wurde immer tiefer in sie hineingeschoben. Sie spürte ihn hinten in ihrer Kehle und würgte, ihr Mund füllte sich mit bitterer Galle. Sie meinte zu ersticken, ihre Augen quollen panisch hervor, und sie würgte, hustete, sog gierig winzige Mengen kostbarer Luft ein. »Gut so. Kann losgehen«, verkündete der Mann, der den Schlauch eingeführt hatte. Sein Kollege goss den Haferbrei in den Trichter. Fünf Minuten lang, die Cat wie eine Ewigkeit erschienen, sah er zu, wie das Zeug durch den Schlauch rann, und kippte wieder Brei nach. Als der Schlauch endlich herausgezogen wurde, hinterließ er klebrigen, milchigen Schleim in Cats Hals, der ihr in die Lunge sickerte. Ihre Nase blutete heftig, als das Ding aus ihr herausglitt, und sie schmeckte Blut und Galle im Mund. Sie ließen sie auf der Seite liegen, mit Brei beschmiert und laut keuchend. Mit tiefem, rasselndem Husten versuchte ihr Körper, die Lunge von dem Schleim zu befreien. Die Schmerzen in ihrem Kopf und ihrer Brust waren unerträglich. »Dasselbe gibt es zum Abendessen, Schätzchen«, sagte die Krähe mit lieblicher Stimme. »Das reicht«, fuhr einer der Männer sie streng an. »Die Mixtur enthält ein Antiemetikum, aber sehen Sie trotzdem in einer halben Stunde nach ihr. Falls sie sich übergeben sollte, sagen Sie mir Bescheid, dann wiederholen wir die Prozedur.« Cat blieb in Elend, hilfloser Empörung und Schmerzen liegen und fühlte sich brutal missbraucht, als wäre sie vergewaltigt worden. *Dasselbe zum Abendessen.*

»Cat?« Ein sachtes Klopfen an der Tür reißt sie aus den Albträumen, die sie selbst dann nicht fernhalten kann, wenn sie aufbleibt. »Cat, bist du wach?« Das ist Hesters sanfte, leise Stimme. Cat blinzelt, blickt sich um und stellt fest, dass es noch dunkel ist. Sie hat keine Ahnung, wie spät es sein könnte.

»Ja, Madam«, sagt sie und räuspert sich dann. Ihre Kehle fühlt sich rau und gereizt an, als seien die Männer mit ihrem Schlauch tatsächlich wieder bei ihr gewesen.

»Darf ich hereinkommen?«, fragt Hester, und Cat weiß nicht, was sie darauf sagen soll. Dann hört sie ein Scharren, ein himmlisches leises Knirschen, und die Tür ist offen. Cat sind die Beine eingeschlafen. Sie kämpft sich auf die Knie, dreht den Oberkörper herum, packt die Kante der Tür und spürt Luft durch den Türspalt strömen. Licht flammt hinter ihren geschlossenen Lidern auf. Sie kann nicht sagen, ob es die Kerze in Hester Cannings kleiner Laterne ist, die ihr dieses Licht bringt, oder Erleichterung, Freude, Befreiung. »Oh, Cat! Du meine Güte, deine Hände!«, stößt Hester hervor, stellt die Laterne auf die Kommode und hilft Cat aufzustehen. Die Haut über ihren Fingerknöcheln ist blutig und zerfetzt.

»Bitte. Bitte schließen Sie mich nicht wieder ein«, sagt Cat. Sie ist nicht sicher, die wievielte Nacht dies ist. Vielleicht war sie nur zwei oder drei Nächte lang eingesperrt, vielleicht auch mehr.

Hester sieht sie voller Mitleid an. »Niemand weiß, dass ich diesen Schlüssel besitze«, sagt sie und hält ihn locker in der Handfläche. »Komm – komm, setz dich aufs Bett. Ich wasche dir die Hände. Ach je, die vielen Splitter!«

»Ich kann das schon, Madam. Sie brauchen das nicht zu tun«, sagt Cat tonlos. Sie will Hester nicht erlauben, Wiedergutmachung zu leisten. Will ihr nicht erlauben, sich selbst zu verzeihen. Ein unbehagliches Schweigen entsteht. Hester zieht ihren Morgenrock enger um sich zusammen und legt mit fahrigen Bewegungen die Enden des Gürtels ordentlich zurecht.

»War es denn so schrecklich? Im Gefängnis, meine ich?«, fragt Hester. Cat starrt sie an und fragt sich, was sie darauf antworten soll.

»Ja, das war es«, sagt sie schließlich, obwohl sie kaum mehr als ein Krächzen herausbringt.

»Cat, ich habe mich immer gefragt, was genau du verbrochen hast. Weshalb hat man dich eigentlich ins Gefängnis gesperrt?«, fragt Hester. Als befände sie sich hier, im nächtlichen Zimmer ihres Dienstmädchens, nicht mehr in ihrer realen Welt. Sie kann Fragen stellen, die ihr normalerweise nicht über die Lippen kämen, weil die Regeln nicht die gleichen sind wie sonst. Cat lächelt traurig.

»Das wollen alle wissen«, sagt sie. »Zwei Monate lang war ich eingesperrt, gemeinsam mit meiner Freundin Tess und vielen anderen. Und weshalb? Wegen Nötigung.«

»Nötigung?«

»So lautete die Anklage. Außerdem haben sie uns auch den Vorsatz des Landfriedensbruchs vorgeworfen. Ich hatte einen halben Ziegelstein in der Tasche, aber der war für später. Als ich verhaftet wurde, hatte ich noch nichts geworfen, aber sie haben ihn in meiner Tasche gefunden, und sie wussten, wozu er gedacht war. Und ich hätte ihn auch geworfen.« Trotzig reckt sie das Kinn. »Durch das Fenster des Hutmachers in der West Street, das war mein Plan. Das Geschäft hatte ein wunderbares, riesiges Schaufenster mit all den prächtigen Hüten und Federn auf lauter künstlichen Damenköpfen. Hüte, wie Tess und ich sie nie würden tragen dürfen. Ich wollte es kaputtmachen. Und ich hätte es auch getan!«

»Pst, Cat! Sie dürfen uns nicht hören«, flüstert Hester. »Aber du hast den Stein nicht geworfen?«

»Ich bin nicht mehr dazu gekommen. Um sechs Uhr sollten wir uns verteilen, unser jeweiliges Ziel ansteuern und warten. Wenn Big Ben die halbe Stunde läutet, sollten wir angreifen. Aber vorher, am Nachmittag, waren wir noch bei einer Versammlung der Liberal Party. Wir hielten Schilder hoch und sollten so laut wie möglich unsere Parolen rufen, damit alle, die drinnen den Rednern zuhören wollten, auch uns hören mussten, weil man uns nicht einlassen wollte, um unsere Fragen zu stellen und unsere Forderungen vorzutragen. Wir waren zu zwölft, alle Aktiven unserer WSPU-Ortsgruppe. Und Tess, meine Freundin. Sie wollte gar nicht dazugehören, aber ich habe sie einfach für den aktiven Einsatz gemeldet.« Cat hält inne, holt tief und schaudernd Atem und schließt die Augen. Daran zu denken ist unerträglich. »Wir hatten genaue Anweisungen. Was wir getan haben, verstößt gegen kein Gesetz, solange man auf der Straße bleibt. Wenn man den Gehsteig betritt, bezeichnen sie das als Nötigung und nehmen einen fest. Auf der Straße zu stehen und einen Slogan zu rufen ist kein Verbrechen. Einen Meter weiter auf einem leeren Bürgersteig zu stehen und einen Slogan zu rufen *ist* ein Verbrechen. Wie gerecht und vernünftig die Justiz doch ist! Polizisten sind aufgetaucht, und dann haben sie angefangen, uns zusammenzutreiben. Zuerst war mir nicht klar, was da geschah. Sie haben eine Kette gebildet und sind auf uns zu gegangen, ganz langsam. Mindestens zwanzig Minuten lang haben sie immer nur einen halben Schritt vorwärts gemacht. Bis uns irgendwann nichts anderes übrig blieb, als von ihnen umgestoßen zu werden, einander auf die Schultern zu klettern oder auf den Gehsteig zu treten. Wir haben natürlich Letzteres getan, also wurden wir verhaftet. Jede Einzelne von uns.«

»Und *deshalb* warst du monatelang im Gefängnis?«, fragt Hester ungläubig.

»Sehen Sie jetzt, welch brutale Übeltäterin Sie eingestellt haben?«, fragt Cat verbittert.

Hester starrt sie mit großen Augen an. Ihr fehlen die Worte. Schließlich wendet sie den Blick ab, steht auf und geht zum Fenster, doch draußen ist nichts zu sehen außer dem konturlosen schwarzen Himmel.

»Manchmal weiß ich selbst nicht mehr, was richtig oder gerecht ist, Cat. Aber dass du für ein so geringfügiges Vergehen ins Gefängnis gesperrt wurdest, ist nicht richtig. Ganz und gar nicht richtig«, erklärt sie unglücklich.

»Im Gefängnis haben sie uns geschlagen, Madam. Geschlagen und uns schlimmere Dinge angetan, als ich Ihnen schildern könnte! Und jetzt … jetzt bin ich wieder eine Gefangene! Verstehen Sie? Können Sie verstehen, dass ich das nicht aushalte!«

»Ja, ich verstehe! Leise, Cat! Hier – nimm ihn.« Sie hält

ihr den Generalschlüssel hin. Cat starrt ihn ungläubig an. »Nimm ihn. Dann kannst du die Tür aufsperren, wenn Mrs. Bell sie abgeschlossen hat und gegangen ist. Sie zieht den Schlüssel von außen ab, ich habe nachgesehen.« Cat greift hastig nach dem Schlüssel und schließt die Faust darum, als könnte Hester versuchen, ihn ihr wieder wegzunehmen. Er ist ein kalter, metallischer Rettungsring, ein noch mächtigerer Talisman als ihre Holloway-Medaille. »Aber du musst mir schwören, Cat … Du musst mir versprechen, dass du nachts dein Zimmer nicht verlassen wirst. Bitte – schwöre es mir! Wenn du es doch tust und Albert herausfindet, dass ich dir diesen Schlüssel gegeben habe … Bitte, versprich es mir«, fleht Hester, geht vor Cat in die Hocke und zwingt sie, ihr in die Augen zu sehen.

»Ich schwöre es.« Widerstrebend ringt Cat sich die Worte ab. »Aber ich muss unbedingt George benachrichtigen. Meinen Freund. Wir haben uns gestritten, ehe ich … Womöglich denkt er, dass ich mich von ihm fernhalte, weil ich ihn nicht mehr will.« Zu Cats Erstaunen treten Hester Tränen in die Augen, ihre Lippen beben leicht, und sie presst sie aufeinander.

»Liebst du ihn?«, fragt Hester. Es kommt Cat seltsam und unwirklich vor, so freimütig und offen mit der Pfarrersfrau zu sprechen. Aber die Nacht ist dunkel, und das Zimmer ist eine Zelle, und Hester Canning hat sie davor verschont, eingeschlossen zu werden.

»Von ganzem Herzen und aus tiefster Seele, Madam. Mit Haut und Haar«, antwortet sie. Hester lässt den Kopf hängen, und eine Träne tropft lautlos auf ihre gefalteten Hände. Sie schweigt lange und ringt offensichtlich um Beherrschung. Dann blickt sie wieder auf.

»Ich werde dich morgen Nachmittag aus dem Haus schicken. Irgendeine Besorgung in Thatcham. Dann kannst du zu ihm gehen. Aber bitte versprich mir – nicht bei Nacht. Nicht, wenn jemand entdecken könnte, dass du frei bist.«

»Ich verspreche es Ihnen«, sagt Cat und stellt überrascht fest, dass sie es ernst meint.

»Also schön. Versteck den Schlüssel, und gib gut darauf acht! Du musst die Tür morgens wieder abschließen, ehe Mrs. Bell kommt, um dich herauszulassen. Es war nicht richtig, dich einzuschließen, Cat. Das war von Anfang an meine Meinung. Aber anscheinend bin ich nicht mehr die Herrin in diesem Haus. Stattdessen gibt es jetzt zwei Herren«, bemerkt Hester resigniert. Sie richtet sich auf und nimmt ihre Laterne. Im warmen Kerzenschein, mit dem offenen Haar, das ihr in weichen Locken über die Schultern fällt, und den großen, glänzenden Augen sieht die Pfarrersfrau ganz reizend aus.

»Nur einen Herrn, soweit ich sehe«, erwidert Cat finster. »Können Sie ihn nicht irgendwie loswerden?« Da sie schon einmal offen sprechen, will Cat auch ihre Meinung sagen.

Hester blinzelt verblüfft. »Ich habe mehrmals angedeutet, es sei vielleicht an der Zeit, dass er nach Hause geht …«

»Soweit ich weiß und nach allem, was ich Mrs. Bells Klatsch entnehmen konnte, hat der Mann kein anderes Zuhause. Und kaum eigenes Geld. Sein Vater hält ihn sehr knapp und erwartet von seinem Sohn, sein Glück selbst zu machen«, erklärt Cat vorsichtig. Sie beobachtet Hester Canning und sieht, wie diese die höchst unwillkommenen Neuigkeiten verdaut.

»Kein Zuhause? Er wohnt nicht einmal irgendwo zur Miete?«

»Nein, Madam. Ich fürchte, es könnte schwierig werden, ihn loszuwerden, solange der Pfarrer es ihm hier derart behaglich macht.«

Hester nickt resigniert. »Du bist sehr scharfsinnig, Cat Morley.«

»Niemand kennt ein Haus und dessen Bewohner so gut wie seine Dienstboten, Madam. Das lässt sich gar nicht vermeiden.«

»Und was weißt du sonst noch über Mr. Durrant?«

»Nur so viel: Trauen Sie ihm nicht über den Weg. Er ist ein Lügner. Falls Sie irgendeine Möglichkeit finden, ihn aus dem Haus zu schaffen, dann tun Sie es«, erklärt Cat ernst.

Hester starrt sie erschrocken an, nickt dann knapp und wendet sich zum Gehen. »Morgen früh«, sagt sie von der Schwelle her, »muss alles so sein, als hätte diese Unterhaltung nie stattgefunden.« Ihre Miene wirkt ein wenig betreten.

»Selbstverständlich«, entgegnet Cat unbeirrt. Dann ist Hester weg und die Tür offen, und Cat legt sich aufs Bett und schläft zum ersten Mal, seit die Tür verschlossen wurde.

Der folgende Tag ist drückend heiß. In der Küche verarbeiten Cat und Mrs. Bell überquellende Körbe voller Himbeeren und Loganbeeren zu Marmelade. Blighe, der Gärtner, bringt immer noch mehr davon in die Küche. Die dicke Haushälterin steht am Herd und rührt und rührt, um dafür zu sorgen, dass sich sämtlicher Zucker in dem riesigen Kupfertopf auflöst. Cat kocht die Einmachgläser ab und setzt einen Kessel Wasser nach dem anderen auf, um sie zu sterilisieren, ehe sie die Marmelade einfüllen. Ihnen beiden rinnt bei der Arbeit der Schweiß über Gesicht und Rücken, zwischen den Brüsten hinab, und tränkt ihre Kleidung. Ihre Wangen sind so rot wie der blubbernde Beerenbrei, ihre Augen ein wenig glasig vor dumpfer Resignation und vagem Unmut, teils über das heiße Wetter, teils über die unschuldigen Himbeeren. Die Luft im Raum ist süß und schwer vom duftenden Dampf. Der klebt an ihrem Haar, ihren Gesichtern und Händen. Cat verbrüht sich zum dritten Mal, saugt zischend den Atem ein und taucht die Hand in den Eimer mit kaltem Wasser, in dem sie die Milch aufbewahren. Mrs. Bell hat nicht mehr genug Kraft, sie dafür zu tadeln oder zu ermahnen, sie solle besser aufpassen.

Die Marmelade muss eine Viertelstunde lang ziehen, damit sich das Obst gleichmäßig verteilt, dann gibt es weitere Verbrühungen beim Einfüllen. Kochend heiße Spritzer treffen nackte Handgelenke, überlaufende Tropfen und Kleckse müssen abgewischt und die heißen Gläser dabei von tänzelnden Fingerspitzen festgehalten werden.

»Lieber Himmel, wenn das nur schon die Letzten wären! In einer Woche geht es mit den schwarzen Johannisbeeren los«, stöhnt Mrs. Bell. Sie hebt die Hand zum Mund und saugt an einer frischen Brandblase.

»Ich muss hier raus«, sagt Cat, stützt die Ellbogen auf die klebrige Tischplatte und beugt sich nach vorn, um den Rücken zu strecken. »Sonst ersticke ich.«

»Hier ist es heißer als in der Hölle, da hast du recht«, stimmt Mrs. Bell ihr zu. Schon den ganzen Tag lang schaut Cat immer wieder zur Tür, zur Treppe, zu Hester hinüber, als sie das Mittagessen auf der Anrichte abstellt. Sie wartet auf ihren Auftrag, ihren Botengang, ihre Möglichkeit, endlich zu George zu gehen. Noch immer hat sie nichts gehört, und das Warten fällt ihr mit jeder verstrichenen Minute schwerer. Um vier Uhr belädt sie das Teetablett mit einer Schale frischer Marmelade und einem Teller Scones. Mit bleischweren Beinen und hölzernen Bewegungen steigt sie die Treppe hinauf. Ganz gleich, wie viel Wasser sie trinkt, sie kann ihren Durst nicht stillen. Im Salon sitzen der Pfarrer und seine Frau und hören zu, wie Robin Durrant ihnen aus einem Brief vorliest. Hester Cannings Gesicht ist ausdruckslos und glänzt feucht, das Haar kräuselt sich unordentlich um ihre Stirn. Sie scheint ganz in Gedanken versunken und nimmt keinerlei Notiz von Cat, sosehr die sich auch bemüht, den Blick ihrer Herrin aufzufangen. Der Blick des Pfarrers hingegen ist ständig in Bewegung, von Robins Gesicht zu seinen Händen und dem Brief darin. Als Cat in seine Nähe kommt, schließt er die Augen und wendet mit leichtem Schaudern den Kopf ab, als ekelte er sich vor ihrem Geruch.

Cat knirscht vor Wut mit den Zähnen, stellt das Tablett übertrieben vorsichtig ab und arrangiert alles für den Tee so langsam auf dem Tisch, wie sie es wagt, ohne verdächtig zu erscheinen.

»Für uns beide ist es ein Quell großer Befriedigung, dass Du end ... dass Du Dir allmählich einen Namen als Autorität auf dem Gebiet machst, für das Du Dich entschieden hast. Zu den Fortschritten der jüngsten Zeit kann man Dir nur gratulieren. Ich freue mich schon auf Deinen nächsten Besuch und eine eingehendere Diskussion über das Wesen und die Tragweite Deiner Entdeckungen. Leider war die Berichterstattung in der Presse, die wir sehr aufmerksam verfolgt haben, ein wenig sparsam, was Fakten und Zusammenhänge angeht. Stattdessen ergehen sich die Journalisten entweder in freudiger Aufregung oder Hohn und Spott. Weitere sorgfältige Bemühungen auf diesem Gebiet werden Dir gewiss beste Aussichten und größeres Ansehen bringen. Dein ... et cetera.« Robin Durrant lässt den Brief auf seinen Schoß sinken und lächelt die Cannings begeistert an. »Ha! Wie wunderbar, einen solchen Brief von seinem Vater zu bekommen!«, ruft er aus. »Ich weiß genau, dass der alte Herr die Theorien der Theosophie beim besten Willen nie begreifen wird, und dennoch unterstützt er mich darin. Und allmählich, denke ich, respektiert er die Tatsache, dass mein Wissen zumindest auf diesem Gebiet das seine übersteigt. Wie auch das meiner Brüder.« Seine Stimme klingt lebhaft

und aufgeregt, und er strahlt in freudigem Triumph. Als keiner der Cannings darauf eingeht, ist er sichtlich verärgert. Er stupst sie förmlich an, wie einen trägen Hund, denkt Cat, der endlich mit ihm spielen soll. »Was sagst du dazu, Albert? Hester? Ist es nicht großartig, dass man selbst einen Menschen, der so in seinen althergebrachten Ansichten festgefahren ist wie mein Vater, dazu bewegen kann, seinen Geist dieser neuen Realität zu öffnen?«

»O ja, Robin. Da kann man dir tatsächlich nur gratulieren«, antwortet Albert brav, wobei er immer noch das Gesicht von Cat abgewandt hält und krampfhaft schluckt, sobald er die Worte ausgesprochen hat. Unter dem Sonnenbrand, der sich über Nase und Wangen zieht, ist sein Gesicht aschfahl. Ihm scheint nicht wohl zu sein. Geschieht ihm nur recht, denkt Cat wütend. Hester scheint etwas sagen zu wollen, räuspert sich jedoch stattdessen und spielt am Griff ihres Fächers herum, bis der Theosoph den Blick wieder ihrem Mann zuwendet.

»Haben Sie noch einen Wunsch, Madam?«, fragt Cat betont, fängt endlich Hesters Blick auf und sieht sie vielsagend an.

»Oh, nein danke, Cat«, entgegnet Hester abwesend. Cat schaut zu Robin hinüber, starrt voller Hass auf das makellose, selbstzufrieden lächelnde Gesicht und verlässt dann den Salon.

»Verfluchtes Weib!«, schimpft Cat, als sie in die Küche zurückkehrt, und schenkt sich einen Becher Wasser ein.

»Was denn nun wieder?«, fragt Mrs. Bell. Sie schreibt Etiketten für die Marmeladegläser, so tief über den Stift gebeugt, wie es geht, und mit vor angestrengter Konzentration verzerrtem Gesicht. So ausladend und breit wie sie selbst, so klein und eng ist ihre Handschrift.

»Lass die Feder sich frei bewegen wie deine Gedanken«, sagt Cat und späht ihr über die Schulter. »Lass die Tinte fließen wie einen gemächlichen Bach.« Mrs. Bell wirft ihr einen finsteren Blick zu, und Cat zieht sich zurück. »Das hat man mir eingeimpft, als ich das Schreiben gelernt habe.« Sie zuckt mit den Schultern.

»Ich muss nichts mehr lernen. Ich kann es nun wirklich gut genug«, brummt Sophie Bell.

»Sophie ... ich muss etwas erledigen«, erklärt Cat unvermittelt.

»Was denn?« Sie blickt nicht von ihren Etiketten auf.

»Ich muss kurz weg. Bitte – nur eine Stunde. Ich brauche dringend frische Luft, und ich muss mal ein Weilchen aus diesem Haus raus. Ich bin rechtzeitig zurück, um den Tee abzuräumen, versprochen.«

»Ach, Versprechungen. Du willst zu George Hobson, das weiß ich genau, und du kommst bestimmt erst wieder, nachdem du mit ihm ins Bett gesprungen bist«, erwidert die Haushälterin. Als sie nun endlich aufblickt, steht Cat vor Überraschung der Mund weit offen, und es hat ihr die Sprache verschlagen. Sophie Bell lächelt. »In dieser Gemeinde geschieht nicht viel, ohne dass ich davon erfahre – das solltest gerade du wissen, Cat Morley. Du bist oft genug mit ihm gesehen worden, von allen möglichen Leuten.«

»Und ich nehme an, Sie verachten mich dafür?«

Mrs. Bell runzelt leicht die Stirn, wendet sich wieder ihren Etiketten zu, schreibt aber nicht. »Als Dienstbote hat man nicht viel Vergnügen. Ich bin nicht so alt und verbittert, wie du behauptest, dass ich es einem jungen Mädchen nicht gönnen würde, ab und zu mal rauszukommen. George Hobson mag ein rauer Bursche sein, aber er ist schon in Ordnung«, brummt sie.

»Sophie Bell ... Wenn ich von irgendjemandem niemals

vermutet hätte, dass er auf meiner Seite steht …« Cat schüttelt verwundert den Kopf.

»Da siehst du mal, wie klug du bist.«

»Also dann – bitte. Ich muss zu ihm, nur kurz. Ich muss ihn unbedingt etwas fragen, weiter nichts. Und ich kann ihm keine Nachricht schicken, weil er nicht lesen kann. Bitte. Wenn sie mich suchen, sagen Sie ihnen, mir wäre schwach geworden und ich hätte mich ein wenig hinlegen müssen. Ich komme sofort zurück, das verspreche ich.«

»Ich weiß nicht recht. Wenn du deine eigene Stellung aufs Spiel setzt, ist das eine Sache, aber jetzt fängst du auch noch mit meiner an?«

»Dann behaupten Sie eben, ich hätte mich einfach davongeschlichen, und Sie hätten es gar nicht gemerkt. Wenn ich zurückkomme, werde ich Ihnen ein Geheimnis verraten«, sagt Cat mit verlockender Stimme. Mrs. Bell blickt auf, betrachtet sie einen Moment lang und kichert dann.

»Was immer es sein mag, ich wette mit dir, dass ich es schon weiß. Na, dann geh – aber beeil dich!«

Die Sonne glüht so gewaltig wie heißes Metall am Himmel. Cat geht zum vorderen Gartentor hinaus und schert sich nicht darum, wer sie sieht. Sie geht mit schnellen Schritten und läuft zwischendurch immer wieder ein kleines Stück. In ihrer Tasche stecken ein Bleistiftstummel und ein Zettel – eine alte Wäschequittung. Falls George nicht auf seinem Kahn sein sollte, kann Cat ihm zwar keine Mitteilung schreiben, aber sie will irgendein Zeichen hinterlassen, irgendein Symbol, damit er sieht, dass sie nach ihm gesucht hat. Plötzlich fällt ihr genau das Richtige ein: eine schwarze Katze, das wird sie zeichnen. Doch als sie zwanzig Minuten später mit ausgedörrter, schmerzender Kehle bei seinem Boot ankommt, sieht sie ihn an Deck. Er liegt auf dem Rücken, die Beine angewinkelt, die nackten Füße auf dem Holz, und hat die Arme vor dem Gesicht verschränkt, um es gegen die Sonne zu schützen.

»George!«, ruft Cat. Sie kann gar nicht anders, als zu lächeln, breit und aus vollem Herzen. »Hör mal!« Sie bleibt vor dem Kahn stehen und atmet tief ein – so tief sie kann, bis ganz hinunter auf den Grund ihrer Lunge. Sie ist trocken. Kein Pfeifen, kein Rasseln, keine Flüssigkeit, die sie zum Husten bringt. George sieht sie mit zusammengekniffenen Augen an, ein wenig verwirrt zunächst, doch dann lächelt auch er.

»Du bist den Husten also losgeworden«, sagt er. Cat nickt und wischt sich mit einer Hand die feuchte Stirn. Im Nacken ist ihr Haar klatschnass geschwitzt.

»Der letzte Rest von diesem Schleim, den sie in mich hineingekippt haben, ist endlich weg. Darf ich an Bord kommen?«

»Darfst du.« George nickt, steht auf und ergreift ihre Hände, als sie über die wackelige Planke balanciert. So dicht vor ihm, so nah, dass sie ihn kaum mehr deutlich erkennen kann, nimmt Cat noch einmal seinen Geruch wahr. Er ist so vertraut und verlockend wie das warme Holz des Bootes, wie das kühle Wasser des Kanals und das frische, herbe Grün um sie herum. Seine Haut hat all diese Düfte eingesogen, miteinander vermischt, und es riecht himmlisch. So himmlisch, dass sie die Augen schließt, ein wenig schwankt und sich ganz diesem Zauber hingibt. »Du bist ganz schön lange weggeblieben. Ich habe mich schon gefragt, ob du überhaupt wiederkommen würdest, nach dem Schreck mit der Razzia«, sagt George. Seine Stimme klingt gelassen, die Worte nicht besonders betont. Doch als sie aufblickt, sieht sie ihm an, dass widerstreitende Gefühle ihn beinahe zerreißen: Ungewissheit und Erleichterung, Liebe und Angst und verletzter Stolz.

»Das war nicht meine Idee. Sie haben mich eingeschlossen, George! Ich konnte dir keine Nachricht schicken … Der Pfarrer hat mich vor dem Ploughman gesehen. Er hat den Verstand verloren! Er wollte mich hinauswerfen, aber jemand hat sich für mich eingesetzt. Trotzdem haben sie mich in meinem Zimmer eingeschlossen, jeden Abend, wenn ich mit der Arbeit fertig bin!«

»Sie sperren dich ein? Das dürfen sie nicht, sie haben kein Recht dazu!«

»Ich weiß. Die Pfarrersfrau steht auf meiner Seite. Sie hat mir einen Schlüssel zu der Tür gegeben, damit ich zumindest nicht die ganze Nacht lang eingeschlossen bin und Angst habe. Aber ich habe ihr trotzdem geschworen, dass ich nachts das Haus nicht mehr verlassen werde. Das gefällt mir nicht, aber ich habe es ihr geschworen!«

»Dann werden wir uns wohl nicht mehr oft sehen. Nicht wie vorher. Wenn du dein Wort halten willst«, sagt George stirnrunzelnd.

»In gewisser Weise werde ich es halten, es spielt aber gar keine Rolle mehr …«

»Was soll das heißen? Komm – komm und setz dich. Du bekommst noch einen Sonnenstich!« Er zieht sie sacht in den Schatten der Kabine, und sie setzen sich auf die Stufen. »Was meinst du damit, es spielt keine Rolle mehr?«

»George«, sagt Cat. Sie sieht ihn an, voller Liebe, schmiegt die Hand an die raue Haut seiner Wange. »Ich kann dort nicht mehr bleiben. Obwohl ich meine Tür jetzt nachts wieder aufschließen kann, bin ich doch immer noch eine Gefangene. Ich lasse es mir nicht gefallen, dass der Pfarrer den Kopf abwendet, als müsste man sich vor mir ekeln! Ich lasse es mir nicht länger gefallen, dass man mir sagt, wo ich zu sein habe und *wie* ich zu sein habe, in jedem Augenblick meines Lebens! Sogar die Pfarrersfrau … sie will mir zwar helfen, aber trotzdem ein geistloses Arbeitstier aus mir machen. Sie versucht, über meine Gedanken und Handlungen zu bestimmen, und *das – will – ich – nicht!* Nie mehr!«, ruft sie kopfschüttelnd aus und unterstreicht ihre Worte, indem sie sich mit den Händen auf die knochigen Knie klatscht. Ihre Haut brennt, wo sie sich selbst schlägt, und das fühlt sich gut an.

»Und, worauf willst du hinaus?« George runzelt immer noch die Brauen, ist sich ihrer ebenso unsicher wie seiner selbst.

»Ich will fortgehen. Ich werde weglaufen. Vorher muss ich nur noch eine Sache erledigen, und das wird schon bald sein. Danach werde ich verschwinden wie der Nebel am Morgen, wie ein Wort im Wind. Ich werde mich aus dem Haus schleichen, und keiner von ihnen wird mich aufhalten können oder wissen, wohin ich gegangen bin. Dann sollen sie mal sehen, wie sie über mich bestimmen! Ob sie mich besitzen! Ich gehöre ihnen *nicht!* Aber wohin ich gehe, das liegt ganz bei dir, George.«

»Ach ja?«

»Ich werde von dort weglaufen, und zwar geradewegs zu dir, wenn du mich noch willst. Ich werde dich nicht heiraten, George, aber ich werde bei dir bleiben und dir immer treu sein. Ich brauche deine Antwort – jetzt, in diesem Augenblick. Und wenn nicht, dann laufe ich trotzdem davon, obwohl es mir das Herz brechen würde, George. Du würdest mir das Herz brechen.«

»Würde ich nie«, sagt er, und die Worte klingen ein wenig zittrig. »Um nichts in der Welt würde ich dir das Herz brechen, und du gehörst zu mir, ob wir nun verheiratet sind oder nicht.« Er umfasst ihren Hinterkopf und presst ihre Stirn so fest an seine, dass es beinahe wehtut. »Also lauf fort, Cat. Wann immer du kannst. Ich warte auf dich.«

Cat hört sein Versprechen und lächelt, und das Lächeln setzt sich fort und rieselt einmal ganz durch sie hindurch – wie früher, als sie noch ein kleines Mädchen war. George küsst sie, aber sie kann immer noch nicht aufhören, und das Lächeln wird zu einem Lachen, das auf George überspringt. Ein Lachen der Erleichterung, der schieren Lebensfreude.

»Herrgott, Cat – deine Küsse schmecken heute aber salzig!«, sagt George.

»Ach, ich schwitze schon so furchtbar, seit die Sonne aufgegangen ist!« Wieder fährt sie sich mit den Händen übers Gesicht, aber die sind genauso feucht und klebrig, und schmuddelig obendrein.

»Was ist das für eine Sache, die du noch erledigen musst?«

»Das kann ich dir nicht sagen. Ich finde es scheußlich, Geheimnisse vor dir zu haben, aber solange ich noch in dieses Haus zurückkehren muss, bleibt mir nichts anderes übrig. Sobald wir fort sind, erzähle ich dir alles, versprochen.«

»Hat es etwas mit dem Geld zu tun? Kommt das viele Geld daher?« Seine Stimme klingt schwer vor Sorge.

»Ja. Ich habe lange und gründlich darüber nachgedacht, und ich kann dir versichern, dass ich damit gegen kein Gesetz verstoße. Aber frag mich jetzt nicht weiter danach, ich bitte dich«, sagt sie und drückt seine Hand. George hebt ihre ineinander verschlungenen Finger, küsst Cats zarte Fingerknöchel und nickt.

»Du würdest dich doch nicht einem anderen Mann hingeben, oder, Cat?«, fragt er leise. Sie packt seine Hand, so fest sie kann.

»Niemals, George. Das schwöre ich.« Das Wasser unter dem Boot schwappt mit einem Geräusch gegen den Rumpf, als würde etwas leise zerreißen. Im Schatten der Bäume ist die Oberfläche schwärzlich grün, und überall tanzen silberne Funken darin. Cat betrachtet sie voller Sehnsucht. »Ich würde zu gern das Meer wiedersehen! Ich war einmal am Meer, als ich noch klein war. So weit und offen und wunderschön. Ich sehne mich so danach. Können wir hinfahren? Wir werden zwar nicht heiraten, aber vielleicht könnten wir trotzdem eine Reise ans Meer machen, sobald ich weggelaufen bin? Was sagst du dazu?«

»Wir gehen überallhin, wohin du auch willst, Black Cat.« George schaut sie mit liebevollem Blick an.

Cat atmet tief ein und seufzt vor Glück. »Lass uns schwimmen«, sagt sie.

»Schwimmen? Im Kanal?«

»Warum nicht?«

»Der ist nicht besonders sauber, Liebste …«

»Bestimmt sauberer als ich im Moment.«

»Da drin gibt es Krebse … und Hechte, und Aale …«

»Pfeif auf die Aale!« Cat lacht. »Hast du etwa Angst vor einem Aal?«

»Nein, Angst nicht. Angst würde ich nicht sagen …«, druckst George herum.

»Gut. Dann komm.« Sie steht auf und streckt ihm die Hand hin. Er ergreift sie und lässt sich von ihr zum Rand des Decks zerren. Der Kahn neigt sich wie betrunken von ihrer beider Gewicht. »Bereit?«

»Mit den Füßen voran, Cat! Das Wasser ist nicht sehr tief. Und was ist mit deinem Kleid?«

»Pfeif auf mein Kleid! Sollen sie mich entlassen, weil ich es nass gemacht habe, das ist mir doch egal!«, schreit sie und springt, Georges Hand fest umklammert. Das Wasser ist nur etwa einen Meter zwanzig tief, und sie prallt mit den Füßen heftig auf den Grund und spürt, wie sie in Schlick und Matsch einsinken. Aber das kalte Wasser fühlt sich an wie eine zuvor verschlossene Tür, die sich plötzlich öffnet, wie der anbrechende Morgen. Und als sie die Knie beugt, um ganz einzutauchen, schießt es über ihre heiße Haut, durch ihr Haar, um jede Wimper und tosend in ihre Ohren. Ihr Herz tut sich auf, ergießt sich und wird reingewaschen, bis Wut und Angst ganz fortgespült sind. In diesem einen Augenblick ist sie frei. Zum ersten Mal in meinem Leben, denkt sie und umschlingt George mit nassen Armen, die wie Aale um seine Taille gleiten. Sie richtet sich wieder auf, legt den Kopf in den Nacken und schaut hinauf in den grenzenlosen Himmel.

Das Gewitter beginnt zur gewohnten Zeit, inzwischen mit einer solchen Regelmäßigkeit, dass man sich fast darauf verlassen kann. Hitze und Schwüle bauen sich über fünf oder sechs Tage auf und gipfeln an einem Tag wie diesem in so stark mit Feuchtigkeit gesättigter Luft, dass man kaum denken kann, geschweige denn seinem Tagwerk nachgehen. Und doch waren Cats Schritte vorhin, als sie das Abendessen heraufbrachte, leicht wie die eines Kindes. Während sie alle unter der Hitze litten – selbst Robin Durrant, dessen Geplauder ausnahmsweise sehr gedämpft wirkte –, hüpfte Cat beinahe umher, und wenn sie sich unbeobachtet glaubte, umspielte ein geheimnisvolles Lächeln ihre Lippen. Hester versucht den Grund für diese Unbeschwertheit darin zu sehen, dass Cat jetzt den Schlüssel zu ihrer Zimmertür hat, doch der allein kann wohl kaum eine so große Veränderung bewirkt haben. Sie denkt daran, wie verzweifelt das Mädchen geschrien, geweint und gebettelt hat, wenn die Zimmertür abgeschlossen war. Vielleicht genügt der Schlüssel tatsächlich als Erklärung.

Hester steht am Fenster des Salons. Sie hat die Fensterläden wieder geöffnet, die Cat zuvor schon geschlossen hatte, und klappt einen beiseite, um nach draußen zu schauen. Alle Lichter im Raum sind gelöscht, und Hester trägt nur ihren

Morgenmantel. Sie ist zur gewohnten Stunde ins Bett gegangen, aber vor einer Weile wieder aufgewacht – allein, natürlich –, als das erste ferne Donnergrollen gespenstisch flackernde Blitze von Westen heranscheuchte. Es ist fast zwei Uhr morgens, und unter der Tür zu Alberts Studierzimmer dringt kein Lichtschein hervor. Er ist nicht im Musikzimmer und auch sonst nirgendwo im Haus. Ein paar vereinzelte Regentropfen klopfen erst leicht an die Fensterscheibe, dann trommelt ein heftiger Guss dagegen. Wasser fließt in einer ungebrochenen Welle am Glas hinab, spritzt und springt vom Gartenpfad hoch und rauscht wie ein fernes Meer. Wo bist du, Bertie? Sie schleudert diesen traurigen kleinen Gedanken in die Nacht hinaus, ohne Hoffnung auf eine Antwort. Sie kann sich nicht erinnern, dass sie sich je im Leben so allein gefühlt hätte. Ein weiterer Blitz erhellt grell den Raum, und der Donnerschlag folgt so unmittelbar darauf, dass Hester unwillkürlich zusammenzuckt. Sie hört ein leises Lachen hinter sich, fährt herum und sieht Robin Durrant auf sich zukommen. Er trägt dieselbe zerknitterte Hose wie schon den ganzen Tag über, und sein Hemd ist offen. Seine Brust ist glatt und flach, die Haut straff über das Schattenrelief seiner Rippen gespannt. Dunkle Härchen bilden eine verschwommene Raute in der Mitte und ziehen sich hinab zu seinem Bauch. Hester stockt der Atem, sie wendet hastig den Blick ab. So viel hat sie noch von keinem Mann außer Albert gesehen. Robin ist breiter, kräftiger, irgendwie solider gebaut als ihr Mann. Er scheint mehr von einem Tier zu haben, weniger verletzlich zu sein.

»Macht der Donner Ihnen Angst?«, fragt er leise. Sein freundlicher, ja liebevoller Tonfall ist etwas, wovor ihr inzwischen graut.

»Nein«, flüstert sie und schüttelt den Kopf. Sie weicht einen Schritt zurück, doch ihre Schenkel stoßen an das breite

Fensterbrett, sodass sie sich daran festhalten muss, um nicht zu straucheln. Sie steckt in der Falle. Robin schlendert auf sie zu und bleibt zu dicht vor ihr stehen. Er scheint über ihr aufzuragen, obgleich er nicht viel größer ist als sie. Hester starrt auf ihre Füße, dann an ihm vorbei zur offenen Tür, und stellt sich vor, einfach hindurchzugehen. Sein Geruch dringt ihr in die Nase. Wieder etwas Animalisches, nicht ganz frisch nach diesem heißen Tag, aber dennoch unwiderstehlich. Sie kämpft gegen den Drang an, ihn tiefer einzuatmen.

»Mache ich dir Angst?«, fragt er, und Hester schweigt. »Vor irgendetwas fürchtest du dich doch, liebe Hetty. Du zitterst wie Espenlaub.«

»Bitte …«, bringt sie nur hervor, denn ihr bleiben die Worte in der Kehle stecken, sie verheddern sich miteinander und weigern sich, ausgesprochen zu werden. »Bitte lassen Sie mich in Ruhe.«

»Nicht doch, sei nicht so. Du hältst wohl Ausschau nach Albert?« Er blickt einen Moment lang in den strömenden Regen hinaus und schnaubt dann verächtlich. »Ich wünschte, ich könnte dir sagen, wo er ist. Ich weiß, dass du mir die Schuld an seinem plötzlichen missionarischen Eifer gibst, Hetty, aber ich schwöre dir, dass ich ihm nie zu mehr christlicher Frömmigkeit geraten habe. Zumindest war das nicht meine Absicht. Seine Auffassung dessen, was ich ihn zu lehren versuche, ist auf irgendein falsches Gleis geraten.«

»Sie haben ihn halb um den Verstand gebracht!« Hesters Stimme klingt erstickt.

»Ich doch nicht! Was sollte mir daran liegen, dass er verrückt wird? Er hat sich als äußerst aufgeweckter Schüler und nützlicher Kollege erwiesen … zumindest anfangs. Aber keine Sorge. Ich glaube, er braucht einfach nur Schlaf. Wenn ich weg bin, wird er sich schon wieder beruhigen.«

»Sie gehen weg?«, japst Hester voll neuer Hoffnung. Robin lächelt. Er ergreift ihre schlaffe Hand und drückt sie an seine nackte Brust. Ihr Herz macht einen schrecklichen Satz. Die Welt ist so verwandelt, dass sie nichts mehr versteht und hilflos ist, unfähig zu handeln, als säße sie in einem winzigen Boot, das auf einen Mahlstrom zutreibt. Seine Haut ist heiß und trocken. Hester spürt die Härchen leicht unter ihren Fingerspitzen piksen.

»Bald, bald. Wirst du denn so froh sein, mich gehen zu sehen?«

»Ja! O ja!«, stößt Hester hervor und beginnt zu weinen. Sie versucht nicht einmal, ihre Tränen zu verbergen. Sie wendet weder das Gesicht ab noch hebt sie die Hand, um sich die Augen zu trocknen. Robin Durrant wirft einen einzigen forschenden Blick in ihr bekümmertes Gesicht und bricht dann in schallendes Gelächter aus.

»Hester! Meine liebe Kleine, weshalb diese Aufregung, diese Sorge? Hör auf damit, das macht dich nur hässlich. Warum wünschst du dir so sehr, dass ich fortgehe? War ich denn ein so unerträglicher Gast?« Er schmiegt eine Hand an ihr Gesicht und streicht mit dem Daumen den Wangenknochen entlang.

»Weil … weil Bertie Sie so liebt! Er liebt Sie sogar viel mehr als mich. Mehr, als er mich *jemals* geliebt hat. Solange Sie hier sind, könnte ich ebenso gut gar nicht existieren!«

»Nein, nein! Da irrst du dich, Hetty. Er liebt dich sehr wohl. Alberts Problem liegt anderswo. Was er für mich empfindet, ist nicht Liebe, sondern etwas anderes. Wahrscheinlich weiß er nicht einmal selbst davon. Oder er will es sich nicht eingestehen.«

Langsam versiegen Hesters Tränen. Sie bemerkt, dass ihre Hand, obwohl er sie losgelassen hat, noch immer an seiner Brust ruht. »Was ist es dann? Was empfindet er?«, fragt sie.

Robin tritt noch einen kleinen Schritt näher, sodass seine Lippen ihre Stirn streifen, als er weiterspricht. Hester erschauert.

»Ihr seid ja so unschuldig! Du und der Pfarrer. Kaum zu glauben, dass solche Ahnungslosigkeit sich in einer Ehe derart lange erhalten kann. Normalerweise müsste diese Unschuld inzwischen verloren sein, verdrängt von Befriedigung, von Wissen und Erfahrung und schließlich von allzu großer Vertrautheit und Widerwillen. Natürlich kann ich nicht behaupten, selbst schon Erfahrung mit der Ehe gesammelt zu haben, aber ich habe das oft genug beobachtet, bei Freunden und Verwandten.« Er legt nur ganz leicht die Arme um sie, doch Hester ist gefangen. Sein Geruch erfüllt jeden ihrer Atemzüge, sein Körper ist ihr so nahe, dass ihre Haut vor Hitze erglüht, als berührten sie sich bereits. »Hast du mit ihm nie so etwas erlebt? Nicht einmal in eurer Hochzeitsnacht? Hat er dich nie berührt, dich geküsst?«, flüstert Robin. Hester bringt keinen Laut hervor. Sie schüttelt nur kaum merklich den Kopf – doch keiner von beiden hätte sagen können, ob das als Antwort auf seine Frage oder als Reaktion auf seine Umarmung gemeint ist. »Welch schändliche Vernachlässigung ehelicher Pflichten! Und welch jämmerliche Verschwendung. Er verwehrt dir eine der größten Freuden des Lebens, Hester, und das, nachdem du so gut warst, dich für ihn aufzusparen.« Robin presst die Lippen auf ihre Stirn. Hester steht da wie gelähmt. Sie empfindet seine Berührung als schrecklich erregend und falsch zugleich und kann sich weder bewegen noch einen klaren Gedanken fassen. Sie schließt die Augen, und Robin küsst sie auf die Lider. »Soll ich dir zeigen, was er längst hätte tun sollen? Hester? Du siehst so hübsch aus mit deinem offenen Haar und Tränen auf den Wangen. Wenn du meine Frau wärst, würde ich keinen Augenblick verlieren ...« *Ich bin aber nicht deine Frau!*, schreit Hester stumm, doch sie rührt sich immer noch nicht, denn unter ihrem Entsetzen über diese Untreue an Albert, unter ihrer Angst und Verwirrung will sie doch um all diese Dinge wissen, die er ihr zeigen möchte. Will es unbedingt wissen. Der Raum liegt in schützender Dunkelheit. Die macht sie unsichtbar, lässt sie darin verschwinden.

Als er sie auf den Mund küsst, sinkt sie an seine Brust, denn ihre Beine zittern. Und obwohl sie die Arme gegen seinen Körper stemmt, als wollte sie ihn abwehren, erwidert ihr Mund seinen Kuss gegen ihren eigenen Willen. Als er sich von ihr löst, lächelt er leicht. Wäre das sein gewohntes Lächeln gewesen, hätte sie vielleicht anders gehandelt. Wäre es ein triumphierendes oder befriedigendes oder auch ein spöttisches Lächeln gewesen, hätte sie vielleicht die Willenskraft aufgebracht, vor ihm zu fliehen. Aber es ist ein sanftes, zärtliches Lächeln, voll Bewunderung und Begehren, das sie sich so lange ersehnt hat, wenngleich von einem anderen Mann. Das Gewitter erhellt noch einmal sein Gesicht und taucht ihn in ein überirdisches Strahlen, so leuchtend, dass Hester die Augen zukneift. Er ist wahrhaftig schön. Sie schlägt die Augen nicht wieder auf, sondern lässt sich von ihm berühren, küssen und umarmen. Bei jeder Bewegung seiner Hände und Lippen spürt sie ihr eigenes, wachsendes Begehren – ein quälendes, beinahe unerträgliches Sehnen in ihrem tiefsten Inneren. Robin öffnet ihren Morgenmantel und schiebt sie rücklings auf das Fensterbrett. Als er sich diesem tiefen Sehnen entgegenreckt, spürt sie einen Schmerz, der sie schaudern und die Zähne zusammenbeißen lässt, zugleich aber unbeschreiblich wundervoll ist. Tausend glitzernde Funken stieben hinter ihren geschlossenen Lidern auf, sprengen ihre Gedanken in Stücke, lassen jeden Zoll ihres Körpers erglühen, bis sie lichterloh brennt. Für diese kleine Weile ist sie nicht sie selbst. Sie existiert nicht einmal mehr.

Als sie die Augen aufschlägt, zieht Robin Durrant sich keuchend die Hose hoch und knöpft sie umständlich zu. Schweiß schimmert auf seiner Brust und seiner Stirn. Hester steht wieder auf ihren eigenen Füßen, noch immer am Fenster, und während ihr Herzschlag sich beruhigt, beginnt sich ganz allmählich eiskaltes, Übelkeit erregendes Entsetzen in ihr auszubreiten. Zwischen den Beinen spürt sie einen brennenden, stechenden Schmerz, und etwas rinnt aus ihr heraus. Sie tastet mit den Fingern danach und findet Blut, vermischt mit etwas anderem, einer Substanz, die sie nicht kennt. Robin blickt zu ihr auf, als er sich hastig das Hemd in die Hose steckt.

»Geh zu Bett, Hetty. Albert wird heute Nacht allein zurechtkommen müssen«, sagt er ungeduldig. Hester schluckt. Ihre Kehle ist ausgedörrt und rau. Ganz langsam, denn ihre Glieder wollen ihr nicht gehorchen, zieht sie ihren Morgenmantel zu und tastet nach dem Gürtel. Dabei starrt sie Robin die ganze Zeit mit weit aufgerissenen Augen an, und jetzt überschlagen sich ihre Gedanken. Robin sieht ihren Gesichtsausdruck – entgeistert, fassungslos, entsetzt. Er verdreht ein wenig gereizt die Augen gen Himmel, kommt dann zu ihr und schmiegt die Hand an ihre Wange. »Ist schon gut, Hester. Niemand braucht je davon zu erfahren. Es ist ganz natürlich, weißt du, und gewiss kein Verbrechen! Leg dich jetzt schlafen. Ich werde keiner Menschenseele je davon erzählen, das schwöre ich.« Er spricht ein wenig gelangweilt, wie zu einem Kind. Und mehr sieht er auch nicht in ihr, erkennt Hester. Eine kleine Närrin, die er für seine eigenen Zwecke benutzen kann. Hester reißt den Kopf von seiner Hand zurück. Jetzt endlich kann sie sich bewegen, unbeholfen und langsam auf tauben Beinen. Aber sie kann die Schuld nicht ihm allein geben, das weiß sie sehr wohl. Sie verlässt den Raum mit starrem, leerem Blick wie eine Schlafwandlerin. Langsam und leise steigt sie eine Stufe nach der anderen empor, und mit jedem Schritt wird die Last ihrer Schuld schwerer.

12

Jetzt, da Cat eine Entscheidung getroffen und mit George alles ausgemacht hat, ist sie kribbelig vor Ungeduld. Sie sehnt sich danach, mit ihm auf und davon zu gehen, mit dem Zug an die Küste zu fahren. Nicht nur für einen halben Tag – den man ihr einmal in der Woche gewährt. Nicht einen kostbaren ganzen Tag lang, der ihr alle zwei Monate zusteht. Sondern zwei Tage, drei, vier – so lange sie wollen, am silbergrauen Meer, das sich bis zum fernen Horizont erstreckt, mit dem Geschmack des Salzwassers auf ihrer Haut. Erst dachte sie, dass sie kündigen oder Hester zumindest irgendwie vorwarnen sollte. Doch dann fällt ihr ein, dass Hester ihr Versprechen gebrochen hat, sie in den Ort zu schicken, damit sie George besuchen kann, und sie denkt auch an den Spruch auf ihrer Stickerei, die in Cats Zimmer hängt: »Demut ist des Dieners wahre Würde.« Dann besitze ich eben weder das eine noch das andere, denkt sie mit grimmiger Befriedigung. Die Worte wiederholen sich in ihren Gedanken und lassen sie vor Abscheu das Gesicht verziehen, und sie verschließt ihr Herz gegen die Pfarrersfrau. Soll sie doch eines Morgens vor ihrem ungedeckten Frühstückstisch stehen! Soll sie ruhig einmal genötigt sein, selbst einen Finger krumm zu machen. Aber es fällt ihr schwer, weiterhin wütend auf die Frau zu sein, als sie abends das Essen hinaufbringt. Hester hat dunkle Ringe unter den rot geweinten Augen. Ihr Gesicht wirkt verhärmt, ihre Miene starr und fassungslos. Sie sieht furchtbar elend aus, und Cat muss aufflackernde Besorgnis unterdrücken, den unerwarteten Drang, zu Hester zu gehen und herauszufinden, was sie so verstört hat.

Schließlich sagt sie sich, dass sie Hester ohnehin nicht helfen könnte, selbst wenn sie wüsste, woher dieser Kummer rührt. Sie ist ein Dienstmädchen, ein Nichts. Keine ernst zu nehmende Person, keine Freundin. Auch diese Nacht ist schwül und lau, die leichte Brise so weich, dass sie wie mit zärtlichen Fingern über ihre Haut streicht, während sie draußen steht und raucht und auf Robin Durrant wartet. Sie muss nicht lange warten. Wenn sie mit ihm sprechen will, braucht sie inzwischen nur beim Abendessen seinen Blick aufzufangen. Sie schlüpft aus ihren Schuhen, als er auf sie zukommt, und spürt das warme Pflaster des Hofs an den Fußsohlen und die weichen Moospolster in den Fugen, wie Streifen eines feinen Teppichs. Alles fühlt sich wirklicher an, jetzt, da sie weiß, dass sie frei sein wird. Alles ist lebendiger und strahlender.

»Nun? Wie geht es meinem kostspieligen Künstlermodell?«, fragt Robin. Er zündet sich eine Zigarette an, schiebt eine Seite seines Jacketts ein wenig zurück und steckt die Hand in die Hosentasche wie ein Schuljunge.

»Ich gehe fort. Wenn Sie mehr Bilder brauchen, müssen Sie sie bald machen. Morgen oder übermorgen.«

»Was soll das heißen, morgen oder übermorgen? Die Theosophische Gesellschaft hat noch gar nicht entschieden, wie sie vorgehen, wen sie herschicken wollen. So schnell geht das nicht! Wir müssen noch ein bisschen abwarten.« Er runzelt die Stirn.

»Nein, ich werde nicht warten. Das meine ich ernst, Herr

Theosoph. Ich habe Pläne, und die werde ich Ihretwegen nicht ändern, auch nicht, um den nächsten Lohn von Ihnen zu kassieren. Morgen oder übermorgen«, wiederholt sie beharrlich.

»Was meinst du überhaupt mit ›fortgehen‹? Wohin denn? Wie willst du auch nur aus dem Haus kommen, wenn du den ganzen Tag lang überwacht und nachts eingeschlossen wirst?«, fragt er gereizt.

»Ich habe meine Mittel und Wege«, entgegnet sie knapp. Das Gewicht des Generalschlüssels in ihrer Tasche ist ihr eine ständige Beruhigung.

»Du kannst nicht fort, ehe ich fertig bin! Ich dachte, wir hätten eine Abmachung, ich habe dir doch gesagt, dass …«

»Tja, ich habe es aber satt, mir etwas sagen zu lassen! Wie wollen Sie mich denn daran hindern? Wollen Sie mich verfolgen? Mein George kann jeden Mann im Umkreis von fünfzig Meilen niederschlagen. Und wenn Sie es versuchen, werde ich über Ihre Fotografien reden. Mit jedem, der mir zuhören will – und ich bin sicher, dass ich Leute finden könnte, die sich sehr dafür interessieren würden.« Sie beugt sich vor, zieht langsam an ihrer Zigarette und fixiert ihn mit einem hasserfüllten Blick. »Ich werde mir nichts mehr sagen lassen. Weder von Ihnen noch von irgendjemand sonst. Dafür sage *ich* Ihnen jetzt etwas: Für die vereinbarte Summe lasse ich mich morgen oder übermorgen von Ihnen fotografieren und halte für immer den Mund. Das ist mein letztes Angebot. Ich habe genug, von *allem*.« Während Cat spricht, spürt sie, wie die Entschlossenheit eine feste, solide Form in ihrem Inneren annimmt. Sie wird sich von nichts aufhalten lassen.

Robin erwidert ihren bösen Blick eine ganze Minute lang, dann grinst er breit. Er lacht leise und dreht sich mit zurückgeneigtem Kopf auf dem Absatz einmal im Kreis, als wollte er den Himmel um Beistand bitten.

»Herrgott, ich werde dich vermissen, Cat!«, erklärt er. Cat blinzelt verwundert. »Du bist wahrhaft erfrischend. Ein Jammer, dass wir uns unter so seltsamen Umständen begegnet sind und dass du nur ein Dienstmädchen bist. Wir hätten gute Freunde werden können«, sagt er und lächelt sie immer noch an.

Cat denkt kurz darüber nach. »Das bezweifle ich stark«, sagt sie schließlich. »Sie sind ein Lügner und ein Heuchler.«

»Also schön, Black Cat. Du bist tatsächlich so stur wie eine Katze und ebenso schwer zu beherrschen. Übermorgen. Bei Sonnenaufgang, am selben Ort. Wir werden den Elementargeist noch einmal auf Film bannen, und dann werde ich eben ein bisschen zaubern müssen, wenn die Gesellschaft ihren Beobachter herschickt – falls sie darauf bestehen, dass ich ihren eigenen Film benutze. Ein paar Negative in der Dunkelkammer vertauscht, und – *voilà!*«, ruft er unvermittelt laut und breitet die Arme aus wie ein Zauberer. »Ich überzeuge sie schon noch, wart's nur ab.« Cat schlüpft wieder in ihre Schuhe und tritt ihren Zigarettenstummel aus.

»Werde ich nicht. Aber machen Sie nur.« Sie zögert. »Was ist mit Mrs. Canning los? Was ist geschehen?«, fragt sie wider besseres Wissen. Robins Lächeln erlischt, und ein Ausdruck huscht über sein Gesicht, den Cat nicht entschlüsseln kann. Ärger? Oder gar Schuldbewusstsein?

»Ach, mach dir mal keine Sorgen um Hetty. Ihr fehlt nichts. Ein kleiner Ehestreit, glaube ich«, sagt er in gekünstelt klingendem, herablassendem Tonfall. Cat überlegt, ob sie energischer nachhaken soll, lässt es aber bleiben.

»Vergessen Sie nicht, das Geld mitzubringen«, sagt sie stattdessen und lässt ihn stehen.

Später, sobald Sophie Bell außer Hörweite ist, schließt Cat ihre Zimmertür auf. Sie öffnet sie einen Spaltbreit und wartet, bis ihr Herz wieder normal schlägt, ihre Atmung tiefer und gleichmäßiger wird. Ihr ist immer noch übel, und ihr Kopf tut weh. Sie setzt sich auf die Bettkante, benutzt den Nachttisch als Unterlage und schreibt zwei Briefe.

Liebe Tessy – also, ich habe mir einen Plan ausgedacht, wie ich es Dir versprochen habe. Bald gehe ich von hier fort, mit meinem Liebsten, der George Hobson heißt. Wenn Du ein bisschen herumfragst, wird schon irgendjemand wissen, wo wir zu finden sind. Das sage ich Dir, weil ich der Herrin hier einen Brief hinterlassen und sie bitten werde, nach Dir zu schicken, als Ersatz für mich. Ich glaube, das wird sie auch tun. Ich habe ihr ein wenig von Deiner Lage berichtet und wie es kam, dass wir verhaftet wurden, und ich weiß, dass sie das Richtige tun wird. Du wirst also hoffentlich bald von ihr hören, weil ich morgen früh mit George weggehen werde. Ich kann Dir gar nicht sagen, wie sehr ich mich darauf freue, Tess! Von jetzt an werde ich meinen eigenen Weg gehen und mich von niemandem mehr herumkommandieren lassen. Ich habe das Gefühl, dass für mich ein neues Leben beginnt, in dem ich endlich glücklich sein kann. Ich bin so aufgeregt, dass ich mir das Lachen kaum verkneifen kann, während ich meine Arbeit tue! Ich hoffe, Du wirst hier zufriedener sein, als ich es war. Du warst schon immer besser und braver als ich. Die Herrin ist eine gute Frau und bemüht sich stets, freundlich zu sein. Aber es gibt andere Möglichkeiten, falls Du Dich doch nicht hier einleben kannst, Tess! Erst neulich ist mir in der Metzgerei eine Frau begegnet, die fünfzehn Jahre lang auf Cowley Park gearbeitet hat, das ist ein großes Anwesen hier in der Nähe. Jetzt ist sie bei der Telefonvermittlung angestellt. Sie hat einen richtigen Beruf! Sie ist kein Dienstbote mehr. Die Dinge verändern sich, Tess, und nur zum Guten, glaube ich. Aber wie es Dir hier auch gefallen mag, Du wirst es viel, viel

besser haben als im Frosham House. Ich werde Dir hierher
schreiben, das verspreche ich. Wir sehen uns wieder, vielleicht
schon bald. Gib gut auf Dich acht, und bitte sei stark genug,
hierherzukommen und meine Stellung zu übernehmen.

Alles Liebe, Deine Freundin Cat

Mrs. Canning – wenn Sie dies lesen, dann deshalb, weil Sie nach
mir gesucht und festgestellt haben, dass ich verschwunden bin. Ich
entschuldige mich dafür, dass ich nicht ordentlich gekündigt habe,
aber manchmal muss man seinem Herzen und seinen Sehnsüch-
ten folgen und um das kämpfen, woran man glaubt. Ich kann
nicht länger als Dienstbote leben, und als freier Mensch verlasse
ich dieses Haus, ohne um Erlaubnis zu fragen. Ich bitte Sie nur
um eines – bitte schicken Sie nach Teresa Kemp als Ersatz für
mich. Sie ist im Armenhaus, wie ich Ihnen ja erzählt habe.
Es nennt sich Frosham House und liegt an der Sidall Road in
London. Sie ist ein gutes, liebes Mädchen, ganz anders als ich.
Dass sie sich in einer so unglücklichen Lage befindet, ist allein
meine Schuld, sie kann nichts dafür. Sie wird Ihnen ein gutes
Dienstmädchen sein und hart arbeiten. Sagen Sie Mrs. Bell, dass
sie nett zu ihr sein soll. Ich weiß, dass Sophie hinter ihrer scharfen
Zunge ein weiches Herz hat, und das wird Tess brauchen,
wenn sie herkommt. Sie ist beinahe noch ein Kind.
Ich muss Ihnen noch etwas erklären. Vielleicht haben Sie sich über
meinen Mangel an Bescheidenheit und Anstand gewundert und
darüber, dass ich ein Leben als Dienstbote nicht hinnehmen will.
Das liegt an mir selbst, an meinem Temperament, aber mein
Vater ist ebenso dafür verantwortlich. Er hat mir Erziehung und
Bildung zukommen lassen, wie niemand meines Standes sie
normalerweise erreichen kann, und mir gezeigt, dass es da
draußen eine große Welt voller Geheimnisse gibt, die ich niemals

sehen würde. Das war ein großes Unrecht. Deshalb habe ich
meinen Stand nie als gottgegeben hingenommen. Und wenn
jemand mein Blut – also meine Herkunft – als den Grund dafür
angab, so scheiterte dieses Argument ebenfalls an ihm. Mein Vater
ist Ihr Onkel, eben der Gentleman, der mich zu Ihnen geschickt
hat. Meine Mutter hat in seinem Haus an der Broughton Street
gearbeitet, als sie noch jünger war. Auf sein Drängen hin wurde
sie seine Geliebte und dann schwanger – mit mir. Natürlich
musste sie ihre Anstellung aufgeben, aber mein Vater kümmerte
sich um sie und sorgte für sie. Das hat meine Mutter mir auf dem
Sterbebett erzählt, und sie hat nie gelogen. Und als sie schließlich
starb, wurde ich in seinem Haus aufgenommen. Vielleicht haben
Sie in diesem Sommer ein wenig mehr über die Natur und das
Verhalten von Männern gelernt, sodass Sie diese Tatsache
nicht allzu unfasslich finden werden: Wir sind Cousinen,
Mrs. Canning. Meine Mutter hielt es zwar für das Beste,
mir die Wahrheit über meine Abstammung zu sagen, doch hat
dieses Wissen mir nie etwas anderes als Kummer bereitet. Ich bin
weder zum einen noch zum anderen geboren, weder Dame noch
Dienstmädchen, also werde ich von heute an weder das eine noch
das andere sein. Ich werde meinen eigenen Weg gehen.
Robin Durrant ist ein heimtückischer Lügner, dem man nicht
trauen darf. Ich glaube, das wissen Sie schon, aber ich kann mich
nur wiederholen: Wenn irgend möglich, schaffen Sie ihn aus dem
Haus, und zwar sofort. Es mag mir nicht zustehen, Ihnen zu
raten, aber da wir uns nie wiedersehen werden, tue ich es
trotzdem. Ich weiß ein wenig über Ihre Schwierigkeiten mit dem
Pfarrer. Als Dienstbote erfährt man so manches, ob man will oder
nicht. In London kannte ich einen Herrn, einen Freund meines
Vaters, der hin und wieder zu Besuch kam. Dabei befand er sich
stets in Gesellschaft junger, schöner Männer, die er hielt und
verwöhnte wie Haustiere. Er hielt Frauen in jeglicher Hinsicht
für minderwertig und mied ihre Gesellschaft, im Leben wie in

seinem Bett. Falls Sie den Verdacht hegen, dass Ihr Mann ähnlich
empfindet, werden Sie niemals glücklich werden, wenn Sie ihn
nicht verlassen oder ihn so akzeptieren, wie er ist, und sich
anderswo angenehme Gesellschaft suchen.
Auf Wiedersehen, und bitte hören Sie auf mich, was Teresa Kemp
angeht. An ihr können Sie wahrhaftig viel Gutes tun. Ich habe
ihr einen Brief geschrieben, den ich selbst aufgeben werde, und sie
wissen lassen, dass sie hoffentlich von Ihnen hören wird. Das ist
vermessen von mir, ich weiß, aber ich vertraue darauf, dass Sie
richtig und mildtätig handeln werden. Ich wünsche Ihnen alles
Gute und hoffe, dass Sie mir in einem Winkel Ihres Herzens
dasselbe wünschen können.

Ihre Cousine Catherine Morley

Cat beendet den Brief mit Krämpfen in der Hand, denn ihre Muskeln sind eher ans Schrubben gewöhnt denn ans Schreiben. Sie steckt beide Briefe in Umschläge, die sie versiegelt und adressiert, und hinterlässt den für Hester Canning auf dem Nachttisch, aufrecht an die Wand gelehnt, sodass er nicht zu übersehen ist. Den Brief an Tess steckt sie in ihre kleine Tasche, die schon mit ihren wenigen Habseligkeiten und dem bisschen gesparten Geld gepackt ist. Der Mond draußen vor dem Fenster ist noch voll, fleckig und bleich wie frische Milch. Er bescheint eine Landschaft aus graphitgrauen Schatten und silbrigen Umrissen, und in der vollkommenen, reglosen Stille schläft Cat ein.

AUS DEM TAGEBUCH DES REVEREND ALBERT CANNING

Dienstag, 8. August 1911

Der Zeitpunkt ist gekommen. Er hat mir gesagt, ich solle mich fernhalten, weil er fühlt, dass dies der richtige Zeitpunkt ist, und ich fühle es auch. Er geht mit seiner Kamera, daher weiß ich es, <u>ich weiß es.</u> Er wird sie wieder herbeirufen, er will mehr Aufnahmen machen. Ich werde hinausgehen, und ich werde dort sein, und ich werde beweisen, dass ich würdig bin, denn ich werde mich ihm nicht offenbaren. Ich werde ihn ganz ungestört seine großen Werke tun lassen, und wenn die Fotografien gemacht sind, werde ich ihm enthüllen, dass ich ebenfalls dort war. Und das wird der Beweis dafür sein, dass ich bereit bin, dass ich rein bin, dass die Elementare bis in mein Innerstes schauen und sehen können, dass ich bin, was ich sein sollte. Die Nacht war lang, doch ich habe gewartet, und die vielen Nächte draußen in den Auen waren nicht vergeudet. Ohne die Energie der Sonne bleiben die ätherischen Geschöpfe verborgen – so, wie das Gänseblümchen seine Blütenblätter einrollt und die Augen vor der Dunkelheit verschließt, so schlafen auch sie. Aber ich habe viele Stunden dort verbracht, allein und in Dunkelheit gehüllt, ich habe meine Seele und mein Herz studiert und nach innen geschaut, und ich habe alle Lust und materielle Gier ausgetrieben und all die schlechten, falschen Empfindungen, mit denen der Teufel mich in letzter Zeit gequält hat. Ich habe mich von alldem gereinigt und nichts zurückgelassen als die strahlende, reine Energie meines astralen und ätherischen Kerns. Ich bin bereit, das weiß ich. Ich weiß es. Niemals habe ich beim bloßen Gebet solch lebhafte Visionen und Gefühle erlebt. Wie tot und kalt die Steine meiner Kirche mir nun erscheinen, wo doch die wahre Kirche die ganze Zeit über allenthalben um mich herum war und ich sie nicht sehen konnte. Bis jetzt! Die Kirche des lebendigen Lichts und des lebendigen Atems und des lebendigen Geistes von allem, was gut und heilig ist, umgibt uns in ihrer grünen und goldenen Pracht überall, und ich habe sie endlich erkannt und gehöre ihr an. Und jene, die unreinen Herzens sind und deren Geist diese gewaltigen Wahrheiten nicht erfassen kann, werden zurückbleiben, wo sie sind, weiter hinten, weit unter uns auf diesem Pfad, dieser Leiter zur Erleuchtung. Ihnen bleiben noch viele Leben, viele Umläufe des Zyklus, um für jene Sünden und Übeltaten zu büßen, die ihnen in diesem Leben die Entwicklung und den Aufstieg unmöglich gemacht haben. Sogar meine Frau muss büßen und sich läutern. Wie bei allen Frauen, ist auch ihr Herz von Lust und Begierden erfüllt. Dies ist der Tag – heute bei Sonnenaufgang. Ich bin bereit, und ich werde hinausgehen, und ich werde sehen, und alles wird vollkommen sein. Der Morgen bricht heran, der Himmel ist klar, und das heilige Licht der Sonne wird die Welt berühren und erwecken. Bald wird der Tanz beginnen, und ich werde mittanzen und diese Hülle kristallinen Geistes zurücklassen und meine wahre Gestalt annehmen. Ich bin bereit.

1911

Noch vor dem Morgengrauen schlägt Cat die Augen auf. Dies ist das letzte Mal, sagt sie sich und lächelt. Das letzte Mal, dass sie in einer Dienstbotenkammer aufwacht, ihr letzter Tag in einem Haus, wo sie arbeiten und sich als minderwertiger Mensch behandeln lassen und unfrei leben muss. Sie hält einen Moment lang inne und wird sich der klumpigen Matratze bewusst, die sich in ihren Rücken drückt, des schmerzhaften Ziehens in ihren Muskeln von den Rippen bis zu den Hüften, weil sie am Tag zuvor die Böden im Keller geschrubbt hat. Sie bemerkt den Geruch von Hefe, der unter den Rändern ihrer Fingernägel klebt, nachdem sie gestern Sophie Bell, der von der Hitze schwindlig geworden war, beim Kneten des Brotteigs abgelöst hat. Sie denkt daran, dass sie heute die Unterwäsche der Cannings waschen müsste, wenn sie bliebe. Als sie all das noch einmal bedacht und für sich verworfen hat, steht sie auf und gießt Wasser aus dem Krug in die Emailleschüssel. Das Plätschern erfüllt den Raum mit blechernen kleinen Echos. Fröstelnd wäscht sie sich Gesicht und Hände. Für einen Moment scheint die ganze Welt den Atem anzuhalten.

Als sie an Sophie Bells Zimmer vorbeigeht, hält sie inne. Sie hat ihr nicht gesagt, dass sie fortgeht, und hinter der Aufregung spürt sie leise Gewissensbisse. Die lauten, schweren Atemzüge der Haushälterin sind durch die Tür deutlich zu hören, und Cat drückt kurz die Hand ans Holz. Zu spät, um sich jetzt noch zu verabschieden. Cat sagt ihr im Stillen Lebewohl und nimmt sich vor, ihr zu schreiben, sobald sie und George sich irgendwo eingemietet haben. In Hungerford oder Bedwyn vielleicht – kleine Städtchen und Dörfer liegen wie Perlen am Kanal gen Westen aufgereiht. Sie können sie besuchen, erkunden, sich einen Ort aussuchen. So leise wie möglich schleicht sie zur Hintertür, denn sie weiß, dass der Pfarrer nicht mehr zu Bett geht. Sein Kissen ist jeden Morgen ganz glatt. Seine Seite des Lakens nicht zerknittert. Die Tür zur Bibliothek ist geschlossen, und obwohl kein Licht durch die Ritze am unteren Rand fällt, scheint sie aufmerksam abzuwarten. Die Stille hinter dieser Tür fühlt sich wachsam an, bereit zum Sprung. Cat bleibt stehen und lauscht angestrengt nach irgendeinem Anzeichen von Bewegung dort drin. Als sie weitergeht, pocht ihr Herz. Die oberste Stufe der Kellertreppe quietscht, und sie erstarrt. Sie glaubt einen Schritt zu hören hinter dieser geheimnistuerischen Tür. Das Knarren eines Sessels, aus dem sich jemand erhebt. Aber sie will nicht umkehren, also eilt sie weiter, so leise sie kann. Die Kellertreppe hinunter, durch die Küche, zur Hintertür hinaus. Der Riegel schließt sich in der Stille wie mit einem Donnerschlag.

Die Welt draußen ist noch farblos, ohne Konturen und beinahe unwirklich in diesem seltsamen Schimmer vor dem Morgengrauen – weder dunkel noch hell, nicht Tag, nicht Nacht. Ein Augenblick in der Schwebe, in dem das Vergangene schon fort ist und das Bevorstehende noch nicht begonnen hat. Cat geht durch diese Zeit und spürt das Blut in ihren Adern, frisch und lebendig. Die Luft legt Feuchtigkeit auf ihre Wangen und ihr Haar. Am Gartentor bleibt sie stehen und blickt zum Pfarrhaus mit seinen hohen Mauern und geschlossenen Fensterläden zurück. Wie sehr das Haus einem Gefängnis ähnelt – nie wieder wird sie einen Fuß über seine Schwelle setzen. Sie hofft von ganzem Herzen, dass dieser Ort, der für sie wie ein Gefängnis war, für Tess eine Zuflucht sein wird, zumindest in gewisser Weise. Ein sicherer Platz, an dem sie sich erholen und genesen kann. Sie hofft, dass sie ein wenig von all den brutalen Schrecken, die sie über ihre Freundin gebracht hat, wiedergutmachen kann, indem sie Tess hierherbringt.

Die Zwangsernährung zeigte bei manchen der eingekerkerten Suffragetten eine seltsame Wirkung. Ihre Gesichter waren zerschunden, sie litten an häufigem Nasenbluten und nervösen Anfällen, die sie nicht unterdrücken konnten. Viele hatten eine schwere Entzündung in der Brust und krampfartigen Husten, bei dem sie keine Luft bekamen. Doch trotz all dieser Beeinträchtigungen begannen ein paar von ihnen sich wieder stärker zu fühlen. Das Essen, das ihnen eingeflößt wurde, nährte ihre Körper, und der Schwindel und die Mattigkeit wichen. Nachdem sie diese brutale, schreckliche Misshandlung drei Tage lang hatten ertragen müssen, taumelten Tess, Cat und einige andere Frauen aus ihren Zellen, kräftig genug, um sich auf den Beinen zu halten, und voller Sehnsucht nach dem Anblick des Himmels. Die beiden Dienstmädchen aus der Broughton Street stützten einander wie zwei schwache, ältliche Witwen und gingen langsam auf den Hof hinaus. Cat brachte es kaum über sich, die Platzwunden und Kratzer in Tess' Gesicht zu betrachten, die kreidig blasse Haut. Aber sie sah, dass Tess zitterte, obwohl der Tag sehr mild war.

»Ach, Tess, es tut mir so leid, dass ich dich in all das mit hineingezogen habe«, flüsterte Cat ihr zu, während sie in der sonnigsten Ecke des Hofs stehen blieben. Tess versuchte zu lächeln, es wollte ihr jedoch nicht gelingen. Die Mauer hinter ihnen war glitschig von Tau, der in dunklen Streifen die kalten Steine nässte.

»Das war nicht deine Schuld, Cat. Diese Polizisten …«

»Nein – du wärst gar nicht dort gewesen, wenn ich dich nicht dazu gedrängt hätte! Du wärst sicher und wohlbehalten zu Hause geblieben …«

»Ich war lieber mit dir unterwegs, als in diesem Haus festzusitzen, selbst wenn uns das hierhergebracht hat, Cat, ehrlich. Du bist die beste Freundin, die ich je hatte«, sagte Tess, doch ihre Worte wurden von einem heiseren, rasselnden Husten unterbrochen.

»Nein, bin ich nicht!« Cat schüttelte den Kopf, und Zornestränen traten ihr in die Augen. »Du musst den Hungerstreik beenden, Tess. Bitte. Du brauchst wirklich nicht weiterzumachen. Ich tue es für uns beide! Fang wieder an zu essen, du kommst ja bald raus. Der Gentleman wird dich wieder einstellen, da bin ich sicher …«

»Vielleicht, wenn du da bist und ein gutes Wort für mich einlegst?« Hoffnung leuchtete in Tess' Augen auf.

»Aber natürlich lege ich ein gutes Wort für dich ein! Ich sorge schon dafür, dass er dich behält, versprochen.«

»Aber ich werde den Streik nicht abbrechen. Ich will nicht die Einzige sein, die aufgibt, Cat! Und wenn ich weiß, dass du auch streikst, dann halte ich das aus, ehrlich.«

»Aber ich nicht, Tessy! Ich kann den Gedanken nicht ertragen, dass du diese Behandlung erdulden musst, wo ich doch dafür verantwortlich bin!« Cats Stimme war vor Kummer kaum mehr als ein Krächzen.

»Nicht weinen, Cat – das kann ich nicht ertragen. Ich würde sowieso lieber verhungern, als den Abfall zu essen, den sie uns hier vorsetzen. Himmel, ich könnte jetzt eine von Ellens Pasteten ganz allein verdrücken, du nicht? Eine

Rindfleischpastete mit Bierkruste, und mit ganz viel Bratensauce und ein paar Kartoffeln dazu …« Tess schloss die Augen, während sie sich dieses Festmahl ausmalte. Cat lief das Wasser im Mund zusammen.

»Wenn wir hier rauskommen, essen wir eine. Eine von den großen, für uns beide ganz allein. Wir schneiden sie mittendurch, dass es nur so dampft«, versprach sie.

»Eine dicke Scheibe Blauschimmelkäse dazu, und Mandeltörtchen zum Nachtisch. Das wäre ein Essen, für das es sich lohnt, einen Hungerstreik zu brechen – nicht diese eklige Suppe, die sie uns hier geben. Das ist wahrscheinlich nur schmutziges Wasser – genau, das Wasser, in dem die Krähe ihre Füße gebadet hat!«, sagte Tess mit einer zaghaften Grimasse, bei der ihre gesprungene Lippe aufriss. Sie zuckte zusammen, als Cat das hervorsickernde Blut sacht mit dem Ärmel abtupfte.

»Die Krähe? Sich die Füße waschen? So ein Unsinn. Ich habe gehört, dass sie die zuletzt vor zehn Jahren gewaschen hat. Und dass sie gar keine Strümpfe anhat – das ist ihre dreckige, graue Haut, die unter dem Rock vorschaut!«, sagte sie, und Tess versuchte ein winziges Lächeln.

»Das ist widerlich!«, flüsterte sie.

»Das ist noch gar nichts. Wegen dieser Füße ist sie hier gelandet und muss Tag für Tag in diesem feuchtkalten, stinkenden Gefängnis arbeiten. Sie war verlobt, weißt du?«, improvisierte Cat.

»Die Krähe, verlobt? Das glaube ich nie!«

»O doch, vor vielen Jahren, als sie angeblich noch eine gewisse Eleganz besaß, obwohl sie nie eine Schönheit war. Aber in der Nacht vor der Hochzeit hat ihr Bräutigam sie heimlich besucht, und in der Hitze seiner leidenschaftlichen Umarmung vergaß sie sich, zog die Schuhe aus und … vom Gestank ihrer Füße ist der arme Kerl tot umgefallen!« Sie riss die Arme hoch und sank theatralisch aufs Pflaster nieder, obwohl ihr davon schwindelig wurde. Tess lachte leise und klatschte lautlos Beifall. Dann erstarrte sie, plötzlich todernst.

Cat blickte auf und sah die dunkelhaarige Wärterin über sich aufragen. Sie hatte die Arme verschränkt, und ihre Augen glitzerten kalt in der Morgensonne. Cat versuchte aufzustehen, doch ihr wurde dabei so schwindelig und übel, dass sie einfach auf dem feuchten Boden hocken blieb.

»Du hast wohl was Lustiges gehört, ja?«, sagte die Krähe mit trügerisch heiterer, beinahe freundlicher Stimme zu Tess. Stumm schüttelte Tess den Kopf. Sie begann am ganzen Leib zu zittern. »Es hat sich aber angehört, als hättest du gelacht. Deine Freundin hat sich wieder mal ein lustiges Lied oder ein Gedicht ausgedacht, nicht wahr?« Erneut schüttelte Tess den Kopf. »Nun komm, sei nicht so schüchtern. Ich will es hören«, befahl die Frau. Tess blieb still und stumm, und ihr abgehärmtes Gesicht war totenbleich. Cat stemmte sich auf die Füße.

»Lassen Sie sie in Ruhe«, sagte sie zu der Wärterin. »Sie hat nichts Verbotenes getan.«

»Das entscheide ich. Na los, ich will hören, was sie gesagt hat. Wenn du es mir nicht erzählst, muss ich davon ausgehen, dass du einen guten Grund hast, warum ich es nicht hören sollte«, fuhr die Krähe drohend fort. Tess warf Cat einen verzweifelten Blick zu, und Cat zermarterte sich das Hirn nach etwas, das die Frau zufriedenstellen könnte.

»Ich habe gesagt ... äh ... ich habe ...«, stammelte sie. Der Mund der Wärterin verzerrte sich zur Seite, und ein bitteres, höhnisches Grinsen trat auf ihr Gesicht, bei dessen Anblick Tess einen Schritt zurückwich, sodass sie mit den Schultern gegen die Mauer stieß. Die Krähe stürzte sich auf das jüngere Mädchen, das zu wimmern begann. »Ich habe gesagt, dass Sie eine verbitterte alte Schlange sind, die schon ganz faulig riecht! So – jetzt können Sie mich dafür bestrafen!«, rief Cat.

»Oh, das werde ich«, sagte die Wärterin und packte Tess' Handgelenk mit starken, hageren Fingern. »Aber im Augenblick ärgert mich gar nicht so sehr, was du gesagt hast, sondern dass dieses kleine Miststück hier darüber gelacht hat.« Sie verdrehte Tess den Arm und zerrte sie in Richtung der Zellen, und Tess stieß einen leisen Schrei purer Angst aus.

»*Nein!* Lassen Sie sie in Ruhe!«, schrie Cat und lief den beiden nach. Die Krähe drehte sich um und versetzte Cat mit der flachen Hand einen Stoß, der sie rücklings zu Boden schleuderte. Cat konnte nicht gleich wieder aufstehen. Eine Minute lang versuchte sie hustend, sich aufzurappeln. Als sie es endlich schaffte, war Tess nirgends mehr zu sehen.

Cat lief die Treppe hinauf und zurück zu dem Gang, in dem ihre Zellen lagen. Von der Anstrengung begann sie zu taumeln, und schwarze Punkte tanzten vor ihren Augen. »Was ist passiert?«, fragte eine andere Gefangene mit grauen Lippen in einem aschfahlen Gesicht. »Die Krähe hatte den Totschläger in der Hand!« Die Tür zu Tess' Zelle war verschlossen, und obwohl Cat wusste, dass es zwecklos war, trommelte sie dagegen und schrie, sie sollten sie hineinlassen, bis zwei andere Wärterinnen kamen, sie in ihre eigene Zelle brachten und die Tür hinter ihr zuknallten. Dabei wechselten sie einen unverkennbar missbilligenden Blick ob der Geräusche, die aus Tess' Zelle drangen, doch sie unternahmen nichts. Sie pressten nur die Lippen zusammen und gingen. Wie betäubt vor Entsetzen und starr vor Schuldgefühlen saß Cat mit dem Rücken an die Wand gelehnt und lauschte den Schlägen, hörte das Schreien und Schluchzen. Sie glaubte, vor Scham und rasender Wut jeden Moment in Flammen aufzugehen. Doch das tat sie nicht. Schatten zogen sich um sie zusammen, nahmen den Raum ein und erdrückten sie, und sie wusste, dass dieses Gefühl sie ihr Leben lang begleiten würde: das Gefühl, vollkommen machtlos zu sein, unabänderlichen Schaden angerichtet zu haben.

Als Tess' Tür am nächsten Tag wieder aufgeschlossen wurde, kam Tess nicht heraus. Sie hockte in der hintersten Ecke in zerrissenen Kleidern, mit frischen, blutverkrusteten Wunden und unzähligen dick geschwollenen Blutergüssen am ganzen Körper. Irgendeine Essenz war aus ihr gewichen und aus dieser Zelle entflohen. Der kleine Funke, der ihr Lachen strahlen ließ, das begeisterte Leuchten in ihren Augen. Cat stand lange auf der Schwelle und starrte schonungslos das an, was sie angerichtet hatte. Sie ließ sich die Folgen ihrer Handlungsweise spüren und sagte sich, dass sie das niemals würde wiedergutmachen können.

Vielleicht doch, denkt sie, als sie nun dem Pfarrhaus den Rücken kehrt, vielleicht habe ich doch genug dafür gelitten. Sie hat es in zahllosen Albträumen immer wieder durchlebt und sich die erdrückende Last der Selbstvorwürfe auf die Schultern geladen. Sie hat kaum geschlafen, kaum gegessen. Sie hat ihren Körper und ihre Seele sauber gescheuert. Sie wird Tess wiedersehen, in ein paar Wochen, ein paar Monaten. Dann wird sie herausfinden, ob Tess sie trotz allem, trotz ihrer gebrochenen Versprechen und der Woge von Unglück, die Cat über sie beide hat hereinbrechen lassen, noch liebt hat, ob sie noch ihre Freundin ist. Irgendwie hat Cat im tiefsten Herzen das Gefühl, dass die Vergebung nicht mehr weit ist. Plötzlich entdeckt sie vor sich eine wartende Gestalt. Robin nickt und lächelt ihr knapp zu, als sie zu ihm tritt.

»Guten Morgen. Bist du bereit zu tanzen, Weidengeist?«, begrüßt er sie.

»Haben Sie mein Geld?«, gibt sie schroff zurück. Sie will ihm ihre freudige Erregung nicht zeigen – die will sie ganz für sich behalten. Robin zieht ein klägliches Gesicht und fischt ein paar zusammengefaltete Banknoten und eine Handvoll Münzen aus der Hosentasche. Cat steckt das Geld rasch in ihre Tasche.

»Bitte sehr. Für diese Gage solltest du besser eine großartige Vorstellung geben. Ich habe dein Kostüm hier.« Er tätschelt seine große Ledertasche, und sie hört ihm die Aufregung deutlich an. Seine Nerven sind angespannt.

»Also, noch ein letztes Mal. Bringen wir es hinter uns«, sagt Cat. Sie steigen über den Tritt und gehen über die Wiesen zu der Stelle, wo die Weide auf sie wartet.

Als Cat das fließende weiße Gewand anlegt und die lange, weißblonde Perücke aufsetzt, fühlt sie sich beobachtet. Nicht nur von dem Theosophen oder vom wartenden Tag hinter der Morgendämmerung. Nein, von etwas anderem, jemand anderem. Ihr sträuben sich die Härchen im Nacken. Sie richtet den Blick auf den Horizont und dreht sich langsam einmal um sich selbst. Es ist niemand zu sehen. Aber das Gras und die anderen Pflanzen sind hoch, an manchen Stellen reichen sie ihr bis zur Hüfte. Cat starrt in das umgebende Grün, kann aber noch immer nichts entdecken. Keine verräterisch abgeknickten langen grünen Stängel, keine Blüten, von denen der Tau geschleudert wurde, abgesehen von dem Pfad, den sie und Robin in die Wiese getrampelt haben. Keine Bewegung, nicht das geringste Zucken eines heimlichen Beobachters. Dennoch spürt sie diesen Blick, und sie strengt ihre Augen und Ohren an wie ein Kaninchen, das einen Fuchs gewittert hat. Eine Schleiereule gleitet gespenstisch über die Wiese und lässt sich von lautlosen weißen Flügeln zu den Bäumen im Norden tragen.

»Was ist? Stimmt etwas nicht?«, fragt Robin und blickt

von seiner Kamera auf, nachdem er an den Linsen herumgewerkelt und alle Einstellungen überprüft hat.

Cat zuckt mit einer Schulter. »Alles in Ordnung«, lügt sie. Sie faltet ihr Kleid zu einem Bündel zusammen und legt es auf ihre Tasche.

»Bereit?«, fragt er, und sie nickt.

Cat geht erst ein Stück am Bach entlang und starrt auf die Steine und Kiesel und Pflanzen im Bachbett hinab, die unter dem gespiegelten Himmel gerade noch zu erkennen sind. Ihr ist nicht nach Tanzen zumute, nicht wie beim letzten Mal. Der Zorn, der sie damals befeuert hat, ist erloschen, und sie fühlt sich glücklicher, es gibt weniger, wogegen sie ankämpfen muss. Sie breitet die Arme aus wie Vogelflügel, hebt das Gesicht dem Versprechen des Sonnenaufgangs entgegen und schließt die Augen. Als sie sie wieder öffnet, sieht sie ihn: das unverwechselbare helle Haar über dem rosigen Gesicht des Pfarrers, seine mageren Schultern in dem schwarzen Mantel mit dem hohen, engen Kragen eines Geistlichen. Er ist weit weg und bei ihrem Anblick erstarrt, halb geduckt, als wollte er sich verstecken. Cat schlägt das Herz bis zum Hals, und ihr Magen krampft sich schmerzhaft zusammen. Er hat sie entdeckt, kein Zweifel. Sie fragt sich, ob Robin weiß, dass er hier ist – dass der Pfarrer im Bilde ist. Aber nein, sie ist sicher, dass sie das hier nicht sehen sollte. Der Pfarrer ist Robins gläubiger Anhänger, sein Fürsprecher. Bei niemandem könnte es wichtiger sein, die Scharade nicht auffliegen zu lassen. Mit vor Nervosität trockener Kehle holt Cat Luft, um Robin Durrant auf den Pfarrer aufmerksam zu machen. Der Theosoph kauert auf dem Boden und ist ganz in seine Arbeit vertieft, ohne etwas von dem nahenden Zuschauer zu ahnen. Cat kann Alberts Blick spüren, obwohl er noch zu weit entfernt ist, als dass sie sein Gesicht genau erkennen könnte. Sein Blick ist dennoch greifbar wie eine Be rührung, wie ein starker Griff, der sie festhalten und beherrschen will.

Doch dann macht sich ein Gefühl von Gelassenheit in ihr breit, und beinahe so etwas wie ein wenig boshafter Schalk. Soll der Pfarrer sie doch hier überraschen. Was kümmert es sie schon? Sie ist beinahe neugierig darauf, was dann geschehen wird – wie Albert Canning reagiert, und wie der Theosoph diesmal versuchen wird, sich herauszuwinden. Der Hauch eines Lächelns umspielt ihre Lippen, und sie geht los, nicht wild wie beim letzten Mal, sondern ruhig und gemessen, mit langen Schritten. Sie hält die Arme einmal weit ausgebreitet, dann wieder nach hinten gereckt, mit gespreizten Fingern. Sie dreht sich langsam im Kreis, das Gesicht zum Himmel erhoben, gerade so schnell, dass das Kleid durch die Luft wirbelt, sich von ihren Beinen löst und ihrer Bewegung folgt. Und bald ist sie wieder in ihrem Tanz versunken, der diesmal langsam und hypnotisch ist. Ihr Geist wird leer, der Rhythmus erfasst sie ganz, und mit jeder Sekunde erhellt die Sonne den Himmel ein wenig mehr. Sie vergisst den Pfarrer und den Theosophen und ist sich nur noch bewusst, dass sie lebt. Und bald frei sein wird, so bald schon. Freie Lunge, freier Kopf, der freie, resolute Schlag ihres Herzens.

Der Pfarrer erhebt sich aus dem Gras westlich der Weide. Er hat sich langsam an sie herangeschlichen, tief geduckt und verborgen von Gräsern, Fingerhut und Schwertlilien. Jetzt steht er plötzlich unmittelbar vor ihr, sodass sie erschrocken die Arme sinken lässt. Der Theosoph liegt hinter ihr auf dem Boden. Fotografiert er das hier etwa auch?, fragt sie sich. Denn das Gesicht des Pfarrers bietet wahrlich einen bemerkenswerten Anblick – blasse Haut, die hellblauen Augen so weit aufgerissen, als wollten sie gleich aus den Höhlen springen. Sein Unterkiefer hängt schlaff herab, die Zunge liegt an den Schneidezähnen an. Er hat Speichel auf der Unterlippe, kleine Speichelfäden in den Mundwinkeln, und auf seinem Kinn glänzt Schweiß. Cat lächelt, sie kann einfach nicht anders. Sie überlegt, ob sie sich zum Abschluss ihrer Darbietung vor ihm verbeugen soll, doch irgendetwas hält sie zurück. Er erkennt sie, das ist offensichtlich. Und es arbeitet hinter den Muskeln und Falten, die sich langsam in seinem Gesicht verschieben. Leichtes Zucken hier und da, als der letzte klare Gedanke aus seinen Augen entschwindet und nur Leere hinterlässt. Eine Leere, die ihr plötzlich Angst einjagt. Cats Lächeln gefriert, und sie bleibt still stehen. Nur einen Herzschlag lang, oder zwei oder drei. Sie sollte nicht hier stehen bleiben – ihre Muskeln beginnen sich zu spannen. Sie sollte zurückweichen, zu George laufen und die beiden Männer das hier unter sich ausmachen lassen. Sollen sie doch versuchen, ihre Lügen und Überzeugungen und Strategien irgendwie zu ordnen. Im glitzernden, starren Blick aus den leeren Augen des Pfarrers spürt Cat plötzlich den heftigen Drang zu urinieren, und die Luft scheint aus ihrer Lunge zu weichen. Doch es ist zu spät. Der Arm des Pfarrers hebt sich langsam, sein schwarzes, schweres Fernglas zittert in der Hand am Ende dieses Arms. Cat sieht es, hoch über ihrem Kopf – einen seltsamen, unnatürlichen Umriss vor dem fernen Himmel. Dann saust es auf sie herab.

In der Dunkelheit hört Cat Stimmen. Sie wackeln und rauschen und sind so verzerrt, dass sie kein Wort verstehen kann. Sie spürt einen glühenden, blendenden Schmerz im Kopf, und auch als sie denkt, sie hätte die Augen aufgeschlagen, kann sie noch immer nichts erkennen. Ihre Kehle ist mit einer warmen Flüssigkeit angefüllt. Die wenige Luft, die sie einatmen kann, muss daran vorbei, mit einem langsamen Blubbern, das all ihre Kraft aufbraucht. Sie versucht noch einmal, die Augen zu öffnen, etwas zu sehen. Licht explodiert in ihrem Kopf, die Schmerzen sind schier unerträglich. Sie schließt die Augen wieder, ganz fest. Der Boden schaukelt unter ihr, er hebt und senkt sich wie Wasser. Das Meer?, denkt sie, glücklich und beunruhigt zugleich. Sie versteht das alles nicht. Die Männer sprechen wieder, erst ganz hoch und durchdringend, dann tief, erst hastig und dann wieder ruhiger. Pst, nicht so laut, denkt sie. Allmählich beruhigen sich die Stimmen und verschmelzen zu einer, die schrill klingt vor Angst und Fassungslosigkeit.

»O Gott, was hast du getan? Was hast du getan?« Sie kennt diese Stimme und bemüht sich, sie zuzuordnen. Ein schönes Gesicht, aber auch grausam, und lachende Augen. Robin. Sie versucht ihn zu fragen, was geschehen ist, wo sie sind. Warum ihr Kopf so wehtut und ihre Augen blind sind und ihr Mund voller Blut ist – es schmeckt salzig und nach Eisen. »Albert! Du hast sie *umgebracht!* Du hast ... du hast sie ermordet! Albert!« Noch mehr Worte. Ihre Bedeutung treibt langsam zu Cat herab, durch dicke Schichten aus Schmerz und Verwirrung. Jetzt versteht sie gar nichts mehr. Wer ist ermordet? Ich bin nicht ermordet!, sagt sie, doch die Sätze bleiben in ihrem Kopf. Sie kann die Lippen nicht bewegen, ihre Zunge nicht dazu bringen, die Worte zu formen. Dieser Ungehorsam macht sie wütend. Sie versucht, tief Luft zu holen und alle Kraft zusammenzunehmen, um sich aufzusetzen, doch ihre Kehle ist plötzlich verstopft, und alles ist zu schwer, tut zu weh. Ihr Kopf ist aus Stein und erdrückt sich langsam mit seinem eigenen Gewicht.

Eine Weile schweigen die Stimmen. Es hätten Sekunden, Minuten, Jahre sein können. Cat weiß es nicht. Sie treibt dahin, auf und nieder. Die Sonne berührt ihr Gesicht, und sie glaubt, es sei das Feuer, das sie geschürt hat, um ihre Mutter warm zu halten, als sie starb. Das Schweigen dröhnt in ihrem Kopf, es wummert wie eine riesengroße Trommel, immer wieder. Das ist ihr Herzschlag – sie spürt seinen Druck in den Ohren. »Himmel ... sie ... man darf sie nicht finden, Albert. Wir dürfen kein Wort darüber verlieren! Sonst ist alles verdorben. Nimm das, nimm das Kleid – Albert! Hör mir zu! Alles wird wertlos sein, vernichtet ... unsere ganze Arbeit ... Albert!« Da ist die Stimme wieder, schnell und hektisch, voller Angst und zitternd in wilder Verzweiflung. Grobe Hände bewegen sie, zerren an ihr herum. Hände, die vor Panik beben. Sie wird herumgeschubst, jemand zieht an ihrem Haar. Sie will protestieren, will in Ruhe gelassen werden. Jede Bewegung ist die reinste Folter, sie treibt lange Stacheln aus Schmerz in ihren Schädel, noch schlimmer als die Magensonde in Holloway, als der Schlauch am zehnten Tag in Folge durch ihre geschwollene, blutende Nase gezwängt wurde. Sie muss zu George. Er wird sie alle davonjagen, er wird sie beschützen, vor diesen Händen und diesen Stimmen. Er wird ihr helfen, sich aufzurichten, zu husten und den Hals frei zu bekommen. »Albert! Nimm das. Oh, gütiger Gott ... ihr *Gesicht*, Albert. Nimm die Sachen – *nimm sie!* Geh nach Hause und sag kein Wort. Hörst du? Albert? Sag *kein Wort!*«

Cat wird hochgehoben. Einen Moment lang hat sie das Gefühl zu fliegen, doch dann wird sie wieder durchgerüttelt, und der Schmerz vernebelt alles. Die Zeit ist verschwunden, sie hat keine Bedeutung mehr. Die Stimme klingt jetzt anders. Gequält, hustend, so erstickt, wie sich ihre Kehle anfühlt. »Oh, Cat ... Cat. Ach Gott ...« Sie hört, dass er weint. Lass mich runter!, verlangt Cat stumm. Allmählich wird ihr bange. Sie will aufstehen, die Augen öffnen. Das Dröhnen in ihren Ohren wird immer leiser, und das sollte eine Erleichterung sein, ist es aber nicht. Ist es nicht. George!, versucht sie zu schreien. Hilf mir. Bitte! Der Atem des Theosophen ist jetzt nur noch ein raues Keuchen, sie wird schneller und heftiger durchgerüttelt. Ein flüsternder Laut ist zu hören, ein sanftes Rauschen. Bäume? Der Kanal? Robin stöhnt und schluchzt. »Es tut mir so leid, Cat!«, sagt er immer wieder. »Es tut mir so leid.« Jetzt bekommt Cat Angst, schreckliche Angst. Mit so brutaler Willenskraft, wie sie sich selbst gar nicht zugetraut hätte, öffnet sie das linke Auge. Licht taumelt herein und dringt in ihren Verstand. Bäume, der Kanal, die Brücke am Ende der Wiese, wo die Straße das Wasser überquert. Wie sind sie hierhergekommen? In der Ferne sieht sie eine so vertraute, so geliebte Gestalt. *George!*, schreit sie lautlos. Er rennt den Treidelpfad entlang auf sie zu, schnell und verzweifelt. Dann ist sie im Wasser und spürt, wie es über ihrem Gesicht zusammenschlägt. Einen Augenblick lang lindert es den Schmerz und hüllt sie in kühle, grüne Dunkelheit. Sie atmet nicht, das braucht sie gar nicht mehr. Sie ist ganz ruhig. George kommt. Er wird ihr helfen, sie beschützen, sie herausholen und mit ihr fliehen. Sie wartet, und tatsächlich fühlt sie seinen Arm um sich, die vertraute Kraft, die harten Muskeln an den kräftigen Knochen. Sie wird hochgehoben, und die Welt ist wieder hell und grell und dreht sich. Sie würde so gern die Augen öffnen und ihn ansehen, würde so gern lächeln. Denn sie spürt ein Lächeln im Herzen, jetzt, da er sie festhält. Sie ist in Sicherheit. Das Dröhnen in ihren Ohren setzt immer wieder aus und hört dann ganz auf. Sie lässt es los, und dann ist nichts mehr da. Nicht einmal Dunkelheit.

Hester setzt sich an ihren Frisiertisch, starrt in den Spiegel und versucht irgendwie, mithilfe von Puder und Rouge, die Verderbtheit zu überdecken, die ihr ins Gesicht geschrieben steht. Sie sieht sie in jedem ihrer Züge, in jedem einzelnen

Haar auf ihrem Kopf, den winzigen, feuchten Enden ihrer Mundwinkel, dem Bogen zwischen Unterlippe und Kinn, in der Lücke zwischen ihren Brauen, wo sich eine dünne Falte gebildet hat. Die ehebrecherische Berührung des Theosophen hat überall ihre Spuren hinterlassen. Es ist ihr ein Rätsel, wie Albert, und auch alle anderen, das nicht sehen können. Aber Albert nimmt ja gar nichts mehr wahr. Nur noch Feen und Robin Durrant. Ihre Augen sind verquollen, weil sie in der Nacht wieder einmal lange geweint hat. Hester überlegt kurz, nach Cat zu rufen, damit sie ihr ein paar Gurkenscheiben für ihre Augenlider bringt, doch sie kann sich nicht dazu überwinden. Sie will sich dem wissenden Blick des Mädchens nicht stellen, dessen schwarze Augen so klar sehen. Sie kann sich des Gedankens nicht erwehren, dass Cat ihr ihre Schuld ansehen wird – sie augenblicklich erkennen und Hester für das verachten wird, was sie getan hat. Dieser Gedanke ist unerträglich. Denn immerhin hat Cat sie gewarnt – Cat hat ihr gesagt, dass sie dem Mann nicht trauen könne und ihn so rasch wie möglich loswerden solle. Stattdessen hatte sie zugelassen, dass er sie benutzte und verführte, dass er ihr die Jungfräulichkeit nahm, die sie so lange für Albert bewahrt hatte. So lange. Ihr Blick verschwimmt, und sie kann sich nicht weiterschminken, weil sie nichts mehr sieht. Welches Recht hätte sie auch, ihre Hässlichkeit zu verbergen? Die Hässlichkeit dessen, was sie getan hat. Energisch reibt sie sich die Augen und steht auf, um hinunterzugehen.

Als Hester den Fuß auf die unterste Treppenstufe setzt, hält sie plötzlich inne. Ihr ist sofort klar, dass etwas nicht stimmt, dass irgendetwas anders ist. Als liege ein seltsamer Geruch in der Luft, als sei eine Uhr, die ticken sollte, auf einmal still. Sie bleibt stehen, lauscht und versucht, die Ursache für dieses Gefühl zu ergründen. Mrs. Bell klappert in der

Küche mit dem Frühstücksgeschirr, so leise sie kann – die Geräusche dringen durch die Bodendielen herauf. Die Standuhr in der Halle tickt so tief und bedächtig wie eh und je. Die Tür zur Bibliothek ist geschlossen. Durch das Bleiglasfenster über der Haustür fällt Licht herein, nicht jedoch vom Esszimmer oder aus dem Salon. Hinter den offenen Türen dieser beiden Räume ist es dunkel, und das ist es, was Hester als so ungewohnt empfindet – tatsächlich kann sie sich nicht erinnern, sie je morgens so gesehen zu haben. Sie späht erst in den einen, dann in den anderen Raum, und in ihrem Magen beginnt es zu kribbeln, als sie das Fenster im Salon sieht. Die Läden sind noch fest geschlossen. Sie lauscht mit angehaltenem Atem. Abgesehen von den Geräuschen aus der Küche, ist es vollkommen still im Haus. Stiller als gewöhnlich, meint sie, aber sicher ist sie sich nicht. Cat bewegt sich stets auf leisen Sohlen, wie eine echte Katze. Hester geht zur Kellertreppe und hinunter in die Küche.

»Guten Morgen, Mrs. Bell«, sagt sie. Die Haushälterin nimmt gerade einen dampfenden Kessel vom Herd und setzt eine Kanne Tee an.

»Morgen, Madam«, entgegnet Sophie, stellt den Kessel hin und wischt sich die Hände an der Schürze ab. »Wie geht es dem Pfarrer? Ist alles in Ordnung?«

»Ja – nun, das heißt, ich habe Albert heute Morgen noch nicht gesehen. Weshalb fragen Sie?« Hester runzelt leicht die Stirn. Sie spürt, wie die Haushälterin ihr Gesicht mustert – die bleiche Haut, die dunklen Schatten unter ihren Augen. Hester wendet beschämt den Blick ab.

»Ich dachte, er hätte sich vielleicht an irgendetwas geschnitten – als ich vorhin herunterkam, habe ich dieses Geschirrtuch neben dem Spülbecken gefunden, ganz voller Blut.« Sophie deutet auf das fleckige Geschirrtuch in einem Eimer Wasser neben der Tür. »Ich habe es sofort eingeweicht, und Cat soll es nachher schrubben, aber ich kann Ihnen nicht versprechen, dass die Flecken ganz rausgehen werden, Madam. Es war wirklich viel Blut daran.«

»Oh! Du meine Güte. Ich hoffe doch …« Hester verstummt. Irgendetwas in ihrem Inneren schnürt ihr so schmerzhaft die Brust zusammen, dass sie einen Moment nicht weitersprechen kann. Sie presst die Finger auf ihr Zwerchfell und nimmt sich zusammen. »Sophie«, sagt sie schließlich mit einer Stimme, die ganz seltsam und ein wenig überspannt klingt. »Oben sind noch alle Fensterläden geschlossen. Wo ist denn Cat?«

»Noch geschlossen? Sie wird doch nicht immer noch im Bett liegen – ich habe aufgeschlossen und kräftig an die Tür geklopft, damit sie auch bestimmt wach wird. Das war vor über einer Stunde.« Sophie runzelt die Stirn.

»Aber Sie haben sie nicht gesehen?«

»Nein, aber wo sollte sie sonst sein? Ich habe die Tür abgeschlossen, als wir gestern nach oben gegangen sind, genau so, wie ich es machen soll …«

Sie werden von einem lauten Klopfen an der Haustür unterbrochen. Die beiden Frauen halten inne und lauschen nach Schritten, die zur Tür eilen, um zu öffnen. Es sind keine zu hören. Sie wechseln einen Blick, dann beginnt Sophie, ihre Küchenschürze aufzuknoten.

»Nein, schon gut. Ich gehe selbst, Mrs. Bell. Bitte machen Sie nur weiter«, sagt Hester. Sie geht den Flur entlang, vorbei an den noch immer gegen die helle Morgensonne draußen verschlossenen Räumen. Vor der Tür steht ein Mann in einer feschen Uniform, jung und blond. Sein Schnurrbart ist noch kaum mehr als ein rötlicher Schimmer auf seiner Oberlippe. Hester kennt ihn aus der Kirche. Seine Wangen sind vor Aufregung gerötet.

»Constable Pearce, nicht wahr?«, fragt sie und bemüht

sich um ein Lächeln, bringt jedoch nicht mehr als ein leichtes Zittern der Lippen zustande.

»Guten Morgen, Mrs. Canning. Bitte verzeihen Sie die Störung. Ich fürchte, ich habe schlimme Neuigkeiten, sehr schlimme Neuigkeiten. Ist Ihr Mann zu Hause? Ich wäre sehr froh, wenn ich mit ihm sprechen könnte, es ist dringend«, stößt der junge Polizist in einem Schwall hervor.

»Ich weiß ... nun, vielleicht ist er in seinem Studierzimmer, aber zu dieser Stunde ist er oft schon unterwegs. Ich müsste erst ...« Sie unterbricht sich und verschränkt die Finger so fest vor ihren Röcken, dass die Muskeln verkrampfen. »Was sind das für Neuigkeiten? Bitte sagen Sie es mir.« Constable Pearce tritt von einem Fuß auf den anderen, und sein Blick verrät Unsicherheit.

»Ich würde wirklich lieber erst mit Ihrem Mann sprechen, Mrs. Canning. Was ich zu berichten habe, ist unpassend für ...«

»Junger Mann, falls Sie Informationen haben, die irgendein Mitglied meines Haushalts betreffen, dann teilen Sie sie mir bitte auf der Stelle mit!«, fährt Hester ihn an. Ihr Herz rast so schnell, dass es sie schüttelt. Der Polizist errötet noch tiefer, und das Widerstreben steht ihm ins Gesicht geschrieben.

»Es geht um Ihr Dienstmädchen, Mrs. Canning – Catherine Morley. Ich muss Ihnen leider sagen, dass man sie heute Morgen tot aufgefunden hat. *Ermordet*, fürchte ich«, sagt er und kann die Aufregung nicht ganz aus seiner Stimme heraushalten.

»*Was?*«, flüstert Hester. Einen Augenblick lang hält die Welt den Atem an. Die Zeit scheint sich zu verlangsamen, die Pause zwischen dem »Tick« und dem »Tock« der Uhr wird furchtbar lang, und alle Luft flieht aus Hesters Lunge und will nicht zurückkehren. Sie blinzelt und sagt: »Nein, da irren Sie sich.« Doch noch ehe sie zu Ende gesprochen hat, dreht sie sich um, geht zur Treppe und steigt die Stufen empor.

»Mrs. Canning?«, ruft Constable Pearce unsicher und bleibt zögerlich an der Schwelle stehen, doch Hester achtet nicht auf ihn. Ihre anfangs noch zögerlichen Schritte werden immer schneller, sie stürmt die Treppe zum Dachboden hinauf und rennt den Flur entlang zu Cats Zimmer. Sie stößt die Tür auf und hat dabei ein Bild von dem Mädchen vor Augen, das am Fensterbrett lehnt und in den Sonnenschein hinausschaut. Sie kann Cat so deutlich sehen – das kurze, dunkle Haar, das in ihrem zarten Nacken ein V bildet –, dass sie tatsächlich schockiert ist, als sie Cat nicht vorfindet. Das Bett ist ordentlich gemacht, und von Cats Habseligkeiten ist nichts mehr da. Hester lässt den Blick verzweifelt durch den Raum schweifen, während Angst wie Eiswasser in ihre Eingeweide schießt. Ein kleiner weißer Umschlag auf dem Nachttisch fällt ihr ins Auge. Unten hört sie Sophie Bell in lautes Geheul ausbrechen. Eine eigentümliche Stille überkommt Hester. Das Haus ist von Lärm erfüllt – schwere Schritte, als der Polizist Sophie Bell in die Küche führt und versucht, ihre Aussage aufzunehmen, während die Frau ununterbrochen laut und verzweifelt schluchzt. Dabei schien sie Cat nur gerade so zu dulden, kommt es Hester beiläufig in den Sinn. Sie greift nach dem Umschlag, auf dem ihr Name steht, und öffnet ihn vorsichtig. Cats Handschrift, die sie noch nie zuvor gesehen hat, ist elegant und fließend geneigt. Viel eleganter auch, als die Schrift eines Hausmädchens sein sollte. Viel eleganter als Hesters eigene Handschrift. Die Worte strömen in einem sanften Rhythmus über das Papier, und Hester hat sie alle schon einmal betrachtet, ehe ihr bewusst wird, dass sie kein einziges verstanden hat. Sie steckt den Brief in die Tasche und geht auf hölzernen

Beinen, so steif und schwerfällig, dass sie mehrmals stolpert, wieder nach unten.

Die Tür zur Bibliothek ist noch immer geschlossen. Falls Albert dort drin ist, hat er sich noch nicht bequemt nachzusehen, was diesen Aufruhr im Haus verursacht. Von draußen ist ein kleiner Zweispänner zu hören, der die Landstraße entlangkommt und vor dem Pfarrhaus anhält. Weitere Schritte, neuerliches Klopfen an der Haustür. Hester ignoriert es. Sie steht dicht vor der Tür zur Bibliothek, so dicht, dass das gemaserte Holz ihr gesamtes Gesichtsfeld ausfüllt. Ihr Atem geht schnell und flach, und sie bekommt nicht genug Sauerstoff. Sie hebt die Hand, um anzuklopfen, hält inne, kann sich nicht dazu überwinden. Irgendetwas sagt ihr, dass es zwecklos ist. Ob Albert drinnen ist oder nicht, es ist sinnlos anzuklopfen. Trotz der Wärme zittert sie heftig, als sie den Türknauf dreht und eintritt.

Der Raum liegt im Dunkeln, die schweren Samtvorhänge sind fest zugezogen. Sie wartet einen Moment lang an der Schwelle, bis ihre Augen sich an die Finsternis gewöhnt haben. Als sie hinter sich Schritte im Flur hört, tritt sie rasch vor und schiebt die Tür sacht hinter sich zu, damit niemand sie bemerkt. Die Atmosphäre in dem Raum ist schwer und stickig, als sei er seit Wochen nicht mehr richtig gelüftet worden. Am Schreibtisch ist ein dunkler Umriss zu erkennen, und Hesters Herz macht einen Satz. Doch dann erkennt sie, dass es nur Alberts Mantel ist, der über der Stuhllehne hängt. Fürchte ich mich jetzt etwa schon vor meinem eigenen Mann?, fragt sie sich. Ihr Inneres zieht sich zusammen wie eine Kerzenflamme, die in einen kalten Luftzug gerät. Auf dem Schreibtisch liegen die Frena-Kamera, die sie so bewundert hat, als Robin zum ersten Mal hier erschien, und Alberts Tagebuch. Es ist nicht zugeklappt und mit einer Schnur umwickelt, wie er es sonst zu hinterlassen pflegt. Sein Federhalter ist zwischen die Seiten geklemmt, als wäre er mitten im Schreiben aufgestanden und fortgegangen. Das Zimmer ist leer, und Hesters Nerven beruhigen sich ein wenig. Sie geht weiter, um die Vorhänge aufzuziehen und das Fenster zu öffnen. Sie will die stickige Luft vertreiben, ein wenig beißend vor Staub und verpestet von Heimlichtuerei, von Alberts finsterer Faszination. Sie kommt keine drei Schritte weit, da stößt sie mit dem Fuß gegen etwas Schweres, stolpert und knickt um bei ihrem Versuch, sich abzufangen. Sie bückt sich nach dem Gegenstand. Es ist Robin Durrants Ledertasche. Stirnrunzelnd hebt Hester sie vom Boden auf. Der lederne Trageriemen fühlt sich irgendwie schmutzig an, klebrig und feucht. Sie hat Robin noch nie ohne diese Tasche aus dem Haus gehen sehen. Hester nimmt sie mit zum Fenster, um sie bei Licht zu betrachten, doch als sie hastig die Vorhänge beiseiteschiebt, lässt sie das Ding entsetzt fallen. Ihre Hände sind rot verschmiert, wo sie die Tasche berührt hat. Die Flecken tragen den unverwechselbaren, an Eisen erinnernden Geruch von Blut, der Hester würgen lässt. Einige lange Augenblicke steht sie da wie erstarrt, während Eiszapfen abgrundtiefen, kalten Grauens sie durchdringen.

13

Leah wartete ungeduldig, während das Telefon klingelte, und zappelte nervös herum. Sie saß im blassen, vanillegelben Sonnenschein vor der Bibliothek, während Mark drinnen die Zeitungsberichte über den Mord an Catherine Morley las. Die hölzerne Bank fühlte sich durch ihre Jeans kalt und feucht an, aber der Himmel war prächtig kobaltblau. Es war stiller jetzt, da der Berufsverkehr abgeflaut war, und der Park gegenüber der Bibliothek, auf der anderen Seite des Kanals, erschien ihr grüner als noch zwei Tage zuvor. Endlich hörte sie ein Knacken, als am anderen Ende jemand den Hörer abnahm.

»Chris Ward Bausanierung«, krächzte eine raue Männerstimme.

»Äh, hallo«, sagte Leah ein wenig erschrocken. »Entschuldigen Sie bitte die Störung. Kevin Knoll hat mich an Sie verwiesen – der Hausmeister der Bluecoat School in Thatcham. Soweit ich weiß, haben Sie dort letztes Jahr Renovierungsarbeiten durchgeführt?«

»Ja, das stimmt«, sagte der Mann und wurde dann von heftigem Husten unterbrochen. Leah verzog das Gesicht und hielt das Handy ein Stück von ihrem Ohr entfernt, bis der Hustenanfall vorüber war. Sie konnte Ward keuchend nach Luft schnappen hören. »Ich fürchte, ich kann mir diese

Woche nichts ansehen, um Ihnen einen Kostenvoranschlag zu machen. Ich bin krank«, sagte er.

»Das höre ich – Sie klingen furchtbar.« Der Mann lachte heiser. »Aber ich brauche gar kein Angebot von Ihnen. Ich schreibe einen Artikel über die Bluecoat School, und ich hätte Ihnen gern ein paar kurze Fragen zu den Renovierungsarbeiten gestellt.«

»Was für Fragen?« Bildete sie sich das ein, oder hatte sich ein abwehrender Unterton in seine Stimme geschlichen?

»Na ja, über den Zustand des Gebäudes, bevor Sie mit der Arbeit angefangen haben, und wie viel von der ursprünglichen Bausubstanz Sie ersetzen mussten …«

»Da müssen Sie wohl eher mit dem Hausmeister und dem Bauausschuss sprechen. Die haben alle Berichte, Vermessungen und so weiter«, unterbrach Chris Ward sie.

»Und ich wollte Sie fragen, ob Sie während der Arbeit dort irgendetwas gefunden haben? Hinter dem Putz beispielsweise … oder unter den Bodendielen?«, fuhr Leah fort.

Am anderen Ende herrschte verblüfftes Schweigen. Die Stille war spürbar aufgeladen und eindeutig unbehaglich.

»Ob wir etwas gefunden haben? Nein, nein. Abgesehen von ein paar toten Ratten und einer Menge Staub. Tut mir leid, dass ich Ihnen nicht weiterhelfen kann …«, sagte er in einem Tonfall, als wollte er das Gespräch beenden. Sie stellte sich vor, wie er den Hörer schon in Richtung Gabel bewegte.

»Augenblick noch bitte – sind Sie ganz sicher? Wirklich gar nichts? Häufig haben die ursprünglichen Erbauer in solchen alten Gebäuden kleine Andenken zurückgelassen oder Münzen fallen lassen, die dann durch Ritzen zwischen den Dielen gerollt sind … Und Sie haben wirklich gar nichts gefunden?«

»Überhaupt nichts. Ich muss jetzt Schluss machen – mein Hals. Tut mir leid, dass ich Ihnen nicht helfen konnte. Auf

Wiederhören.« Er legte auf, und Leah lächelte in ihr stummes Handy. Sie ging wieder nach drinnen zu Mark, der immer noch fasziniert in das Mikrofiche-Lesegerät starrte.

»Wo warst du?«, fragte er leise.

»Ich hatte da so eine Idee – ich habe mir von Kevin Knoll die Nummer der Baufirma geben lassen und da angerufen.«

»Welche Baufirma? Ach – von der Bluecoat School? Hast du jemanden erreicht?«

»Ja. Der Mann behauptet, er hätte nichts gefunden.«

»Und warum siehst du dann so erfreut aus?«, fragte er, als er zu ihr aufblickte.

»Weil er lügt«, erklärte Leah.

Chris Wards Firmenadresse entpuppte sich, wie Leah erwartet hatte, als Wohnhaus. Das moderne Backsteingebäude zwischen Newbury und Thatcham war groß und solide, und im Vorgarten lag eine Ansammlung grellbunter Plastikspielzeuge herum. Der Rasen war trotz der Jahreszeit makellos gepflegt.

»An einem Werktag ist er aber wahrscheinlich nicht zu Hause, oder?«, bemerkte Mark, als Leah an der Straße parkte und sie ausstiegen.

»Er ist zu Hause. Er ist krank – hat sich hundeelend angehört.«

»Oh, gut. Dann ist er also schön geschwächt«, entgegnete Mark trocken. Leah warf ihm einen Blick zu, und er machte eine beruhigende Geste. »Aber bleib schön ruhig. Du kommst heute rüber wie ein Kriegsschiff.«

»Ich bin ruhig! Ich meine, ich werde nett zu ihm sein.« Leah verlangsamte ihren zielstrebigen Schritt und atmete tief durch. »Und das muss ich mir von dem Mann sagen lassen, der mich zum Teufel geschickt hat, als ich ihm zum ersten Mal begegnet bin«, fügte sie hinzu. Mark lächelte gutmütig und zuckte mit den Schultern.

Als Chris Ward zur Tür kam, öffnete er sie nur einen Spaltbreit. Ein faltiges, verkniffenes Gesicht mit einem Schopf stahlgrauer Haare spähte zu ihnen heraus.

»Kommen Sie mir lieber nicht zu nahe, ich bin ansteckend. Was kann ich für Sie tun?«, krächzte er.

»Mr. Ward? Ich bin Leah Hickson – wir haben vorhin telefoniert. Wegen der Bluecoat School«, stellte sie sich vor. »Das ist mein Kollege Mark Canning.«

»*Canning?*«, echote der Handwerker scharf, dann riss er sich rasch zusammen.

»Der Name sagt Ihnen etwas?« Leah zog die Augenbrauen hoch. Die Tür wackelte leicht, und Chris Ward dachte offenbar daran, sie zu schließen. Leah streckte die Hand aus. »Bitte, Mr. Ward, wir haben nicht die Absicht, Ihnen oder sonst jemandem Scherereien zu machen. Wir werden Sie nicht als unsere Quelle nennen oder sonst wie erwähnen. Wenn wir uns nur ansehen dürften, was Sie unter dem Fußboden gefunden haben …«

»Nichts habe ich unter dem verdammten Fußboden gefunden!«

»Doch, haben Sie. Bitte. Wir wollen es uns nur ansehen. Wir werden es Ihnen nicht wegnehmen, das schwöre ich …« Der Mann starrte sie einen Moment lang an und biss sich dabei auf die Unterlippe. »Es ist sehr, sehr wichtig«, fügte Leah hinzu. Ward nickte, öffnete die Tür ein wenig weiter und trat zu ihnen heraus.

»Ist alles in der Garage«, brummte er.

»Alles?«, fragte Mark.

»Meine Sammlung«, antwortete der Bauhandwerker nervös.

Das metallene Garagentor öffnete sich mit einem durchdringenden Kreischen, und im halbdunklen Inneren konnte Leah tiefe Regale an einer Seitenwand erkennen. Auf den Regalen lagen alle möglichen Gegenstände, und als Chris Ward das Licht einschaltete, sah sie eine äußerst merkwürdige Ansammlung von Dingen vor sich, von matschigen Stiefeln und Glasflaschen über rostige Patronenhülsen bis hin zu einem Helm aus dem Zweiten Weltkrieg und einer Porzellanpuppe mit zerschmetterter Wange. Ein paar Gegenstände lagen in kleinen, geschlossenen Aquarien – improvisierten Vitrinen. Alle trugen eine Beschriftung, mit einer Schreibmaschine ordentlich auf weiße Kärtchen getippt. Die Luft roch nach verschüttetem Öl und Erde.

»Was sind das alles für Sachen?«, fragte Mark und ging langsam an den Regalen entlang.

»Das ist meine Sammlung. Ich bin Hobby-Archäologe, könnte man wohl sagen. Bin auch viel mit dem Metalldetektor unterwegs – so habe ich die hier alle gefunden. Mittelalterliche und römische Münzen«, erklärte Chris Ward stolz und deutete auf eines der Aquarien, in dem sieben oder acht kleine Münzen liebevoll auf einem weißen Tuch arrangiert waren. »Und da ich auf Sanierungsarbeiten spezialisiert bin, begegnen mir natürlich alle möglichen Artefakte in den Gebäuden, an denen ich arbeite«, fügte er ein wenig steif hinzu.

»Und sagen Sie den Eigentümern Bescheid, wenn Sie etwas finden?«, fragte Leah streng. Chris Ward presste die Lippen zusammen und wandte den Blick ab.

»Früher schon, ganz am Anfang. Aber dann durfte ich …«

»Sie durften die Sachen nie behalten? Ist Ihnen klar, dass man das als Diebstahl bezeichnen könnte, Mr. Ward?«

Mark warf ihr einen warnenden Blick zu. »Aber vielen Dank, dass Sie uns das alles zeigen«, sagte er betont freundlich.

Leah spähte in ein Aquarium mit einer Sammlung winziger Kinderschuhe. Die meisten waren sehr einfach, kaum mehr als ein gebogenes Stück Leder mit einer Schnur zum

Zubinden. »Ich möchte wetten, dass die aus Strohdächern stammen. Stimmt's?«, fragte sie. Der Bauhandwerker nickte widerstrebend. »Es soll großes Unglück bringen, sie zu entfernen, wissen Sie das denn nicht?«

Der Mann zappelte einen Moment lang verlegen herum. »Hier sind die Sachen, nach denen Sie gefragt haben«, sagte er schließlich. »Das lag unter den Dielen auf der Ostseite. Die waren so lose, dass jeder sie hätte anheben könnten – dazu hätte man nicht mal Werkzeug gebraucht. Aber anscheinend hat das niemand getan. Die ganzen Jahre über.«

»Außer, derjenige hätte seinen Fund nicht einfach mitgenommen«, erwiderte Leah.

»Hören Sie mal, junge Frau – es gibt Tausende von Handwerkern, die das Zeug einfach mit dem restlichen Müll zusammengekehrt und auf die Deponie gefahren hätten, ohne einen einzigen Gedanken daran zu verschwenden, klar? Ich erhalte diese alten Sachen! Ich bewahre sie sicher auf!«

»Leah, lass es einfach gut sein und sieh dir an, was er gefunden hat, ja?«, schlug Mark vor.

Es war eine große Ledertasche mit einem langen Schulterriemen. Die Tasche maß etwa fünfundvierzig mal dreißig Zentimeter, ähnelte einem übergroßen Schulranzen und war vor Alter dunkel und steif wie ein Brett. Die Metallschnallen waren von Rost zerfressen. Leah strich mit den Fingern über die Tasche und runzelte die Stirn. Ihre Hände berührten etwas, das auch Hester Canning berührt hatte. Sie konzentrierte sich und versuchte, sich vorzustellen, wie sie diese Tasche in ihrer Angst und Verzweiflung versteckt hatte, um sie nie wieder hervorzuholen – sie aber auch niemals zu vergessen.

»Ich habe alles drin gelassen, genau so, wie ich die Tasche gefunden habe. Ich versuche immer, alles so zu lassen, wie ich es gefunden habe. Machen Sie sie ruhig auf. Nur zu«, drängte Chris Ward, offensichtlich immer noch aufgeregt über seinen Fund.

Vorsichtig hob Leah die Klappe hoch und hielt dabei unwillkürlich den Atem an, erwartungsvoll, ehrfürchtig. Sie nahm behutsam vier Gegenstände heraus und dann einen Stapel Papier, so fleckig und vermodert, dass sie nicht darauf hoffen durfte, jemals entziffern zu können, was einmal auf diesen Seiten gestanden hatte. Leah starrte auf die Sachen hinab, und ein leichter Schlag durchfuhr sie, als sie sie erkannte. Die drei standen eine Weile schweigend davor, während Leah Fragen und Antworten durch den Kopf wirbelten.

»Ich habe das Tagebuch gelesen«, gestand Chris Ward zögernd. »Daher kannte ich den Namen Canning. Aber darin steht nichts über die anderen Sachen. Und was die zu bedeuten haben.«

»Ich weiß genau, was das ist. Und was sie zu bedeuten haben«, sagte Leah leise.

Hester ballt die Hände zu Fäusten, um die Blutflecken darauf zu verbergen. Sie erträgt es nicht, sie zu sehen, erträgt es nicht, was da an ihrer Haut klebt, doch in diesem Zimmer gibt es nichts, woran sie sich die Hände abwischen könnte, ohne verräterische Spuren zu hinterlassen, für jeden sichtbar. Sie steht stocksteif da und versucht nachzudenken, überlegt fieberhaft hin und her, findet aber keine Antworten. Nichts ergibt einen Sinn. Ein Polizist steht draußen im Flur, ein anderer jetzt, älter als der erste. Er ruft mehrmals mit tiefer, rauer Stimme ihren Namen. Hester glaubt, sich übergeben zu müssen. Sie schluckt krampfhaft, tritt hinaus auf den Flur und schließt die Tür hinter sich.

»Ah, Mrs. Canning. Bitte entschuldigen Sie mein Eindringen. Die Tür war offen, und anscheinend hat keiner Ihrer Dienstboten mein Klopfen gehört«, erklärt er. Dann wird ihm offenbar klar, was er da gesagt hat, und er errötet peinlich berührt. Hester spürt, wie ihr heiße Tränen in die Augen steigen. »Verzeihung«, murmelt der Mann.

»Ich fürchte, der Pfarrer ist nicht zu Hause.« Hesters Stimme klingt dünn und blechern. »Ebenso wenig wie Mr. Durrant, unser Gast. Um diese Tageszeit findet man sie meist in den Auen zwischen hier und Thatcham, wo sie …«

»Oh, wir wissen, wo Robin Durrant ist, nur keine Sorge.

Wir haben ihn bereits in Gewahrsam genommen, und er wird von drei Mann bewacht.«

»Was meinen Sie damit? Weshalb wird er bewacht?«

»Vielleicht möchten Sie sich lieber setzen, Mrs. Canning? Das ist natürlich ein furchtbarer Schock, für alle hier im Haus.« Unten bricht Sophie Bell erneut in klägliches Geheul aus, das oben deutlich zu hören ist.

»Ich will mich nicht setzen! Warum wird Robin Durrant von drei Mann bewacht?«

»Nun ja, Mrs. Canning, Mr. Durrant ist derjenige, der den Mord begangen hat. Er wurde unmittelbar danach von zwei Männern gesehen, als er den Leichnam des Mädchens im Kanal verschwinden lassen wollte. Er hat nicht einmal versucht, zu fliehen, und er war über und über mit ihrem Blut besudelt. Jetzt sitzt er in seiner Zelle und spricht mit niemandem ein Wort, nicht einmal, um die Tat abzustreiten. Meiner Erfahrung nach gibt es kein deutlicheres Anzeichen von Schuld. Schreckliche Sache, wirklich schrecklich.« Der Polizist schüttelt den Kopf. Hesters Ohren sind auf einmal von einem dumpfen, ungleichmäßigen Pochen erfüllt. Graue Schatten quellen am Rand ihres Gesichtsfelds auf.

»Da muss irgendein Irrtum vorliegen«, flüstert sie und lehnt sich an die Wand, um sich daran abzustützen.

»Bitte, Madam, erlauben Sie … Sie müssen sich hinsetzen. Ich lasse Ihnen ein Glas Wasser bringen …«

»Nein, nein, lassen Sie Sophie in Ruhe. Sie ist ja völlig außer sich«, protestiert Hester, aber so leise, dass der Mann sie anscheinend nicht versteht.

»Constable Pearce! Holen Sie bitte ein Glas Wasser für Mrs. Canning!«, brüllt er die Treppe hinunter, und seine Stimme hallt schmerzhaft in Hesters Kopf. »Bitte, Mrs. Canning, können Sie mir sagen, wo ich den Pfarrer finde? Wir müssen dringend mit ihm sprechen.« Der Polizist beugt sich leicht schräg über Hester, was ein Gefühl von Schwindel bei ihr auslöst. Sie weiß nicht, was sie sagen soll.

»Kirche. Versuchen Sie es in der Kirche«, stößt sie schließlich hervor.

»Ja, natürlich. Wie dumm von mir, dass ich nicht daran gedacht habe.« Damit ist der Mann verschwunden.

Hester weiß nicht, wie lange sie auf dem harten Holzstuhl im Hausflur sitzen bleibt, ein unberührtes Glas Wasser neben sich. Ihre Kehle ist trocken und tut weh, aber sie wagt nicht, die Faust zu öffnen, um nach dem Glas zu greifen. Sie weiß, was sie dann sehen wird, was an ihren Händen klebt. Erschrocken blickt sie plötzlich zu der Wand auf, wo sie sich vor Kurzem angelehnt hat, doch die ist sauber. Das Blut an ihren Händen ist offenbar getrocknet. Sie starrt auf die Oberfläche des Wassers im Glas, so klar und rein, im hellen Tageslicht schimmernd. Das Licht fällt durch die Haustür herein, die noch immer offen steht und ab und an in der leichten Brise knarrt. Doch es ist die Tür zur Bibliothek am anderen Ende des Flurs, die ihren Blick immer wieder auf sich zieht. Sie ist schreckenerregend, dunkel und abweisend. Hester würde nur zu gern aufstehen, in den Sonnenschein hinauslaufen und nie wieder zurückkehren. *Er war über und über mit ihrem Blut besudelt …* Die Worte hallen in ihren Gedanken wider. *O Cat!* Hester springt auf und eilt durch die Tür in die Bibliothek, ehe sie der Mut verlässt. Licht fällt durch einen Spalt zwischen den Vorhängen, die sie vorhin nicht wieder zugezogen hat, und in diesem Halbdunkel sucht sie den Boden ab. Sie findet Alberts Fernglas, hastig in das Futteral geschoben, das jedoch nicht geschlossen wurde. Sie besieht sich das Fernglas aus der Nähe und entdeckt, dass es mit einer dunklen, schimmernden Substanz überzogen ist. Ihre Hände zittern furchtbar, als sie es vorsichtig herausholt und sich damit dem Licht zuwendet. Die Linsen sind zerbrochen, und Splitter kleben in einer geronnenen Masse am Metall. Splitter und feine, schwarze Haare. Hester starrt sie an und erkennt sie mit schrecklicher Gewissheit. Etwas fällt aus einem der Okulare und landet mit einem leisen Geräusch auf dem Teppich. Benommen bückt Hester sich danach und hebt das Ding auf. Es fühlt sich hart zwischen ihren Fingern an, glatt und kantig zugleich, wie ein Knochensplitter, und ist ganz mit Blut bedeckt. Hester runzelt die Stirn und reibt es zwischen den Fingern, um es ein wenig zu säubern. Erneut betrachtet sie es und weiß plötzlich, was es ist: ein Zahn. Ein menschlicher Zahn, oder vielmehr die abgebrochene obere Hälfte. Hester schreit auf. Sie lässt das Fernglas fallen, und es landet mit einem Knall, der die Dielen beben lässt, auf dem Boden.

Sie erstarrt und wartet mit keuchendem Atem darauf, dass die Polizei sie hier findet, dass die Männer auf der Suche nach dem Grund für ihren Schrei und das Gepolter in die Bibliothek stürmen und sie mit Blut besudelt und halb von Sinnen hier antreffen werden. In ihrer Verzweiflung denkt sie erneut an Flucht – sie könnte durch das Fenster hinausklettern und davonlaufen, so weit ihre schwachen Beine sie tragen, ohne die geringste Ahnung, wohin sie sich wenden soll. Aber wenn sie sich jetzt bewegt, da ist sie sicher, wird sie in Ohnmacht fallen. Es dauert lange Minuten, bis die Panik allmählich nachlässt, doch nach einer Weile ist sie ziemlich sicher, dass niemand ihren Aufschrei gehört hat. Keine Schritte nähern sich der Bibliothek. Sie schließt die Augen, bis sich das enge Band um ihren zugeschnürten Brustkorb lockert und sie wieder in der Lage ist, einen klaren Gedanken zu fassen. Hester hockt sich neben Robins Tasche, klappt sie auf und zieht eine silbrig blonde Perücke und ein durchscheinendes, langes weißes Kleid heraus. Alles ist mit Blut beschmiert. Sie erkennt die beiden Gegenstände sofort, denn sie hat Robins Fotografien lange genug betrachtet. In diesem Augenblick begreift sie, dass Cat der Elementargeist war. O Gott, o Gott, o Gott … Hester weiß nicht, ob sie dieses verzweifelte Stoßgebet laut oder nur in Gedanken gesprochen hat. Denn wenn Robin verhaftet wurde, nachdem er mit Cats Leichnam direkt vom Schauplatz des Mordes kam, dann kann nur ein einziger Mensch diese Gegenstände zurück ins Haus gebracht haben. Nur einer kann sich die Hände in der Küchenspüle gewaschen und ein Geschirrtuch mit Blutflecken hinterlassen haben. *Mein liebster Bertie. Was ist hier nur geschehen?*

Hester kennt nur noch einen Gedanken – sie muss Albert schützen. Vorsichtig packt sie das Kostüm wieder in Robins Tasche, auf ein ganzes Bündel seiner Korrespondenz, die bald fleckig und unleserlich sein wird. Der Stoff des Kleides fühlt sich unter ihren Fingerspitzen zart und fein an. Die Haare der Perücke sind glatt und bewegen sich, als wären sie lebendig. Hester schaudert und muss würgen, als sei dies Cats Haar, als hielte sie einen Teil ihres Leichnams in Händen. Sie beißt die Zähne zusammen und kämpft darum, nicht die Nerven zu verlieren. Dann legt sie das Fernglas zu dem Kleid. Sie weint jetzt, und aus dem Futteral steigt ihr der Geruch von geronnenem Blut in die Nase. Ein klebriger, brutaler Geruch wie in einer Fleischerei. Sie blickt auf, und da fällt ihr Alberts Tagebuch ein, das er offenbar erst kürzlich benutzt und auf dem Tisch liegen gelassen hat. Hester schlägt es nicht auf und liest nicht darin. Sie will nicht mehr erfahren, nicht mehr wissen. Sie wünscht im Gegenteil, sie wüsste viel, viel weniger. Das Tagebuch legt sie zuoberst in die Tasche, klappt sie zu und verschließt die Riemen über diesem grausigen, belastenden Schatz. Diesen versteckt sie im Fußraum des großen Schreibtischs, wo ihn niemand finden wird, der nicht gründlich danach sucht. Es gelingt ihr, bei alledem ihr Kleid nicht zu beschmutzen, aber ihre Hände sind rot und braun verschmiert. *Cats Blut. Cat ist tot.* Hester wankt aus der Bibliothek, schließt die Tür und schafft es gerade noch zur Toilette, ehe sie sich übergeben muss.

Als sie sich wieder etwas gesammelt hat, geht sie hinunter in die Küche und schaut nach Sophie Bell. Die Haushälterin ist untröstlich. In ihrer ganzen Fülle sitzt sie zitternd am Tisch vor einer Kanne Tee, in der die Blätter längst zu bitterem Matsch aufgequollen sind, während Fliegen sich unbeachtet auf dem Rand des Milchkännchens tummeln.

»Warum sollte irgendjemand sie umbringen wollen? Warum unserer Cat das antun? Wo sie doch nur so ein zartes kleines Ding war, keine Gefahr, für niemanden ...«, nuschelt sie vor sich hin. Sie scheint Hester kaum zu bemerken, die eine Weile neben ihr steht, benommen schweigend. Als sie sich abwendet, fällt ihr Blick auf den Eimer Wasser in der Ecke, in dem Sophie das blutbefleckte Geschirrtuch eingeweicht hat. Ihr Magen hebt sich, Galle steigt ihr die Kehle hoch. Ohne darüber nachzudenken, kniet sie sich hin, wringt das Tuch aus und wirft es in den Ofen. Die eiserne Tür schließt sich klappernd dahinter, und Hester richtet sich wieder auf. Beinahe fürchtet sie sich davor, sich wieder zu Mrs. Bell umzudrehen. Doch die starrt unverändert wie blind vor sich hin und hat nichts bemerkt. Hester wäscht sich immer wieder die Hände, doch wie Lady Macbeth ist auch sie davon überzeugt, dass sich nicht alles Blut abwaschen lässt. Noch tagelang hat sie den Geruch in der Nase.

Die Spürhunde des Chief Constable persönlich, Puncher und Hodd, finden den Tatort recht schnell – eine Stelle in der Nähe eines Baches, wo das Gras niedergetrampelt ist und die gefiederten Samen trockener Sommerblumen auf einem

großen Blutfleck kleben, schon von gierigen Insekten um-
schwärmt. Da liegt Cats Tasche mit ihren wenigen Habseligkeiten darin, und ihr gutes Kleid daneben. All das erfährt
Hester erst bei der amtlichen Untersuchung des Falles, die
der für das westliche Berkshire zuständige Coroner, ein
Mr. James Angus Sedgecroft, im Rathaus von Thatcham eröffnet. Mrs. Bell sitzt neben ihr, und ihr vor Hass glühender
Blick ist unablässig auf Robin Durrant gerichtet. Die Mordwaffe wurde nicht gefunden, doch in dem nahen Bach gibt es
viele große, auch scharfkantige Steine. Man nimmt an, dass
der Täter einen davon benutzt hat, um dem Mädchen den
Schädel einzuschlagen, und ihn danach wieder in den Bach
warf, um das Beweisstück zu verstecken. Nur Professor Palmer, medizinischer Sondergutachter des Innenministeriums,
der im Auftrag von Scotland Yard hier ist, um den Leichnam
zu obduzieren und Superintendent Holt bei den Ermittlungen zu unterstützen, lässt sich von dieser Erklärung nicht
überzeugen. Er betont die außerordentliche Brutalität des
Angriffs sowie die Tatsache, dass dieser hauptsächlich auf das
Gesicht des Mädchens abzielte, als hätte der Täter die junge
Frau ganz und gar auslöschen wollen. Außerdem hat er in einigen von Cat Morleys tiefen Kopfwunden Glassplitter gefunden, für die es bisher keinerlei Erklärung gibt. Als Hester
das hört, wird ihr eiskalt bis ins Mark. Sie denkt an das zer-
trümmerte Fernglas, und der Gedanke lässt sie nicht wieder
los. Alberts Fernglas, das er immer bei sich hatte.

Am selben Abend holt Hester die Ledertasche aus der Bibliothek und geht damit den ganzen weiten Weg zur Bluecoat School zu Fuß. Ihr fällt kein besseres Versteck ein, kein
Ort, an dem eine Durchsuchung unwahrscheinlicher wäre.
Denn Professor Palmer hat scharfe Augen und trägt oft eine
verwunderte, argwöhnische Miene zur Schau. Als er im

Pfarrhaus erschien, um alle Bewohner zu befragen, ist ihr nicht entgangen, dass dieser scharfe Blick alle Ecken des Raumes erkundete wie ein eifriger Jagdhund. Als sie mit ihm sprach, klangen ihr die eigenen Worte falsch und verlogen, selbst dann, wenn sie die Wahrheit sagte. Denn sie war voller Lügen, voller Täuschung. Sie spürt förmlich, wie die Falschheit ihr aus allen Poren dringt. Diese Tasche kann nicht im Haus bleiben, und sie ist zu groß, um sie in den Ofen zu stecken und sie zu verbrennen, wie sie es mit dem Geschirrtuch gemacht hat. Außerdem würde das Fernglas gar nicht brennen. Hester findet keine Möglichkeit, es zu vernichten. Dazu kommt das Gefühl, dass sie eigentlich besser nichts von diesen Sachen vernichten *sollte*. Nur für den Fall ... für den Fall, dass sich irgendetwas ergibt – irgendetwas, an das sie nicht gedacht hat, weil ihre Gedanken so wirr und durcheinander sind – und der Inhalt der Tasche doch gebraucht würde. Die Bluecoat School ist niemals abgeschlossen, und als sie ihre gewohnte Position vor den leeren Pulten einnimmt, wackeln die losen Bodendielen unter ihren Füßen. Sie fällt auf die Knie, krallt die Fingernägel in das Holz und zieht, und dann weint sie vor Erleichterung, als sich ihr dieses Versteck auftut.

Die gerichtliche Untersuchung dauert drei Tage, und die ganze Zeit über sagt Robin Durrant nichts. George erzählt dem Richter und den Geschworenen, dass Cat mit ihm davonlaufen wollte, wie sehr sie ihn geliebt hat – aus welchem Grund auch immer sie sich an jenem Morgen in den Auen aufgehalten haben mag, es sei ganz gewiss kein Stelldichein mit Robin Durrant gewesen, wie die Polizei vermutete. Er beharrt nachdrücklich darauf, ist sich dessen ganz sicher. Doch nur Hester weiß, dass er recht hat und nicht etwa blind vor Liebe ist. Sie starrt ihn an, während er da steht und ungehemmt weint, und es bricht ihr das Herz. Die Worte liegen ihr auf der Zunge, doch sie wird sie nicht aussprechen. *Ich weiß, weshalb sie dort war! Ich weiß, was Robin Durrant getan hat!* Aber sie kann nicht darüber reden. Mit niemandem. Als wäre ihr Mund von einem Zauber verschlossen, schweigt sie still. Er sieht gut aus, dieser Mann, den Cat liebte. Stark und aufrichtig. Er spricht mit solcher Leidenschaft und Liebe von Cat, dass Hester einen Stich der Eifersucht verspürt. Allein der Plan, mit einem Mann wie George Hobson durchzubrennen, muss Cat schon solche Freude bereitet haben. Doch ihre Pläne wurden jäh vereitelt. Grausam und unwiderruflich. Sie muss furchtbar wütend sein, denkt Hester. Sie schließt die Augen, überwältigt von diesem Gedanken. Wo auch immer Cat jetzt sein mag, sie muss rasen vor Wut.

Als Cats Charakter derart infrage gestellt wird, verlangt Mrs. Bell, dass man ihr das Wort erteilt, und verteidigt das Mädchen. Auch sie bestreitet, dass Cat irgendeine Beziehung gleich welcher Art mit Robin Durrant gehabt hätte. Sie deutet an, dass der Theosoph Cat irgendwie genötigt haben müsse, nachts ihr Zimmer zu verlassen, dass er irgendeine Möglichkeit gefunden haben müsse, ihre Tür aufzuschließen und sie zu zwingen, mit ihm in die Auen zu gehen, denn sie selbst habe das Mädchen am Abend zuvor sicher eingeschlossen. Als sie ihre Vermutung mit keinerlei rationalem Argument untermauern kann, werden Blicke gewechselt und Notizen gemacht, und man geht davon aus, dass die Haushälterin sich schuldig fühle, weil sie vergessen hat, Cats Tür abzuschließen, und nun versuche, ihren Fehler zu vertuschen. Hester hört all das mit an und schweigt. Sie denkt an den Generalschlüssel, den sie Cat gegeben hat, und schweigt. Sie vergisst für einen langen Moment zu blinzeln, bis ihre Augen brennen.

Barrett Anders, der Milchmann, sagt aus, dass er mit seinem Milchkarren auf dem Feldweg von der London Road in südlicher Richtung zum Dorf unterwegs gewesen sei, um dort seine Milch auszuliefern. Als er sich der Brücke näherte, habe er Robin Durrant über die Wiese zum Kanal laufen sehen, mit dem Mädchen auf den Armen, ganz zerschmettert und tot. Er habe den Mörder niedergeschlagen, und George Hobson sei den Treidelpfad entlanggekommen und ins Wasser gesprungen, um die junge Frau herauszuholen, obwohl sie offensichtlich schon tot gewesen sei und man nichts mehr für sie habe tun können. Hester versucht, ihren Geist davor zu verschließen, vor dem unaussprechlichen Schmerz, den George empfunden haben muss, als er Cat so sah. Cat, der scharlachrotes Wasser aus dem schwarzen Haar sickerte, die dünnen Glieder erschlafft, das kleine, spitze Gesicht zerschlagen. Die Bilder treffen sie wie Peitschenhiebe. »Ein paar Minuten zu spät, um sie zu retten«, stöhnt George mit vor Trauer verzerrtem Gesicht. »Ich kam nur ein paar Minuten zu spät.« Robin Durrant wird des Mordes angeklagt und zur Verhandlung dem Schwurgericht der Grafschaft Berkshire übergeben. Er reagiert nicht auf dieses Urteil. Er reagiert auf überhaupt nichts.

Am Sonntag nach Cats Tod hält Reverend Albert Canning seine Predigt wie gewohnt, vor einer voll besetzten Kirche, die vor Aufregung geradezu summt – eine verbotene, pietätlose Erregung, die seine Gemeinde dennoch weder unterdrücken noch verhehlen kann. Die Leute sind gekommen, um die Cannings zu sehen, die den ganzen Sommer lang einen Mörder bei sich beherbergt haben, deren Dienstmädchen mit einem Stein der Schädel eingeschlagen wurde und die im Mittelpunkt des größten Skandals stehen, den die Gemeinde je erlebt hat. Hester sitzt in der ersten Reihe, wo sie immer sitzt, mit starrem Rücken und prickelnder Haut. Die Flut flüsternder Stimmen steigt, brandet schon gegen ihren Nacken und droht ihr über dem Kopf zusammenzuschlagen. Albert verliert in seiner Predigt kein Wort über Cat. Hester lauscht ihm voll Bestürzung. Er wiederholt eine Predigt über materielle Reichtümer, die er erst drei oder vier Wochen zuvor gehalten hat, und starrt dabei über die Gemeinde hinweg, als sei er in Gedanken meilenweit entfernt. Die Worte fallen abgehackt aus seinem Mund wie Holzklötze – hart und trocken und tot, als glaubte er selbst kein einziges mehr davon. Zu Hause sitzt er still im Salon und fragt weder nach seinem Tagebuch noch nach der Ledertasche oder seinem Fernglas. Er fragt nie mehr nach diesen Dingen, und Hester spricht ihn auch nie darauf an. Ihr Albert ist fort, und dieser Schlafende hat seinen Platz eingenommen, dieser Mann aus Eis und Schatten, der kaum spricht, kaum isst und nur noch das Haus verlässt, wenn seine Pflichten in der Gemeinde es erfordern. Alberts Platz hat ein Mann eingenommen, den sie überhaupt nicht kennt – eine leere Hülle, ein Lügner. Sie beobachtet ihn mit Grauen im Herzen, sie fürchtet sich vor ihm und davor, was sie getan hat, um ihn zu schützen. Dieser Mann ist ein Fremder. Und vielleicht, vielleicht sogar ein Mörder.

Mittwoch, den 15. Oktober 1911

Sehr geehrter Herr,
weshalb antworten Sie nicht auf meine Briefe? Ich weiß nicht, an
wen ich mich sonst wenden könnte, und ich muss mir manche
Gedanken von der Seele reden, denn sonst verliere ich den
Verstand. Ich habe früher stets an meine Schwester geschrieben,
und wir beide hatten keine Geheimnisse voreinander, doch nun

gibt es Dinge, von denen ich nicht einmal ihr schreiben kann; also schreibe ich sie Ihnen. Warum äußern Sie sich nicht? Wenn es wahr ist, was ich glaube, weshalb schweigen Sie weiterhin? Vielleicht kenne ich den Grund: Sie wollen Ihr eigenes Geheimnis hüten – das Geheimnis des Elementargeistes und dieser Fotografien, die Sie veröffentlicht haben. Sie wollen Ihren Namen und Ihren Platz in der Geschichte, den Sie sich selbst geschaffen haben, um jeden Preis bewahren. Doch würden wir in einer schrecklichen Welt leben, wenn eine Lüge als schändlicher gälte denn ein Mord. Glauben Sie wirklich, dass Sie sich für das Verbrechen mit der geringeren Schuld entschieden haben? Ich habe Ihre Tasche gefunden, die jemand zurück ins Haus gebracht hat. Ich habe gesehen, was darin war, und Alberts Fernglas. Ich _kenne_ Ihr Geheimnis – das Geheimnis, das zu bewahren Sie sogar eine Gefängnisstrafe auf sich nehmen. Sind Sie auch willens, dafür zu sterben? Man könnte Sie hängen! Und was nützt Ihnen Ihr Ruf als Theosoph, wenn Sie als Mensch jegliches Ansehen verloren haben? Wird Ihre ach so kostbare Gesellschaft Sie noch immer willkommen heißen, wenn Sie erst ein verurteilter Mörder sind? Das glaube ich kaum. Weshalb also dieses fortgesetzte Schweigen? Was nützt es Ihnen? Der Tag Ihrer Verhandlung rückt näher. Es bleibt nicht mehr viel Zeit. Wenn Sie zum Tod durch den Strang verurteilt werden, was dann? Ist es das, was Sie wollen – glauben Sie, dass Ihr Name ewig weiterleben wird, selbst wenn Ihr Leben jetzt endet? Dass Sie für immer der Theosoph sein werden, der den Beweis für die Existenz von Elementarwesen erbracht hat? Ich sage Ihnen, das ist es nicht wert. Einige erkennen schon jetzt Ihre Werke nicht an, und ihre Zahl wird wachsen. Sie werden ebenso bald in Vergessenheit geraten wie Ihre Werke. Erklären Sie sich, und Ihnen bleibt genug Zeit, von vorn anzufangen! Ihr Vater hätte gewiss lieber einen gescheiterten Theosophen, ja sogar einen Betrüger zum Sohn als einen Mörder, dessen bin ich mir absolut sicher.

Eine Zeit lang hielt ich Sie für edelmütig und dachte, Sie opferten sich für Albert. Aber das war dumm von mir. Weshalb sollten Sie das tun? Alles, was Sie je getan haben, diente nur Ihnen selbst, von dem Augenblick an, da Sie mein Haus betraten und es auf den Kopf stellten. Ach, wären Sie doch nie gekommen! Wie sehr ich mir das wünsche, und dass Cat noch lebte, selbst wenn sie mit ihrem George davongelaufen wäre. Sie war meine Cousine, wussten Sie das? Sie hat es mir in einem Brief geschrieben, den ich finden sollte, wenn ihre Flucht geglückt war. Vielleicht hätte ich noch vor einer Weile nicht geglaubt, dass mein Onkel ein Kind mit einer seiner Bediensteten zeugen und dieses Kind dann mir ins Haus schicken würde, ohne mir ein Wort zu sagen. Jetzt glaube ich, dass es nichts gibt, was Männer nicht tun würden, wenn es ihnen passt, gar nichts.

Ich glaube, ich erwarte ein Kind. Die Symptome lassen sich immer schwerer verleugnen. Ich fand, dass ich Sie darüber informieren sollte, obgleich ich keine Ahnung habe, wie Sie diese Neuigkeit aufnehmen werden. Sofern sie Sie überhaupt in irgendeiner Weise berührt. Ich selbst bin bald zugrunde gerichtet von Verwirrung, Freude und Zweifel. Freude – wie kann es in diesem Haus noch Freude geben? Jemals wieder? Freude oder Lachen oder Heiterkeit. Alles, was ich wollte, war ein Kind, und nun bewahrheitet sich für mich das Sprichwort, dass man vorsichtig sein sollte mit seinen Wünschen. Albert ist wie ein Gespenst. Er erfüllt jeden Raum mit Kälte. Er macht mich schaudern. Mein eigener Mann. Ich habe ihm nichts von dem Baby gesagt. Wie könnte ich das? Aber er wird es schon bald sehen. Was dann? Wird er auch mich erschlagen? Wird das mein Ende sein? So kann es nicht weitergehen – wir können so nicht weiterleben. Es muss sich etwas ändern. Die Wahrheit muss ans Licht kommen. Ich kann diese Last nicht allein tragen, sie ist zu schwer für mich. Ich fühle, wie ich unter ihr zusammensinke, jeden Tag ein wenig mehr. Ich habe alles versteckt, was ich an

jenem schrecklichen Morgen gefunden habe. Diese Dinge sind
geblieben, und sie erzählen ihre eigene Geschichte. Die Wahrheit
wartet nur darauf, dass Sie sich erklären, Mr. Durrant. Wenn Sie
das tun, werde ich Ihnen helfen. Das schwöre ich. Ich werde ihnen
meinen Anteil an dieser Geschichte offenlegen, und Alberts, und
ich werde meine Strafe auf mich nehmen. Vielleicht würden sie
bei Gericht Gnade walten lassen, weil sie erkennen müssten, dass
ich aus Angst so gehandelt habe, und aus Liebe zu meinem Mann.
Vielleicht auch nicht. Ach, aber was sollte dann aus unserem Kind
werden? Und aus ihm? Ich weiß nicht, was ich tun soll.
Helfen Sie mir.

Hester Canning

14

Leah brachte eine Woche damit zu, die Polizeiakten im Mordfall Cat Morley zu studieren und in den Archiven nach Zeitungsartikeln aus dem Spätherbst 1911 zu suchen, um Einzelheiten über den Prozess gegen Robin Durrant zu erfahren. Sie starrte auf das Foto von ihm, das zu jedem Bericht über den Fall abgedruckt wurde – auf die elegant geschwungene Oberlippe, die sie bei dem toten Soldaten gesehen hatte, so weit fort in Belgien. Es war verstörend, diese beiden Gesichter, das lebendige und das tote, als ein und dasselbe Gesicht zu begreifen. Er war des Mordes für schuldig befunden worden, und das Gericht war zu dem Schluss gekommen, dass es sich um ein Verbrechen aus Leidenschaft gehandelt habe, denn die Tote sei keineswegs unbescholten und dazu nur mit ihrer Unterhose bekleidet gewesen. Deshalb empfahlen die Geschworenen, Milde walten zu lassen, und so wurde er nicht zum Tod durch Erhängen, sondern zu einer lebenslangen Haftstrafe verurteilt. Nur ein Mann schien Zweifel an dem Urteil zu hegen. Der Gutachter des Innenministeriums, Professor Palmer, hob hervor, dass Cats Unterhose sehr viel weniger Blutflecken aufwies, als man erwarten würde, wenn sie nur dieses Kleidungsstück getragen hätte, als sie getötet wurde. Und wenn es sich um ein Stelldichein zweier Liebender gehandelt hätte, die in Streit gerieten, so war es seiner Meinung nach doch sehr seltsam, dass sie sich mit ihrem anderen Liebhaber, George Hobson, für denselben Vormittag verabredet hatte, um mit ihm durchzubrennen. Zudem hatte sie ihr Kleid vorsichtig ausgezogen und säuberlich zusammengefaltet – das passte wohl kaum zum Bild eines Pärchens, das in wilder Leidenschaft entbrannt ist. Und dann waren da noch die Glassplitter im Gesicht der jungen Frau, für die es bis zuletzt keinerlei Erklärung gab.

Am Ende der Akte, wie ein nachträglicher Einfall, war noch eine zusätzliche Aussage von Mrs. Sophie Bell angefügt, die als Köchin und Haushälterin im Pfarrhaus beschäftigt war. Mrs. Bell hatte mehrere Wochen nach der gerichtlichen Untersuchung und kurz vor Robin Durrants Prozess zu Protokoll gegeben, dass sie am fraglichen Morgen ein blutbeschmiertes Geschirrtuch in der Küche des Pfarrhauses gefunden habe, das irgendwann im Laufe des Tages jedoch verschwunden sei. Auf die Frage, weshalb sie das nicht längst gemeldet habe, erklärte die Frau, sie sei damals zu schockiert und erschüttert gewesen und es sei ihr erst später wieder eingefallen. Außerdem sagte sie aus, dass der Pfarrer und seine Frau sich äußerst merkwürdig verhielten und seit dem Mord ganz verändert seien. Allerdings betonte sie, dass sie stets gute und freundliche Arbeitgeber gewesen seien und man diese Veränderung vielleicht auch dem Schock zuschreiben könne. Dabei lag eine Notiz von Professor Palmer, der dazu riet, diese Aussage bei der gerichtlichen Beweisaufnahme vorzubringen sowie weitere Ermittlungen im Pfarrhaus anzustellen, doch seiner Empfehlung wurde nicht entsprochen.

Während Leah die Akten las, verspürte sie ständig den Drang, etwas zu unternehmen. Sie wusste, woher die Glassplitter in Cats Gesicht stammten – von der Mordwaffe, nämlich Albert Cannings Fernglas. Sie wusste, weshalb sich nur wenig Blut an Cats Unterhose befunden hatte – sie war als Elementargeist verkleidet gewesen, als sie ermordet worden war. Und sie wusste, weshalb der Pfarrer, dessen Tagebuch einen raschen und vollständigen Realitätsverlust erkennen ließ, das Mädchen attackiert haben musste. Er war getäuscht worden, vorsätzlich belogen und betrogen. Diese Erkenntnis musste ihn bis ins tiefste Innerste erschüttert und endgültig um den Verstand gebracht haben. Sie wusste, warum Hester Canning anfangs so verzweifelt darauf bedacht gewesen war, ihren Mann gegen jeden Verdacht zu schützen, dass sie die Beweise, die sie an jenem Morgen im Pfarrhaus fand, versteckte – und weshalb sie später, als sie selbst ihren Mann verdächtigte, derart von Schuld und Angst gequält worden war. Leah wäre mit diesem Wissen am liebsten zu irgendeiner Behörde gerannt. Sie wollte es der Polizei erzählen, der Presse, irgendjemandem. Als ob sie hundert Jahre später noch irgendetwas an den Ereignissen hätte ändern können. Als hätte man den wahren Mörder seiner gerechten Strafe zuführen können, sodass Hester nicht gezwungen wäre, ihr Leben in Finsternis mit ihm zu verbringen.

Bis es zum Prozess kam, hatten die Zeitungen Fotografien zu der Geschichte aufgetrieben. Sie druckten das Hochzeitsfoto der Cannings ab, das 1909 entstanden war. Das Brautpaar blickte Leah aus dem Bild entgegen, zwei helle Augenpaare in weichen, jungen Gesichtern – selbst in Schwarz-Weiß waren ihre Augen so klar, dass sie hellblau oder hellgrün gewesen sein mussten. Hester lächelte sanft und strahlte tiefe Zufriedenheit aus. Der Pfarrer, der im Talar vor den Altar getreten war, wirkte eher ein wenig angespannt, er lächelte nicht. Leah starrte auf das Gesicht der Frau und hatte das Gefühl, sie zu kennen. Und da war ein Foto von Cat Morley, dem ermordeten Hausmädchen, über dessen Rolle als Elementargeist nie öffentlich diskutiert worden war, obgleich es damals schon Zweifler gegeben hatte. Das Bild war schlecht, bei der Krönungsfeier im Juni 1911 in Cold Ash Holt aus einiger Entfernung aufgenommen. Eine Riege vornehm gekleideter Damen, darunter Hester Canning, hatte sich kurz von den Festlichkeiten zurückgezogen, um sich fotografieren zu lassen. Girlanden und Sonnenschirme, Tische mit weißen Tischtüchern und dreistufigen Etageren. Und hinter ihnen stand eine kleine, schmale junge Frau in einem grauen Kleid mit eng gebundener, sauberer Schürze und einer weichen Baumwollhaube auf dem Kopf. Sie hielt eine silberne Teekanne in Händen, als sei sie eben dabei, Tee in die vor ihr aufgereihten Porzellantassen zu schenken. Das Foto war wirklich nicht gut, die Entfernung zu groß, als dass man ihr Gesicht deutlich hätte erkennen können. Kurze schwarze Locken schauten unter der Haube hervor, und sie runzelte die Stirn, was am grellen Sonnenschein liegen mochte, vielleicht aber auch nicht. Dunkle Brauen, ein schmales, eckiges Gesicht. Der Elementargeist, dachte Leah voller Mitgefühl mit dem armen Mädchen.

Je mehr Leah las, desto verständlicher wurden ihr Hesters Briefe. Tatsachen und Anspielungen bekamen einen Sinn. Sie begann mit ihrem Artikel, der immer länger wurde und sowohl die Wahrheit offenbarte, wie Hester Canning es sich so lange ersehnt hatte, als auch das tote Dienstmädchen wiederauferstehen ließ, dessen Rolle in der ganzen Geschichte bisher stets verkannt worden war. Während sie immer wieder in die Gesichter der Cannings starrte und sich dann erneut Hesters Briefen an Robin Durrant zuwandte, wurde noch eine unbestreitbare Tatsache deutlich.

Am Freitagnachmittag unterbrach ein Anruf von Mark sie bei der Arbeit.

»Hallo, Fremde. Ignorierst du mich jetzt, wo du deine Story hast, oder wie soll ich das verstehen?«, fragte er.

Leah warf einen Blick auf die Uhr und wurde sich bewusst, dass ihre Beine eingeschlafen waren und ihr Rücken schmerzte. »Nein! Tut mir leid, Mark. Nein, natürlich nicht. Ich war nur so damit beschäftigt, sämtliche Lücken zu schließen … Übrigens habe ich eine ziemlich wichtige Neuigkeit für dich. Ich wollte mir das aufheben, bis ich dir den fertigen Artikel in die Hand drücken kann, aber vielleicht sollte ich es dir lieber gleich sagen.« Sie stand von ihrem Tisch im Lesesaal auf und streckte sich.

»Was denn?«, fragte er.

»Ach, das ist viel zu pikant, um es dir am Telefon zu erzählen. Wie wäre es mit Mittagessen im Pub? Aber vorher treffen wir uns an der Kirche in Cold Ash Holt. Sagen wir in einer Stunde?«

»Also gut.«

»Und bring dieses Foto von deinem Großvater Thomas mit.«

Der Tag war mild und stürmisch, und ein feuchter Wind stupste sie voran und zupfte an den Gräsern, während sie zwischen den Gräbern entlangspazierten. Leah trug einen Blumenstrauß unter dem Arm, eingehüllt in leise knisternde Folie – weiße Lilien und rosa Kirschblütenzweige, ein großes, prächtiges Arrangement.

»Falls du nach Hester und Albert suchst, die liegen da drüben«, sagte Mark und deutete auf einen länglichen Grabstein in der Nähe einer riesigen Eibe.

»Zu den beiden kommen wir später. Ich brauche ein Foto von ihrem Grab für den Artikel. Aber vorher will ich mir etwas anderes ansehen.«

»Dieser Artikel wird allmählich ganz schön lang. Vielleicht solltest du lieber ein Buch daraus machen?«, schlug er vor.

Leah blieb stehen, und ein Lächeln breitete sich über ihr Gesicht. »Das ist eine geniale Idee. Warum nicht? Ich habe genug Stoff – Theosophie, ein Feenschwindel, Mord, ein Justizirrtum …«

»Aber war das wirklich ein Irrtum? Nach allem, was du mir erzählt hast, war der Theosoph doch im Grunde schuld daran, dass sie umgebracht wurde.«

»Ja, aber der Pfarrer hätte sich für seine Tat auch vor Gericht verantworten müssen. Nicht nur dein Urgroßvater«, entgegnete Leah und wartete ab, während Mark diese Bemerkung aufschlüsselte.

»Wie meinst du das, auch der Pfarrer und nicht nur mein Urgroßvater? Der Pfarrer *war* mein Urgroßvater«, sagte er.

Leah schüttelte den Kopf. »Nein«, sagte sie. »Was haben die beiden Briefe, die Robin Durrant behalten hat, gemeinsam? Was erwähnt Hester in allen beiden?«

»Äh … Zweifel und Ängste, Vermutungen … Bitten um Antwort, Informationen …«

»Aber was noch?«, drängte sie. Mark schüttelte unschlüssig den Kopf. »Ihr *Kind*, Mark. Sie schreibt in beiden Briefen von ihrem Kind. Erst, dass die Geburt kurz bevorsteht und sie glaubt, es würde ein Junge werden. Und dann schreibt sie ausführlicher über ihn als Kleinkind.«

»Kann sein – und? Wahrscheinlich hat sie auch in den ganzen anderen Briefen von ihm erzählt.«

»Vielleicht, vielleicht aber auch nicht. Und vielleicht hat er die anderen wirklich verloren, unabsichtlich. Aber warum sollte sie ihr Kind überhaupt erwähnen, wenn sie einem verurteilten Mörder schreibt, was ihr offensichtlich nicht leichtfällt – und wenn es bestimmt viel wichtigere Dinge gäbe, die sie ihm schreiben könnte?«

»Ich weiß nicht … sind nicht alle jungen Mütter ein bisschen besessen von ihrem Nachwuchs?«, entgegnete er.

Leah zog ein Blatt Papier aus der hinteren Hosentasche. »Das hier habe ich aus dem Zeitungsarchiv ausgedruckt – Hester und Albert an ihrem Hochzeitstag.«

»Ach, so haben sie also ausgesehen. Toller Fund«, sagte Mark.

»Hast du das Foto von Thomas mitgebracht? Von Hesters Sohn? Darf ich es mal sehen?«, bat Leah. Mark holte es aus der Manteltasche und reichte es ihr. Sie hielt die beiden Porträts nebeneinander hoch. Das dünne Druckerpapier flatterte leicht im Wind. »Fällt dir etwas auf?«

Konzentriert studierte Mark die beiden Bilder eine Zeit lang, dann zuckte er mit den Schultern.

»Ich weiß nicht. Was soll mir denn da auffallen?«

»Die *Augen*, Mark. Das weiß doch jeder Abiturient aus dem Biologieunterricht: Es ist praktisch unmöglich, dass zwei blauäugige Menschen ein Kind mit braunen Augen bekommen. Thomas war nicht Alberts Sohn. Er war Robin Durrants Kind.«

»Du meine Güte, bist du sicher?«

»Ganz sicher. Er und Hester müssen eine Affäre gehabt haben oder so. Die natürlich böse endete, als der Mord geschah. Die Kriegsgräberfürsorge kann einen Gentest für dich machen, wenn du möchtest. Dein Urgroßvater war Theosoph, er wurde für einen Mord verurteilt, den er nicht begangen hat, und dann wie so viele Sträflinge damals an die Front geschickt. Dort ist er gestorben, und alle seine Geheimnisse sind unentdeckt geblieben. Bis jetzt.«

Sie gingen noch ein Stück weiter und suchten die Grabsteine ab, bis Leah der Name ins Auge fiel, den sie gesucht hatte.

»Da! Da ist sie«, sagte sie. Doch ihre Aufregung wich

rasch einem gedämpfteren Gefühl. Der Grabstein war sehr klein und so verwittert und mit Flechten überzogen, dass man ihn leicht übersehen konnte. Er stand ein wenig zur Seite geneigt, als sei er müde, und das Grab selbst war mit Gras überwuchert und lange vernachlässigt. Die eingravierten Worte, der Name und die Grabinschrift, waren gerade noch zu erkennen. *Catherine Morley, April 1889 – August 1911. In Gottes Armen geborgen.* »Den Zeitungen zufolge trug sie den Spitznamen Black Cat«, bemerkte Leah.

»Warum?«, fragte Mark und ging vor dem Grabstein in die Hocke. Er streckte die Hand aus und rieb mit dem Daumen krümelige Flechten von ihrem Namen.

»Wer weiß? Manche Dinge sind nach so langer Zeit einfach verloren. Vielleicht war es eine boshafte Anspielung auf ihren Charakter.« Leah seufzte. Sie legte den Blumenstrauß auf das Grab, wo er irgendwie deplatziert wirkte, zu bunt und fröhlich.

»Himmel, sie ist mit zweiundzwanzig gestorben. So jung. Du hast nicht noch irgendwelche gewichtigen Überraschungen für mich auf Lager, oder? Cat Morley war nicht zufällig eine verschollen geglaubte Verwandte oder so?« Mark lächelte.

Leah schüttelte den Kopf. »Nein. Nichts dergleichen.«

»Tja, du hast es geschafft.« Er tätschelte Cat Morleys Grabstein. »Du hast herausgefunden, wer der tote Soldat war, und dabei auch noch einen Mord aufgeklärt. Und du hast es fertiggebracht, mich aus dem Haus zu locken. Danke, Leah«, sagte er ernst.

»Du brauchst mir nicht zu danken – ich danke dir für all deine Hilfe! Ohne dich hätte ich das nie geschafft«, entgegnete Leah verlegen.

»Doch, hättest du.«

»Na ja. Zum Glück hast du dich an dem Abend, als wir uns begegnet sind, auf ein Bier aus dem Haus getraut. Ich weiß nicht, ob ich nach deinem ersten Empfang den Mut aufgebracht hätte, noch einmal an deine Tür zu klopfen.«

»Und wenn, hätte ich wahrscheinlich nicht aufgemacht. Was ein schwerer Fehler gewesen wäre«, sagte er. Leah lächelte ihn an und schaute dann wieder auf das Grab zwischen ihnen hinab. Der feste Blick seiner grauen Augen machte sie nervös, brachte sie durcheinander. Eine bedrückende Pause entstand, während der Wind leise durch ihren fröhlichen Blumenstrauß raschelte.

»Also, wann ist dein Termin mit deinem … deiner Kontaktperson bei der Kriegsgräberfürsorge? Bei dem du feierlich den Namen des Toten enthüllen wirst?«, fragte Mark mit gespieltem Desinteresse in der Stimme. Leah beäugte ihn einen Moment lang über Cats Grab hinweg, bis er den Blick abwandte und über den Friedhof in die schwarzen Schatten unter der Eibe hinüberstarrte.

»Morgen. Seine Eltern geben eine Party. Wir haben ausgemacht, dass ich bei ihnen vorbeischaue.« Sie suchte nach weiteren Worten, die sie dem hinzufügen könnte, fand aber nichts.

»Eine Party. Hört sich nett an. Soll ich dich hinfahren? In Surrey, das hast du mal erwähnt, stimmt's? Das ist ja nicht weit. Dann könntest du etwas trinken«, bot er ihr beiläufig an.

»Ach, das ist nett von dir, aber du brauchst dir wirklich keine Umstände …«

»Das macht mir gar nichts, ehrlich nicht«, sagte er rasch.

»Aber es könnte ein bisschen … du weißt schon«, dr“ckste sie verlegen herum. Sie wollte ihn nicht in Ryans Nähe haben, das wurde ihr plötzlich klar. Als könnte Mark beschmutzt werden von ihren giftigen Gefühlen oder getroffen von den scharfen Splittern ihres vergangenen Lebens.

»Peinlich werden?«, ergänzte er fragend. Leah zuckte mit den Schultern und konnte ihm nicht in die Augen sehen.

Auf einmal fühlte sie sich entsetzlich schuldig, als wäre sie bei einem Seitensprung erwischt worden.

»Kann sein.«

»Hör mal, ich will ja nicht mit reinkommen oder so. Ich fahre dich nur hin. Es hört sich nämlich so an, als könntest du einen Drink brauchen, wenn du erst dort bist. Einverstanden?«

Leah schaute ihm in die Augen und nickte. »Einverstanden. Danke.«

»Und, was hast du jetzt vor?«, fragte Mark, als sie am nächsten Tag auf dem M4 in Richtung Osten unterwegs waren. Die Fahrt war seltsam unbehaglich, denn Leahs Vorfreude darauf, Ryan zu zeigen, was sie herausgefunden hatte, stand in krassem Gegensatz zu den ausgedehnten Phasen angespannten Schweigens im Wagen.

»Nach Hause fahren, denke ich«, sagte sie. »Zurück nach London, und dann mit der Arbeit an meinem Buch beginnen. Ich muss mit meinem Agenten sprechen und anfangen, mich nach einem Verlag umzusehen.« Sie warf ihm einen Blick zu. Mark nickte lächelnd, sagte aber nichts. »Und du?«

»Ich sollte wohl über einen Neuanfang nachdenken. Auf Jobsuche gehen anstatt in Dads Haus zu vergammeln. Es verkaufen, vielleicht.« Seine Stimme verriet nicht gerade Begeisterung über diese Aussicht.

»Hättest du etwas dagegen, wenn ich noch mal wiederkomme und ein paar Fotos mache, ehe du es verkaufst? Für mein Buch?«

»Du kannst jederzeit wiederkommen, Leah«, antwortete er mit sanfter Stimme, und Leah rutschte verlegen auf dem Beifahrersitz herum und rückte nervös die Mappe mit den Unterlagen auf ihrem Schoß zurecht.

»Ich hoffe, der Marktwert wird nicht darunter leiden –

immerhin werde ich der ganzen Welt enthüllen, dass mal ein Mörder, seine ehebrechende Komplizin und ein theosophischer Trickbetrüger darin gewohnt haben!«

»Publicity ist immer gut, oder?« Mark lachte. »Ich finde es allerdings unfair, Hester als seine ehebrechende Komplizin zu bezeichnen.«

»Ja, das ist es wohl. Und ich werde meine Leser auf jeden Fall wissen lassen, wie sehr sie mit alldem gerungen hat«, versicherte Leah ihm. Sie fuhren schweigend weiter, und Leah überlegte angestrengt, wie sie das Gespräch wieder in Gang bringen könnte, aber ihr fiel einfach nichts ein.

»Da vorne ist es«, sagte sie und beugte sich vor. Ihr Magen krampfte sich in plötzlich aufflammender Nervosität zusammen. Mark hielt in einer eleganten, breiten Einfahrt mit einem klassischen, hölzernen Doppeltor. Dahinter lag ein makellos gepflegter dreistöckiger Gebäudekomplex im neogeorgianischen Stil, mit einer langen Reihe von Garagen und einem Wetterhahn aus Messing auf dem Dach, der in der Sonne glänzte.

»Hübsch«, bemerkte Mark. »Gut betucht, was?«

»Kann man so sagen«, stimmte Leah in neutralem Tonfall zu. Sie öffnete ihren Gurt, warf sich das Haar über die Schultern zurück und fuhr sich nervös mit der Zunge über die Lippen. Als sie gerade Luft holte, um Mark dafür zu danken, dass er sie hergefahren hatte, kam er ihr zuvor.

»Wenn du möchtest, kann ich dich nachher wieder abholen …«

»Nein, nein, nicht nötig. Mit dem Taxi sind es nur fünf Minuten zum Bahnhof, und von da aus komme ich gut zum Swing Bridge zurück. Vielen Dank, dass du mich hergefahren hast, und für … für all deine Hilfe, Mark. Du warst einfach großartig.«

»Aber anscheinend doch nicht großartig genug«, sagte er leise.

Leah schluckte und tat so, als hätte sie die Bemerkung nicht gehört oder nicht verstanden, was er damit sagen wollte. Das Herz schlug ihr bis zum Hals.

»Also, ich komme auf jeden Fall bald wieder. Ich muss noch einmal ins Polizeiarchiv von Newbury und in das Pressearchiv …«

»Ja, klar.« Er wandte den Blick ab und rieb sich mit einer Hand das Kinn. »Hör mal, möchtest du wirklich nicht, dass ich noch ein Weilchen warte? Das macht mir nichts aus. Es könnte doch … ein bisschen schwierig werden da drin. Mit der ganzen Familie auf einem Haufen und so weiter …«

»Wird es ganz sicher. Aber ich schaffe das schon, ehrlich. Ich weiß nicht, wie lange das dauern wird, und ich will nicht ständig daran denken müssen, dass du hier draußen sitzt und auf mich wartest …« Leah errötete, denn die Worte schienen sich plötzlich auf so viel mehr zu beziehen als nur auf die Rückfahrt nach Berkshire. Mark beobachtete sie aufmerksam, doch Leah wusste nicht, was sie noch sagen sollte.

»Wenn du meinst«, sagte er schließlich. Leah beugte sich zu ihm hinüber und küsste ihn auf die Wange. Seine Haut war warm und ein wenig rau. Sein Geruch löste ein merkwürdiges Kribbeln in ihrem Magen aus. Ihr Herz schlug schneller, ihre Gedanken gerieten durcheinander.

»Danke, Mark. Also dann, bis bald.« Sie stieg aus, ehe er noch etwas sagen konnte. Ihre Brust fühlte sich komisch an, irgendwie eingeschnürt, und bei dem Gedanken daran, dass sie gleich Ryan sehen würde, durchfuhr sie die vertraute Mischung aus Erregung und Angst. Hinter sich hörte sie, wie Mark den Wagen in der Einfahrt wendete und davonfuhr. Unwillkürlich blieb sie stehen und drehte rasch den Kopf, um noch einen letzten Blick auf ihn zu erhaschen. Jetzt, da er fort war, fühlte sie sich plötzlich beinahe nackt und schutzlos. Auf der Stufe vor der Haustür hielt sie unsicher inne.

Da ging die Tür auf, und Ryan lächelte auf sie herab.

»Ich dachte doch, ich hätte ein Auto gehört. Pünktlich auf die Minute, wie immer. Komm rein. Hast du herausgefunden, wer unser geheimnisvoller Toter ist? Ich sterbe vor Neugier«, sagte er.

»Ich … ja«, antwortete Leah, plötzlich atemlos. Ihre Augen tasteten sein Gesicht ab, seine vertrauten, wundervollen Züge. Irgendetwas kam ihr verändert vor. Sie konnte nicht genau bestimmen, was es war. Er sah irgendwie unwirklich aus. Wie eine Fälschung. Sein zerzaustes Haar und das unbekümmerte Schuljungengrinsen erschienen ihr plötzlich wie eine längst überholte Attitüde.

»Ich freue mich so, dass du gekommen bist, Leah«, sagte er sanft, als spürte er ihr Zögern. Er tippte mit dem Zeigefinger auf die Mappe, die sie in der Hand hielt. »Hast du es da drin? Alles, was du herausgefunden hast? Aber jetzt komm doch erst mal herein.« Leah setzte einen zögernden Schritt über die Schwelle, blieb aber gleich wieder stehen.

»Ja, hier ist alles drin. Ich muss mit dir reden, Ryan. Über das, was in Belgien …«, begann sie, doch ein perlendes Lachen und das Aufblitzen von rotbraunem Haar ein Stück vor ihr im Flur ließen sie jäh verstummen. Sie sah, wie Ryans Züge sich anspannten und das Lächeln auf einmal gezwungen wirkte. Sah, wie er sie aufmerksam beobachtete.

»Ist das Anna?«

»Leah, jetzt fang bloß nicht an …«

»Fang bloß nicht an? *Fang bloß nicht an?*« Wut durchzuckte sie wie ein Blitzschlag. »Du hast mir nicht gesagt, dass sie hier ist. Ich dachte, sie sei noch in den USA?«

»War sie ja – ist sie. Aber die Geburtstagsfeier ihres Vaters kann sie wohl kaum versäumen, oder?«

»Ihres *Stief*vaters«, korrigierte Leah ihn. »Ein ziemlich bedeutsamer Unterschied, findest du nicht?«

»Nicht in diesem Fall. Hör zu, Leah. Meine Eltern möchten dich wirklich gern sehen. Sie haben dich vermisst – wir alle. Warum kommst du nicht einfach rein und vergisst den ganzen anderen Kram? Das ist wirklich nicht der passende Zeitpunkt, um eine Szene zu machen.« Er sprach in diesem sanften, schmeichelnden Tonfall, dem sie früher einmal nicht hätte widerstehen können. Dem sie in seinem Zimmer in Belgien nicht hatte widerstehen können. Jetzt klang er beinahe quengelnd, irgendwie erbärmlich. Er nahm ihre Hand und strich mit dem Daumen über ihre Fingerknöchel. Sie wartete auf die Hitze, die seiner Berührung sonst stets verlässlich folgte, auf das Kribbeln, das ihr gleich wie eine Gänsehaut über den ganzen Körper laufen würde. Aber nichts geschah.

»Da hast du recht«, sagte sie, nun ganz ruhig. Sie entzog ihm ihre Hand. »Ich habe keine Szenen mehr zu machen. Dir jedenfalls nicht. Du hast mich die ganze Zeit über, die wir zusammen waren, mit deiner Stiefschwester betrogen, und dann hast du mich noch dazu genötigt, das Ganze geheim zu halten. Deine ganze Familie zu belügen – deine Eltern, die ich immer sehr gemocht und geschätzt habe, und die es ganz gewiss nicht verdienen, einen Sohn wie dich zu haben. Was bist du eigentlich für ein Arschloch, Ryan?« Sie schüttelte ungläubig den Kopf. Hinter ihnen im Flur nahm sie eine Bewegung wahr, und das schockierte Schweigen eines Menschen, der etwas gehört hat, das er kaum fassen kann.

»Leah, nicht so laut, verdammt noch mal!«, fauchte Ryan wütend.

»Zu spät, wie's aussieht«, entgegnete sie kühl. »Wiedersehen, Ryan. Erwarte nicht, je wieder von mir zu hören, und versuch ja nie – *niemals* – wieder, Kontakt zu mir aufzunehmen.« Sie kehrte ihm und seiner ungläubigen Miene den Rücken und ging die Treppe hinunter zum Tor. Ein paar Schritte davor blieb sie stehen und drehte sich um. »Der Soldat heißt Robin Durrant. Er war ein Sträfling. Anhand dieser Informationen kannst du gerne versuchen, noch lebende Verwandte zu ermitteln, aber ich bezweifle, dass es welche gibt. Und ansonsten wirst du wohl warten müssen, bis mein Buch erscheint!«, rief sie.

Ihr Gang fühlte sich federnd an, ihre Beine streckten sich zu langen, zielstrebigen Schritten, als sie davonging, ohne sich noch einmal umzudrehen. Sie spürte eine verzweifelte Ungeduld, doch es war nicht nur wegen Ryan, von dem sie nur schnell fortkommen wollte. Nein, da war jemand anderes, zu dem sie so rasch wie möglich zurückkehren wollte. Sie hoffte, dass es noch nicht zu spät war, holte ihr Handy aus der Handtasche und tippte mit fahrigen Fingern seine Nummer ein. Sie drückte eine falsche Taste, musste von vorn anfangen und fluchte leise. Eine Hupe ertönte auf der gegenüberliegenden Straßenseite und ließ sie zusammenschrecken. Sie blickte auf und sah einen vertrauten, schlammbespritzten Renault, der zwanzig Meter von der Einfahrt entfernt parkte. Mark winkte ihr vom Fahrersitz aus zu, und sein Blick war besorgt, aber er grinste. Ein wunderbares Gefühl der Erleichterung stieg in Leah auf und zeigte sich als ein strahlendes Lächeln auf ihrem Gesicht. Sie winkte zurück. Ihre Schritte waren federleicht vor Glück, als sie die Straße überquerte und zu ihm lief.

1911

Das Wetter schlägt um, der Herbst stiehlt sich mit spürbar kühlerer Morgenluft herein und überzieht die Blätter der Bäume mit einem Hauch von Bronze, Gold und Braun. Tess spaziert den Treidelpfad entlang nach Thatcham, um zwei Briefe von Mrs. Canning aufzugeben. Sie sagt sich die Wegbeschreibung immer wieder vor, weil sie fürchtet, sich zu verlaufen oder auf dem Rückweg das Pfarrhaus nicht wiederzufinden. Sie hat ihre neue Stellung erst vor zwei Wochen angetreten, und alles ist ihr noch fremd: von der weiten, offenen Landschaft um sie herum über die Stille und Ruhe bis hin zu den guten warmen Mahlzeiten nach den vielen Monaten voll Grausamkeit und Entbehrungen in Holloway und Frosham House. Sie kann nicht anders, als alles zu essen, was man ihr vorsetzt, und die Kuhle zwischen ihren Hüftknochen ist nicht mehr ganz so tief, Gesicht und Arme werden runder. Sophie Bell scheint sich darüber zu freuen. Die Köchin redet nicht viel, und ihr Mondgesicht wirkt von Kummer verhärmt, aber sie lächelt Tess an, tätschelt ihr hin und wieder die Schulter und behandelt sie gut. Hauptsächlich gilt ihre Aufmerksamkeit aber einer kleinen schwarz-weißen Katze, einer mageren Streunerin, die ein paar Wochen zuvor an der Küchentür erschien. Sophie hat sich ihrer angenommen und kümmert sich mit beinahe abergläubischer Hingabe um das Tier. Sie gibt ihm Sahne aus einer Untertasse zu trinken und hebt ihm die Fleischabschnitte auf, wenn sie Nierenpastete macht. Sophie Bell hat dem Kätzchen keinen Namen gegeben, sie ruft es einfach »Katze« – Cat.

Hester Canning scheint eine seltsame Frau zu sein, furchtbar nervös und unruhig, aber sie bemüht sich sichtlich, Tess das Gefühl zu geben, dass sie an diesem Ort sicher und willkommen ist. Sie ist sanft und freundlich, ganz anders als der Gentleman oder Mrs. Heddingly. Und als die vielen verschiedenen Wärterinnen und Aufseher, unter denen Tess in letzter Zeit gelitten hat. Hester Canning spricht und bewegt sich, als hätte sie Angst, etwas zu wecken, das unsichtbar in einer Ecke des Raums schläft. Oft hält sie eine Hand schützend vor ihre Mitte, und Tess fragt sich, ob sie guter Hoffnung sein könnte. Das wäre wunderbar, denn ein Kind ist genau das, was dieses Haus braucht, damit es ein wenig fröhlicher wird.

Der Pfarrer ist ein abwesender und schweigsamer Mann. Er hat noch keine zwei Worte zu Tess gesprochen und scheint ihre Ankunft gar nicht zur Kenntnis genommen zu haben. Das macht Tess nichts aus. Sie hat in den vergangenen schweren Monaten zu viel gesehen und kein großes Vertrauen mehr zu Männern – nicht einmal zu einem Geistlichen. Der Haushalt scheint auch ohne sein Zutun wie am Schnürchen zu laufen. Und überall im Haus, nie erwähnt und doch stets präsent, spürt man Cats Abwesenheit. Die Polizei hat ihren letzten Brief an Tess gefunden, in der Tasche irgendwo auf der Wiese. So hat sie ihn schließlich doch bekommen, nachdem sie in Cold Ash Holt eingetroffen war und vom Tod ihrer Freundin erfahren hatte. Eine Botschaft von jenseits des Grabes – die Tess wieder zum Weinen gebracht hat, kaum dass der erste Sturm der Trauer vorübergezogen war. Tess ist hier, weil Cat nicht mehr da ist. Alle im Pfarrhaus wissen das, und Tess fragt sich, ob das für immer so bleiben wird.

Sie holt tief Luft und schluckt beim Gedanken an ihre ermordete Freundin frische Tränen herunter. Sie weigert sich, über die schuldlose Wiese zu gehen, auf der es passiert ist. Lieber nimmt sie die längere Strecke in Kauf, den Feldweg entlang und dann auf den Treidelpfad bei der Brücke. Niemand weist sie darauf hin, dass es anders besser wäre. Falls Cats Geist irgendwo sein sollte, dann spukt er auf dieser Wiese umher und beklagt sich zornig darüber, wie nah sie der Freiheit schon war, wie kurz davor, ihr neues Leben zu beginnen. Warum auch immer sie sich an jenem Morgen mit dem Theosophen getroffen hat – wenn sie das nicht getan hätte, wenn sie einfach schnurstracks weitergegangen wäre zu George, dann wäre sie jetzt mit ihm zusammen und würde lieben und lachen und diese leuchtende Kraft ausstrahlen, von der Tess einst angezogen wurde wie die Gezeiten vom Mond. Diese Ungerechtigkeit ist so gewaltig und bitter, dass Tess zu wütend auf Gott ist, um am Ende des Gottesdienstes das Vaterunser zu sprechen. Ihre Augen bleiben offen, ihre Lippen sind versiegelt. Als sie eines Morgens kurz nach ihrer Ankunft den Nachttopf hervorholen wollte, hat sie unter dem Bett ein kleines Kruzifix aus Messing gefunden. Einen Moment lang hat sie überlegt und es schließlich dort liegen lassen. Nach dem, was Cat widerfahren ist, wird Gott sich für Tess erst wieder bewähren müssen.

Sie geht weiter, und am Kanal tauchen die ersten Gebäude der Ortschaft auf. Sie hört Stimmen, Gelächter und Aufspritzen von Wasser. Nervös bleibt sie stehen, zieht ihr Tuch enger um die Schultern und geht dann vorsichtig weiter. An der Brücke, wo sie auf die Straße abbiegen und ihr dann bis in den Ort folgen soll, baden ein paar Jungen, die wohl gerade aus der Schule gekommen sind. Ihre Jacketts und Strohhüte liegen am Ufer im Gras verstreut, und sie veranstalten eine Art improvisierten Schwimmwettbewerb. Ein paar Leute sind stehen geblieben – Männer, Frauen und Kinder beugen sich über die Brücke, um ihnen zuzuschauen. Tess gesellt sich zu ihnen, lächelt erst unsicher und lacht dann über die Possen der Jungen, die jetzt ein Zigaretten-Wettschwimmen veranstalten – wer zweimal ans andere Ufer und wieder zurück schwimmen kann, ohne dass seine Zigarette erlischt, obwohl ringsum reichlich mit Wasser gespritzt wird, der hat gewonnen.

Schließlich wendet Tess sich ab, um ihren Weg fortzusetzen, doch in diesem Moment tuckert von Osten her langsam ein Dampfboot heran. Sie bleibt stehen, um es zu betrachten. Der Bootsmann pfeift schrill durch die Finger, und die Jungen machen ihm Platz und krabbeln zu beiden Seiten aus dem Kanal ans Ufer. Das Boot ist alt und ziemlich mitgenommen, in Wolken von Dampf und Rauch gehüllt. Aber es hat einen frischen Anstrich, wenn auch nur halb fertig. Die Kabine ist in Zigeunerfarben bemalt – grün und rot und gelb. An den Seiten blättert noch die alte Farbe ab, nur der Name des Schiffs hebt sich frisch und weiß vor dem dunkelblauen Hintergrund ab. *Black Cat.* Tess' Herz macht einen Satz, und sie stürzt zurück zum Brückengeländer, um besser sehen zu können. Der Mann am Steuer ist wettergegerbt und kräftig gebaut. Er lächelt und dankt den Jungs im Vorbeifahren, doch seine Augen bleiben traurig. Tess kann den Blick nicht von ihm losreißen, sie hat plötzlich das Gefühl, ihn zu kennen – es ist so mächtig, dass sie beinahe nach ihm ruft, als er ganz dicht unter ihr vorbeikommt. Tess schaut ihm nach, bis das Boot außer Sicht treibt, und auf einmal spürt sie eine tiefe Ruhe. Die Herbstsonne scheint ihr sanft ins Gesicht, und sie spaziert weiter nach Thatcham hinein mit dem Gefühl, dass alles gut wird. Dass es ihr gut ergehen wird. Und es fühlt sich an, als ginge eine Freundin neben ihr her.

DANKSAGUNG

Meine Liebe und mein Dank gelten Mum und Dad, Charlie und Luke für ihre Unterstützung, ihre Geduld und Ermunterung; meiner wunderbaren Lektorin Sara O'Keeffe für all ihre harte Arbeit und ihren Weitblick und meiner ebenso wunderbaren Agentin Nicola Barr dafür, dass sie gelesen, offen gesprochen und mich beraten hat. Schließlich danke ich Ranald Leask von der Commonwealth War Graves Commission, der meine Fragen zu seiner Tätigkeit und deren Abläufe beantwortet hat.

ANMERKUNG

Zum besseren Verständnis der Theosophie habe ich vor allem *Theosophie* von Rudolf Steiner (1904), *Der Schlüssel zur Theosophie* von Helena Petrovna Blavatsky (1889) und *Das geheime Leben der Natur* von Peter Tompkins (1998) herangezogen. Einen hervorragenden Überblick bietet auch John M. Lynch in seiner Einführung zur 2006 bei Bison erschienenen Ausgabe von *The Coming of the Fairies* von Sir Arthur Conan Doyle. Jegliche Fehler in der Interpretation der theosophischen Lehre sind allein mir und Robin Durrant geschuldet.

Cats Erfahrung mit der Zwangsernährung basiert auf einem Bericht über deren Anwendung im *British Medical Journal* vom August 1912 und den Schilderungen in Mary R. Richardsons Autobiografie *Laugh a Defiance* (1953).

Einige der Orte und Gebäude in der Umgebung von Thatcham, die in diesem Roman vorkommen, gibt es tatsächlich, so auch die Bluecoat School, und einige der Informationen darüber sind historisch korrekt. Die Geschichten und Charaktere hingegen, die ich mit ihnen verbunden habe, sind frei erfunden.